黄河趣话

孙继芬 主编

北京科学技术出版社

图书在版编目（CIP）数据

黄河医话 / 孙继芬主编. —北京：北京科学技术出版社，2014.12（2021.10 重印）
ISBN 978-7-5304-7501-0

Ⅰ.①黄… Ⅱ.①孙… Ⅲ.①医话—汇编—中国—现代 Ⅳ.① R249.7

中国版本图书馆 CIP 数据核字（2014）第 249907 号

策划编辑：侍　伟
责任编辑：章　健　赵　晶　王　微
责任校对：贾　荣
装帧设计：蒋宏工作室
责任印制：李　茗
出 版 人：曾庆宇
出版发行：北京科学技术出版社
社　　址：北京西直门南大街16号
邮政编码：100035
电　　话：0086-10-66135495（总编室）　　0086-10-66113227（发行部）
网　　址：www.bkydw.cn
印　　刷：三河国新印装有限公司
开　　本：710 mm×1000 mm　1/16
字　　数：570 千字
印　　张：30.75
版　　次：2014年12月第1版
印　　次：2021年10月第3次印刷
ISBN 978-7-5304-7501-0

定　　价：66.00元

胡　序

　　中华全国中医学会中医理论整理研究会组织编写的《北方医话》《南方医话》《燕山医话》《长江医话》《黄河医话》等五部反映我国近代中医学术进展的著述，经过两年多的时间，已经完成。

　　这五部医话，全国有五千余人参加撰稿，最后审定近三百万字。撰稿者，既有名老中医，又有学术上已近成熟的中年中医科技工作者，这个事实本身，就标志着我国中医界学术上的兴旺繁荣，是十分令人欣喜的。

　　我希望：像这样的理论和临床实践相结合的整理研究工作，今后能够继续开展下去。

　　当本书即将出版之时，编委会要我写几句话，特书之以共勉。

胡熙明

1985 年 10 月

谭 序

为了继承现代名老中医的学术经验，总结学有卓识的中年中医师的学术成就，中医理论整理研究会组织全国中医师参加征稿，编著《黄河医话》《长江医话》《燕山医话》《南方医话》《北方医话》，这项工作的意义十分重大而深远。

中国，是世界文明古国，中医药学就是我国古代文明中的一颗璀璨夺目的明珠。历史的发展将继续证明，勤劳智慧的中华民族对世界作出的新贡献，中医药学将是其中重要的组成部分。

希望中医药学术界的专家，不断创造出新的成绩，及时地将这些成就加以总结，升华为理论，丰富发展中医药学术体系，更好地为我国人民的保健事业服务，为人类健康长寿作出贡献。

中华人民共和国卫生部副部长　谭云鹤

1984 年 10 月 1 日　北京

裴　序

　　中医药学典籍浩如烟海，绚丽夺目。总结现代中医实践经验，编著成书，无疑地是为祖国医药瑰宝增光加彩。

　　这项总结、整理、研究工作，全国中医约有五千余人参加，经过了严格的审稿、统稿程序，在短短的两年多时间里，完成近三百万字著述，这实在是集体智慧的结晶。我为这部书的出版，感到由衷地高兴。

　　我希望中医药学界的科学技术工作者，继这部书出版之后，在不久的将来，还有新的著述问世。当此巨著出版之际，仅写上面一些话，表示祝贺。

中国科学技术协会副主席　裴丽生

1985 年 10 月 28 日

序

　　奔腾呼啸的黄河是中华民族的象征，她从青藏高原，流经八省区，东入渤海。黄河流域是中华民族文化的摇篮，是中医学术发祥昌盛之地。数千年来，地灵人杰，群星灿烂，自远古的神农、黄帝、岐伯，到汉代名医仓公、医圣张仲景，晋代著名针灸学家皇甫谧、脉学家王叔和，唐代中医药学家孙思邈，明代妇科大师傅青主，以及近代名医马海如、张汉祥、古拿（蒙医）、陈清濂、黄竹斋、李翰卿、石冠卿、刘惠民等，他们生养于斯土，奉献于斯土。他们承先启后，探幽发微，在我国中医药发展史上留下了光辉成就。建国以来，黄河流域八省区的中医药工作者，继往开来，努力攀登，在长期的理论研究和临床实践中辛勤探索，一些新成就、新经验不断推出。为了提高祖国医学水平，不断促进医药科学的发展，在整理中医药经典著作的同时，还要珍视现代学术经验、学术成果的总结和继承，使这些宝贵的财富流传后世，造福于人民。因此，我们在中华全国中医学会中医理论整理研究会的统一组织下，编写了这部《黄河医话》。其目的，在于将黄河流域八省区中医同仁在临床实践和理论研究诸方面的成就，进行一次总结交流。

本书采用医话体，每篇不过千字左右，虽尺幅之言，但临床经验、研究心得均跃然其中。黄河流域地处我国南北交界地带，四季分明，春温、夏热、秋燥、冬寒，她虽不如北方冬季严寒，但也不乏凛冽寒风，夏季酷热，虽无南方的潮湿，人们常因贪凉饮冷，患湿病者也不乏其人。因此，伤寒、温病、外感、内伤，内、妇、儿、外诸病种，又有黄河流域不同其他地区的特点。所述案例因人、因时、因地而异，或古为今用，或弘扬新说，常中有变，奇中寓常，还有蒙医、藏医的真知灼见，所有这些反映了黄河流域八省区中医界百花争艳、百家争鸣的学术特色。淘沙集金，颇值一读。

本书征稿工作从 1984 年底开始，得到了青海、甘肃、宁夏、内蒙、陕西、山西、河南、山东等八省区卫生厅（局）与中医学会的大力支持、通力合作。截至 1985 年 6 月底止，共收到稿件 2700 余份，约 200 万字。但因本书篇幅有限，只得好中择优，忍痛割爱。1985 年 10 月，全体编委集中咸阳，在各省初审筛选的基础上，对每篇稿件经过认真的 3 次审议，决定最终取舍，辑成本书的第一稿。此后，主编孙继芬和副主编董平、张文阁、张殿民等，根据出版社的要求对本书稿的部分稿件作了适当的修改。1988 年 6 月，主编孙继芬又根据中华全国中医学会专家审阅意见和出版社的要求，对书稿进行了技术性的审编工作。

编写这样一部内容丰富、兼收中医各家各学

科的集体著作，是一个难度较大的工程，由于我们水平有限，经验不足，疵瑕谬误自谅匪鲜，诚望广大读者批评指正。

在本书编写过程中，还得到西安市卫生局、西安市西医离职学习中医班，以及黄河流域八省区的许多专家学者的大力支持，在此一并致谢！

《黄河医话》编委会

前　言

为了从多方面总结交流全国各地名老中医、部分中年中医师的各科临床经验和理论，中华全国中医学会中医理论整理研究会决定组织编写：

《燕山医话》（北京地区）。

《黄河医话》（陕、甘、宁、晋、鲁、豫、青、蒙）。

《长江医话》（川、藏、滇、鄂、湘、赣、皖、苏、沪）。

《北方医话》（辽、吉、黑、津、冀、疆）。

《南方医话》（浙、闽、黔、粤、桂、台）。

全国各级医疗、研究、教学单位的中医工作者，积极总结自己的临床经验，踊跃参加征稿活动。

医话内容，包括内科、妇科、外科、儿科、方药、针灸……，凡能用医话形式表达的，皆可撰写。

《五部医话》运用医话随笔体裁；所收载的文稿，大多具有短小精悍、内容充实、学术上有新的建树和较强的实用价值等特点。

作者除 55 岁以上的名老中医外，还收录了部分中年中医师（指 1966 年前高等中医院校毕业或具同等学历者）的文稿。

本丛书的编写，得到了卫生部谭云鹤副部长的鼓励和支持；书稿完成后，卫生部胡熙明副部长应本书编委会邀请，为之作序。

各部医话均成立了编委会，施行主编负责制。编委们认真审稿，层层把关，在提高书稿质量方面，作了大量工作。

在编写经费方面，得到了辽宁省本溪市第三制药厂对各部医话编委会的经费赞助。

五部医话在编写过程中，得到了各省、市、自治区卫生厅（局），各级中医学会以及主编所在单位的积极支持。各部医话的主编、副主编、编委，克服种种困难，创造条件，出色地完成了组稿、编审等各项工作。从本书的报批选题开始，一直到完稿，全过程中，得到了北京科学技术出版社傅亿伸社长和韩丽娟副总编辑的热情指导，在此一并致谢。

各编委会统定稿后，中医理论整理研究会学术秘书组又聘请若干位国内中医各学科的专家，认真审阅，提出了宝贵的删修意见。

尽管在编写过程中作了多方面的努力，但由于时间仓促，水平有限，错误和缺点在所难免，深望海内外热心中医药学术的专家、读者，随时提出批评指正意见。

学术秘书组

1985 年 12 月 3 日

目录

论医者当通哲理　|张灿玾|

　　自古医家，无不重视有关哲理的学习和研究，以从中吸取科学的思想，阐明医学方面的问题，并将其观点和方法，作为认识医学客体的方法来运用。这对医学理论的形成与发展，起到了积极的指导作用。我国最早的医学经典著作《黄帝内经》就是一个典型的代表。书中充分体现了西汉以前的唯物观和辩证法，如阴阳五行学说、气一元论的物质观、变化观、运动观、整体观等。它集古代医理与哲理之大成，从而形成了祖国医学独特的理论体系。正由于此，它当之无愧地成为千年不朽之经典。唐代大医家孙思邈曾提出，要想成为真正有才学的大医，除学习医学名著外，尚需学习《易经》《老子》《庄子》等哲理书籍。明代大医家张介宾进一步指出："天地之道，以阴阳二气而造化万物，人生之理，以阴阳二气而长养百骸。《易》者，易也，具阴阳动静之妙。医者，意也，合阴阳消长之机。虽阴阳已备于《内经》，而变化莫大乎《周易》。故曰天人一理者，一此阴阳也。医《易》同源者，同此变化也。岂非医《易》相通，理无二致，可以医而不知《易》乎！"（《类经附翼·医易义》）这是两位旷代医家取得成功的精深体验。后世医家如唐宗海著《医易·通说》，邵同珍著《医易一理》，都无不强调医哲二者的密切联系。

　　《易经》是我国现存最早的反映事物变化规律、含有丰富的辩证法思想的一部著作。古代医学家为了寻求真理，摆脱神学、迷信思想的束缚，推动学术的发展，准确地反映客观事物规律性，应用和借助于当时哲理学的帮助，这是必然的。祖国医学与古代的科学哲理结成盟友，使祖国医学的发展始终遵循着一条健康的大道。其理论历千年的实践而颠扑不破，证明了其中蕴涵的丰富的哲理和科学性，这是我们必须继承研究的宝贵财富。

　　恩格斯说："不管自然科学家采取什么样的态度，他们还是得受哲学的支配。问题在于，他们是愿意受某种坏的时髦哲学的支配，还是愿意受一种建立在通晓思维的历史和成就的基础上的理论思维的支配"（《自然辩证法·自然科学和哲学》）。古代如是，今天也如是，其他自然科学如是，医学亦不例外。故我们在继承发扬祖国医药学遗产、进行传统的中医理论的研讨时，只有自觉地以马克思主义理论为指导，精通科学的哲学理论，才能准确地探讨其中的精华所在，并使之在现代不断地得到科学的发展。

整体观念不能抛弃人与社会的关系　　|傅贞亮|

　　整体观念作为中医学的一个重要特点，被人们所接受，它源于《内经》，通过整理，编入了高等中医教育的教科书，本来是无可非议的。但整体观念应该包括哪些内容，则是值得研究的。通常皆以人与自然的联系、人是一个有机的整体两项内容立论。这就抛弃了人与社会联系这一重要方面，失去了《内经》全面论述的精神。《内经》论述这一内容时，总是天、地、人并提，而其中的"人"字，决不是仅指人的自身，而且包括了人与人的关系。如《素问·阴阳应象大论篇》："中傍人事以养五脏"句，即是此意。他如情志致病等内容，也反映了这一精神。正如《素问·疏五过论篇》所云："凡诊者，必知终始……离绝菀结，忧恐喜怒，五脏空虚，血气离守，工不能知，何术之语"。因此，人与社会的关系是中医学整体观念的重要组成部分，进一步讲，甚至是其特色之一。丢弃这一点是理论上的一个很大的损失。对此应该引起重视。

冬至一阳生，夏至一阴生　　|王与贤|

　　《寓意草》有"冬至一阳初生，则葭管飞灰，夏至一阴初生，则萎蜩迭应"之论。物候之感应如此，对人体之病理影响，亦颇显著，临床诊断不可不察也。曾治岳某某，男，40岁。病已七八年之久，症见发热，头晕欲倒，胃纳呆，神疲乏力，脉沉弦；显系阳气亏虚之候。多年来发病有一定规律，每到冬至以后，身体自然好转，不需用药；一到夏至，则发病。来诊正值发病期间，究其多年来所以有冬至后安，夏至后甚之症情，系因冬至一阳生，阳气来复，病家阳虚之体得天地复生之阳气资助，有所恢复，是以好转；夏至一阴生，阳始衰而阴气生，病家已虚之阳，复受天地渐生之阴的郁遏，愈加不堪其用，是以发病。遂予附子理中汤加茯苓、白芍以扶阳抑阴。服3剂后，患者头晕、身热等症退去，饮食增加。惟余腰腿酸软，予附子理中汤合金匮肾气汤加鹿茸、巴戟天、菟丝子、女贞子、枸杞子，连服十余剂，后改汤为丸剂，连服3个月左右，多年夏至发病之患，竟然痊愈。

　　另一中年男性患者，十多年来反复发病，头晕腰重，胸腹胀满，睡眠不佳，虽然能食，但消化困难，大便不爽，口燥咽干。某医院确诊为神经官能症，低血压。多年来每到冬至后发病，症见头晕，腰痛，咽喉干燥，胸闷气短，食后易饥，脉数大，舌红苔少，属明显阴虚之象。往年发病均是冬至后开始，夏至以后缓解。余思阴虚之体，遇夏至一阴生，阴虚而得新生阴气之助，故病情好转；冬至一阳生而阴始衰，阴虚不胜复阳之势，故病多发作。拟以壮水生津、滋养胃阴为法，方用沙参麦冬饮加生地黄、玄参、女贞子等滋阴配阳，连服5剂后，胃纳明显好转，但胸闷、少气、太息却迟迟难愈，且右脉数大，乃知阴久虚而损及阳气。用上方加黄芪60g、升麻、柴胡少许为引，连服两月余，多年来"冬至"所发之病痊愈。

中医临床辨证每因人、因地、因时而异，此2例患者辨证的关键是症状与二至节气有特定联系，据此作为审因、辨证、选方之依据。阳虚之病，虽烈日炎暑，重用桂、附、干姜，不仅不热，反将以往之虚热退去；阴虚之病，虽隆冬严寒，大剂麦冬、地黄、玄参服用，反而胃气好转，精神爽健。

关于"冬至一阳生，夏至一阴生"对人体生理与病理变化的影响，余经多年观察，并非少见，只是很少为人注意。中医以人与自然相统一为基本前提，余认为上述问题值得进一步观察和研究。

时间变化节律与疾病之证治 　　|石冠卿|

《灵枢·岁露》云："人与天地相参也，与日月相应也。"《素问·宝命全形论篇》亦云："人以天地之气生，四时之法成。"此两条经文均言人与自然变化之密切关系。春温夏热，秋凉冬寒，一年之中，季更气易。自然界与人身之气息息相通，与疾病之证治休戚相关。然一日之气亦无不如此。一日之中，夜半子时为阴极阳生，日中午时为阳极阴生。人体阴阳之气与自然界阴阳之气相应，故临证切勿忽视时间变化的节律性与人体之联系，即辨证论治要注意"因时制宜"。

余曾于壬戌年七月治一女性患者，自诉6年前曾患咳嗽哮喘，经服中药治愈。近日旧恙复作，每晨5时咳嗽喘促，痰鸣漉漉，不能平卧，然移时则减，喉部有紧缩感，似物梗塞，吐之不出，咽之不下，脉沉细无力，苔薄白。窃以为气郁痰结之半夏厚朴汤证，遂于原方加旋覆花、桔梗、陈皮等豁痰理气之味。服之，不但无效，反增咽干微痛之苦。折肱三思，药对斯证，莫非诊断有误？再详询其症，每于五更始作为其规律，方悟斯证与时间节律相关。重温经旨，顿开茅塞；天人相应，阴阳相关，晨 5 时乃卯时，阴衰阳微。患者向有旧疾，从脉象可知肾阴肾阳俱弱。卯时又为肾气最弱之时，元阳不足，摄纳无力，气不归原，虚阳上奔，肺受其冲而失肃降，则发咳喘。过卯时则肾气渐充，摄纳自强，金脏自可肃降，咳喘亦已。故易都气丸加怀牛膝以补肾纳气，并加紫菀、川贝母，肃降肺气，使其下交于肾。服药 3 剂，病愈大半，喉痛若失。药既中病，继服 5 剂之后，病愈脉平。由此例治验，余进一步认识到了祖国医学"整体观"的科学性及其对临床的指导意义。

肺 与 皮 毛 |李心正|

　　"肺主皮毛"之说最早见于《素问·阴阳应象大论篇》。这一理论主要阐明了肺与皮毛之间紧密相连的生理关系。在脏腑生理中，皮毛的功能有赖于肺气的作用，故《灵枢·决气》篇曰："上焦开发，宣五谷味，薰肤，充身，泽毛，若雾露之溉……"，即指出肺气对皮毛的润养作用。反之，皮毛做为人体的外围组织，除了有抗御外邪的作用外，还能协助肺脏"宣发肺气"。汗孔毛窍做为气门，具有散气、调节呼吸和排泄废物（汗）的作用，因此，"肺主皮毛"与"皮毛宣肺气"二者在生理上是息息相关的，在病理上是互相影响的。

　　余曾治患者张某，全身遍起斑块隐疹，高出皮肤，如云朵拱起，时隐时现，搔痒异常，发作时伴有胸闷憋气，反复缠绵一月余。曾在某医院诊为"荨麻疹"，给予多种西药治疗，并服活血祛风之中药二十余剂和多种外洗药洗熨，均未见效。斑块此起彼伏，至夜则愈加严重，反侧不寐，大便干结，舌赤、苔薄黄，脉浮数。既知活血祛风之法不效，则宜更法，乃以宣通肺气法试之。予葛根泻白散加减：葛根 30g、桑白皮 12g、杏仁 10g、地骨皮 12g、麻黄 7g、防风 12g、蝉蜕 10g、大黄 9g、甘草 7g，水煎服。服上方 6 剂后，疹块消失，痒止，未再起新生斑块，且大便畅通，胸闷减轻，为巩固疗效，守原方继服 3 剂，1 个月后随访，已完全正常。我在诊治本病时掌握了两条原则：即一宣肺气，二通腑气。所以在葛根泻白散中加麻黄、杏仁以宣利肺气，防风、蝉蜕祛风散邪兼以止痒，再加大黄者，是根据"肺与大肠相表里"的道理，以使腑气通降而使肺气畅达宣肃，升降并用，肺气得畅，使卫气通达皮毛而助卫外之功，故使贼风以散，诸恙安息。

"凡十一脏，取决于胆也" 疏证

|牛东生|

《素问·六节脏象论篇》说："凡十一脏，取决于胆也"。历代医家争议颇多，不少人囿于"取决于"一词，而理解为胆为五脏六腑之主宰。如李杲说："胆者，少阳春生之气，春气升则万化安，故胆气春生，则余脏从之，所以十一脏取决于胆也"。景岳、志聪、高士宗等也借题发挥，非但没有彰明经意，反而求深反晦，造成了迄今为止中医脏腑理论的一些混乱。

《素问·灵兰秘典论篇》曰："胆者，中正之官，决断出焉"；《灵枢·本输》曰："胆者，中精之府"；《素问·五脏别论篇》曰："脑、髓、骨、脉、胆……藏而不泻，名曰奇恒之府"。综观《内经》对胆的论述，主要有：

（1）其性刚正果决，不偏不倚，为中正之官；

（2）附于肝，与肝为表里。肝主谋虑，胆主决断，肝胆同济，勇敢乃成；

（3）为中精之府，藏清净之液（胆汁）。

所以余认为，"凡十一脏，取决于胆也"并无深奥含意，只不过是说五脏六腑都要从胆取得决断功能。"决"者，决断也。

我们还可以从另一段经文得到启发。《素问·奇病论篇》曰："夫肝者，中之将也，取决于胆……此人者数谋虑而不决，故胆虚"。景岳注曰："夫谋虑在肝，无胆不决，故肝为中之将，而取决于胆"。志聪："肝为将军之官，谋虑出焉；胆者中正之官，决断出焉。夫谋虑在肝，决断在胆，故肝为中之将，而取决于胆也……谋虑不决，则肝气郁而胆气虚矣。"高士宗："胆居肝内，肝主谋虑，故取决于胆……夫肝谋虑，胆决断，是肝胆之气相使而不得相失"。

显然，"取决于胆"是说从胆取得决断功能。不难理解，"凡十一脏，取决于胆也"是讲五脏六腑从胆取得决断功能，并没有"胆为五脏六腑之主宰"的含义。盖脏象功能，胆坛其首，于理难通。何况，《素问·灵兰秘典论篇》已明确"心者，君主之官"，《灵枢·邪客》篇也说："心者，五脏六腑之大主"，怎么可能复推胆为主宰者，而要十一脏皆取决于它呢？

（汪辉东　整理）

气为人体一切物质之帅

尹锡泰

"气为血之帅"，乃医所常道。证之临床实践，千真万确，无须再议。但我以为仅谓气血关系如此，甚属不够。应该说气不仅为血之帅，而且是人体一切有形物质（涕、泪、口涎、食、精、二便）之帅。

六经为川，川流不息。肠胃为海，饮食营养之所居。九窍为水注之气，滋润固摄之所能。它们无不依赖于气的温煦与统帅而发挥其储藏、营周输布以及濡养人体脏腑组织器官的生理作用。

气贵流通，外邪袭人或七情内伤，气行由之窒滞，所谓"百病皆生于气"。气滞于内，则痰生、水结、食停、便秘，变证迭出。气失布化于外，头面清窍之地，涕泪浊邪乃生。肌腠皮毛之门，启闭开合顿失，如此等等。治疗大法，首重辛散通达以理气分。药如麻黄、桂枝、荆芥、防风、紫苏、桔梗、细辛、生姜之类。次重苦温以行气开结。药如枳实、厚朴、橘皮、杏仁、木香、沉香之辈。务使气行畅达，使邪随气行，循孔窍而排泄于体外。我们平常所说的发汗理气，实则是通气布津而已。当然，还要针对痰、水、食、便等有形之邪所在的部位以及寒热的属性，配伍相应的药物，或相须以为用，或相反以相成，共同完成疏通气滞，祛邪愈病的作用。

气宜充盈，气充不仅可以化生、营运物质，而且可以有规律地排泄糟粕。所谓"气化则能出""谷气津液已行，营卫大通，乃化糟粕，以次传下"，舍气则无能为功。气虚则一切物质无所主，形成内而积滞不行，外而漏泄不守。故有"塞因塞用""益气固摄"诸治疗大法。例如气虚胀满，用益气则塞（胀满）开。气虚九窍漏泄，用补气则固守复。至于益气用药大法，首重甘温，如党参、黄芪、白术、山药、枸杞子、甘草、大枣等。次重温阳，如附子、干姜、肉桂、补骨脂等。配伍或合填精，如熟地黄、白芍、山茱萸、阿胶。或合收涩，如五味子、益智、乌梅、牡蛎，随宜选用。必使气能得益，则阴不外泄；阴能内守，斯气生有源。

前人说，"百病皆由痰作祟"。不妨再续一语，"有形总缘气生灾"。治疗有形之病，莫忘无形之气。

"四肢为诸阳之本"辨 | 刘昭纯 |

《素问·阳明脉解篇》曰："四肢者，诸阳之本也"。古今注家，各持己见。王冰云："阳受气于四肢，故四肢为诸阳之本。"高士宗云："手之三阳，从手走头；足之三阳，从头走足。故四肢者，诸阳之本也。"近人有谓"本"为"末"之误者。余以为该句经文的"本"字可解作"标志""象征"等，即四肢为人体阳气的标志、象征，可以体现人体阳气的盛衰。换言之，人体阳气的盛衰，可验之于四肢。其证有三：

《灵枢·五变》篇云："何以候骨之大小……少俞答曰：颧骨者，骨之本也。颧大则骨大，颧小则骨小。"张景岳注："目下曰颧，周身骨骼大小可验于此也。"显然，此"本"字当解作"标志""象征"，即言颧骨是周身骨骼的象征，此骨大，周身骨皆大；此骨小，周身骨皆小。此证一也。

《灵枢·经脉》篇说："唇舌者，肌肉之本也"。《难经·二十四难》说："口唇者，肌肉之本也"，即以"本"字说明口唇是周身肌肉的标志、象征。此证二也。

《素问·六节藏象论篇》曰："肺者，气之本"。明者自知，气生成多少，与先天之精气是否充足，饮食营养是否丰富，肺脾肾三脏的功能是否正常有密切关系，其中脾胃的受纳与运化功能尤为重要。故《灵枢·五味》篇曰："谷不入，半日则气衰，一日则气少。"可知肺并非气之本源，亦非一身之气的根本所在。所以言肺为"气之本"者，除了指肺主呼吸以及宣发水谷之气的功能外，主要是因为肺的功能情况常常体现气的盛衰，亦即气的虚实首先表现在肺的功能上。此证三也。

再观《内经》对阳气与四肢关系的论述，诸如《素问·阴阳应象大论篇》曰："清阳实四肢，浊阴归六腑"，《素问·厥论篇》曰："阳气日损，阴气独在，故手足为之寒也""阳气独盛，故手足为之热也"，亦说明人体的阳气并非本源于四肢，而恰恰是四肢的寒热情况体现了人体阳气的盛衰。

"邪气盛则实，精气夺则虚"辨 | 张珍玉 |

"邪气盛则实，精气夺则虚"语出于《素问·通评虚实论篇》。这两句话对虚实的概念作了原则性概括，所以它是虚实辨证的基础。

实证是病因于邪气盛，虚证则是因于精气夺。什么是邪气？邪气是对正气而言。换句话说，凡是能使人发病的因素，都可称邪气。邪气又有内邪、外邪的不同。外邪，如六淫之邪；内邪，如痰饮、郁血、气滞、食积等等即是。精气，则是泛指人体营养物质而言。这里的精气可理解为正气，即真气。《灵枢·刺节真邪》篇说："真气者，所受于天，与谷气并而充身者也"。精气的被劫夺，有因邪气而致者，有因过度消耗而致者。前者为邪气所伤，店者多为劳倦酒色所致。由此可知，"精气夺则虚"的虚，有被邪气所伤及自耗精气两种情况。外邪感身，初起邪气盛，中期则势均力敌，至末期则有两种转归：一是邪盛正衰，病情恶化；一是正复邪退，病情向愈，此时虽然邪气退，正气复，但正气却伤。外邪之所以侵身，是由于"邪之所凑，其气必虚"的原因。这里的"其气必虚"的虚，有暂时和局部及全身之虚的区别。外邪入侵，当身体出现一系列证候时，大多属于邪气实。也就是说，此时以邪气为主要矛盾，治疗时当以祛邪为主。若邪祛正衰，此时以正气衰为主要矛盾，治疗当以扶正为主。在邪盛为主的情况下，当遵"邪不先去，补正亦无益也"的原则。在正虚为主的情况下，当遵"扶正以祛邪方为正法"的原则。因此，在临床上当察疾病之虚实，以定缓急之治。所以张介宾说："所谓缓急者，虚实之缓急也。无虚者，急在邪气，去之不速，留则生变也。多虚者，急在正气，培之不早，临期无济也。"临床上虚实情况是复杂的。既有虚实夹杂（包括虚多实少，或实多虚少，以及表虚里实，表实里虚等），又有虚实真假。在虚实夹杂的病情中，总有其偏重和缓急，不论是上实下虚，或是表实里虚，或是气实血虚等，都要抓偏重缓急而治之。如治气虚外感，当解表以祛邪兼以扶正。至于"大实有羸状，至虚有盛候"的虚实假象，更当细辨。所以明确"邪气盛则实，精气夺则虚"的意义，对指导临床有重要价值。

此外，还有阴阳气血相并所导致的虚实，这种虚实不属于邪气所侵之实证，也非由邪劫夺精气的虚证。而是由于阴或阳，气或血单方面的消耗，而另一方相并所致。如阴虚而阳并之，则阴实而阳虚；血虚而气并之，则血实而气虚。反之亦然。在治疗上，属阴阳者，当根据具体情况阴中求阳或阳中求阴；属血气者，当补气以帅血或补血以养气。

正气存内，邪亦可干　　|傅贞亮|

"正气存内，邪不可干"，作为中医学预防思想的重要观点，每为人所称引，由来已久。然人用其义则往往起于对《内经》原文的片面理解，犯了断章取义之过。对本句原文断章取义之害，实在太大了。一害中医学理论，二误预防思想的全面实践，三不符合实际。既失去了《内经》理论的原貌，又影响了中医学的发展。我之所以说：正气存内邪亦可干，并非标新立异，更不是离经叛道，而是对原文全面考察后的结论。诚然，"正气存内，邪不可干"是《内经》中的话，但它并不是孤立的，而是有前言后语的。在《素问遗篇·刺法论篇》中说："余闻五疫之至，皆相染易，无问大小，病状相似，不施救疗，如何可得不相移易者？岐伯曰：不相染者，正气存内，邪不可干，避其毒气"。这段话把问题交待得清清楚楚，不仅提出"正气存内，邪不可干"，还指出要"避其毒气"。否则，"五疫之至，皆相染易"并非单凭一正气就可以跳出"皆"字的约束。所以人们不可以自恃身体壮实、正气充足而不"避其毒气"，这不是显而易见的道理吗？何况《内经》不少篇章中也体现了这一思想。如《灵枢·五变》篇指出："夫天之生风者……犯者得之，避者得无殆，非求人而人自犯之"。因此，所谓"正气存内，邪不可干"者，须"避其毒气"也。若不"避其毒气"，则正气存内，邪亦可干也。

"有故无殒" 非指孕妇 | 傅贞亮 |

《素问·六元正纪大论篇》云："妇人重身，毒之何如？岐伯曰：有故无殒，亦无殒也。帝曰：愿问其故，何谓也？岐伯曰：大积大聚，其可犯也，衰其大半而止，过者死。"文中提出了两个"无殒"，王冰注云："上无殒，言母必全；亦无殒，言子亦不死也"。自此以降，均以王注为解，致原文精义未能阐明。细玩其意，"有故无殒"一句并非指孕妇而言。因为妇人重身毋须用药，必因有病才能考虑"毒之何如"，此其一；二则"有故"是指有病，有是病必用是药，药来病当，所以对身体无损；三是原文中举了大积大聚为例，以说明虽然是"有故无殒"，但也要掌握"衰其大半而止"的用药分寸。这既不是指孕妇得了积聚，更不是指对孕妇有无损害，而是指男女老少的大积大聚而言。积聚如此，其他疾病当然也是如此。"亦无殒也"一句才是专指"妇人重身，毒之何如"的。意谓根据"有故无殒"的理论，孕妇有了病，用药也是不会有损害的。对母体无损，对胎儿当然也就没有损害了。因此，"有故无殒"是古人通过长期实践总结出来的用药的根据，是普遍适用的一般原则，决不能将它局限于"妇人重身"的狭小范围之内，走出"妇人重身"的范围来考察这一命题，将会发现它包含有值得进一步探讨的、更丰富、更深刻的理论意义。

"有故无殒" | 臧郁文 |

壬戌之春，余友人之女王某妊娠已 6 个月，忽腹痛甚剧，呻吟不绝，急往某院妇产科诊视，医云："胎死腹中，宜急剖而取之。"家属不信，复往另院妇产科诊治，亦不排除胎死腹中，但又疑为"急性阑尾炎"，转外科。经外科确诊为"急性阑尾炎"，建议手术，病家恐惧刀割之苦，要求保守治疗。查患者先由上腹痛渐局限于右下腹，按之痛甚，腹胀、温温欲吐，不思饮食，屈右腿则痛稍减，面色黄，舌苔黄厚，脉象滑数，断为妊娠合并肠痈症。因其痛楚颇剧，先拟针刺以解其痛，取手阳明大肠经之原穴合谷及大肠之下合穴上巨虚，均刺右侧，行泄法约 1 分钟，留针 30 分钟，每 10 分钟行针 1 次，以泄手阳明大肠之热，刺后 5 分钟则痛渐减轻，予服加味大黄牡丹皮汤，日 1 剂，针刺日 2 次，3 日则痛已，遂停药，针刺改为日 1 次，3 次病遂愈。足月生子，妇儿两安。

问曰：妊娠针忌合谷诸穴，而药禁硝磺之类，今君舍禁忌而独用之，病虽愈而或令胎堕，不亦失乎？答曰：针刺合谷、上巨虚治肠痈（阑尾炎），临床有良效。合谷为手阳明大肠之原穴，原者，本原之意也。泄本经之郁热，上巨虚虽属足阳明经，而为手阳明之下合。经云："阳气在合，取合以虚阳邪"。两穴急泄，阳邪速祛。复以大黄牡丹皮汤，以荡涤胃肠之余热，则病去子安，何尝能堕胎也，况经云："有故无殒，亦无殒也。"其是之谓乎！

五夺并非皆不可泻 | 杜雨茂 |

《灵枢·五禁》曾言："形肉已夺，是一夺也；大夺血之后，是二夺也；大汗出之后，是三夺也；大泄之后，是四夺也；新产及大血之后，是五夺也。此皆不可泻"。上述五夺皆属气血津液耗损，所谓精气夺则虚者，遵补虚泻实之常，禁用泻法理所当然。但临证时亦宜活看，不应胶柱鼓瑟。譬如有的病人虽已具五夺之一，但却因有实邪内留，屡用固补而正虚难复者，斯时若能洞察病之本源，主攻邪实，待邪衰之后转而扶正，则病多可治；若泥于"五夺不可泻"之禁,反会延误病情,甚至不可救药。

尝治一妇,年逾六旬,身体虽瘦而精神尚佳,一日忽感胃中不适,泛恶欲吐,进而吐血甚多,夹有食物,旋即人事昏沉,被急送某军医大学附属医院住院救治。诊断为"胃出血",给予止血及输血等对症治疗。血止神清,旬日未见复发,出院回家调治。患者自止血之后即感头昏倦怠,胸脘胀闷,时微刺痛,食欲锐减,大便不畅,脉沉涩,舌淡而略暗,苔薄黄,面黄少华,体更羸瘦。延医治之,皆从大失血后血亏正虚论治,补血汤、八珍汤、归脾汤之属纷投无效,且食纳更减,进食日仅一二两(50~100g),精力愈加不支。邀余诊视,脉证如上。此病人从病因来看显属"精气夺则虚"的虚证,为何用补而无效,其中必有蹊跷。深思良久,方悟此人失血之后,止之过急,离经之血未全排出,留滞胃脘而为瘀血,碍其受纳水谷化生气血之能,故血虚难复而成,实属虚实错杂之证。治此当先活血行瘀,乃予桃核承气汤化裁。处方:桃仁10g、红花6g、酒大黄9g、枳实9g、炙甘草6g、当归尾12g、三七3g。煎服1剂后,先下燥屎,继为黑色黏液腻便。随即脘腹胀减。再进1剂胀痛全消,胃口亦开,日进食约4~5两(200~250g)。遂转用益气养血法,而以化瘀之法为佐。调理月余,康复如初。

壮 火 食 气 |张裕晨|

1980年余在门诊。一日,一青年农民,自诉1个月前因受凉而发高热,3天后身热虽退而心中烦热不解,周身疲乏无力,卧床不起。并觉异常饥饿,口渴善饮,小便短少,大便干,查舌质红,苔黄而干,脉沉有力。此为外邪入里化热,耗伤元气。即《内经》所谓"壮火食气"也。余治以通腑泻热、急下存阴之法,拟方调胃承气汤加减。药用:生大黄12g、芒硝10g(冲)、生甘草6g、生栀子12g、柴胡8g,2剂。

3日后,患者喜悦来告:每服1剂药后均泻下3或4次,泻后自觉烦热减轻,口渴及饥饿感亦明显好转。上方减芒硝,又服2剂,病告痊愈。

学生问曰,此病颇怪,何故也?余曰,《内经》中有"少火生气""壮火食气"一语,少火者,平和造化生机之火也。壮火者,乃亢阳有害之邪火也。此火之成,或因六淫之邪所化,或因五志过极所生,或因脏腑阴阳失调而致。壮火既伤阴液,又耗元气,伐人生机,故曰:"壮火食气"。观此患者,初是外感寒邪,而后寒邪入里化热,成为壮火。壮火炽食,元气被"盛",所以周身疲乏，弱不能支；壮火杀谷伤阴，故能食能饮。调胃承气汤加栀子，苦寒清热，咸寒泄火，导热下行；又少加柴胡发散其所郁之热。壮火一除，元气得复，故力增食减。此所谓"邪去正安"也。倘若不清泄亢盛之火，而误用补益之剂，势必更增邪火，加重病情。由此观之，《内经》之论真金石之言也。

肠澼解 ｜张珍玉｜

肠澼这一病名首见于《内经》，多指赤白痢而言。但《素问·生气通天论篇》却有"肠澼为痔"之论。"澼"字，《集韵》释为"肠间水"，似指泄泻而言。泄泻在《内经》中有濡泄、洞泄、飧泄等不同的名称，《难经》并提出了"五泄"之名。五泄中包括了赤白痢。张仲景称泄泻为下利；赤白痢则曰便脓血。《素问·通评虚实论篇》中有"肠澼便血""肠澼下白沫"及"肠澼便脓血"的不同论述。据此，肠澼为一病，由肠澼而便血，或下白沫，或便脓血。肠澼为何病？肠间有水气，郁积日久，伤及气分则下白沫；伤及血分则下血；若气血两伤则便脓血。《外台秘要》称肠澼为滞下，《千金要方》称肠澼是由于"春伤于风，下为脓血，多滞下也"。明·吴昆明确指出："肠澼，滞下也"。张志聪说："肠澼者，邪澼积于肠间，而为便利也。"吴氏未将澼字加以训释，认为肠澼，即滞下之痢疾；张氏虽将澼字加以解说，但意又未明指肠澼即痢疾。以致后世对肠澼、滞下、痢疾理解为同属一病而名别。更有人说肠澼为《内经》之名，滞下为后世之名，而痢疾为近世之名。这种说法是撇开病因、病机，而只从症状来认识肠澼，因而造成了认识上的混乱，故为说焉。

释"辛润" ｜张登本｜

药物之"辛"，何以能"润"燥？《内经》对其机制做了明确解释。如《素问·藏气法时论篇》说："肾苦燥，急食辛以润之。开腠理致津液，通气也。"可见，药物之"辛"能"润"，主要是借助辛香走窜之力，疏通腠理，畅达气机，以利津液运行，从而达润燥之目的。据此，大凡因气机升降失司，气化不利，阴精气血津液不能输布引起的燥证，皆可用味"辛"之品。如温燥之邪所致之温燥证，当用辛凉润燥之桑杏汤；凉燥之证，用辛温润燥之杏苏散。此外，阴寒内盛，气机凝滞不通，津液不化，精血不生而致的内燥证；气滞血瘀、痰饮内停等所引起脏腑组织失润之燥证，都可用辛润之法，疏通气机，使津液阴血得以布散。

当然对于津液亏损，阴血不足所致之燥证，非但不能"以辛润之"，反而应当禁用或慎用味辛之品，以免更伤津血。

浅谈三素七元之说（蒙医） | 苏荣扎布 |

蒙医基础理论的核心是三素七元学说，用它解释人体的生理、病理，并以之指导治疗。

三素（蒙语为赫依、希拉、巴达干）相当于汉语中的风或空气、火热、水土之意。是指人体所具有的生命动力，非指自然界之物质。

七元（食精、血、肉、脂、骨、骨髓、精液）供养周身各器官，是生命动力的物质基础。三素、七元、三秽（粪、尿、汗）共同组成有机的人体。三素与七元、三秽为人体的两种禀性，它们在正常时相互生化、相互依存，维持相对平衡；在一定条件之下，两种禀性失去相对平衡状态，相互对立、相互侵害，导致疾病以至终止生命。人体形成、存在和衰亡是依靠两种禀性的对立统一运动来完成的。

两种禀性的运动规律

三素间存在对立统一的辨证关系，三者以希拉与巴达干为基础，在赫依的调节之下，发挥其生命动力的作用。希拉是人体火热之本，属阳。巴达干是人体水寒之源，属阴。赫依主司人体各种运动和语言、思维功能，促进和调节希拉与巴达干的各种功能。三者之间的平衡是相对的。

七元、三秽的运动。七元、三秽的运动即精微与糟粕的代谢运动。人体精微和糟粕的代谢产生七元和三秽。

两种禀性的正常关系

《论说医典》中记载：三素与七元、三秽相互依赖成为人体存在、衰亡的根本，故称为机体。三素与七元、三秽之间存在着相互转化、相互依赖的辩证关系。总体上，三素属阳，七元、三秽属阴，成为阴阳矛盾运动的整体。从而实现生命的正常活动。三素维持调节七元、三秽的正常活动，保证自身的平衡。

反过来，七元、三秽的活动也直接影响三素的活动。

两种禀性的基础就是精微和糟粕之代谢，这一代谢取决于胃三热及其分热的关系。饮食在君主赫依的作用下至胃，首先由主腐碎之巴达干腐碎成黏糊状，由此产生甜味补充巴达干。其次由主消化之希拉进行消化，由此产生酸味补充希拉。最后依靠调节之赫依的力量初步分离精微与糟粕，由此产生苦味补充赫依。按此规律，在胃三热及其分热作用下，精微依次生化形成七元，糟粕成为三秽被排出体外。这就是两种禀性的相互生化过程。分析消化过程中两种禀性的主次关系，三素起支配作用，而七元、三秽处于被支配地位。与此相反，分析精微与糟粕的代谢产生甜、酸、苦味，由此分别产生巴达干、希拉、赫依的过程，其中起支配作用的又是七元三秽，而被支配的是三素。在此过程中，三素的自身消耗在七元与三秽的正常代谢中得到补充，因此两种禀性的正常关系是相互依存转化和相互制约的。

两种禀性的病理关系

三素的过盛和不及可使七元、三秽异常，反过来七元三秽也可以影响三素。所以病理情况下两种禀性的关系，在一定条件之下可以相互影响和侵害的。这种病理关系的内因就是两种禀性的正常关系失去了平衡。如：胃热衰弱原因是因精糟代谢产生了过量的巴达干，使希拉的产生受到障碍，赫依的功能失调造成的。因为精糟代谢中产生过量的巴达干，导致希拉的不足，故七元、三秽成为侵害者，三素成为被侵害者。如果从巴达干偏盛、希拉偏衰而使精糟代谢受到障碍来分析，则无疑侵害者是三素，被侵害者是七元、三秽。

两种禀性的辩证关系是蒙医基础理论的核心。从整体入手，研究两种禀性与五脏六腑之间的相对平衡及其运动规律，这是蒙医的生理学。研究两种禀性与五脏六腑的病变规律及其相互关系是蒙医的病理学。从整体出发辨证施治是蒙医的治疗原则。

（图门吉日戝勒　译）

伤寒留邪非内伤杂病　│何中州│

久治不愈、多方无效之病，若抓住特征，辨准病位，循经论治，往往会收意外之效。笔者曾治刘某某，头痛已二三年之久，前额及太阳穴处疼痛如裂，难以忍受，每日下午3点半左右发作，5点半左右渐止。除此时间，饮食工作如常人。每日按时发作，已成规律。平素口干鼻燥。经中西医多方治疗无效。详细询问病史，病人忆及当时因感冒而得。诊其脉浮而弦紧，舌苔薄白，口微干，二便自如。按六经辨证，其痛处为太阳及阳明经循行经路，余认为此乃太阳阳明经留邪未解之证。余用桂枝加葛根汤与之。病人服 1 剂药后，头痛大减，仅觉微痛；服第 2 剂药后头痛未再发作，自觉如常人。为防留邪未净而反复连服 6 剂，其病痊愈。

该病属太阳阳明经头痛，因外感风寒，表邪久稽不解，营卫不和所致。寒邪稽留太阳、阳明之经，用桂枝加葛根汤，疏解太阳、阳明寒邪，调和营卫，故治之而愈。外感留邪几年之久，且不可以久病不愈而视为内伤。

伤寒"阴阳易"解　|肖康伯|

关于《伤寒论》中"阴阳易"病这个问题，历来注家都认为是病人新愈后与不病之人交媾（性交）传于不病之人。所以叫做阴阳易病。但是细绎原文，冠伤寒，并未说瘥后，又没说病已解，为何解为新愈之后呢？如果病已经愈了，怎么又能传染给别人呢？传染别人为什么又要经过性交传染，而没有其他途径的传染呢？注解与原文是有矛盾的。近来阅读陈伯坛对这个病的注解，胜于诸家。他说：既曰伤寒，一般多指的是初得太阳病，初得太阳病，病势尚未大发作。适在这时有了房事，少阴先虚，太阳之邪乘虚袭于少阴，所以阴阳易出现的一系列证候，多是少阴病虚象。所谓阴阳易之为病，是太阳病传易于少阴。那么也就是说本太阳病，变为阴阳易病，这里不存在传染不传染的问题。阴阳易也是个病名，如同两感伤寒和阴阳交一样。这个病还和两感不同，所以另名阴阳易。在此阴阳是指阴经、阳经，并非指男女之阴阳。

桂枝加葛根汤加味治肌萎缩　|朱亚民|

1974 年 11 月往诊司某，男性青年，当时症见汗出、恶风、项背强，活动不能自如，左肩疼痛，左半身酸困无力、发麻，左腿发僵，行走不便，左小腿肌肉萎缩、震颤，自觉左腿血管凹陷，腰酸痛，近日来病势日趋加重。细询得病之由，乃知患者于 9 月份因劳作出汗受风，病初仅觉左眼睑沉重，项强、左肩痛，随之左半身不适。去某医院治疗不效，即于 10 月 23 日入呼和浩特铁路中心医院住院治疗。肌电图检查下肢下运动神经元病变，诊断为进行性脊髓性腓骨肌萎缩症。经用维生素、加兰他敏等治疗，住院 23 天无效而出院。

诊见患者饮食尚可，二便如常，精神疲乏，舌苔薄白，脉浮缓，两尺无力。证属风邪乘虚侵入肌表，客于分腠之间，致营卫不和，气血不行，筋脉失却津液濡养所致。按急则治其标的原则，先治以祛风解肌为主，使邪从外解，佐以舒筋通络之法，遂拟桂枝加葛根汤加味：葛根 15g、桂枝 9g、白芍 9g、防风 9g、秦艽 9g、牛膝 9g、鸡血藤 12g、甘草 6g、生姜 9g、大枣 3 枚，3 剂。药后，汗出恶风减轻，项背渐舒缓，肩部疼痛和左半身酸困不适等症均有减轻。惟左腿仍感发僵，行走不便。遂予前方加桑枝 9g、威灵仙 9g，嘱再服 5 剂。三诊时汗出、恶风已除，项背能自如活动，自觉左半身较前轻快有力，下肢活动稍感灵便，但步履仍不得力。表邪已去，气血虚衰，法当和营卫，益气生津，佐以补肝肾通经络之法，从本图治。书以葛根 9g、桂枝 9g、白芍 9g、党参 9g、甘草 6g、菟丝子 9g、杜仲 15g、桑寄生 15g、怀牛膝 15g、鸡血藤 12g、生姜 9g、大枣 3 枚。5 剂后病情好转，诸症显著改善，下肢活动基本正常，惟萎缩肌肉尚未恢复。遵前法继用二十余剂，诸症消失，食欲增进，体力恢复正常，左小腿肌肉也恢复。随访 4 年未再复发。

小青龙汤之变通 ｜曹其旭｜

小青龙汤具解表散寒、温肺化饮之功，主治外感风寒、内停水饮证。但临床医者运用此方，往往在病机上执著于"寒"，在方药上失于变通，从而限制了此方的应用。余体会此方无表证而兼里热者，或心肺虚弱者，皆可灵活加减变通以治之。

风寒表证较重，恶寒无汗属表实者，以及水饮侵入肌表而现身体沉重疼痛者，重用麻黄、桂枝以辛温发汗解表，使邪从汗解。表证较轻，或体质较弱者，麻黄、桂枝用量宜轻，或去之，而以荆芥、防风代之。荆芥、防风宣肺祛风而无过汗之弊。表证已解，或本无表证，惟见咳嗽气逆、胸闷、痰稀而多，日久不愈者，可去桂枝以减缓发汗之力，加杏仁增强宣肺平喘、止咳化痰之功。如兼热象，出现烦躁、咽干、口渴、脉数等症者，应去桂枝、干姜之辛热，重用白芍，并加生石膏、黄芩清里热。曾遇一老年男性患者，咳喘月余不愈，舌苔黄厚腻，脉滑数有力。诸医按肺热治，但予清肺化痰止咳剂，皆不效。按上述加减法数剂而愈。

如病以哮喘为主，表现为喉中痰鸣、喘鸣迫塞，则重用麻黄，同时加葶苈子。此取葶苈大枣泻肺汤之意，泻肺中之痰水，开肺气之闭塞。李时珍说："肺中水气膹郁满急者，非此不能除。"且葶苈子无毒，无耗伤肺气之弊，具强心利水之功，肺心病用之更妥。

肺气肿患者，多久病体虚，可加服人参蛤蚧散以补肺肾而止咳平喘。

肺心病患者，因心肺虚弱，一般不用麻黄，如用则须蜜炙，且量宜轻，重用五味子、白芍、炙甘草，另加茯苓、党参，以养心肺。

至于小青龙汤之禁忌证，笔者体会，除外感风热之温热病外，凡阴虚、血虚重者亦不宜用。曾见一素体血虚青年妇女患哮喘病秋冬不发，而春夏常常发作，误服小青龙汤后，烦躁不安，哮喘更甚。

小青龙汤中麻黄、干姜的运用经验 ｜周连三｜

小青龙汤中麻黄有宣肺解表，平喘利水之功；干姜有回阳温中，温肺化饮之效。二药相伍，外解风寒，内散水饮。余常用此方治疗哮喘、水饮等病，重用麻黄、干姜，每收捷效。如治马某某，患咳嗽气喘已十余年，每感寒即发，近年来随着年龄的增长，气喘渐著。今年入冬后即卧床不起，多次服药无效。近日症状加重，饮食不下，气喘胸憋加剧。患者面色苍白，唇爪发绀，心胸憋闷，喉中痰鸣，漉漉有声，咳逆喘促，张口抬肩，恶寒，体温38.5℃，舌苔白滑，脉滑。观前医所处之方，乃小青龙汤，然方中麻黄改为苏叶，干姜易为生姜。余处以原方，麻黄用至9g，干姜用至15g。家人观后问：其方与前医之方药仅差两味，可否见效？答曰："麻黄能散在表之寒邪；干姜可温在里之水饮，今若弃之，焉能见功。"服3剂而表解寒除，气喘减轻，原方加减继服6剂而愈。

又治马某某，幼患哮喘，频繁发作，遇寒加重，入冬增剧，多方医治，时轻时重，近日因衣着不慎感受风寒，咳喘加重。患者恶寒无汗，发热头痛，面目虚浮，咳喘气急，不能平卧，入夜加剧，痰多稀白，饮食不下，口吐清水，舌苔白滑，脉弦紧。前医处方：麻黄、干姜各4.5g，甘草3g，桂枝、半夏、五味子各12g，细辛、白芍各9g。上方2剂，咳喘稍减，仍面目浮肿，余证同前。患者求愈心切，请余诊治，余观所处之方谓："麻黄、干姜用量过小，药不胜病也。"遂改麻黄、干姜各为15g，余药同前，3剂而愈。

个人体会，麻黄、干姜乃本方主药，温中解表，宣肺平喘，止咳化饮，实靠两味以建功，但需重量运用，方可收效。麻黄量小有解表发汗之力，量大则有宣肺平喘之功。且量大宜先煎，量小则后下为宜，是亦不可不知。

（唐祖宣　许保华等　整理）

麻黄附子细辛汤加味治疗脉结代　│王福昌│

麻黄附子细辛汤出自《伤寒论》。本方是为少阴阳虚兼表证（亦称太阳少阴两感证）而设。殊不知本方亦有治疗脉结代之功效。

1977 年曾治一男性患者，年五十有余，平素时而自觉胸前悸动不安，间有心跳停止之感，伴见困倦嗜卧，精神不振，心前区闷痛。每于感受风寒后上述症状加重。经心电图检查，ST 段轻度下降，频发室性早搏，提示心肌缺血、心律失常，诊为冠心病。因服西药胃脘嘈杂不适而延余诊治。见舌淡，有薄润白苔，脉结代。据脉证分析，证属心肾阳虚，气血不和。试以温经通阳为法，方用麻黄附子细辛汤加薤白、茯神、丹参、柏子仁。2 剂服后，诸症有减，二十余剂后脉结代、心悸动消失，余症大见好转。继续治疗半月，复查心电图正常。后改用金匮肾气丸、归脾丸调理。随访年余未再发病。

上例提示，麻黄附子细辛汤的作用主要是温通阳气，以使气血调达。凡属阳虚不达、阴寒阻滞、气血不和的病证，不论有无表证均可使用。

白虎汤证辨　│刘举俊│

白虎汤证与白虎加人参汤证，散见于《伤寒论》太阳、阳明、厥阴各篇。二方治寒邪化热或热邪内郁的气分证。后贤在二方的基础上，灵活多变，运用于实践，已大大超越仲景所描述的证候范围。这些经验值得重视。但有谓大热、大汗、大烦渴、脉洪大为用白虎汤的辨证要点；即使是白虎加人参汤证，虽云气阴两伤，亦谓汗多。不思白虎汤为用于热邪方盛者，症见热汗脉大，其理可想而知。而白虎加人参汤则用于因热而致津伤气衰者。津伤则失化气之源，气燥而失布津之用，故症以烦渴为主。此时热汗虽有，亦不致于大。观《伤寒论》白虎加人参条，仲景于大汗出殿一"后"字，并提出时时恶风、背微恶寒、无大热等，当深深体会。从《伤寒论》有关条文互参，则白虎汤证主在热汗，而白虎加人参汤证主在烦渴。证之临床，运用白虎汤不渴者有之，运用白虎加人参汤亦有无汗者，可见四大证不必悉具。岂得以四证皆大，印定后学眼目！

浅谈柴胡加龙骨牡蛎汤的临床应用 |徐良兴|

柴胡加龙骨牡蛎汤是张仲景《伤寒论》中治疗伤寒误下所致的邪气内陷，神气虚浮，枢机不利的一个变治方剂。我宗论中"烦惊"证治的精神，推而广之，曾用于以下诸证。

风痰癫痫证

杨某某，男，43岁，患癫痫证二十余年，病发则突然晕倒，神志不清，口吐白沫，四肢抽搐，持续约半小时后，苏醒如常，觉有头昏、心慌、汗出、纳差、疲乏、睡眠不实等证，并述病发与情志不舒和劳累受惊有关。1979年5月邀余诊治，切其脉弦细而弱，察舌苔白腻，断为少阳枢机不利、风痰上逆，阻塞清窍，方选柴胡加龙骨牡蛎汤和解少阳、定惊潜阳。

处方：柴胡12g、黄芩10g、半夏9g、党参10g、桂枝7g、杭白芍9g、生龙骨25g、生牡蛎25g、茯苓10g、生大黄9g、生姜、大枣为引，水煎服。后去大黄、桂枝、芍药，加胆南星、石菖蒲、远志，先后服五十余剂，病情控制，随访3年余未发。

脏躁惊悸证

封某某，男，51岁，患心悸失眠8年余，病发心悸、汗出、烦躁不安、情绪郁闷、欲动游走，经西安某医院查无器质性病变，诊断为神经官能症伴发阵发性心动过速。诸医诊治，收效不著，特邀余诊。切其脉弦细濡，先投柏子养心丸、朱砂安神丸治之罔效，后按阴阳失调、气血不和脏躁惊悸证治，选用柴胡加龙骨牡蛎汤调之。

处方：柴胡13g、黄芩10g、半夏10g、党参10g、桂枝7g、龙齿15g、牡蛎15g、酸枣仁13g、茯苓10g、陈皮9g、远志7g、甘草7g、夜交藤15g。水煎服，后去党参加沙参，去陈皮加五味子，去桂枝加石菖蒲，重用夜交藤30g，先后连服三十余剂，病情控制，未再复发。

气逆眩晕证

谢氏，男，52岁，患头晕、目眩、耳鸣4年。伴有恶心呕吐，性情急躁，心慌、心悸，失眠等症，病发与情志不舒有关，经西医检查无器质性病变，中西医治疗经久不愈。余诊脉弦细而弱，按气血抑郁，投逍遥散加减治之不效，随即选用柴胡加龙骨牡蛎汤治之。

处方：柴胡13g、黄芩10g、半夏10g、桂枝7g、杭白芍9g、龙骨15g、牡蛎15g、酸枣仁15g、远志7g、茯神10g、陈皮9g、甘草7g、苏薄荷6g为引，水煎服，后去桂枝、白芍加广木香、五味子，去半夏加麦冬，去陈皮加竹茹，先后服药二十余剂，病情缓解，虽偶发作已较前大为减轻。

上述诸证，虽表现各异，且病亦与伤寒误下无关，但究其病机，则少阳气郁、枢机不利、阳神失摄亦无二致。柴胡加龙骨牡蛎汤能和解少阳，安神定悸，故可推广而用于诸证。

四逆散使用举隅　　|周文川|

四逆散为《伤寒论》阳热内郁的一个用方，置于少阴篇内。然而，不少医家依方推理，主张应作少阳病看待，因为它的组方符合少阳郁遏的病理，非为少阴虚衰中的寒化热化的机变，故论者见解不一，给临床使用带来莫衷一是之苦。

四逆散由甘草、枳实、柴胡、白芍所组成。四味药物主治"四逆"，当然主药是柴胡，不能认柴胡在"佐"位而降低它的主导作用。因芍药与甘草都是为配合柴胡的疏泄而设，无此辈则易劫伤肝阴，出现阴伤烦乱之变。所以仲景把甘草冠于方首（仲景用柴胡必用甘草、芍药或人参为伍，独用则叶天士体验劫肝阴）。而枳实之用，全在理气行滞以调3味之走守，同其他药互相作用者大不相同。四味一体，疏理中复有甘酸化阴，故可用于因郁积导致的滞遏性发热，不同于因阳热搏亢所见之热厥而用白虎汤清泄之义。

小儿为稚阳之体，脏腑娇嫩，适应有限，一旦郁积中滞，气机疏泄不利，滞遏则发热，困滞则神疲嗜睡，气郁不达可四末发凉。这些征象正合少阴稚阳之体而见少阳郁积之患，故仲景《伤寒论》将其列入少阴篇里，一则从证候上同其他厥逆做比较，另则示乙癸同源，治疗上犹当疏泄中寓以节制。

少年儿童缺乏节制肥甘摄入常识，感情波动尤大，如果气食为病，郁积必然居多。验之临床，诸如腹胀腹痛而见发热，嗳腐不食而见郁热，中滞下利而现身热，重者可见肢厥，兼见或咳或呕或惊，以及胁痛虫积等。凡此小儿常见证，运用本方主之或酌情加味，均能收到良好效果，如兼表者加紫苏叶、连翘、杏仁，积重者加山楂、番泻叶、槟榔，泻利加滑石、砂仁、车前子，虫积加莪术、槟榔、胡黄连等，获效每在一二剂之间。

笔者数年前初冬季节因事返里，正遇族间一小女发热不食惊骇，每值晚间热势益高，惊恐愈甚，依伏祖母怀中连连叫"怕"，虽数日来多次服用退热剂及磺胺类药物，但病势始终不减。经过询问检查，悉知病起于一次因闹食受家长痛责而后病，日渐加重，发热不已，晚间热甚时手足发凉，恐惧无奈。脉象弦数且滑，舌苔中厚垢腻。依证分辨，排除阳明热亢，按郁积中滞治之，拟四逆散加山楂、茯苓，药后至夜半竟惊惧平夷，索食求粥，一如常人。如此者不乏其例，特表之以广共用。

小陷胸汤治胃脘痛　　|王长瀛|

仲景小陷胸汤主治小结胸"正在心下，按之则痛，脉浮滑"之痰热互结证。究之临床，除痰热咳嗽、心悸等胸部疾病外，亦包括脘、腹、胁疼痛及胀满痞塞之肝胃疾患。余常用本方治疗湿热气滞型胃脘痛（主要指急性胃炎、慢性胃炎），得心应手，多获良效。此类患者临床表现以胃脘疼痛、胀满痞塞、烧灼不适，及嗳气、嘈杂、吐酸、呕逆、便秘、舌苔黄或黄腻、脉弦数等为特点。辨证为湿痰留胃，郁而化热，气机阻滞，胃失和降。本方半夏燥湿化痰，下气散结，消胸腹痰湿之滞，治心下急痛、痞坚，辛温走散，和胃之力颇著。黄连清热解毒，泻心胃肝胆之实火，燥肠胃积滞之湿邪，气寒味苦，健胃之功独长。尤其伍以瓜蒌实，甘寒滑润，性降属阴，清肺胃之热而涤痰导滞，宽中下气，消胀散结，降火且不犯胃气，润燥而通利大肠。诸药合用，辛开苦降，润燥相济，善治湿（痰）热互结之内阻，恢复中焦胃气之冲和。故用之能使湿（痰）热清化，气机调畅而疼痛辄止。临床上余多加味应用，如胀满阻塞嗳气较著者，加香附、川楝子、枳壳、莱菔子、桔梗等疏理肝气、开提肺气、顺降胃气之品。嘈杂吐酸呕逆明显者，加栀子、竹茹、蒲公英、石斛、生麦芽等清热益阴、和胃降逆、消导积滞之品。痛剧者酌加延胡索、没药或细辛等，随症加减不一而足。此证临床实属多见，典型病例不胜枚举，尤其对长期服用解痉镇痛制酸之剂和木香顺气丸、四消丸等香燥破气之品不能取效，而反口干舌燥，胃嘈便秘者，极有效验，少则五六剂，多至十余剂，即可获临床治愈。然而本方毕竟偏于寒润，忌用于脾胃虚寒之胃脘痛。

五苓散治足跟痛　　|关庆举|

足跟痛一证，临床并非少见。患者往往活动受限，痛苦异常。本病的发生，多认为是由于肝肾亏损、气血两虚、寒湿凝滞、风寒痹阻所致。治疗上多予以滋补肝肾、益气养血、祛风除湿、蠲痹通络等法，运用得当，均可获效。经临床实践，我将温阳化气利水之五苓散用于治疗本病，也取得了较好的疗效。一女患者张某，患足跟痛月余，走路时疼痛尤甚，伴腰膝酸软，疲乏无力，舌苔薄白，脉沉细。经 X 线检查两足跟骨未见异常。予以五苓散加杜仲、狗脊，水煎服。服药 3 剂疼痛减轻，服药 6 剂疼痛完全消失。1 个月后足跟痛复作。又按原方服 5 剂而愈。

又治一男性患者李某，20 天前患左足跟痛，因痛而走路跛行，不能参加劳动。检查局部无红肿，询问无外伤史。曾于当地医院做 X 线检查，未见跟骨异常。曾服活血化瘀中药十余剂未效。余观其病情，予以五苓散加牛膝、威灵仙，水煎服。服 4 剂症状减轻，8 剂病愈。

五苓散源于《伤寒论》，本为通阳化气利水之剂，其临证要点为小便不利。用治足跟痛所以获效，不是利小便，乃因足跟是肾与膀胱经脉所过之处。病常由于肾与膀胱经气循足受阻，骨髓失养，故见疼痛。五苓散温阳化气，可使足太阳经脉之气得以畅行，故其痛可愈。但本方对跟骨骨刺、外伤骨折、瘀血及骨髓炎所致足跟痛无效，切忌妄投。

十枣汤治水肿一得　　|杜文琴|

十枣汤一方，人每畏其峻而不用，然若水肿属邪盛正不虚者，以之逐水，效颇捷，且方简易行，洵为良剂。

余曾治疗一水肿患者，庞某，男，25 岁，全身浮肿，腰以下凹陷性水肿 2 周。2 周前因感冒引起面部、眼睑浮肿，继则四肢及全身水肿，来势迅速伴肢节酸痛，小便不利，时发寒热，舌苔薄白，脉浮滑。查尿异常，诊断为"急性肾小球肾炎"。开始按风水治疗，服药 1 周，表证已解。胸以上浮肿消退，但腹部胀满膨隆（查有腹水），下肢仍为凹陷性水肿，遂采用十枣汤峻泻法，方用大戟 1.5g、芫花 1.5g、甘遂 1.5g、大枣 10 枚。前 3 味研末为散，夹馒头内，用大枣煎汤送食。服药期间，大便一日 3 或 4 次。隔日 1 剂，连服 3 剂。腹水及下肢浮肿基本消退，后以六君子汤调之，治疗 3 周，水肿全消，小便正常。

真武汤治疗眩晕 |吕家祥|

　　真武汤是《伤寒论》中治疗肾阳虚而水气为患的方剂。近年来各地报道以该方为主治疗慢性支气管炎、慢性肾炎、肝肾综合征、心性水肿、慢性肠炎、梅尼埃综合征等均取得明显效果，体现了中医"异病同治"的特色。

　　笔者曾遇患者卫氏，因背部患疖肿，经青霉素注射 1 周、红霉素口服半月后即感头昏晕，伴见心悸、气短、咳嗽多痰。头晕严重时常欲仆倒。曾在本地区及西安某医院治疗未见好转，遂求我诊治。我根据《丹溪心法·头眩》中"无痰不作眩"的见解，对眩晕从痰论治，每多获效。见此患者，有咳嗽多痰一证，观其舌苔白而稍腻，便认为此病亦属痰饮，拟以涤痰化饮法治之，但从患者病历了解到，所服药物处方，大多按痰浊中阻用半夏白术天麻汤之类治之，然均罔效。我停笔重思，何以健脾燥湿祛痰治之而乏效呢？经仔细观察，患者面色㿠白，全身轻度浮肿，详询病情方知近年来患者腰背部及下肢有冷感，虽咳嗽多痰，但质清色白。联想到《伤寒论》中叙及真武汤可治脾肾阳虚，浊阴上泛之眩晕振振欲擗地，与此证很相符。遂处方：附片 12g、茯苓 10g、白芍 10g、白术 12g、细辛 3g、五味子 10g、生姜 3 片、龙骨 30g、牡蛎 30g、枸杞子 12g、菊花 6g。3 剂后病势锐减，精神明显好转。继服 6 剂，头晕、心悸、咳嗽、气短及水肿基本消失。遂改为右归丸加减，去方中附子、肉桂，因辛热刚燥不宜久用；加巴戟天、淫羊藿、枸杞子、菟丝子助阳而不伤阴。连服 10 余剂而愈。

简话当归四逆汤 |伊达伟|

　　当归四逆汤是《伤寒论》厥阴篇的名方之一。原治手足厥寒、脉细欲绝者。临床凡属素体血虚复为寒邪所伤，导致血脉凝滞、流通不畅所致的各种病证，均可加减应用。如治疗寒痹身痛，关节痛，加炮附子；用于偏寒型脱骨疽加吴茱萸、丹参、乳香、没药；治疗小儿麻痹后遗症，加牛膝、鸡血藤、生黄芪；用于血虚受寒，月经不调，经行腹痛，夹有瘀块，加附子、熟地黄、香附；用于心阳虚，心悸、手足不温，加附子、人参、五味子；治疗手足冻疮，加吴茱萸、生姜、淫羊藿；用于寒疝、睾丸坠痛，加台乌、橘核、荔枝核；用于雷诺病，加吴茱萸、附子，用于末梢神经炎，加地龙、桑枝、天麻等等。此外，还曾试用于进行性肌营养不良，也能在一定程度上改善症状。

总之，运用本方关键是切中病机，不必拘于原文症状。只要辨证准确，自可广为运用。

桃仁承气汤治疗慢性泄泻　|杜梅英|

慢性泄泻，临床多用升阳、健脾、温肾、固涩、淡渗、疏肝等调补之法，而鲜有用化瘀通腑者。余在临床实践中发现一些久治不愈的泄泻，用桃仁承气汤常可取得较好效果。

此类患者，多继发于急性肠炎或细菌性痢疾之后，其症腹胀腹痛，大便时干时稀，便下黏液，神倦纳差，面黄肌瘦，稍食生冷、肥腻或腹部受冷即诱发泄泻，以往治疗用调中温脾止泻之法，往往愈时发。余在治疗中先以桃仁承气汤攻其瘀滞，次用六君子汤类健脾和中，后予黄芪建中汤温中阳，调营卫。疗效好，且少复发。

方药：桃仁 15~30g、生大黄 15g、桂枝 10g、枳实 10g、芒硝 10g（另包）、甘草 10g。

加减：体弱者加党参 15~30g。

服法：每日 1 剂，每剂药煎 2 次，混匀。饭后半小时服 1/3，每日 3 次。

服药后大部分患者有不同程度的腹痛下坠感，服至 2 或 3 剂时，便下大量如烂西瓜样或黄浊涕样黏浊物，腹痛愈甚则浊物愈多，继服则泻下物可逐日减少，渐成水样便，继则为溏便，腹痛减轻，精神转佳，饮食增加。服至水样便时即停前药，改服香砂六君子汤或参苓白术散。待大便正常、腹部不痛时，再用黄芪建中汤 10~20 剂。

十余年前曾治一男性患者，就诊前 3 年患急性细菌性痢疾，治愈后遗留纳差腹胀，便时腹微痛下坠，且有欲便不能、便下不净等感觉，大便带白色黏液，泻前腹痛，泻后痛减，每因进冷食而发，舌质淡，两旁有少量瘀斑瘀点，苔薄白，有虚中挟滞之象。即拟桃仁承气汤加党参15g、干姜9g。服1剂后，腹痛下坠，且时呈绞痛。服2剂后泻下大量如烂肉样物及大量黏液。泻后腹痛减轻，自觉腹内舒适。服5剂后，大便转溏，每日1或2次，食纳增加。按前述之法继用香砂六君子汤及黄芪建中汤加减调理，其病遂愈。随访5年未再发。

桃仁承气汤为治热与血结于下焦之证的缓攻之剂，今用于慢性泄泻而能取效，其因何在？盖此等病证，虽有其虚的一面，然又有其实的一面。饮食失节，肠道积滞，初病在气，久病及血，致使肠中气血壅阻，与积滞胶结而难解。若治以温肾、健脾、固涩，显然不对证；若予疏肝、淡渗、消食导滞，犹是隔靴搔痒。必用此逐瘀通腑之剂，方可使气血得通，积滞得下，胶结得解。待其瘀滞既通，邪去正虚之时，改用顾护正气、扶养脾胃之法，使中土健，化源足，脏腑功能迅速恢复，故能巩固疗效，不再复发。

经方之妙用　　|李振华|

1964年中秋，著名老中医秦伯未来河南讲学，使我有机会与他相处周余。当时亲见秦老用仲景炙甘草汤加减治疗心动悸、脉结代一证，应手取效。细查其用药，发现方中桂枝仅用2～3g，不解其故，请秦老赐教。他说：心病虚证，在病机上主要分心阴虚和心阳虚两大类，阴虚则阳亢，阳亢则动，多见心动过速；阳虚则阴盛，阴盛则静，多见心动过缓。心动悸，脉结代，是心阴不足，阴损阳弱，虚阳浮动。心阴虚则心脏早搏，心阳虚则血不充脉，而见结代。治疗当在补心阴的基础上资助心阳。用桂枝之意，是在配党参助心阳，故不可量大，2～3g即可。根据心阳虚的微甚，一般脉搏出现偶发性结脉，可用2g；频发性代脉（即二联脉、三联脉），可用3g。并加宁心安神之品，则收效更好。秦老对医理的分析，经方的运用，出神入化，令人叹服。

20多年来，我用秦老加减的炙甘草汤治疗多例心动悸、脉结代患者（心电图诊断为室上性期前收缩），效果较好。

其处方是：红参6g（先煎，或党参20g）、麦冬15g、生地黄15g、阿胶10g、桂枝2g、丹参15g、茯神15g、远志10g、酸枣仁5g、石菖蒲10g、炙甘草6g。

乌梅丸另有奇功　　　|刘选清|

　　乌梅丸乃治蛔厥之良方，众所周知。余在临床上，以此方化裁，治疗痢疾、肠痈以及原因不明之腹痛，凡具有寒热错杂之征者，投之多获良效。

　　文某患痢疾，多方求治，历时数月，缠绵不愈。虽便次不多，但均带脓血，轻度后重，时时恶寒，微热，腹痛较甚，舌红苔黄，脉沉数，手指发凉。予乌梅丸加减：乌梅9g，黄连、黄柏、制附子、桂枝、广木香、花椒、细辛、干姜各6g，当归、白芍、大黄各12g。开水煎服。服2剂后腹痛缓解，手指转温，再进1剂腹痛、脓血便全止。大便化验，全部阴转而康复。原以为巧合，后在临床中，每遇久痢腹痛不愈者，皆以上方化裁，重用大黄荡涤通腑，多获痊愈。

　　又尝治魏某中年女性，患休息痢，经西医检查，诊断为慢性非特异性结肠炎。大便检查：黏液（＋＋～＋＋＋＋）、脓细胞（＋～＋＋＋）、血细胞少许。病后即积极治疗，效而不固，尤以进食油腻生冷，病必加重。以乌梅9g，附子、桂枝、干姜、花椒各6g，黄柏、黄连、广木香各6g，当归、白芍、罂粟壳各12g，党参、肉豆蔻各9g。连进5剂后，脓血黏液便消失，粪便化验，全部阴转而愈。

　　肠痈（包括今之阑尾炎）并非只能用大黄牡丹皮汤及薏苡附子败酱散等治疗，其中尤以见寒热错杂证者，必以乌梅丸化裁方有著效。曾治李某中年男性，患肠痈3日，恶寒发热，呕吐，右下腹疼痛剧烈，屈膝侧卧，舌淡红，苔黄，脉沉紧，因不愿手术而求诊于余。予乌梅9g，花椒、桂枝、附子、干姜、细辛、黄连、黄柏、广木香各6g，当归、赤芍各12g，大黄18g。药后大便畅泄5次，腹痛缓解，憎寒发热不著，去大黄后再进2剂，诸症消失而愈。

乌梅汤治愈小儿手抖1例　　　|王海如|

　　小儿之病，疳积（营养不良症）、虫证甚多。从50年代以来，余用乌梅汤加减，治疗小儿食欲不振、体质瘦弱、夜间伏卧不宁、大便检验有蛔虫卵而屡用驱虫药效不显者，大多数均能取得满意之疗效。

　　我曾治疗王姓女孩，7岁，其母述其女两手发抖已有数月。前医选用羚羊角、钩藤、石决明、生地黄、桑叶等平肝熄风之品治之不愈。察其面色苍黄，体质瘦弱，食欲欠佳，夜间喜伏卧，有时腹痛，舌质淡润，苔薄白，脉沉细无力，下唇里面有粟粒疹，白眼球有蓝斑。此乃蛔虫扰动厥阴之蛔厥证，非湿热伤津、肝风内动之掉摇。遂予乌梅丸改为汤剂服之：乌梅10g、黄连6g、黄柏3g、桂枝3g、党参3g、附子3g、细辛3g、当归3g、干姜4g、花椒15粒。服2剂，手抖减轻。继服2剂，手抖已止，但食欲仍欠佳，时有腹痛，改服吾邑已故名老中医刘子和先生治小儿脾疳方：使君子肉6g、榧子6g、川楝子5g、山楂8g、槟榔片6g、神曲6g、麦芽8g、乌梅8g、花椒15粒、胡黄连3g、山药8g、白扁豆8g、茯苓6g、陈皮3g。4剂后食欲增进，腹痛消失。将上方改为散剂服之。其病遂瘳。

乌梅丸中干姜、黄连之用　　｜唐祖宣　等｜

乌梅丸方中除乌梅外，干姜、黄连用量最大。医多有畏干姜燥烈、黄连苦寒而减量或弃之不用者，实失仲景原意。二药配合，寒热并用，辛苦兼施，有清上温下之功。若弃之不用，殊为可惜，用量过小，亦不能起到应有的作用。邓县已故老中医周连三、张感深老师对此方中干姜、黄连二药的运用各有心得，录之以飨同道。

马某，男，51岁，脾胃素虚，又食生冷，遂发为痢，日二十余次，先后服西药和枳实导滞丸等，病稍缓解，但仍日下利十余次，迁延3个月余。遂求治于张感深先生。症见：形体消瘦，面色萎黄，神疲肢倦，头晕目眩，大便黏冻，白多赤少，腹痛绵绵，喜暖喜按，饥而不欲食，食则腹胀，四肢厥冷，小便清长。舌边尖红，苔白多津，脉沉细。处方：乌梅24g，黄连、黄柏各12g，当归、潞党参、炮附子各6g，干姜、花椒、桂枝各4.5g，细辛3g。3剂，效不显。遂求治于周连三先生。周认为乌梅丸证无疑。然干姜量小而黄连、黄柏量大，清上有余、温下不足，于是增干姜为15g，减黄连为9g，黄柏为4.5g，服12剂而愈。

又治一患者右上腹疼痛，吐蛔一条，以脾胃虚寒论治，其病不减。求治于周连三先生。症见：形瘦神疲，面色青黄，右上腹痛如刀绞，时痛时止，心中痛热，呕吐酸水，四肢厥冷，舌质红，苔薄黄，脉沉细数。方用：乌梅24g，细辛、花椒各4.5g，黄连、黄柏、当归、党参各6g，炮附子、桂枝各9g，槟榔15g，干姜18g。服1剂，自觉四肢厥冷减轻，但心中痛热不解，又加烦躁，口渴，喜饮，急来诊治，恰逢张感深先生，确诊蛔厥无疑。认为乌梅丸乃中的之方。而出现反应的原因在于重视下寒而忽视上热，遂减干姜为9g，增黄连为12g，加大黄12g，服2剂而愈。

周连三先生尝谓："厥热胜负之理，贵阳而贱阴。干姜虽燥烈，然是无毒之品，常食尚未见害，对于中寒之证，焉有不用之理！"故常去黄连、黄柏，名减味乌梅丸，治疗脾胃虚寒之久泻久痢，每能应手取效。干姜常用量9～15g，大剂时可用至30g。

张感深先生则谓："厥阴之病，寒热错杂，肝木升发过旺，最易化火，吐利，消渴，痛热之症临床多见，故仲景方中黄连用十六两，仅次于乌梅。有谓黄连苦寒不宜用者，不知内有姜、附、椒、桂之温，虽清热而不伤脾胃之阳，况苦能清热，亦能燥湿，虽大剂运用，亦无妨害"。常用9～18g，多能应手取效。

以上两说，乍看似觉各执一偏，实则相辅相成。我们继承周、张两先生的经验，偏上热者重用黄连，偏脾胃虚弱者重用干姜，并改丸为汤，浓煎频服，效果甚佳。

经方治胆道蛔虫症二则　　|侯钦丰|

1977年冬，余随李克绍教授在附院门诊，遇一济南郊区老媪，68岁。自述5天前因误食生冷之物，遂感上腹部阵发性绞痛，甚则向右肩胛部发射，并伴四肢不温，恶心呕吐，不欲食等，曾吐蛔虫2条。切脉沉弦稍弱，舌质淡而苔薄白。李老遂用：乌梅12g、川花椒6g、炙甘草6g。嘱其取药3剂，煎汤温服。

余疑其药少价廉，难奏速效，急追至门外，乃告其子曰："老人系胆道蛔虫，非同小可，但愿此药能解除病痛。若有他变，定要赴医院救治，不可贻误。"

3日后，患者欣喜复诊。自云服药1剂，疼痛顿时减轻；3剂尽而疼痛竟全消失，并便下蛔虫数条。继以香砂六君子汤2剂善后。

《伤寒论》第338条云："蛔厥者，其人当吐蛔……乌梅丸主之。"本患者病因误食生冷而诱发，且无上热之象，故去苦寒之黄连、黄柏，并弃人参、当归等安脏之药，仅用乌梅、川椒安蛔驱蛔，药少而精。李老常说："运用经方治病，首要审察病机，尚需牢记方中主药，乌梅丸中诸药皆可去掉，惟乌梅、川椒为其主干，不可弃之。"由于药精力专，紧扣病机，故能收如此满意的疗效。

1979年寒假，曾遇本族一孕妇，年27岁。始因上腹部阵痛并剧烈呕吐，急赴当地医院求治，诊为胆道蛔虫症。住院5天，屡用解痉止痛、镇静安眠、抗菌消炎之西药，并兼服乌梅汤3剂，疼痛未瘥。出院邀余诊治。余忆及《金匮要略》所云："蛔虫之为病，令人吐涎，心痛，发作有时，毒药不止，甘草粉蜜汤主之。"验之此证，甚为合拍。遂开炙甘草9g、大米粉60g、白芍30g。上3味煎后，兑入蜂蜜30g，令稍冷，分2次服下。

翌日再诊：腹痛缓解，欲进饮食。嘱原方继服2剂病愈，且足月顺产一男婴。

本例患者业已用解痉止痛之品，而疼痛未减，但胃气受挫，故改用《金匮要略》甘草粉蜜汤加芍药，以解毒养胃、缓急止痛，寓"先治其卒病"之意。

对方中之粉，尤在泾主用铅粉，《千金方》《外台秘要》皆用米粉，且原方后注亦云"煎如薄粥"，就是"糜粥自养"之意。余认为当以米粉为是。原文既言"毒药不止"，若再用铅粉，非但无效，反犯虚虚之戒。

麻黄升麻汤治久泻　　|和贵章|

麻黄升麻汤出自《伤寒论·辨厥阴病脉证并治篇》。治疗误下而泄利不止，四肢厥逆，咽喉不利，唾脓血，寸脉沉迟，下部脉不至之阴阳两竭的险证。药14味，其性杂，诸多医家感到费解，因疑其非仲师所制，故多弃而鲜用。

愚曾细细玩味此方，认为其组成不无法度，乃为寒热兼顾，阴阳并调，对于阴阳错杂集于一身者，用之恰到好处。曾用其略加损益，治疗脾弱胃强，久泄之患，获取良效。如焦某，女，44岁，患泄泻十余年，虽经多方求医，皆属徒劳，已失去治愈信心。近来溏泄日五六次，晨起必入厕，腹不痛，无下坠感，便无脓血，纳尚可，咽痛，口微干，但饮水不多，时有烘热感，手足发冷。查体丰，面潮红，苔白满布，质稍红，咽部少有充血，脉寸关滑、尺独沉，大便常规（－）、细菌培养（－），西医诊为无细菌性肠炎；中医诊断：脾弱胃强，上热下寒之久泻。治用麻黄升麻汤，干姜易为炮姜炭20g，天冬易为麦冬10g，服3剂后，日泻3次，已见效，将炮姜增至30g，连服近40剂，十余年沉疴痼疾竟得痊愈。患者喜出望外，感激之至。3个月后随访，亦无复发。

方中麻黄性温善行，有宣肺解郁，走膀胱、利小便之功；升麻性平有举脾升陷之能；当归、赤芍入血，一通一守，通守相济，调和阴阳，除陈生新；茯苓、桂枝、白术、甘草性温通阳，祛寒以坚大肠；炮姜炭补虚回阳，化湿止泻，诸温药合伍，共收启脾升阳，助运化湿，坚秘大便之功。麦冬甘凉，养阴润咽；葳蕤清虚热而收浮阳；知母、石膏养胃阴以制亢阳。黄芩既能清肺热，又能燥湿而厚大肠，诸凉药匹配，则收浮阳而使归正位，故咽痛得止。此寒温统于一方，有兼理阴阳之妙，虽服药达40剂，但与十余年之病程相比，真亦可谓之效速而力宏矣。

便硬与白术　　|吕同杰|

白术为健脾利湿之要药，为脾胃虚弱或脾虚泻泄之首选药物。《伤寒论》第174条云："……若其人大便硬，小便自利者，去桂加白术汤主之"（即桂枝附子汤去桂枝四两加白术四两）。对便硬加白术，令人费解，历代医家也说法不一。近年来余在临床中，遵张仲景便硬加白术之训，用白术30~60g，加生地黄、当归等养血润燥之品，治疗脾失健运、胃肠功能失调的大便硬结的患者，每多取效，进一步证实了白术不但可以用于脾虚泄泻病人，而且也适用于大便硬结的病人。这种作用一般称之谓"双相"作用。大量临床和实验证实，不但白术如此，而且很多中药都有"双相"作用。白术所以能止泻又能通便，其主要原因是通过白术的健脾作用，使肠胃的运化、升降传导功能得到了调节和恢复。人是一个有机的整体，机体内部经常处于一种动态平衡状态（现代医学称之为"内稳态"），一旦这种平衡遭到破坏，就会产生疾病。所以治疗疾病就是通过抑盛扶衰，达到"调节阴阳，以平为期"，使机体达到正常的动态平衡。

谈三阳合病"一把抓"　　|蒋泽霖|

伤寒病在太阳则汗之，在阳明则泄之，在少阳则和之。三阳合病，治之奈何？《伤寒论》第219条（宋本）出白虎汤一法，以治阳明胃热炽盛为主者。虽为后世之师，然临证远不能令人满意。若遇太阳、阳明、少阳证悉当兼顾者，即非张机之法所宜。安康著名老中医、主任中医师叶锦文老先生，遇此常将麻黄汤、桂枝汤、柴胡汤、白虎汤或承气汤合为一方，巧妙化裁，每收桴鼓之效，名曰"一把抓"。诚为治伤寒之一良法。

余从叶老之训，取陶华《伤寒六书》"柴葛解肌汤"为用，并参程氏《医学心悟》"柴葛解肌汤"变法，效亦捷。是方属辛凉解表之剂，有解肌清热之功，愚意以为其乃治三阳合病之良方。方用柴胡、葛根、甘草、黄芩、羌活、白芷、芍药、桔梗、石膏、生姜、大枣。方后用法云"无汗、恶寒甚者，去黄芩加麻黄；冬月宜加，春宜少，夏、秋去之，加苏叶。"程氏方去羌活、白芷、桔梗、石膏、生姜、大枣，加知母、贝母、生地黄、牡丹皮而成，心烦加淡竹叶，谵语加石膏，主治春温夏热之病。综观陶、程二方，岂不正合投麻黄汤、桂枝汤、白虎汤、柴胡汤合方之旨？若兼腑实，复参以大黄、芒硝之属，堪称"一把抓"。尝治一中年女性冯某，时值春令，西医诊为"上感"，用青霉素、链霉素近1周罔效，恶寒壮热（体温39℃），无汗，心烦懊恼，日晡加剧，头身疼痛，咳嗽有痰，口苦咽干，咽喉疼痛，呕恶不思饮食，大便数日未行，小便色黄，舌红苔黄，脉弦滑而浮数。此三阳合病，治当解表清里、和解退热。予柴葛解肌汤化裁：柴胡9g、葛根9g、麻黄4.5g、桂枝9g、白芍9g、黄芩9g、半夏9g、石膏30g、知母9g、酒大黄9g、桔梗9g、甘草4.5g、生姜3片、大枣4枚。3剂，诸症若失。

窃闻三阳合病，不独见于伤寒，温热卫气同病亦非鲜见。陶、程二方即为温热病而设。举凡重感冒、流行性感冒、上呼吸道感染，以及流行性脑脊髓膜炎、流行性乙型脑炎初期等常见其候。柴葛解肌汤不失为较好的基础方。谨陈管见，以为引玉之砖耳。

疑团千古，解之一旦　　|曾福海|

古人云："百闻不如一见"。医圣张仲景用麻黄连轺赤小豆汤专治瘀热在里，身必发黄一证，一千多年来历代医家对方中"连轺"一药，争论不休。有认为连轺即连翘根；亦有直释连轺便是连翘；还有的说古用连翘根，今人当用连翘等等，见仁见智，无可适从。

15年前，余在陕西省商南县业医时，遇一老翁，姓徐，名医顺。喜读陈修园《医学三字经》，而尤擅长以草药疗疾，远近驰名。一日，一女10岁左右，随其父求治于徐。但见少女发热、目黄，身黄如橘子色。徐遂令其父采山中连翘根，每日一大把洗净，煎汤分2或3次，让女服之。余闻之，疑而不信。7日后，父女又来求徐，但见女热退黄去。问其父服药几何？曰：女仅饮七大把连翘根煎剂。徐嘱，连翘根不再煎服，宜用一二把山楂、神曲煎服，连服3~5日善后。时逾3个月，出诊路过少女家，特去追访验证，但见少女正在屋内学习功课，其母谓非常感谢徐老医生云云。余方确信连翘根治瘀热黄疸之功效。此后，每遇黄疸而属阳黄者，常在辨证立法处方的基础上加一味连翘根，屡获捷效。有云"不为考证费功夫，但从疗效定取舍"。仲景所用之连轺本是连翘根，其效不逊，可惜后世及近时却很少有人注意，市场亦无售此药者。特以所见告诸同道，以济世人。

结胸误下致死例 苗润田

《伤寒论》云："结胸证，其脉浮大者，不可下，下之则死""结胸证悉具，烦躁者亦死"。医者不全观经旨，只见"从心下至少腹硬满而痛不可近"之结胸症状，即贸然攻下，必致严重后果。1964 年我在临床实习时，曾见结胸误下致死 1 例。

某日上午 9 时，一病人端坐于太师椅上被抬入诊室，面色暗灰，上气喘促，烦躁不安，脉浮大，数而无力。按其胸腹，则拒按而痛，医者曰："此结胸证也，当下，1 剂药即愈。"病人家属急取药，回家煎服。下午 6 时，因服药后病情加重，精神恍惚，来院急诊，经外科会诊，认为属急性胃穿孔，立即准备手术治疗。但未等做手术，在急诊室经抢救无效死亡。

此病虽属结胸证，然烦躁不安，脉浮大，数而无力，正属邪实正虚，"不可下，下之则死"之禁例，对此仲景已有明训。医者不全面审察脉证，徒执片语而治，以致事故发生。可见，临证时务必详细审证、全面考虑，切不可孟浪从事。

仲景煎服药方法刍议 党炳瑞

试观《伤寒论》太阳篇桂枝汤煎服方法：煎前咬咀（简单加工）、煎药火候、加水量、煎成量、服药量、服药温度、服后辅助措施、药效表现及据此确定后来服法、重症服法、变症处理、饮食禁忌等等，交代得详细备至。先圣为病家考虑之周全，用心之良苦，足为吾人师法。

《伤寒论》时代，纸张尚未普遍应用，学者以刀刻竹简著书，因此在论述脉候病机时，文字极精，言简意赅，但仲师对煎服方法，却不惜工笔，惟恐患者失去法度。如桂枝汤条，论证候病机仅43字，但交待煎服方法却用156字。可见其对煎服方法的重视。

药性气味有厚薄之分，阴阳之别，药质有刚柔之异，服后有走表走里、入脏入腑之不同。熟地黄、麦冬味厚滋腻，犀角、"三甲"质地坚硬，均应文火慢熬；苏叶、薄荷味薄而质轻；藿香、佩兰芳香而走窜，则宜武火急煎；寒药轻煎，温药浓煎，药物不同，煎法各异。

仲景是根据不同方剂、治疗不同疾病而采用不同服法：有日一服（次）或"不愈更服"（白头翁汤、十枣汤），有日二服（大、小承气汤、栀子豉汤、甘草汤），大部分是日三服，还有"昼二夜一服"（抵当汤），有半日三服（麻黄连轺赤小豆汤），有"日三四、夜二服"（黄连汤、理中丸），有"日五服"（当归四逆加吴茱萸生姜汤）和"日六服"（猪肤汤），治疗咽中生疮的苦酒汤则"少少含咽之"，以保持喉中药液浓度。此外，视病人体质和药性不同，还提出了许多灵活措施：体弱者减量服（"羸者减之"——三物白散）；泻后应有扶正措施（"得快下利后，服粥自养"——十枣汤）；得效则药止（得快吐，乃止——瓜蒂散；"得下余勿服"——大承气汤）等。

从上可以看出，仲景对服用方法谨守"祛除病邪，维护正气"的原则。学习《伤寒论》，固然要学习辨证施治法则，但也应学习《伤寒论》中药的煎服方法，才能全面掌握仲景学术思想。现今临证医生只在处方上注"水煎服"3字，便挥病人离去，至于如何煎、如何服，由其自便。总之，我们没有把中医药宝库中关于煎服方法当作一门科学继承和发扬，致使这门科学中道衰退，已经成为影响中医疗效的突出问题。

《医学源流》云："煎药之法，最宜深讲，药之效不效，全在乎此。"《慎疾刍言》云："方虽中病，而服之不得其法，则非特无功，而反有害"。古人对此已有明训，我们继承发扬医药遗产，保持中医特色，不可忘乎此也。

从经方看汤剂服药方法　|全国梁|

现代一般服用汤剂，医者多嘱分两次，早晚分服，似乎已成服药常规。吾以为汤剂服法不可拘泥于此，而应以病情需要为原则，否则影响疗效。

观仲景《伤寒论》汤剂服法，1剂分2次服者，只占书中汤剂方总数的26%；而1剂分3次服者，则约占60%。服药次数多寡，同样反映了中医整体观念和辨证论治思想。比如：一次顿服者有，消结积之调胃承气汤、除热毒去痈脓之大黄牡丹汤、除水饮之十枣汤等治急重证，以峻药祛邪，宜顿服。治产后少腹满，小便微难，水与血俱结血室之大黄甘遂汤宜顿服，不宜一日再服。治温疟之白虎加桂枝汤，需未发前服，否则无效。治寒病之大乌头煎，乌头有毒，药性峻烈，故不可一日再服。而同一汤剂之服药次数，亦视不同病证而异，如大黄黄连泻心汤治心气不定，吐血、衄血时为顿服；而用以治心下痞，按之濡时，则分 2 次服用；后者不需大下，服量减半，药势减缓。

汤剂分 2 次服，亦应辨证施治。如治胸痹之瓜蒌薤白白酒汤，主治喘息咳唾、胸背痛、短气时，1 剂分 2 次服；如果胸痹病情加重，不得卧，心痛彻背，则上方加半夏，成瓜蒌薤白半夏汤，则分 3 次服。

1 剂分 3 次服在仲景书中占据多数，说明多数病证以日服 3 次为宜。

日服 4 次以上者为个别方剂。治奔豚气之奔豚汤，治梅核气之半夏厚朴汤为日三夜一服。治伤寒胸中有热，胃中有邪气，腹中痛，欲呕吐者之黄连汤，昼三夜二服。均为为缓解急性症状而设。

伴随着服药次数的不同，服药时间亦不同。究竟什么时间服药较适宜？应灵活掌握，随不同病证、病势和药物性能而异。如治急性肠痈之大黄牡丹汤，需在短时间内及时服药，且宜空腹服，使药直达病所。

日服药 2 次一般在两餐之间，如大陷胸汤，大、小承气汤，并不需尽剂，得下止后服，以保护胃气。

日服药 3 次之间隔时间亦很讲究。如桂枝汤分 3 次服，如一服汗出病差停后服，如不愈则一昼夜可服 2～3 剂。治伤寒瘀热在里，身必发黄之麻黄连轺赤小豆汤，1 剂分 3 服，半日服尽。而治黄汗之黄芪芍药苦酒汤，日 3 服，需连服 6～7 日乃解。

分三服之方剂，不一定尽剂。如乌头桂枝汤治寒疝，腹中痛，逆冷，手足不仁。服药先从小量开始，初服 2 合，不知，即服 3 合，又不知，复加至 5 合，其知者如醉状，得吐者为中病，故得吐后止后服，以免乌头中毒。治腹痛大便不通之厚朴三物汤以利为度。治汗吐下后虚烦之栀子豉汤得吐则止。这些例子说明，要根据临床病证的不同情况，确定不同的服药次数和时间，并以药后的反应来确定是否停药。

多数日服 3 次方剂为早、中、晚各服 1 次，但空腹或饭后何者为宜？仲景书中汤剂方无一强调空心服者。桂枝汤服后须臾啜热粥，大建中汤药后一炊顷饮粥，属先药后食，助药力养胃气。桃核承气汤等强调先食而后服药。有些属于药食同进，如白虎汤、白虎加人参汤、桃花汤、竹叶石膏汤、附子粳米汤等，皆有粳米，煎药以米熟汤成为准，药物成分含于米汤之中。人们的进食习惯一般是一日三餐，配合人们的一日活动，为人体生命活动提供所需营养物质；且服药 3 次，与人们的生活活动和生理需要是一致的，除泻下剂可在饭前空腹服外，一般宜在饭后半小时左右服药，一方面不伤胃气，一方面有利于药物成分的迅速吸收。因此，个人认为，一般汤剂以一日三服，似更为合理。

此外有的病证有呕哕等症状，不易受药，除使药小冷、空腹服外，服次增加，服量减少，亦为一法，如生姜半夏汤、黄连汤等。

由此可见，欲提高临床疗效，除需辨证准确、遣方选药精良外，尚需十分注意服药方法。对于服药次数、服药时间、药后反应等需认真考虑。此乃辨证论治的一项重要内容，每易使人忽略，若医者重视，临床治病必取效迅捷。

一 字 之 得　　| 姜建国 |

在教学中，一位同学提出了一个问题：《伤寒论》第 29 条"伤寒脉浮，自汗出，小便数，心烦，微恶寒，脚挛急，反与桂枝，欲攻其表，此误也。得之便厥……"。这里仲景为什么用了一个"攻"字？尽管问的是一个字，但却提出了一个发人深思的问题。

众所周知，桂枝汤为调和营卫的发汗缓剂，仲景也有"宜桂枝汤小和之"的说法，因此，有的医家就将此方列为"和"剂的范畴。况且作为发汗峻剂的麻黄汤尚未言"攻"，所以，桂枝汤很难称之为"攻"剂。然而，第 29 条却迳谓之"攻"，道理何在呢？原来"攻"之意，不在桂枝汤之"方"上，而在桂枝汤之"用"上。仲景用一"攻"字告诉我们，尽管桂枝汤本身非属"攻"剂，但对于虚证患者，一旦运用失当，却同样会起到与"攻"剂相同的作用。如本证伤寒兼里虚与桂枝汤"得之便厥"就是例证。可见，言"攻"者，一方面意在说明伤寒兼里虚者当慎用桂枝汤，另一方面意在揭示方药与病证即治与被治之间的辨证关系，寓义可谓深焉。

药用于病，病发于人。药、病、人三者，是影响发病与治病过程的三大因素。正如上述，尽管标以桂枝汤，但是称"攻"的用意，可以说是针对病与人而言的。非但桂枝汤，即使运用麻黄汤亦是如此。临床上，有的患者麻黄、桂枝用至 10～15g，并无汗出；而有的患者麻黄、桂枝仅用 3～6g，却"如水流漓"。过去我们习惯责之于方药，其实，根源常常不在方药本身，而在于患者体质因素。或是素体夹虚夹实，或是素体对药物的感受性有差异。这种方药与病证、方药与体质之间的辨证关系，正是"攻"字所要阐明的奥义所在。所以，当临证用药无效或发生反作用时，除应检查辨证用药本身的问题外，还应着眼于病者的体质因素，方为万全，避免那种见药见病不见人的时弊。

有的注家认为《伤寒论》乃字字珠玑，虽有过誉之嫌，但《伤寒论》的条文排列、语句结构、用字特点，确具匠心，并非随意而设。实有必要字字句句斟酌研究。上述之"攻"字即是其一例。

柔　痉　|毛有丰|

1969 年 9 月，因故去山西稷山县医院，遇一刘某某患感冒。初时头痛发热微咳，家人给以复方阿司匹林，遂大汗不止。头痛去，而发热自汗不解，则请中医治疗。服九味羌活汤 2 剂后，汗出益甚，热感未减，而以急诊住院。查血象略高；体温午前正常，日晡渐高，入夜尤甚，波动于 38 ~ 39℃ 之间，自汗发热，口干思饮，小便黄短。见其症状给以解热镇痛剂，服药 2 日，热势不去，反而出现上肢抽搐，角弓反张，牙关紧闭，日发二三度。改注射青霉素、链霉素，3 日后病情如故，又用破伤风抗毒素 3 天，仍不缓解；又予巴比妥等药物，亦无起色，遂告病危。急请会诊。适值患者痉挛发作，目赤上窜，颈项强急，牙关紧闭，不吐白沫，头部摇动，上肢抽搐，约 2 分钟发作停止。停止后垂头闭目，大汗淋漓，困顿不堪，问其所苦，无力作答。脉细而涩，舌苔薄白，津缺。《金匮要略》云："太阳病，发热汗出而不恶寒，名曰柔痉"。"太阳病，发汗太多，因致痉。"又曰："病者身热足寒，颈项强急……时头热，面赤目赤，独头动摇，卒口噤，背反张者，痉病也。"根据上述描述，征之患者临床表现，当属柔痉无异。遂以瓜蒌桂枝汤依法取微汗，食顷，啜热粥发之。药后 10 小时，病人安然入睡。直至翌午未再发作，嘱其如方再进 1 剂，汗止热退痉息，病竟霍然若失。

患者初感，邪在太阳，故头痛发热，恶风自汗，应以解肌发表，而病家不知，误用大量解热发汗剂，遂致汗出不止，是一误也；继服九味羌活汤，辛温发汗，重伤阴液，是二误也。阴血既伤，不能荣筋而风动，故见汗多津亏之柔痉。证虽匝月，而邪仍居太阳，故用瓜蒌桂枝汤。瓜蒌根生津养液，解热止渴，滋润筋脉、以缓痉挛；桂枝汤解肌发表，调和营卫；取微汗以驱风邪，使久稽之邪，随微汗而外出。药证相符，故不需增减出入而病愈。

百合病治验漫谈　|刘茂林|

在"渤海2号事件"中，患者邱氏的丈夫罹难，邱氏奔赴现场，悲痛欲绝，数次晕倒在地。事后昼则食少，夜不成寐，整天默默无言；时常欲卧又起，欲行又止；近来时而思水，复不能饮；像是怕冷，又不欲衣；意欲食，又不能吃，病已半月余。

余观其形证，表情淡漠，精神恍惚，沉默寡言，面色㿠白，两颧潮红，唇舌有小疮，舌红缺津，诊其脉弦细微数。问其所苦，自述头晕目眩，心悸耳鸣，口苦咽干，尿少黄赤，时时自汗。其母见我诊后沉思良久，问道："吾女何病？"余曰："此证与《金匮要略》之百合病颇相吻合。"其父追问道："从何所得？"答曰："《医宗金鉴》说，本病是由'伤寒大病之后，余热未尽，百脉未和，或平素多思不断，情志不遂，或偶触惊疑，卒临景遇，因而形神俱病，故有如是之现证也。'本证实由意外精神创伤，忧思过度郁结化火，阴血暗耗所致。"因心主血脉，肺朝百脉，阴虚内热，热伏血中，故百脉俱病，从而形成以心肺阴虚内热为主要病理变化的百合病。

心失血养，神明失守，故见心悸，神志恍惚，以及衣食住行皆若不能自主之势；血虚头面失荣，则头晕，面色㿠白；两颧潮红，口苦咽干，时时自汗，舌红缺津，唇舌生疮，脉弦细微数，尿少黄赤等，均为阴虚内热所致。病久不愈，由心肺阴虚而致肝肾精血不足，故有目眩、耳鸣等证。

处方：北沙参30g、生百合30g、生地黄15g、栀子12g、麦冬15g、知母12g、川楝子10g、白茅根30g，水煎服。此乃百合知母汤合一贯煎加减而成，目的在于清心养肺，滋补肝肾。随诊学员李某某私下问道："百合病，百合地黄汤可也，老师何用此方？"释曰："因其时时自汗，《金匮要略》有云：'百合病发汗后者，百合知母汤主之'；合一贯煎之理在于：病属'子盗母气'、心病及肝，'母令子虚'、肺病及肾，故心肺阴虚日久，必致肝肾精血不足，合一贯煎，恰投病机。"

上方连服9剂后，精神、语言、饮食均已有所好转，脉亦较前缓和；舌上生津，唇舌疮疡已愈，惟有头晕、少眠、自汗；又见善太息，喜悲伤欲哭。遵《金匮要略》"妇人脏躁，喜悲伤欲哭……甘麦大枣汤主之"之意，以前方去白茅根，加浮小麦30g，大枣10枚，杭白芍15g，炙甘草6g，继服。方中用浮小麦善养心阴，止汗尤佳；加杭白芍合川楝子，以增强其疏肝养肝之力，上方连进 12 剂，诸症悉愈。后嘱其服天王补心丹（每日早晚各服 1 丸）以善其后。笔者在临床上凡遇符合阴虚内热之病机者，在辨证论治的基础上，以上述 3 方为主体，适当配合清骨散，通常达变，见效守方，多获良效。

狐惑辨治经验　　|贾生库|

《金匮要略》所论之"狐惑病"，颇似西医所谓之"白塞综合征"。其病以眼、口、阴部的白溃糜烂为主要特征，往往反复发作，缠绵难愈。

本病好发部位在睑、唇等处，乃脾所主，局部白溃糜烂乃疳证之属。皆因脾气不运，湿邪内蕴，蕴久化热，湿热相搏，故有此症。亦有阴虚火旺，湿邪内蕴，虚火湿邪相搏，腐肉成疳之候。临床治疗本病，须详审其证，辨其寒热虚实。切忌囿于一方一法，胶柱鼓瑟。

临床凡见湿热证型，见有口臭、舌苔黄腻、溲赤、脉滑数者，法当清热利湿、消疳解毒。以清脾消疳汤治之。方用：生甘草 20g、防风 10g、石膏 20g、栀子 10g、藿香 10g、土茯苓 30g、黄连 10g、竹叶 3g、金银花 20g、板蓝根 10g、当归 10g、赤小豆 20g。

阴虚证型见有反复发作，舌红少苔，五心烦热，脉细数等症。法当养阴清热，利湿消疳，方用：沙参 15g、白芍 10g、麦冬 15g、当归 10g、枸杞子 10g、生地黄 15g、黑芝麻 15g、土茯苓 30g、生甘草 20g、金银花 20g、竹叶 6g、乌梅 10g。小便不利者加肉桂 2g。

脾虚证型见有反复发作，纳呆形瘦，四肢倦怠，舌淡脉濡等症。法当健脾消疳。用香砂六君子汤与清脾消疳饮加减。此外，尚可用黄连 6g，水 80ml，煎至 10ml。外涂患处，日 3～4 次。

尝治逮姓妇女，反复发作口唇、眼睑、阴部溃烂白腐，口臭，口淡，口黏，身重，溲赤、具有臭浊之味，白带多，舌淡苔腻，脉濡数，余以脾经湿热论治，处以清脾消疳饮，3 剂即愈。

《金匮要略》风湿在表治法浅谈　　|刘茂林|

《金匮要略》治风湿在表强调只宜微汗、切忌大汗。风湿在表，理应就近开腠发汗。如《素问·阴阳应象大论篇》说："其在皮者，汗而发之"。但为什么只宜微汗，而不能大汗呢？因风为无形之阳邪，善行数变。行主动，其性轻扬开泄，易于表散；湿为有形之阴邪，易伤阳气、易阳气机，其性重着黏滞，不易速除。大汗出则风去湿存、病必不愈，且徒伤阳气。又因微汗能调和营卫，使阳气缓缓充满运行于肌肉关节之间，而不骤泄，风湿徐徐俱去，而不伤正气。正如尤在泾所云："……故欲湿之去者，但使阳气内蒸而不骤泄、肌肉关节之间充满流行而湿邪自无地可容矣。"说明微汗能使在表之风湿相随而去。正如张仲景在《金匮要略·痉湿暍病篇》中所指出的："风湿相搏……盖发其汗，大汗出者，但风气去，湿气在，是故不愈也。若治风湿者，发其汗，但微微似欲出汗者，风湿俱去也。"

然而在临床上，往往是风寒湿三气杂至，所以仲景在同一篇中，接着提出了6首微汗之剂：①表实偏于寒湿者，用麻黄加术汤。方后云："覆取微似汗。"②表实偏于风湿者，用麻杏苡甘汤。方后说："有微汗，避风。"③风湿表虚者，用防己黄芪汤。方后亦云："温令微汗，差。"④表阳虚风邪偏胜者，治以桂枝附子汤。⑤表阳虚湿邪突出者，治以白术附子汤，方后释曰："一服觉身痹，半日许再服，三服都尽，其人如冒状，勿怪，即是术附并走皮中，逐水气未得除故耳"。可见，上二方仍为微汗之剂。⑥风湿俱胜、表里阳气皆虚者，甘草附子汤主之。由方后"初服得微汗则解"一句，可知本方亦为微汗之剂。

仲景治风湿6方，4方注有"微汗"二字，其余2方，从药物和注释来看，亦属微汗之剂，可见微汗是风湿在表的治疗大法。但在临床上内风与外风、内湿与外湿常常相互影响，若系内风，内湿则当别论；此处所言风湿，乃指外风、外湿，邪从外来者，当从外解。

《金匮要略》痰饮病琐谈　|赵健雄|

痰饮，作为病名，首见于《金匮要略》。有人认为，《金匮要略》的"痰饮"，应为"淡饮"，理由是《内经》无"痰"字，《脉经》《千金翼》俱作"淡饮"。笔者认为，在南北朝、唐代，"痰"与"淡"是通借字。查敦煌遗书唐《新修本草》残卷所引《名医别录》之芫花条，有"消胸中淡水"；旋覆花条有"消胸上淡结，唾如胶漆，心胁淡水，膀胱留饮"；乌头条，有"消胸上淡冷"；半夏条，有"消心腹胸膈淡热满结"等。从药用分析，有些"淡"字的涵义，实同"痰"字。又《神农本草经》巴豆条，有主"留饮淡澼"，将

"淡澼"与"留饮"并列，说明此处的"淡"，实乃"痰"之意。可见，此时的"痰"与"淡"通用。

"温药和之"，为痰饮病的治疗原则。何以用温药？正常的水液运化依赖人体的阳气，若肺、脾、肾阳气不足，则水液停积，而成痰饮。故当用温药以温阳，阳能运化，则饮邪自除。另一方面，痰饮既成，饮为阴邪，最易伤人阳气，亦须温药以助阳。何以言和之？"和"有调和、协调的意思，类似《伤寒论》第58条："阴阳自和者，必自愈"中的"和"。痰饮病本为阳虚，但饮邪本身为实邪，故其标为实。"和之"，就是指温阳治本，以达阴阳调和而病愈的目的。另一方面，"和"指用温药不可过于刚燥，以和为原则。总之，"温药和之"的治则，是针对痰饮病本虚标实的具体矛盾提出来的。代表方如肾气丸、苓桂术甘汤、小半夏加茯苓汤、小青龙汤等的组方都包涵着以上这种思想。笔者曾治李右案，即是运用以上治疗原则而获效的。患者有十二指肠溃疡、胃下垂5年余。胃脘疼痛，心下痞满，漉漉有声，食后尤甚，泛吐酸水，头昏肢冷，饮食日减，大便黑滞，舌淡，边有瘀斑，苔白，脉沉细弱。迭进补中益气汤等不效。析其病，因中气不足，脾阳不运，进而饮停中焦，已成痰饮。以苓桂术甘汤合枳术汤加味，15剂而愈。4年后追访，未见复发。

病痰饮者，未必皆当以温药和之 董 平

《金匮要略》于痰饮治则治法，有"病痰饮者，当以温药和之"这一条。此因饮为阴邪，多因于寒，故温阳化饮，成为常法，而以"和"言者，又包括有适其寒温、调其升降、舒其气机、和其脏腑等等意义。因此，"以温药和之"，便成为治疗痰饮的主要治则。说主要治则，不等于说是惟一法门，也没有总治一切痰饮证的意思。

我在临床上曾见到一些痰饮患者，按其当时的病情特点，本该用寒凉的，有人也一律用了温药，本该用攻法的，也一律照用和法。这同我们一些医书对于"病痰饮者，当以温药和之"这一治则的夸大宣传，不无关系。今天实在有必要重读一下《金匮要略》原文，正确掌握温药和之的适用范围。

所谓温药和之的代表方剂，是著名的苓桂术甘汤。《金匮要略》应用此方的仅有两条。一曰："心下有痰饮，胸胁支满，目眩，苓桂术甘汤主之。"一曰："夫短气有微饮，当从小便去之，苓桂术甘汤主之，肾气丸亦主之。"这两条都是针对狭义的痰饮证，即水饮停聚肠胃心下，病由阳不化气而起的痰饮证。

究其阳不化气的根源，又有两个：一是脾阳虚不能行水化气，致使水停心下；二是肾阳虚不能摄水化气，以致水泛心下。水停心下则短气，小便不利，心下悸；水饮上冒则胸胁支满，目眩。水停心下由于脾阳不运的，才适用苓桂术甘汤，鼓舞脾阳，化饮利水。方中桂枝、甘草，辛甘化阳降逆；白术、甘草，健脾和中利湿；茯苓导水渗湿。以上四味共奏温阳化饮之功，是痰饮来源于脾胃阳虚的正治法。水停心下由于肾阳不足的，就不适用苓桂术甘汤，而当用肾气丸，温养肾阳，化气行水。这还没有离开温药和之的大原则。

分析以上条文可以看出，温药和之的治则，一般只适用于脾肾阳虚、水停肠胃之痰饮，并不是统治一切痰饮证的总则。

如果再把《金匮要略》用以治疗痰饮停胃，胃气上逆而眩悸作呕的小半夏加茯苓汤，也算在和法之内的话，则此"和之"之法，也还离不了水停心下的痰饮轻症的范围。

由此可见，温药和之的治则，用在痰饮证上，有它的适用范围，并不是用于任何饮证都是万试万灵的。

再从反面来看，痰饮证不适用温药和之，而应该采取其他治则、治法的，《金匮要略》提供的例子，也足以说明问题。

溢饮表邪偏重，用小青龙汤，此是汗法，不是和法；

支饮腹满、便秘，内饮结实，用厚朴大黄汤，此是下法，不是和法；悬饮胁痛，咳唾短气，脉沉弦有力，饮结在里，用十枣汤；留饮欲去、自利反快，虽利，续坚满，用甘遂半夏汤。以上是攻逐水饮法，不是和法；

痰饮肠间有水气，腹满，口舌干燥，用己椒苈黄丸，此是凉药，不是温药，是前后分消法，不是和法；

支饮留结胸中化热，阻塞肺气，喘不得息，用葶苈大枣泻肺汤，这是凉药直泻肺饮，不是温药和之之法。

除上述例子外，临床上常遇到有些痰饮患者，病情复杂，有宜先发表后攻里的，有宜先补后攻的，有宜先攻后补的，有宜寒热并用的，有宜攻补兼施的，这些都要随证变化，岂可限于"温药和之"的死框框！

黑疸病 ｜李全治｜

黑疸，乃疸证之一，临床较为罕见。黑疸病最早见于《金匮要略》："酒疸下之，久久为黑疸，目青面黑，心中如啖蒜状，大便正黑，皮肤爪之不仁，其脉浮弱，虽黑微黄"。由此可知，黑疸乃酒疸误下之变证。

1959 年在莱阳中心医院会诊过 11 例黑疸病人，至今记忆犹新。这 11 例黑疸病人均为 40～50 岁男性壮年，住院 1 个月左右。其面身肤色均黑绿，犹如铁器外涂防锈清漆般的黑亮。白睛皆柳绿色。舌嫩红或瘀暗，苔白厚或黄厚而腻。下肢均有程度不同的水肿。其汗染纸黄色。伴有口苦咽干，逆满泛呕，胃中如吃大蒜，懊侬不舒，胁痛头晕，易怒多烦，肢楚乏力。大便黑、小便黄。皮肤扪之湿黏。下肢麻木不仁。体温下午 38～39℃，上午大体正常。

通过会诊座谈，确认此病为酒疸误下之黑疸证。酒疸为病，乃酒积湿热之邪郁遏中焦，影响胆液的正常分泌输布，发为黄疸。继见心下热满、泛泛欲呕之征象，此乃酒积之邪欲借酒气上行之势呕出而解，若顺势令其呕出，病情必见好转。医不明此理，反用降逆止呕攻下法治之，迫邪气下行、干扰肝肾进而形成黑疸。据此分析，治以解酒清热利湿法为主。宜用东垣之葛花解醒汤，加清利胆家湿热之茵陈五苓散；或用茵陈五苓散加葛花之方。方中葛花、茵陈各 15g，白术、茯苓、猪苓、泽泻各 10g，桂枝 3g，佐以白豆蔻、砂仁各 3g 以温化中焦久郁之湿气。经 1 个月治疗，11 例黑疸病人均先后痊愈出院。

麦苗硝矾丸在治疗阴黄阳黄中的效用 　|刘海涵|

硝矾丸，是以硝石矾石散剂型改制而成。硝石矾石散一方，早见于仲师《金匮要略·黄疸门》女劳疸条下。原文为："黄家日晡所发热，而反恶寒，此为女劳得之……，硝石矾石散主之。"继之后世历代医家，宗经旨而以硝矾立方以治黄疸者，不胜枚举。有关麦苗治黄之撰述，亦早见于《圣惠方》《普济方》《医方类聚》《本草纲目》与《医部全录》等古医籍。愚谨遵经旨，以麦苗煎汤送服硝矾丸，并随证于汤剂中加减用药，而用之治疗内伤诸疸，数十年来，临床疗效确实可观。硝矾散改丸，其制法：硝石炒枯，矾石（又名皂矾、绿矾）投于木炭火中，烧红如丹结块，共为细面，以大麦面和之，大麦面用量为硝矾生药之和（即硝、矾各 100g，大麦面则为 200g），硝、矾如法制之，大麦面焙熟，水和为丸，如黄豆大，每服 6g，早晚 2 次，以小麦苗 500g 浓煎，分 2 次送服上药。此方验案甚繁，下仅举 2 例以供参考。

曾治一患者张某某，男，年 40 岁，干部，于 1962 年冬，因治河，每日勤劳，加之风霜寒露，夜宿野外，如此月余而患黄疸，经某医院诊断为"黄疸型肝炎"，治疗 3 个月缠绵不愈，来我院就诊，患者周身面目色黄灰暗如枳实；纳减，脘闷腹胀，肢冷体困，畏寒不渴，大便日行 2 次，见不化之完谷，舌淡，苔白腻，六脉沉细无力。诊断为寒湿郁中，中阳不振之阴黄证；治以温中和胃，健脾化湿，方用茵陈术附汤加减，送服硝矾丸。方药：茵陈 30g，白术 30g，附子 15g，黄芪 30g，小麦苗 300g，干姜 10g。每日 1 剂，2 次煎服，每次送服硝矾丸 6g。服药 31 天，上症悉除，黄疸消失而出院。

患者徐某某，女，25 岁，周口市刻字厂职工。于 1979 年 11 月 18 日突见面目轻度黄疸，至该月 21 日，肤目黄色深如鲜橘，小便深黄如柏汁，发热口渴，善饥暴食。经住某医院治疗，诊断为"急性黄疸型肝炎"。至 24 日，病情增剧，高热烦渴，神志昏迷，躁扰闷乱，语无伦次。延愚会诊，症同上述，舌红绛，苔黄燥，六脉弦数有力。辨证为热毒炽盛，邪陷心包之"急黄证"。治以清热解毒，凉血开窍。方药：自拟犀角解毒汤：犀角 12g、川黄连 10g、金银花 30g、连翘 20g、生石膏 100g、竹叶 30g、栀子 10g、黄芩 15g、麦冬 30g、知母 20g、生地黄 30g、玄参 30g、生甘草 10g。每日 1 剂，1 剂两煎，多次分服，每 4 小时送服安宫牛黄丸 1 丸。服药 3 日，神清热退，六脉转静。病势虽脱险，但黄疸仍无明显消退，并出现腹水与下肢浮肿。因思致黄之理，无热不成疸，无湿不生黄。遂以小麦苗 500g 浓煎为汤 400ml，分早晚两次送服硝矾丸，每服 6g，服药后溺赤便黑，微有利下，1 周后，黄渐退，肿渐消，腹水骤减。如法服硝矾丸 3 周，黄疸尽退，肿消满除而告愈。

愚借仲师治女劳疸之硝矾散改制为丸，治内伤诸黄者，取其湿去热清，黄疸自愈之理。《本草纲目》与《本草研究》石部硝矾条下，载硝石苦寒，矾石酸凉，矾石消积入肝脾，胜湿除胀医黄肿；硝石破坚医劳疸，涤蓄利尿散积热。两药为伍，相辅相成，合麦苗利湿入肝脾。在临证实践时，务要灵活化裁，或单用硝矾为剂，或佐以麦苗为辅；或遵仲师法度，或改制为丸。证要辨虚实寒热，法要别温清消补，黄要分阴阳内伤外感，治要分轻重缓急，随证变通。不但硝矾治黄如此，其他各方应证亦然。今以麦苗硝矾丸佐以茵陈术附汤治疗阴黄；佐以清热解毒剂治疗阳黄，实为师古而不泥古，遵方变法之一得。

肠痈治验话经方　　|柴浩然|

忆 1963 年夏季，同乡潘某之岳父，年五旬余，偶因腹中急痛，以"慢性阑尾炎急性发作"入院。治以抗生素等，效不著，医欲行手术治疗，病人畏惧手术，故用中药治疗。症见屈腿侧卧，两手捧腹，愁容满面，呻吟不止。令其移位仰卧，右下腹剧烈疼痛，腹肌挛急，按之肿痞盈手，伸其右腿则痛更剧。大便虽行，量少而黏，舌布白苔，微罩黄色，脉象弦数，两尺涩滞，此乃肠腑阻滞、气血凝泣而成缩脚肠痈之疾。处以金银花45g、连翘30g、桃仁9g、牡丹皮9g、冬瓜仁30g、赤芍9g、当归9g、乳香9g、没药9g、粉甘草6g。嘱服2剂。服上方后，痛未减，病依旧。次日他医又以黄连解毒汤加活血止痛之品，服1剂。至第3日腹痛更甚，病情转剧，邀西医会诊，诊为阑尾化脓穿孔，形成脓包。即行手术，亦失其时机，恐难为力。余心惭颜赤。忽忆仲师言肠痈"其身甲错，腹皮急，按之濡，如肿状，腹如积聚，身无热，脉数，此为肠内有痈脓"。本病肿痞盈手、按之濡软，身无寒热，其脉弦数，为脓已成也，遂处薏苡附子败酱散。炒薏苡仁60g、败酱草60g、熟附子6g。1剂，开水煎服。

傍晚服头煎，2小时后煎服2煎，药后自感全身温暖有汗意，随即额及胸背微有小汗；2时许，遍身桼桼汗出，如洗浴之状，衣衾尽湿，持续约1时许，汗收。除渴欲频饮外，再无任何不适，医感不解，病人旋即熟寐。翌晨，病人自觉精神爽朗，肢体轻快，腹部平适，更无痛感，手扪右腹肿痛处痞肿皆无，令其弯腰鼓腹，亦无丝毫痛苦。此大疾重疴一夜之间顿然若失，医生、患者均觉诧异，亦出乎余之意料。再经详查，确已病愈。令其糜粥自养，观察8日未见复发之象，遂坦然返家。

薏苡附子败酱散排脓消肿，服后为何汗出？清代魏念庭记本方"服后以小便下为度者，小便者，气化也，气通则痛肿结者可开，滞者可行……肠痈可已矣。"据此，药后以小便下或以汗出为度，皆是痈脓消散，结开滞行，阳通气化之象，虽反映形式不同，究其机制则一。方中薏苡仁利湿消痈，败酱草活血排脓，为消散痈脓之要药。附子辛热通阳散结，开行郁滞之气，加强本方消肿排脓之功。

（柴瑞霁　整理）

甘草粉蜜汤治疗胃脘痛　　|强致和|

胃脘痛临床辨证有虚实之分，脾胃虚寒性胃脘痛临床最常见，且多反复发作，有时用六君子汤、建中汤、理中汤之类加减应用疗效不满意。昔余临床遇到一中年农村妇女以患急性胃脘痛（西医诊断十二指肠球部溃疡）收住院治疗，经检查：全身消瘦，面色不华，急腹痛病容，胃脘剧烈疼痛，痛时打滚，按之痛减，舌质胖色淡，苔薄白滑润，脉濡缓。西药给胃得宁、普鲁本辛、阿托品等解痉止痛药无效。注射吗啡、阿托品，疼痛亦不能缓解。按脾胃虚寒胃脘痛治以和胃补中，以固正气。方用《金匮要略》甘草粉蜜汤：甘草60g、米粉30g、蜂蜜120g。先煎甘草去渣，后下粉，蜜煎少许，频服，每日1剂。首剂服完疼痛大减，2剂服完疼痛完全缓解，再给小建中汤进行调理而愈，随访2年未复发。以后常用此方治疗脾胃虚寒性胃脘痛均收良效。

疼痛的病理有两种：一是"不通则痛"，另一种是"不荣则痛"。前证宜用通利之法，忌用补法。后一种证候宜补养。张景岳在《质疑录·论诸痛不宜补气》中云："凡属诸痛之虚者，不可以不补也。"甘草粉蜜汤方中，粉有铅粉和米粉的不同记载，本例用米粉。甘草能益气补中，缓急止痛，善治劳损内伤，脾气虚弱，元阳不足，肺气衰虚，其甘温平补，效与人参、黄芪同。蜂蜜功能补中、润燥止痛。米粉性味甘平，补中养脾胃，三药合用可温中补虚，缓急止痛，用治虚寒胃痛，故效。

经 方 验 案 高文庆

《金匮要略》所载之妇人病3篇，是现存医籍中最早的妇科专篇，其方一直为后世医家所常用，且能收到良好疗效。

1967年3月，我曾治一霍姓妇女，产后10日，下腹隆起，如怀孕9个月状，经住院诊断，排除双胎一胎未出之可能。《金匮要略·妇人杂病脉证并治》云："妇人少腹满如敦状，小便微难而不渴，生后者，此为水与血俱结在血室也，大黄甘遂汤主之。"所载与此病甚合，遂处方：大黄15g、甘遂6g、阿胶10g、当归15g。煎汤，于下午至睡前分2次服之。次晨病家告之，昨晚从前阴排出大量水血混合物，腹胀已全消，调理数日，痊愈出院。

《金匮要略》论此病，仅寥寥数语，而辨证却十分精湛。"少腹如敦状"一句，已将腹形描述尽致；小便难，知非蓄血；不渴，知非蓄水；病发于生产后，故辨证为水与血俱结在血室也。以大黄、甘遂破血逐水，配阿胶养血扶正，所以邪去正不伤，故效速也。

风引汤治癫狂病 王瑞道

风引汤原名紫石英汤，因其专治"大人风引，少小惊痫瘛疭"，故名为风引汤。《金匮要略》记载本方（系后世注家补入）能"除热瘫痫"，《千金方》《外台秘要》均有详论。

余多年来用本方治疗癫狂病 40 多例，有一定疗效，小有体会。运用时原方药物组成不变，但用量有所加减：紫石英 30g，寒水石、生石膏、滑石、赤石脂、牡蛎、龙骨各 15g，生大黄（后入）、干姜、桂枝、甘草各 10g。上药加水煎煮后去渣，每日 1 剂，分 2 次温服。

用本方治癫狂，以发病急、病程短，初次发病，证属实热者疗效显著。一般服药少则 6 剂，多则 20 剂，可使神志清楚，症状消失。针对其致病因素辅以解说工作，可收到痊愈的效果。追访中鲜见复发病例。若病程日久，经常服用氟制剂、大剂量镇静药及行电休克等，使身心受损者，再用风引汤治疗则效果不佳。例如：有 5 例曾做电休克后的青年患者，见症虽病属实热型，但服用风引汤 60 剂也不见效。凡属老年体弱或久病致虚的患者，应慎用此方。

运用过程中，药物及剂量不宜做大幅度更动，否则药物组合比例失调，易于引起胸闷或泄泻，也往往影响疗效。

癫狂病多由精神创伤、七情过激等因素，引起阴阳失调，气机升降失常，导致脏腑功能紊乱而发病，证候有火郁、气滞、瘀血、痰阻等不同类型。风引汤具有清热泻火、重镇安神、理气行瘀、祛痰利湿的功能，其作用符合癫痫的发病机制，且药物价廉易得，值得推广应用。

善用经方 2 例　　|王立华|

有畏经方不敢用者，辄曰：古方不能治今病。余曾亲睹山西广灵县已故名老中医王老先生及山西省中医研究所已故名老中医韩玉辉先生用经方风引汤治瘫、狂证甚验，列述于下：

邻居葛姓 6 岁男孩，于春夏之交在院中玩耍，突然跌倒，随之高热抽搐，余往诊视，患儿躁动，体温 40℃，给青霉素、链霉素混合肌注，3 日后体温复常，但瞳孔散大，双目失明，全身软瘫。余感此病难疗，遂求教于王老先生。其曰：此热瘫也，给药 2 剂，嘱其取山西广灵千佛山庙下井水煎服。余视其药，多为石质，细检之乃《金匮要略》风引汤也。患儿服后，逐渐好转，续服数 10 剂，节节进步，不但视力渐复，肢体也渐有力。先能坐起，渐可扶壁行走。1 年后完全康复。现已三十余岁。

一老妇年近花甲，曾患精神失常病，一日午睡时，因偶然受惊，旧疾复发，语无伦次，躁扰不宁，昼夜不安。家人惊慌，求治于韩老。韩以《金匮要略》风引汤治之，2剂后即安定，续服2剂，恢复如常。此又善用经方之1例也。

风引汤，人皆畏其寒热错杂而不敢用。但若用之得当，其效如神。观此2例，可以解惑矣。

漫话风热表证　　|常　清|

风热表证，表现为发热重、微恶寒、口渴、咽喉红痛、咳嗽、咳黄痰、苔薄黄、脉浮数等，多由外感风热所致。余在银川工作几十年，诊治感冒甚多，其中风热型者颇多。即使三九严冬亦多风热证。风热何来？风热表证，并非全由外感风热而致，亦可内热与外风相结而成。西北高原，冬季气候寒冷干燥，室内取暖较好，室内热而室外寒冷，人们外出多着毛皮，寒固于外，而热郁于内，加之居民饮食多嗜辛热之品，易生内热。人体内有蕴热，一旦受风寒侵袭，外风与内热相结，出现风热表证。即使外感风寒之邪，亦易寒从热化，而出现风热表证。

余治风热表证，用自拟加减银翘散，得心应手。处方：金银花30g、连翘25g、大青叶30g、黄芩10g、桔梗10g、薄荷12g（后下）、竹叶10g、生甘草7g、淡豆豉10g、牛蒡子12g、苇根30g，水煎服。针对患者内有蕴热，故去银翘散中偏温之荆芥；加清肺热之黄芩、清热解毒之大青叶。余用此方治风热表证，发热重者服药不过一两剂而愈。如治男性患者姚氏，头痛鼻塞，发热体温39℃，微恶寒，咽痛，咳吐黄痰，全身酸痛，苔薄黄，脉浮数。证属风热表证，投以加减银翘散加菊花10g，患者服药1剂病愈。

战　　汗　　|李乐园|

邻村张姓男子，患温热病缠绵二十余天不愈，邀我诊治。患者高热无汗，全身皮肤干燥，扪之灼热，形体消瘦，精神萎靡，神志恍惚，小便黄少，大便溏黏，六脉沉数，舌苔薄黄，舌质绛而干。证为温病失于清解，内入营血，灼津耗液，大有津液涸竭之危险。需用凉血育阴、甘寒生津之剂，以期津复热清。用生地黄、玄参、麦冬、牡丹皮、知母、天花粉、青蒿、桔梗等，嘱服3剂。

3 天后，诊视患者，面色惨白，神志不清，大汗淋漓，扪之全身湿冷，四肢厥逆，六脉沉细伴有结代。家属述说，3 天来病情稳定，早饭后病人突然烦躁不宁，寒战，虽厚被覆盖冷不缓解，继而大汗。此温病战汗，正气津液得复，正邪相争，温热之邪转出气分，虽是正复驱邪的佳兆，但难免有邪去正脱之危，此大汗气脱亡阳之险候。急取稀饭米汤半碗，徐徐灌下。急煎人参 15g，频频灌下，观察 1 小时后，病人汗渐敛，四肢回温，神志稍清，脉有起色。又予人参 15g，加炮附子 3g 浓煎，频频服之。次日再诊，脉静，神清，病已霍然而愈。

温病尿闭小议 |白兆芝|

在温病过程中出现尿闭证，治宜滋其化源，充其津液，断不可利尿更竭无源之水。

十余年前，治一韩姓老妪，暑令受凉发热，咳嗽，呕吐，腹泻。3 天后腹泻止，而出现昏睡尿闭。急诊，西医诊为肺部感染，经予补液、抗感染等治疗，仍 24 小时无尿，病情无好转，又考虑合并急性肾功能不全，遂加用甘露醇治疗 1 天，仍无尿。请中医会诊。患者发热夜甚，神志朦胧，呈昏睡状态，时有谵语，汗多，大便 3 日未行，小便 48 小时无有，舌质红绛而干，舌苔少而黄燥，脉细数。此暑热之邪，最易伤阴，阴液亏竭，乃尿闭之由。

暑温邪传入营，更因吐泻伤阴，暑热煎耗，营阴枯涸，热扰心神，故见斯证。吴鞠通云："热病有余于火，不足于水，惟以滋水泻火为急务"，又云"温病小便不利者，淡渗不可与也"。急宜清营泄热，滋阴增液，透营分暑热之邪转出气分。遂以清营汤加沙参、白茅根。服 1 剂，小便得通，大便亦行。身热渐退，神转清，自述口渴，但饮不多，微有恶心，咳嗽，舌质红绛而润，舌有少许白苔，脉细数。以前方去黄连加枇杷叶、竹茹、芦根、贝母、鱼腥草，调治十余日，诸症痊愈。

孕妇暑温 |王怀义|

章虚谷云："保护胎元者，勿使邪热入内伤胎也。若暑热逼胎，急清内热为主……清热解邪，勿使伤动其胎。"临床上孕妇温病，必清邪热，切不可顾及胎元而不清邪热，导致邪热逼胎之变。

治吕姓妇，妊娠4个月，患流行性乙型脑炎，见壮热无汗（体温40℃），神昏烦躁，四肢拘急，时有抽动，舌质红绛，舌苔老黄，脉滑数而疾。证为热毒炽盛，气营两燔，急以清热解毒重剂治之。方用金银花30g、连翘30g、大青叶60g、板蓝根60g、石膏150g、知母12g、芦根30g、甘草5g、紫苏叶6g、薄荷12g。清气凉营为主，并入黄芩12g、桑寄生15g以安胎。每日2剂，水煎4次，每6小时服1次。药后汗出热解，乃去紫苏叶、薄荷，加黄连6g、钩藤15g、石菖蒲10g以开窍熄风。连服3日，热平风熄，神志转清，调理而病愈胎安。

又患者王某，怀孕8个月有余，患流行性乙型脑炎，症见高热面赤（体温39℃），烦躁抽搐，神志昏沉，唇燥舌绛，舌苔黄而干，脉滑数。证属火盛风动，气血两燔。急予清热解毒，凉血护胎。药用：金银花30g、连翘15g、生石膏120g、知母10g、大青叶20g、板蓝根20g、黄芩10g、生地黄15g、钩藤15g、石菖蒲10g、山药15g、桑寄生15g、沙参30g。每日2剂，分4次服，每6小时服1次。药服3剂分娩，体温下降为38.5℃，汗出肢强，喉中痰鸣，大便5日未行，腹痛拒按，此虽产后正虚，但腑实已见，前方去黄芩、山药，加大黄、赤芍，每日2剂再服，大便下，身热降，神转清，调治而愈，母子平安。

疫痹证治　　|刘玉书|

疫痹系指感受污秽之戾气，闭阻经络脏腑而导致的一种传染性疾病。西医布鲁氏菌病属这一范畴。笔者以吴又可治疫的"达原溃邪"法，治疗此病52例，疗效满意。疫痹之邪，污秽重浊，若邪气充斥浮越于经络，从阳化热，则表现为发热恶寒，头痛身疼，多汗，关节红肿剧痛等，属温热型疫痹；如病久，正衰邪匿，从阴化寒，则表现无热而肢体痛楚，筋挛骨萎，自汗盗汗，极度衰疲等，为风寒型疫痹。

温热型疫痹多见于发病后的1~3个月左右。起病突然，发热2~3周，自行退热，过1~2周再度出现发热等症，如此反复，故有"波状热"之名。用加减达原饮治疗3例，均痊愈；用加味九分散治疗7例，痊愈1例，好转5例，无效1例。

风寒型疫痹，以游走性关节痛与极度衰疲为特点。治疗此型42例，用加减效灵丹治疗13例，痊愈8例，好转5例；用九分散治疗29例，痊愈17例，好转 12 例。

用达原溃邪法治疗各型疫痹，是针对疫痹戾气疫邪秽浊的特点，促邪溃散，驱邪外出，收效较佳。

忆祖父医瘟疫 | 娄多峰 |

祖父娄宗海，毕生业医，于温病尤精。40 年代初，河南连年瘟疫流行，死人甚多。病初始，头痛四肢乏困，继而壮热，来不及治疗即殁。祖父拟僵蚕 6g、蝉蜕 3g、姜黄 4.5g、大黄 9g、黄连 4.5g、栀子 6g、金银花 9g、连翘 9g、天花粉 9g、葛根 9g、厚朴 4.5g、枳壳 9g。呕吐者加知母 9g，生石膏 9g，竹叶 20 片为引，水煎服，效颇奇。将此方授予众人，相互传用，活人甚多。若症见舌苔黄，有芒刺者，用川厚朴 6g、大黄 9g、黄连 4.5g、生地黄 9g、桔梗 9g、桑白皮 9g、甘草 6g、瓜蒌子 6g、青皮 6g、山楂 9g、槟榔 9g、僵蚕 6g、芒硝 9g、黄酒引，水煎服。药后大便通畅，热除病退而愈。初始知方甚效，不思其所以然。后来推敲，其方乃升降散加味，升降散是《寒温条辨》方，治"温病表里三焦大热，症见憎寒壮热，或头痛如破，或烦渴引饮，或咽喉肿痛，或身面红肿，或斑疹杂出，或胸膈胀闷，或上吐下泻，或吐衄便血，或神昏谵语，或舌卷囊缩"。药仅 4 味：炒僵蚕、蝉蜕、姜黄、大黄。祖父加清热解毒的黄连、栀子、金银花、连翘；生津润燥止渴的天花粉；治项强升胃津之葛根；理气之厚朴、枳壳，取"气郁便是火"之说，理气即能降火。若热结肠腑，舌苔黄起芒刺，用承气汤，温病热邪，劫烁真阴；故以承气汤加滋阴润燥，开郁散结解毒之品。多年来，余用上法治疗温病，每多应手取效。

中医药治疗钩端螺旋体病 | 米伯让 |

运用中医药防治钩端螺旋体病，共治 657 例，除死亡 7 例曾用西药配合抢救外，其余均单独用中医药治愈，治愈率为 98.92% 。

通过实践，从中医的伏暑、湿温、温燥、温黄、温毒、暑痉等证中总结出一套中医辨证论治规律。钩端螺旋体病属温热病范畴，故治疗自始至终围绕"存津液，保胃气"、扶正以抗邪这一中心环节。

本病伏暑证最多见，占 85.37%，其中属卫分证者 196 例，皆用银翘散（汤）治愈，退热时间平均为 2 日。金银花、连翘用量在 17～35g，量小影响疗效。金银花、连翘 2 药无论邪热在卫、在气、在营、在血均可应用，不仅清热解毒，还可透邪出表。

本病临床表现亦可分卫、气、营、血四个阶段，各不同阶段的症状不可截然分开，多互相兼见，治疗时必以主证为主，兼证次之。如若气分兼卫分证，则以大热、大汗、大渴、脉洪大为特点，兼见微恶寒，此时治疗应重用白虎汤加金银花、连翘即可。本病气分证以大热，有汗或大汗，脉洪大或滑数为主，而大渴则不多见，故用白虎汤不必拘于四大症状悉具。对表现阳明腑实证者，可用大剂增液汤合白虎汤"增水行舟"，收热随便解之效。也可视腑实轻重，慎用三承气汤，泄热通便。余热未尽，正气未复者，用竹叶石膏汤善后；个别重笃病例，正邪胜复致阴精耗损者，用养阴润燥的加减复脉汤滋阴退热取效。

温热病变化多端，治疗时一定要把握病机，病势多急速，因此药物的作用必须针对病势，根据病情可 2～3 小时服药 1 次，或 4～6 小时 1 次，每日可服药 2～4 剂。

（米烈汉　整理）

风 温 误 治　|王启政|

吾兄春令患外感，初起发热，微恶风寒，头痛无汗，咳嗽；两日后但发热不恶寒，咳嗽气急，烦躁不安，口渴欲饮，请西医诊治后，病趋缓解。吾诊病已 4 日，自述仍有低热，全身倦怠，头晕心慌，气短，干咳少痰，口干而渴，不欲食，时有呕恶。吾误为中气不足，余热未尽，投以益气升阳，佐清余热之品；服药 2 小时许，心烦不适，至半夜，病势加剧。症见心烦懊侬，坐卧不安，面红耳赤，口干而渴，时时欲吐，舌红少苔，脉细数。吾细思之，春月受风，其气已温，证属风温失治，邪留气分，气分余热不尽，肺胃阴伤。遂以滋养肺胃之阴兼清泄气分余热，用沙参麦门冬汤加生石膏、竹叶，1 剂病减，5 剂痊愈。

此内伤与外感风温之误也。幸邪浅病轻，及时纠正，才未酿成大祸。

流行性出血热的痉厥证治 ｜米伯让｜

我用中医药治疗流行性出血热82例，痊愈70例，死亡12例。通过实践认为流行性出血热属中医"温毒发斑夹肾虚病"。所发痉厥，是病邪进入营血分的严重表现。

痉与厥是两种不同的证候，但在一定情况下，二者常同时出现，故临床每以痉厥并称。流行性出血热的痉厥，具有"温毒发斑夹肾虚病"的特点，辨证也有寒热虚实之不同。临床有：

1. 火郁血实热厥证　见吐血、衄血或便血，皮肤血斑，斑色青紫，神志昏迷，面色青惨，两目瞳孔缩小且不对称，球结膜水肿，摇头鼓颌，口噤不语，四肢厥冷，时有抽搐，或谵语狂躁不安，身灼热，腰痛如被杖，身肿，口臭喷人，舌质深绛或青紫，干燥无津液，舌苔黑焦如炭，脉浮大而数或沉细而数伏。此淫热火毒燔炽阳明，外窜经络，内攻脏腑，充斥表里上下所致。急用清热解毒，凉血救阴法。方用清瘟败毒饮，每日1剂，分4次服。生石膏（量70～140g）必配犀角同用，才效速。用清瘟败毒饮只要抓住上下出血及斑疹透露这两个主证即可大胆应用。

2. 火郁中焦热厥证　见斑疹透露，壮热面赤，口渴欲凉饮，干呕，呼吸气粗，腹痛胀满拒按，狂躁谵语，大便燥结不通，手足厥冷，舌质红绛，舌苔黄厚而干，脉滑数或沉细而伏。此热深厥深，腑气不通所致，用急下存阴法，泄火解毒，升降气机。方宜解毒承气汤。若下利清水，奇臭异常，此热结旁流，正虚邪实，上方加人参、熟地黄、当归、山药益气护阴。

3. 精亏阴伤痉厥证　见身热面赤，舌强神昏，四肢抽搐，口干舌燥，舌质红绛无苔，甚则齿黑唇裂，脉虚大，或沉细而弱，或结代。此热邪深入下焦，肝肾阴精大伤，肝风内动。法当滋阴潜阳熄风。方用三甲复脉汤或大定风珠。

4. 肝风内扰厥而呃逆证　呃逆连声不止，心烦不寐，时有谵语，舌质红绛，舌苔黄燥，脉细而劲。此为温邪久居下焦，肝肾阴亏，心火上冲。法当滋阴降火、交通心肾。方用黄连阿胶鸡子黄汤。《温病条辨》有："既厥且呃，脉细而劲，小定风珠主之"。

5. 正虚邪实蛔厥证　畏寒发热，四肢厥冷，烦躁不安，腹痛吐蛔，舌苔灰腻或黄腻，脉沉细或浮大而芤。此邪实、气血逆乱、寒热错杂证。法当益气救阴，泄热和胃，安蛔降逆。方用椒连乌梅汤。

6. 血虚表郁，阳邪内陷厥逆证　本证为卫分热将退或退后，突然血压低下，四肢厥冷，脉沉细或微数。此为患者平素气血虚弱，无力鼓邪外出，体温虽降，但表邪未解，寒水之气遏郁所致。法当温经散寒，养血通脉。方用当归四逆汤加人参。若症见少尿阴亏火盛者，可用知柏地黄汤加焦栀子、黄芩、阿胶、白茅根。若症见阳虚寒凝，水气结滞者，用五苓散助阳化气利水。

7. 气脱亡阳证　身冷蜷卧，畏寒战栗，下利清谷，渴欲热饮，水入即吐，四肢厥冷，脉微欲绝或无脉，舌质青紫或淡红，舌苔白滑或腻，面色苍白或反见潮红。此真寒假热、阴竭阳脱之证。急宜益气固脱，回阳救逆。方用六味回阳饮加葱白。

（米烈汉　整理）

漫谈药物炮制　|王吉人|

溯古神农尝百草，以定寒、热、温、凉，讲求司岁备物，以资药力。如子午寅申，为君相二火司岁，则收取姜、桂、附子等热性类；丑未太阴湿土司岁，则收取芪、术、参、苓、山药、黄精等土类；卯酉阳明司岁，为燥金用事，则收取苍术、桑白皮、半夏等燥类；辰戌太阳寒水司岁，则收取黄芩、大黄等寒类；巳亥厥阴风木司岁，则收取羌活、防风、天麻、钩藤等风类。盖因得主气之气以助之，则药之功用倍大。中古之世不讲司岁备物，惟假炮制以代天地之气。如制附子曰炮，助其热也；制苍术曰炒，助其燥也；制黄连以水浸，助其寒也。今人不加深究，每用相反之物而反制之，何异束缚其手足，而欲使之动作哉。

烹、炒、炮、制之变化无穷，如生地黄蒸晒，制成熟地黄，对于温补精液及固胎，颇为相宜，若养血凉血，则反不及生地黄功力。今人用生地炭，则枯燥而全充本能，安能治病。考经方炮制，变其性而治病异。如炙甘草汤，取其益胃，甘草用炙而气升；芍药甘草汤，取其平胃，则用生甘草而气平；甘草干姜汤、侧柏叶汤，其姜皆炮，则温而不烈；四逆汤、理中汤，则干姜不炮，取其气烈乃能去寒；附子古用火炮，助热去其毒也；其用生附子正是以毒追风，毒因毒用，一生一炮，有一定之理。葶苈子不炒则无香味，不能散；紫苏子、白芥子必炒用，亦同此意。半夏、天南星非制不用，去其毒也；礞石必用火煅，性始能发，乃能坠痰。穿山甲不炮，则药性不发；鸡内金不炒，其性亦不发；古铜钱、花蕊石均非煅不行。独黄丸杂以他药，九蒸九晒，清润而不攻下，名曰清宁丸，有天得一以清，地得一以宁之意。巴豆悍利，西洋人烘去油，变其辛烈之味为焦香，名曰咖啡茶，消食利肠胃，并不攻泻。又有利用巴豆为末，加雄黄炒至黑色，为乌金膏，化腐极妙，不伤好肉，皆善于炮制也。近医不察，妄肆炮制，有朱砂亦用火煅者，大失内含水银之性；地黄用砂仁、酒、生姜煮，反寒为温，失其本性，非所宜也。白术补脾阴，不可焦用；生黄芪领诸药达表以止汗，世医多误加炮炙；生桑白皮补虚益气，反谓生用大泄肺气，不知忌火之药，何以妄炙。栀子、白芍取其凉心及肝，不可炒用；石膏清润阳明之燥，且能通乳，安能煅用，而反为燥剂乎。僵蚕气平味辛咸，色白而禀金气，能通调肺气，主治小儿惊痫夜啼，后人不体物理，不察物性，妄加炒用。麦冬一本横生，连络有 12 枚或 14、15 枚者，能通十二经、十五络，抽心则失其功用。诸如此类，难以枚举，皆由不知药性之理，误效雷敩之说，一误再误，狃于习俗，耽误病症，不胜其数矣。

以上略举梗概，诸凡不当制而制，与不必炮而炮者，劳而无功，非徒无益，而反害之。但当制而不制，必炮而不炮者，亦影响疗效，遗祸非浅。

谈中药炮制与临床疗效　　|王学美|

余临床三十余年，深感中药的规范炮制与临床疗效密切相关。认为只有药物炮制合度，临床方能事半功倍，效如桴鼓。

历代医家都强调中药炮制的重要性，认为中药炮制是直接关系到医疗质量好坏的一个重要环节。古人云：大凡修治传远送，活人医疾倍奇功。明·陈嘉谟也指出："酒制升提，姜制发散，入盐走肾脏……，用醋注肝经且资住痛，童便制除劣性降下，米泔制去燥性和中，乳制滋润回枯，助生阴血，蜜制甘缓……，增益元阳。"又如炮制歌中有：远志须去心，否则令烦闷；草果去膨胀，连皮反胀胸；芫花本利水，非醋不能通；地榆止血药，连梢不住红。皆阐述了药物炮制与治疗要相适应的道理。

余于 1973 年 8 月曾治一农民陈福，男，32 岁，患泄泻 1 个月余，日 4 或 5 次，神疲面白，肠鸣便稀，绕脐隐痛，便前尤甚，胃脘胀满，纳食减少，无里急后重及脓血便。业经乡医院三诊，连服苍术 15g、藿香 10g、白扁豆 15g、白术 15g、神曲 12g。7 剂，腹泻如故。患者携带处方及上药 2 剂前来我处诊治。查其舌苔白微腻，脉沉缓。长夏之季，湿气当令，患者脉证如上，显为寒湿伤中，脾失健运，清浊不分，传导失司所致。治当芳香化湿，观其先服处方与病机吻合，审其药物亦与处方相符，何以连服 7 剂竟毫无效验呢？又一细看，原来所用药物皆为生品，余心下了然，遂嘱患者将白扁豆、白术土炒，苍术、神曲焦炒，煎服如前。2 剂泻止痛消，纳增神爽，病获痊愈。患者十分惊奇，为何药物未变，仅一炒制，就疗效迥异呢？余笑谓之曰：前医审证无误，遣方用药亦属合拍，然药未经炮制，生白术、生白扁豆健脾而乏燥湿之力，生苍术、生神曲健胃消积而乏化浊温燥之功，藿香虽芳香化浊而不得焦燥温散之佐，其化湿祛浊之力不强，故肠间寒湿之邪未能驱除，虽 7 剂而罔效。而上药经土炒、焦炒之后，芳香温燥，化湿祛浊，诸药力专效捷，2 剂即愈，此炮制之妙也。

鳖血柴胡，匠心独具 　|张文阁|

　　《红楼梦》除文学价值极高外，其他诸多方面的价值亦很高。其中医药学的知识即是一例。八十三回记有林黛玉痨瘵咳血，王太医用鳖血拌炒柴胡给予治疗的故事。

　　《红楼梦》第八十二回说林黛玉染受外邪，旧病加重，彻夜咳嗽不已，痰中带有血丝，味道腥气。至八十三回道，贾琏请来王太医给林姑娘诊脉，诊后，提笔写了脉案，中渭："黑逍遥以开其先……"。贾琏看了问道："血势上冲，柴胡使得吗？"王太医笑道："二爷但知柴胡是升提之品，为吐衄所忌，岂知用鳖血拌炒，非柴胡不足宣少阳甲胆之气。以鳖血制之，使其不致升提，且能培补肝阴，遏制邪火。所以《内经》说：'通因通用，塞因塞用'。柴胡用鳖血拌炒，正是'假周勃以安刘'的法子"。

　　柴胡用鳖血拌炒这种炮制方法始于何时，遍查了堪称炮制大全的权威性书籍——《历代中药炮炙资料集要》，未见有载；有言此法始于宋、明者，但却未能具体说明。因此，该法源于何代、何年，为何人所创制，一时难以考究。

　　柴胡有升提之功、劫阴之弊。黛玉所患痨瘵阴虚，咳嗽吐血，本不宜用柴胡。然，究其病源，乃肝郁日久，木气不疏，又惟柴胡独具此功。这样的矛盾如何解决呢？以鳖血拌炒柴胡，取其疏肝之用，而制其劫阴之弊，且用鳖血滋阴之力以清虚热，真乃独具匠心，妙极！

　　鳖血味甘，性凉，入肝经。能滋阴凉血，退骨蒸劳热。柴胡辛苦温，功能疏肝利气调经，二者配之，相辅相成。黛玉所患，木火刑金，鳖血柴胡，恰中病情。人谓："处处留心皆学问"，观此可知言之不谬也！

为海藻反甘草翻案 | 贺本绪 |

海藻反甘草是"十八反"中之一反，因何相反，有何反应？尚未见过解说。

余当年学药时，曾反复品尝过百余种药，对海藻反甘草之说颇多疑义。1940 年我在部队当医生，夏季敌人扫荡，我正患伤寒，随伤员隐藏于山林中，忽遭大风雨，此后每年夏秋间腹泻。1943 年的一天，愚想试试海藻甘草是怎样反，第一天两药各服 1 钱（3g），无感觉。第 2 天各服 2 钱（6g），亦无反应。第 3 天各服 3 钱（9g），服后觉胃中转动，很舒适，无不良反应。后来我的腹泻病再未发作。这是偶然的发现，从此就有意于腹泻病用之，无论虚寒或热毒积滞，随症伍以海藻、甘草，都得到良好效验。从而领悟到海藻散瘀破气（阴凝气结）之理是可信的。合甘草甘咸相伍，气味和协，同入阴经，何反之有？

通过上述海藻、甘草能散阴气、解凝结的经验，于是便大胆扩大了使用范围：如再生障碍性贫血、血小板减少性紫癜以及各种失血症，各种结石等等，效果都很理想。对癌症也有所试用，如乳腺癌、子宫癌、食管癌、胃癌等，在方中伍以海藻、甘草，也收到一定效果。

40 年来海藻、甘草同用，没发生过任何问题。经验固然很宝贵，但仅仅是一点感性认识，至于"十八反"的机制如何，古人没有阐明，吾辈当明之。"十八反"中相反药甘遂与甘草，仲景早在甘遂半夏汤中同时应用，今人治胸痹心痛也多将附子与半夏同用，实践证明本草十八反中相反的药，不是不可同用，但是否都可同用，哪些可以同用，哪些不可同用，还需实践和理论上进一步探明。

药物剂量因病而用 | 李承道 |

治病用药，一般情况药量无需过大和过小，然而在特殊情况下，非大量用药不能达到治疗目的，药量不够往往不能收效。

我曾治一患儿，每日下午 3 时开始发热，体温 40℃上下，高热持续 4 个小时后自行缓解。经化验。X 线透视、腰椎穿刺等检查无异常发现，经西药退热消炎治疗不效。患儿高热，已经月余，面色苍白，脉沉数无力，舌质红紫，苔白兼黄，饮食日少，小便短黄，大便干燥，下午发热时，汗出发竖，略有战抖，面红气短，但不咳喘，烦躁蜷卧，高热缓解后，畏寒身疲，证属温热病，病邪稽留气分，有入营血之征。用大剂扶正祛邪、清营凉血解毒之剂，使邪出气分。药用：黄芪60g、生石膏80g、生地黄30g、金银花30g、丹参20g、蒲公英30g、龟甲15g、鳖甲15g、肉桂10g、生姜10g、连翘30g、甘草15g。1剂，水煎2次，每煎分3次服，2天服1剂。药尽，发热时间缩短，汗出减半，体温39.2℃，小便色黄如茶。原方又服2剂，体温38.5℃，发热时间缩短为2个小时，已无汗出。脉象平缓，饮食增多，各药之量，减2/3，加党参20g、当归15g、焦山楂10g、五味子10g，进1剂，热退而愈。共用药5剂，历时10天。

对很多慢性病，久治不愈者，余常以大量药剂收效。总之，药物剂量须因人、因地、因时、因证而定，常用常量，变用变量。病证重者，药量当重；病证轻者，药量应轻。炎夏之日，如遇大热症状，清凉退热药量应大；寒冬之季，如逢阴寒症状，回阳温热药量应重。夏季遇寒证，温热药量不宜重，冬令逢热证，清凉之药，应当从轻。总之，贵在辨证，酌情施用。

药物的新陈与疗效 　|陈家骅|

在中医治病的各环节中，药物的真伪陈新是重要的一环。大家都很注意药物的真伪，但对药物的陈新却不够重视，甚至认为反正是一种东西，陈新都一样。其实不然，实践证明，同一药物，陈新不同，疗效大异。

《神农本草经·名例》特别指出药物"土地所出，真伪陈新"的不同。李杲解释说："陶隐居本草言狼毒、枳实、橘皮、半夏、麻黄、吴茱萸皆须陈久者良，其余须精新也。然大黄、木贼、荆芥、芫花、槐花之类，亦宜陈久，不独六陈也。"由此可见古人对药物陈新的认识是十分深刻、具体的。但是，以上所谓陈新仅指药物采后存放时间的长短而言。我认为，药物陈新还应包括炮制后存放时间的久暂这一概念。古往今来，有关这方面的记载也是不乏其例的。

《医学衷中参西录·瓜蒌解》载：一患者痰涎郁于胸中，烦闷异常，剧时呼吸即停，目翻身挺，有危在顷刻之状。脉证合参，诊为温病结胸。方用瓜蒌仁120g，炒熟捣碎，煎汤服下，其病顿愈。这里张锡纯特别指出瓜蒌仁"新炒者其气香而能通"，是愈病的关键。

《中药疗效谈》"无名异"条中载：无名异研细粉，醋调糊状，敷患处，治疗甲沟炎，不用拔甲，有排脓、止痛、消肿、收口之效。我依法配用，效果有时不显著。后来悟到，无名异的主要成分二氧化锰是种强氧化剂，其氧化作用能杀菌消毒。用醋调后即用，氧化作用强，其效当著；若调后隔一段时间再用，氧化作用消失，当然无效。以后用这个推断指导临床，果然取得很好的疗效。此外，人人都知道炒麦芽有回乳作用，但是临证却有效与不效之异。有一老中医介绍经验说，回乳用现炒的麦芽疗效方著，如法用之，果然灵验。

以上所述虽属零碎经验，但足以说明药物陈新应包括药物采后存放时间和炮制后存放时间两方面，这两方面的因素与药物疗效都有密切关系。这方面的经验，是前人医疗实践的结晶，值得注意和研究。

麻黄发汗新陈不同　　|朱进忠|

山西省中医研究所前所长，已故名老中医李翰卿老师说：诸家都云麻黄辛苦而温，宣肺气、开腠理、透毛窍、散风寒，具有发汗解表之功，是发汗作用最强的一个药物。若与桂枝配伍则发汗的作用更强，虚人用之不慎，可使汗漏不止。然新陈不同。曾记得在北洋军阀混战初期，当时遇伤寒病，开具麻黄汤后没有一例发汗者，初开麻黄6g，后开9g，最后开至18g，服法亦遵仲景法，一例也未发汗，反复诊视均为"太阳病，头痛发热，身疼腰痛，骨节疼痛，恶风无汗而喘者"或"太阳病，或已发热，或未发热，必恶寒，体痛呕逆，脉阴阳俱紧者"的典型证候，久久不得其解。及至到数个药铺一看，才稍有所悟。因我家地处雁北，麻黄满山遍野皆是，患者用药均用自采者，药铺所存者均为数年至十几年的陈货，陈久者辛温发散之功已减，甚至已消失殆尽，所以前开之麻黄汤均无发汗之功。乃嘱患者一律改为新鲜麻黄9g（干品），果然服后效如桴鼓，汗后病愈。自此以后，凡用麻黄汤、大青龙汤发汗解表者，一律应用麻黄采后1年之内者。

李老之言，发人深思。麻黄如此，其他发散药是否亦如此？值得深入研究。

掌握药效时间，指导合理用药　　|张静荣|

行医伊始，遇一便秘病人，根据病人苔黄燥、脉沉实有力等，诊为燥屎内结，投调胃承气汤下其燥屎。病人急欲解除 3 天不便之苦，返家后及时煎药内服。服药 2 小时后未见大便，派家属来问缘由。我考虑是药不胜病，嘱加服黄连上清丸 1 粒，以增强泻下之力。3 小时后，病人又派家属来，诉说仍未大便，且腹胀、腹痛难忍，再三恳求，火速解除痛苦。我沉思良久，踌躇难决；煎剂中已用大黄 15g，后又加服黄连上清丸 1 粒，论药力，已算不小，为何服药 3 小时后仍未大便？迫于病人家属的急切心情，我又嘱其再服半粒黄连上清丸。病人家属走后，翻书数部，不得其解，殊觉惘然。此时，患者家属又登门告急，极言病人痛苦之状，要求再加药下其腹中燥屎。我迫于无奈，又嘱其加服黄连上清丸半粒。自此，直至晚饭后未见病人家属再来。我因病人安危所系，遂到患者家中走访，刚一进门，正遇病人从厕所出来，问其病苦，他却啼笑皆非，说服药 5 小时后大便，1 小时内已泻 4 次，虽便秘之苦已除，而腹泻之病又难支矣！面对病人，我心中惭愧万分。返回途中，始悟出大黄服药 5～6 小时后才产生泻下作用的道理。由于忽略了药物发挥作用的时间，致使病人燥屎虽下，而腹泻难收。自此，我对药物的作用时间特别留心，方知其中大有学问。如麝香、冰片，服药后 1～2 分钟便可发挥作用；叶、花类药物，服药 2～4 小时后可起作用；根茎类药物，服药 4～6 小时才起作用。以上仅为一般规律，随着剂型改革，药物发挥作用的时间也会改变。不少药物改用针剂后，作用时间大大提前。这就要求医者在医疗实践中认真观察、掌握药物发挥作用的时间、作用消失的时间，以指导临床合理用药。

药物的疗效与剂型　|陈家骅|

药物疗效与剂型有密切关系。一种药物不仅有不同于他药的主治和功效，而且有发挥其作用的最佳剂型。《神农本草经》早就提出："药性有宜丸者，宜散者，宜水煮者，宜酒渍者，宜膏煎者，亦有一物兼宜者，亦有不可入汤酒者，并随药性，不得违越。"可惜没有引起广泛的注意。实践证明，要取得好的疗效，不仅要辨证准确，方药恰当，还要选择好剂型。笔者经验，用参苓白术散加车前子一味，制成散剂冲服，治疗水泻有卓效。曾治 1 周岁婴儿，腹泻二十余日不止，予上述散剂 1.5g，服后即愈。患儿父亲也是医林中人，再三追问散剂配方，得知是上方后大感不解，云："该方我也用过，为何无效呢？"笔者答曰："奥妙就在于剂型不同。"昔日欧阳修暴泻不止，太医束手，其妻于市中购得车前子一味，兑入前药煎汁中，服下而愈。其重要原因之一就是车前子冲服。

若改作煎汤服，其效必大减。关于这一点，古人早有认识，《先醒斋医学广笔记》中曾明确记载："车前子……利水、治泄泻药，炒为末用。"

治痢方中用滑石者多，滑石水飞研细用；滑石所含的硅酸镁有吸附和收敛作用，研细后总面积增大，内服能吸附大量化学刺激物或毒物，保护肠管而达消炎、止泻作用。故为发挥作用应冲服。六一散、益元散、碧玉散等以滑石为主的散剂，均以冲服为好。如果将其混入他药同煎，不仅降低疗效，也浪费了药物。

凡动物药，如全蝎、蜈蚣、水蛭、胎盘等，均以低温烘干，研粉冲服为好。据张锡纯经验，治疗妇女经闭癥瘕，应当用生水蛭研粉冲服，否则不效。为了说明这个问题，他举了一个病例：一妇人因癥瘕不孕，"遂单用水蛭1两，香油炙透，为末。每服5分，日2次，服完无效。后改用生者，如煎服法。1两犹未服完，癥瘕尽消，逾年即生男矣。"

以上仅谈了适于用散剂的药物，还有一些药物则不宜入散剂，临床也须注意。笔者曾遇一遗精患者，自言服汤药后疗效甚好，遂以原方配蜜丸缓图之，不料服蜜丸后脘腹胀满，十分不舒。观其方，乃桂枝加龙骨牡蛎汤加味，方中煅龙骨、牡蛎各用30g。龙骨、牡蛎乃化石、贝壳类，煅后收涩力极强。煎汤服是弃其质而取其用；做蜜丸服则是食其质，其质坚硬难化而碍胃，故食后不舒。方药对证，用汤剂则效，改蜜丸则不效。所以辨证用药必须注意剂型的选择，以便取得更好的疗效。

红 参 小 议　　|张　翼|

红参甘温微苦，入脾、肺二经。可大补元气，补肺益脾，生津安神，临床应用甚广。吾常将红参用于老年保健及部分虚损之患者，有一得之见，介绍如下。

首先，红参能疗脾虚。高原地区，老年脾阳虚之患者甚多，平素面色㿠白虚浮，脘闷纳呆便溏，咳嗽痰多。于立春前后，立冬交九之际，病情加重，甚而气喘胸闷、全身虚肿、夜寐不安。此类患者，于每年入冬前，每日炖服红参3g，10日为1个疗程，服后诸症可消。每冬服30～60g即可。

其次，红参能补肺肾。对部分肺肾两虚、肾不纳气之患者，包括血瘀不著的部分肺心病患者，或老年人无明显心肺改变而有呼吸功能低下之患者，常与蛤蚧、胎盘粉为伍，以补肺肾。此类患者，动则虚喘，易出汗，常感腰背酸痛，两腿无力，咳嗽痰多，冬季加重。采用冬病夏治之法，用红参30g、蛤蚧1对（去头足，炙酥）、胎盘粉60g，共研细末，分60包，于6～7月份，每日早、晚各服1包，每次同时吃胡桃及红枣各2～3枚，共服1个月，冬季诸症可明显减轻。

三者，红参能延长睡眠。气虚之老人，虽无心悸、多梦、失眠等症，但常有夜间易醒，睡眠时间过短，白天静坐时每易打盹。此类患者，亦可每日炖服红参3g，连服10日。服后睡眠安稳，夜不易醒。1个疗程可维持2～3个月之久，而且白日精神饱满。

红参还能补气生血。张景岳谓人参"气壮而不辛，所以能固气""味甘而纯正，所以能补血"。对部分缺铁性贫血，久服铁剂不能纠正者，每日服红参粉1.5g，可使铁剂之吸收、利用改善，贫血易于纠正。

红参还可用于强心。我省地处边远，部分危重患者常需赴千里之外救治，而西药强心剂作用有限，沿途注射极不方便。红参有大补元气之功，作者常用于强心。启程前1日服红参粉3g，登车之当日服3g，隔1日再服3g，前后服3次即能达目的地。对部分消耗至晚期的病人，临终前为和远道的亲人见一面，亦可用此法拖延生命5～7日，以利团聚。

红参虽有可用之利，但用之不当，亦有弊端。作者曾见数例气阴两虚、心动悸、脉结代之冠心病患者，用后心律正常，但出现心烦、头痛、夜寐不安及血压升高。停药3～5日血压即正常，诸症亦消失。故阴虚阳亢及实证者确不宜用。从临床实践看，吾认为对老年气虚患者，每冬服红参30～60g，确可起到益寿延年之效。青壮年虚损患者，用后健康恢复亦快。但健康之青壮年人做补益剂用后，部分人出现胸脘满闷、烦躁不安的症状。另一部分人显得精力饱满过剩，但2～3年后很快出现早期衰老，不可不慎。

谈热痢服人参之弊 | 王现图 |

大补元气惟人参为上品，临床实践证明，它确有益气健身，防止衰老之效。但非百病尽宜，且价格昂贵，非轻易妄投之品。

早年初行医时，吾师曾训"人参虽补，妄投则可杀人；大黄虽泻，巧用则可起死回生。"师训铭记，每用人参时，总是三思而后行。

10年前的夏秋之交，有人言其家兄染脓血痢已五十余日，虽经医治疗，终不见效，日益严重，邀余诊治。至其家见患者双目无神，面色黄瘦，呼而不应，口干乏津，腹胀满，左少腹触之有硬块，按之痛剧。大便仍为脓血粪汁，日十数次，里急后重。每便时小腹痛剧，小便赤涩。腰背部有褥疮 3 处，已溃烂，舌苔白腻浊垢、满布无隙，六脉沉涩。亲属代述：病初起大便脓血，腹痛下坠，日数十次，某医让服独参汤，每天 15g，并兼用罂粟壳；已连服十余日，病情日重，家人已备后事。观其危重病情，亦觉棘手。细想，此乃初病本为湿热之邪，而妄用人参补益，罂粟壳固涩，致邪留胃肠，正气损伤，已成虚实错杂之证。治宜扶正导邪，攻补兼施。方用《千金方》温脾汤加减：大黄（焙）10g、炮姜 6g、党参 15g、炮附子 6g、甘草 6g、当归 10g、白芍 15g、广木香 6g、黄连 6g。2 剂尽，排出黑色干硬粪便数枚，腹痛缓解，能少量进食，左少腹硬块消失，脓血便减少，舌苔稍退，已转危为安。然后去大黄加白术、山药、大枣扶正，再数剂而愈。

由此病案可见，湿热痢疾，误投人参，使邪留不去，轻病致重，乃妄用补药之害也。治病当补则补，当泻则泻，不可谓补益一法诸病皆宜，更不可以药价贵贱而断优劣。正如徐大椿所说："虽甘草、人参，误用致害，皆毒药之类也。"医者、病者皆当慎之。

黄芪漫谈录 　|申志强|

学生甲问：吕老（吕承全主任医师），上午在门诊复诊的肝硬化病人，原来一直服用健脾利水之剂，水肿迟迟不消，然而您在原方基础上将 15g 黄芪改为 50g，又去掉利水之猪苓、泽泻，服药 1 周水肿基本消失，这是什么道理？

吕老答：这有黄芪的很大功劳。黄芪的主要功能是补中气，益肺卫，常用于治疗脾胃虚弱、肺气不足之证。此患者本是脾虚水湿不得运化而潴留，溢于肌肤而水肿。原来的治疗原则是正确的。黄芪能益气健脾，运气行水，有推陈出新的作用，所以成倍增加黄芪之用量。至于猪苓、泽泻之属，虽较黄芪利尿为快，但易伤津耗气，于此脾虚水湿者，有所不宜，故去之。此一增一减，正治病求本之意也。

学生乙问：有人认为黄芪能升高血压，然肝硬化腹水的病人大都有门静脉高压症状，如果用黄芪补提中气，是否会使门静脉压进一步增高？

吕老答：不会。黄芪益气能改善机体的循环功能，具有维持血压相对平衡的双重作用，因此不会增加门静脉压，反而能改善其症状。记得 1961 年曾治贾某，原患肝硬化腹水，夜间突然出现吐血不止，某医院诊为肝硬化食管静脉曲张破裂，经抢救治疗，出血已止，但腹水渐重，几经放腹水和用甘遂、芫花之类攻水剂治疗近2个月，腹水仍未消失。当时病人面色萎黄，肢体消瘦，腹大如瓮，立则欲倒。我用桂附理中汤加黄芪调治，每次黄芪均在100g，服药半月后，腹水已消大半，又调治半月腹水基本消失，此后改单味黄芪每次100g水煎服，先后共用黄芪15000g，水肿再未复发。1年后复查，食管静脉曲张消失，别无不适症状。

王清任补阳还五汤治疗中风以"四两黄芪为主药"，说明黄芪能改善机体的血液循环功能，使气血平衡。

学生丙问：吕老师，我在外科实习时，老师为了促使疮疡早日溃散而重用黄芪每能获效，这与其固涩敛汗之功，一收一散是否相矛盾？

吕老答：二者不矛盾，因其关键均取黄芪的扶正作用。表虚不固，汗液外溢者，用黄芪益气固表，收涩敛汗，而外科疮疡用黄芪主要是取其托毒外出。我根据多年的临床经验，认为疮疡初起用黄芪可以促使其消散，中后期可以促使疮疡溃破或脓毒排出。不仅如此，我还多次以补中益气汤重用黄芪治疗滞产，取得了满意的疗效。1972年下乡去安阳曲沟巡回医疗时，一初产妇十多个小时未能产下，经西医妇科检查无异常，肌注催产素，但用药后2小时仍未生产，我当时用补中益气汤原方重用黄芪120g，1剂药后不到2小时即顺产一男婴。

怀山药小识　邵文杰

山药原名"薯蓣"，因唐代宗叫李豫，为避封建皇帝之讳而改名为薯药；后宋英宗名赵曙，又易名为山药。

《本草品汇精要》说："薯蓣今河南者佳。"一般以河南博爱、沁阳、武陟、温县等地（古怀庆所属）所产质量最佳，习称"怀山药"。怀山药产量居全国之首位，销全国并出口新加坡、印度尼西亚、美国等地。

怀山药味甘性平，作用缓和，为一味平补脾胃之药，既能补气，又能养阴，不寒不燥，补而不滞，养阴不腻，功专平补三焦。所以治脾胃虚弱之食少倦怠，体弱无力，久泻带下及小儿营养不良症之参苓白术散即用之；如以怀山药配鸡内金、砂仁、白术共研细面，常服效亦佳。再如张锡纯治一中年妇女，泄泻数月不止，病势垂危，屡治百药无效，遂授以山药煮粥方，每服30g，日服3次，2日痊愈，继服数日，身体康健。

治小儿脾胃虚弱，消化不良，形体消瘦，大便不实，或肚大青筋，肝脾肿大等症，可用小儿调胃散：炒山药、神曲各 18g，清半夏 15g，藿香、枳壳各 12g，炒谷芽、炒麦芽、陈皮各 9g，木香 6g。共研细末，3～6 岁每次 1.5 克，3 岁以下每次 1g，日服 2 或 3 次，加白糖水调服，久服乃效。

单味煮汁、代茶常饮可治肺虚劳咳气喘。张锡纯治烦热消渴引饮之玉液汤、滋膵饮均以生怀山药为君，能获捷效。肾虚遗精尿频者每多选用，效果较佳。

怀山药味甘主补，生用质润偏凉，偏补肺肾之阴，炒用性变微温，甘温入脾，偏补脾胃之气，故能上补肺气，中健脾胃，下滋肾阴。

因其药性和平，用量宜大，少则不易见功，惟脾虚湿盛，胸腹满闷者，不宜应用。

山东名药——阿胶　　|张殿民|

阿胶一名付致胶。以始产于山东省东阿镇一带而得名。它与人参、鹿茸并称为中药"三宝"。

阿胶的主要成分是将吃狮耳山草长大的驴的皮，用阴阳水熬制，加入辅料（500kg 驴皮，加砂糖 7500g，绍兴米酒 3750g，豆油 7500g），冷凝切块阴干而成。成品阿胶以呈琥珀色，半透明状，味甘咸，气清香为上品。

狮耳山在山东省平阴县东阿镇西 3 里（1.5km）许。山里草茂林丰，产有几百种中草药，吃狮耳山草长大的驴体魄健壮，毛色黑亮，其皮特别适宜制胶。所谓阳水，系由镇东南 15 里（7.5km）处的洪范池一带流出的九处泉水汇成之狼溪河水，其水质甘甜澄澈，其性轻浮，故曰阳水。所谓阴水，系指从阿井流出的泉水。阿井在东阿镇西 30 里（15km）处，即今阳谷县的阿城镇。此井发源于济水，水质特点性阴，故曰阴水。狼溪、阿井二水，阴阳相配，制胶最善，故曰阴阳水。

阿胶的传统制做工艺十分考究精良。其传统制法是：每年春季，选择纯黑毛体壮健驴，置于狮耳山放养，并饮以狼溪河的水，至冬宰杀。然后将剥下的驴皮浸狼溪河水三四日，刮毛涤垢，再浸泡 3 日，洗净后切成小块，装锅煎熬，等液汁稠黏，随时撇取液汁。然后将每次撇取的胶汁，过滤，加入白矾细末旋搅沉淀。加参、芪、归、芎、桔、桂、甘草等药汁，水煎过滤后倒入金锅，兑阿井水，用银铲搅动，以桑木文火熬三昼夜，将胶汁煎熬浓缩，加入辅料而成。

阿胶以东阿镇邓氏树德堂产的"贡胶"最好。邓氏远祖既从事阿胶制作，又是中医世家。经世代精心研制，并加以临床观察，摸索出一整套制胶绝技。

至邓世祥（尚健在）曾祖邓发时，树德堂阿胶药效便冠众家之首，名声大振，销量剧增，邓氏遂弃医专营制胶。清咸丰至慈禧太后执政时期，经当地官府推荐，邓氏多次赴京进贡，咸丰帝亲赐其朝服黄马褂，因此，树德堂制胶被称为"贡胶"。同治十年（1871年）朝廷派员至树德堂监制皇宫用的9天工序胶，即9天贡胶，树德堂由此遂成为惟一制作皇宫用胶的药店。

现在山东省所产阿胶种类较多，有福字牌阿胶、福字牌参茸阿胶、东阿镇牌阿胶、东阿镇牌黄明胶、东阿镇牌海龙胶、东阿镇牌新阿胶等。其中福字牌阿胶是山东省目前惟一的阿胶出口产品。东阿镇牌新阿胶是以猪皮为主要原料制成，其所含成分与驴皮制胶相似。1975年以来，在上海、北京、南京等地医院对1400多例病人的临床观察结果表明，其对血液病的治疗效果与驴皮制阿胶基本相同。对原发性血小板减少症、子宫功能性出血、再生障碍性贫血症的医疗效果也较驴皮制阿胶更为完善。

阿胶属滋补中药，服用它有病治病，无病强身，治疗妇女病效果尤佳。如治疗妇女月经不调，行经腹痛，量多量少，配藏红花、当归等药便能起到调经化瘀，活血止痛的作用。孕妇身体虚弱，腰酸腿痛，习惯性流产，用阿胶配以川续断、菟丝子、肉桂、白术、砂仁等药，即可起到健体安胎的作用。对产后失血、恶露不绝，或因贫血引起心慌、头晕、气喘等症，用阿胶配以人参、龙眼肉、三七等药，则有止血、补血、养血、安神的功能。其他如神经衰弱、年老体弱、病后衰弱、虚劳百损、腰膝酸软等，都可配合有关药物应用。并可外敷治疗烫伤、烧伤、皲裂等症，诚为家庭必备之佳品。

海狗肾治疗妇科病　　|陈道同|

海狗肾，又名腽肭脐，系海狗的干燥阴茎和睾丸。其性味咸、热，入肾经，有暖肾壮阳、益精补髓的功能，常用于男子肾阳虚弱、面黑精冷、阳痿等症，很少有人用于治疗妇产科疾病。我用此药治疗子宫内膜异位症，颇获良效。

黄姓妇，患痛经3年多。因在外露宿受湿，加之经期冒雨涉水，月经骤停，小腹剧痛，服止痛片疼痛缓解。自此以后月经提前，每次行经10天以上，经量增多，胸胁胀满不舒。以后行经腹痛逐次加重，甚则痛不可忍而致休克。曾多次用度冷丁止痛，又加用丙酸睾丸素、避孕药2号及各种止血剂，病情不见好转，且常感腰骶部酸困发凉，小腹隐痛，暑天亦然。经检查西医诊为"子宫内膜异位症"。

据上述病情，系寒湿之邪乘虚客于下焦，伤及肾阳，损及冲任，导致气血瘀滞，小腹剧痛，月经失调。余在温经散寒汤（当归、丹参、巴戟天、鹿角霜、菟丝子等）中加入海狗肾。服药38剂，痛经即消失，月经正常。

用海狗肾来治疗某些妇科疾病，实践证明，疗效颇佳。此物暖肾壮阳，不论男女，只要是肾阳虚的疾病皆可用之。

枸杞子致盗汗　　｜张文阁｜

余曾遇一"消渴病"患者，诊之，一派阴虚之象，拟投六味地黄丸加麦冬、沙参、石斛、枸杞子等一试。当写到枸杞子时，患者果断地说："不能服枸杞。"问其故，乃知她2年前在某医院治疗此病时，方中有枸杞子，服之则盗汗，连服10余剂，盗汗如洗，病情益甚。罢医停药后，盗汗自止。病人自述当时虽心中疑惑，但并未了然。后时逢冬季，其爱人常给她炖鸡食之，出于求愈心切，开始2次放入枸杞子同炖，服后均盗汗。若炖时不加枸杞子，食之即不出现盗汗。从而晓知，盗汗乃枸杞子所致。余听此将信将疑，拟再行实验观察，经她同意后，试用2次，皆验，停服枸杞子则不出现盗汗症状，吾乃笃信。盗汗乃阴虚热扰，心液不能敛藏所致，《内经》云："阳加于阴谓之汗"。此患者虽系阴虚，然平时并无盗汗，何以服食枸杞子即盗汗？当是食枸杞子之后出现阳盛热扰，阴虚益甚之故。

历代本草，多言枸杞子味甘，性平，入肝、肾、肺三经；功能滋肾，润肺，补肝，明目，补益精气；主治肝肾阴亏，腰膝酸软，头晕，目眩，目昏多泪，虚劳咳嗽，消渴，遗精；多认为枸杞子为滋阴之品，将其归属于滋阴药类；近代一些中药学家，则认为枸杞子有补血之功，又将其归属于补血药类。独周岩在《本草思辨录》中说道："枸杞子内外纯丹，饱含津液，子本入肾，此复似肾中水火兼备之象。味厚而甘，故能阴阳并补……而纯丹不能增火也。"某些患有阴虚阳盛所致的阴虚（火旺）证患者服用枸杞子，可使其阳益盛，阴尤虚，以致阳加于阴，热扰于内，心液外泄而盗汗。俗语说："离家千里，勿食枸杞（子）。"即主要指枸杞子有补肾兴阳的作用。

此外，临床亦有服食枸杞子而致咽燥口干欲饮，甚至出现鼻衄者，机制当亦如上。

可见，枸杞子并非纯补阴血之品，实有补阳之功，属阴阳并补之品。

肉苁蓉治疗白带　　|赵国岑|

1973 年，一位青年医生给我写信说："去年随您进修学习返乡后，我们山区妇女患白带症者甚多，我在这方面没有经验，即翻开学习笔记本查找，见您用一味肉苁蓉治疗白带的经验，仿用甚效。此事在我乡传开后，有的翻山越岭求我诊治，绝大多数疗效显著，但也有些患者疗效不太理想，请指教。"

我复信，肉苁蓉又名大芸、寸芸、金笋、淡苁蓉、甜苁蓉，入盐水中浸渍后为咸苁蓉。味甘，性温，入肾和大肠二经。具有补肾阳、益精血、润肠通便之功能。通常用于肾虚阳痿、遗精早泄、女子不孕，以及肝肾不足所致筋骨痿弱，腰膝冷痛诸症。对老年虚弱及久病体虚也是较理想的药物。根据《大明本草》"治女子带下阴痛"的记载，我用肉苁蓉治疗肾虚型白带确获疗效。但引起白带的原因有脾虚、肾虚、湿毒之分，辨证也有脾虚、肾虚、湿毒三型之别，临床慎勿混淆。肉苁蓉是专治肾虚型白带的有效单方。至于脾虚、湿毒型的白带，需分别以健脾利湿、清热解毒之法治之。

甘草解斑蝥毒　　|赵长立|

斑蝥有两种，一种是黄斑蝥，黄脊背上有黑斑点，可入药用；另一种是黑斑蝥，红头大肚体长，毒性最烈，不能入药。其遗下粪便，如落于人之皮肤，立起燎泡。

1951 年，我家所种马铃薯正值秧叶肥茂期间，上面忽然出现了黑斑蝥。某日，我与爱人正在消灭斑蝥之际，斑蝥肠垢溅入爱人眼内，其睑即肿起水泡，疼痛难忍。我心急如焚，忽然想到甘草能解百药之毒。家乡甘草，随手可得。我立刻顺手拔下一棵甘草苗，带有三四寸（10～13cm）长一条根茎，把外皮剥去，取甘草汁少许，涂在眼里，令她闭目片刻，肿痛很快消失，此后再未用它药而愈。甘草解毒之效，竟如此神速。若非体验，自不能真知也。

色姜黄与片姜黄辨　　|周凤梧|

我国药物之命名、性味及应用，辄有笼统之弊。就姜黄一药而言，有色姜黄、片姜黄的不同，其性其气各异。历代本草不分色、片之别，笼统而论姜黄，姜黄性气之属寒属热，迄无定论，所主各证，自相矛盾，混淆不清。然究其实际，色姜黄与片姜黄确系两物，其形质各异，性味寒热迥殊，为了澄清这一问题，兹分别辨析如下。

色姜黄

色姜黄为姜科多年生宿根草本植物姜黄（Curcuma longal）的根茎。药材名：色姜黄、硬姜黄、子姜黄。主产于福建、广东、广西、云南、四川、湖北、陕西、江西、台湾等地。秋冬采集，洗净，煮熟至透心为度，晒干，撞去外皮，捣碎或研粉用。味辛苦而性寒，入肝、胆、脾、胃经。功能凉血止血，破瘀消肿，下气止痛。主治气结痞满，癥瘕积聚，经闭腹痛，跌仆瘀肿，痈疮肿毒，湿热黄疸，吐血衄血，食物不消等症。

如《外科正宗》治疮疡肿毒之如意金黄散（姜黄、花粉、黄柏、大黄、白芷、天南星、苍术、厚朴、陈皮、甘草），《医宗金鉴》治血热月经先期之姜芩四物汤（熟地黄、当归、赤芍、川芎、姜黄、黄芩、牡丹皮、延胡索、香附），《伤科方书》治跌仆损伤之姜黄汤（姜黄、当归、桃仁、泽兰、苏木、牡丹皮、牛膝、乳香、没药、川芎、肉桂）及《寒温条辨》治疫疠感染、风热壅闭、咽喉肿痛之升降散（僵蚕、蝉蜕、姜黄、大黄）等方中所用之姜黄，皆指"色姜黄"。本品除药用外，多作染料。如我国早年之草绿土布、木烟丝、日本食用之蛤蜊粉，皆取本品配色染制。

色姜黄药材形状呈圆柱形、卵圆形或纺锤形，常带黄色粉末，并具有明显的环状节及须根痕。质坚实，难折断，断面呈棕黄色，角质状，有蜡样光泽，中部可见散在的黄色筋脉小点。气香特异，味苦、辛。咀嚼时唾液染黄色。本草所云形如蝉肚，功力烈于郁金香，即指引此物而言。

片姜黄

片姜黄为姜科多年生宿根草本植物郁金（Curcuma arcmatica sdlisb）的根茎。药材名片姜黄、片子姜黄、毛姜黄。主产于浙江。原药拣去杂质及残留须根，刷去泥屑，鲜时切厚片，晾干用。味辛苦而性热。入肝、脾经。功能温经散寒，除风燥湿，行气止痛。主治脘腹冷痛，气结胀满，肩臂痹痛等症。

如《百一选方》治风痹，身体烦痛，项背拘急之蠲痹汤（姜黄、羌活、当归、黄芪、赤芍、防风、甘草），《妇人良方》治风寒肩臂疼痛及腰部作痛之舒筋汤（姜黄、羌活、白术、当归、芍药、海桐皮、甘草），《赤水玄珠》治臂背痛、非风非痰之姜黄散（姜黄、羌活、白术、甘草），及《证治准绳》治妇女宫冷、月经不调、脐腹刺痛之姜黄散（姜黄、当归、芍药、川芎、牡丹皮、红花、莪术、延胡索、肉桂）等方中所用之姜黄，皆指"片姜黄"。本品不能染色。

片姜黄药材形状呈长圆形或不规则的片状，大小不一；外皮灰黄色，粗糙皱缩。有时可见环节及须根痕；切面黄白色或灰黄色，有一圆形纹及多数筋脉小点散在。质坚实，粉质，有筋脉。有生姜香气，口尝有辛辣味，本草所云质粗形扁如干姜者，即指此物而言。

综上所举方例配用之姜黄，如不加以分辨，寒热互易，不仅影响疗效，甚或导致不良后果。为了明确药物命名，分清寒热，不致混淆起见，我们提议在临床辨证处方用上述两药时，要清楚写上"色姜黄"或"片姜黄"，而不要笼而统之地写"姜黄"二字，以避免造成药房付药无所适从之苦，也避免给患者造成不良后果。

漫话麻黄、薏苡仁、贝母、前胡 ｜王新午｜

麻黄，旧说为发汗重剂，新说主以定喘利尿，云发汗之力可疑。按麻黄汤原方，服后须覆取微似汗，其症主身疼腰痛、骨节疼痛、恶风无汗而喘，其方麻黄之量最多，如不温覆则不峻，其汗与不汗，全在温覆与否耳。《外台秘要》卷三，天行病，《肘后方》的麻黄解肌汤、葛根解肌汤、皆覆取汗。《伤寒论》桂麻各半汤、桂枝二越婢一汤、麻黄杏仁甘草石膏汤、麻黄附子细辛汤、金匮还魂汤等，皆不温覆取汗。其甘草麻黄汤证曰里水。越婢汤证曰恶风，一身悉肿。越婢加术汤证曰一身面目黄肿。越婢加半夏汤证曰其人喘，目如脱状。大青龙汤证曰恶寒身疼痛，不汗出而烦躁。小青龙汤证曰心下有水气，咳而微喘。按以上证治，则麻黄所主为喘咳水气，恶寒疼痛也（参药征）。《外台秘要》卷十六删繁脉热极方，多汗无滋润，用止汗麻黄汤。《古今录验》疗汗出不止，术桂散方，麻黄量多于它药。又删繁疗肉热极，有麻黄止汗通肉解风痹汤。千金疗肉热极，则身体津液脱，腠理开，汗大泄，有越婢汤方。西州续命汤，有麻黄，亦主汗大泄。又删繁疗气极伤热，肺虚多汗，有麻黄汤。按以上各方皆以麻黄为君药，有去根节者，有不去根节者，其效则为通腠理，以调行水道而止汗也。综上所载，则麻黄之功用，可得而知矣。余治水肿，用麻黄自1钱（3g）渐增至1两8钱（54g），并无汗，而尿则大利，历用皆然。盖此药伍以汗药则汗甚，伍以利尿药则尿甚，然若误用于衰弱人，则偾事矣！

薏苡仁，《本经》主："筋急拘挛，不可屈伸，风湿痹下气。"诸家本草，谓能利湿消水。西洋东洋学者只分析其所含成分：蛋白质，脂肪，碳水化物；其滋养力较白米为优。仲景方治浮肿，排脓；外台方多因之；唐本草治肺痿肺气，积脓血，杀蛔虫，历验皆效；日人用以治疣，服之皆脱落；可知非但皆滋养料也。惟本草治筋急拘挛，人少用之。1945年秋，孙君之妻产后4日，无寒热，四肢皆向外反折拘曲，壮妇4人按之不能直，稍定，诸如常人，移时复作，痛极啼号。注射西药镇静剂数日，迄无效，举室惶惶。余诊其无他病，嘱以薏苡仁5两（150g）煎汤滋饮，饮后即止。乃复疏补气益血方，加薏苡仁5两（150g），服之再未复作。余于大筋拘挛症，予以薏苡仁罔不获效，益信《本经》主治，非后世臆测所可及也。

贝母诸家本草主伤寒烦热、淋沥、邪气、疝瘕、喉痹、乳闭、难产、金疮风痉、腹中心下结、实满、咳逆上气，能散心胸郁结之气。周汝鸣曰："越鞠丸能解诸郁，如妇人并多忧虑者，必加去心贝母。"盖贝母能开胸中郁结之气，诗所谓言采其虻者是也（诗经言采其莔，一作虻）。近人用贝母多主治痰嗽，忽略其他功效。余每于妇人肝郁及心胸痞闷证中依法加之，其效甚捷。

又前胡，本草云，主痰满，胸胁中痞，心腹结气，推陈致新，其效能与贝母仿佛。余治痰嗽结气，每以之代贝母，取其廉也。三十余年前上海报纸载，当时贝母缺货，经名中医师会商发表，用前胡代替，药商大哗。盖彼时有资本家屯集贝母居奇，正在得意，不虞受中医界之打击也。现资本主义制度一去不复返矣，而在学术研究上，前胡实有代贝母之价值也。

话说麻黄发汗　|李 佺|

对"夏不用麻黄"，"有汗不得用麻黄"之说，医界人尽皆知之。千百年来，多有人以麻黄为发汗解表第一药，属发汗重剂，畏而不用，以求稳妥。个人的看法却有悖于先贤。动物试验和临床应用证明，常规剂量的麻黄并不致汗，或仅致小汗。曾用于肺虚患者，动辄汗出、喘咳，也未见大汗亡阴、亡阳之例。麻黄单用（不配其他发汗药物，不啜热粥），发汗力量缓和，有汗之人或夏月易汗之季用之，亦无过汗之虞。

中药的应用，以复方配伍形式居多，单味药与复方的作用不完全相同，甚或完全不同。麻黄与桂枝并用，如麻黄汤，在桂枝温经通阳畅行营卫气血的基础上，其辛散宣透功效得以最大限度发挥，发汗力量陡增，成为发汗解表峻剂；若无桂枝相辅，也无其他发汗药配合，如麻杏薏甘汤，则麻黄发汗力弱；若与石膏为伍，石膏之大寒可抑制麻黄温散之性，虽仍有宣肺透邪之效，却无发汗之力，故越婢汤用麻黄治风水汗出，麻杏石甘汤用麻黄治热壅汗出而喘。总之，麻黄用于无汗和有汗病证，其机要在于配伍。

临床用药贵在灵活。前人经验，概源于临床，可取之处恒多。然由于各人实践条件不同，看问题难免会有偏颇之处，所以不必尽拘于古人之论，而束缚自己的思想。

一味荆芥穗之神效 |连介一|

荆芥穗一药，体轻性扬，辛温发散，解表退热，又走血分，可除血虚发痉，发散而不伤气，入血而不伤阴，虽其属平庸之味，然临床对证施之，确能获神奇之效。

解放前，开封纸坊街磨房主高某之妻，产后发热，住入教会医院，欲求病速去，保母子平安。外国医生予以大量西药退热之品，并敷冰袋，图降其热，然其热不退反增，以致壮热神烦，病情日渐危重。乃延余求治。吾详询病情，细究病机，其证由产后受风，属血虚表实，遂取荆芥穗9g、红糖30g，嘱以荆芥穗煎汤冲化红糖，趁热顿服。约1小时许，汗出热退，身凉神安，家中调养数日而尽愈，洋医奇而不解。

中医治病，绝非头痛医头，脚痛医脚，而是据证施治，详辨证候，明立治法，精当选药。高氏之妻，时值产后，产后之人血虚多挟滞，血虚于内，寒闭于外，外国医生不明此理，用发汗则更伤气阴，施冰袋更增外寒，则病不愈反剧。吾虽以荆芥穗平庸之味，但发散适中，避麻黄、桂枝发汗太过之弊，又以红糖为引，趁热顿服，走气入血，祛瘀化滞，去腐生新，甘温益气，补血散寒，二药谐和，一表一里，气阴复而寒邪却，经脉畅而郁热解，故而药到病除。

荆芥穗、蝉蜕入血搜风 |周文川|

荆芥穗有入血搜风之功效。19 年前返乡期间，遇一新生儿（5 天）患脐风，口噤不开，项背强直，家长相求治之，以期死里求生。当时因偏僻乡村别无他药可施，见其家中悬荆芥一捆，嘱以荆芥穗半两（15g）、蝉蜕 1 两（30g），煎水，少少与之频服。事隔 3 载又重逢，不期此儿活泼天真地给来客搬凳。家长告云，此儿当年服药后，口噤、背强直顿消而愈。嗣后余又治 3 例"四六风"，均以此法获生。由此可知《本草纲目》云荆芥穗"入足厥阴"，《食性本草》称谓"主血劳风气""祛风理血"不假。余佐蝉蜕，入血搜风之力捷妙。

葛 根 小 议 |童增华|

古今医家对葛根的药性，是生津还是升津存有分歧。笔者认为葛根性味辛甘而不是酸甘，本身无滋阴生津的作用。所谓"升津"是通过鼓舞胃气，升发胃阳，阳升阴起，阴津得以上承，以达主消渴、濡润经脉的功效。故汉代张仲景借用葛根辛甘升散之性，将体内津液升入经输，濡润其经，以治太阳病"项背强几几"。观此可知，葛根是升津而非生津。所以温热伤津或阴虚火旺之证，不可盲目选用葛根，以免辛甘升散之葛根，再耗伤阴津。

木贼治崩漏 |白兆芝|

木贼疏风明目退翳，为眼科要药，人皆知之。然用木贼治崩漏证，则一般人知之甚少。20 世纪 70 年代初，余见山西省工农兵医院武九思老中医治崩漏，常在主方中配以大量木贼，疗效颇佳。当时不解其意，因问其故。武老云："木贼理气活血，又可止血。"此后吾亦宗其法，试用于临床，治崩漏多例，多有捷效。如段某，22 岁，结婚 2 个月，近半月余阴道出血不止，量多色紫有小血块，心烦口干，手足心热，腰困，舌质红，苔薄黄，脉细数。予养阴清热、凉血止血剂中加木贼 30g，服 2 剂，血即止。

木贼性味甘、苦、平。归肺、肝、胆经。《嘉祐本草》云："主目疾，退翳膜，又消积块，益肝胆，明目。疗肠风，止痢，及妇人月水不断。"《本草纲目》亦云：本品"解肌止泪，止血，祛风湿疝痛，大肠脱肛。"看来前人早有用木贼治崩漏的经验和记载。通过实践，我以为木贼治崩漏，一取其"止血"之功，二取其升提之力。本品质轻性浮，走上达表，故临床无论血热、血瘀、虚热，甚至气虚等证型的崩漏，均可在主方基础上随症选择运用。然其毕竟性质偏凉，故对虚寒型患者宜当慎用。

柴胡用量因证而异　　|毕福高|

有张某随余习医，临证屡用柴胡不效。一是治一肝炎后期病人，肝脾肿大，腹胀，胁痛，饮食不佳，先以柴胡疏肝散加郁金、延胡索、丹参之类出入为方治疗，病人服后呕吐。张询问于余。余观其方，可谓对证，但柴胡用至 12g。余问曰："汝可知柴胡用处？"答："疏肝"。余曰："对！但你不知柴胡量大则提升中气，非但不能疏肝，反而加重肝气上扰于胃，故服药呕吐。柴胡疏肝以 6g 为宜，特别是肝脾肿大和肝硬化后期，其肝阴更伤，过大则伐其肝阴"。彼遵余嘱，改柴胡为 6g，果不呕吐，旬余诸症得以改善。又治一产后妇女，面黄体胖不实，动则气喘，虚汗淋淋，腹胀腹泻，懒动乏力，张处以补中益气汤为主加减治疗，5 剂无效，询问于余曰："药证相合，为何不效"？告曰："黄芪、柴胡量小故。用柴胡提升中气，量宜大，如服后腹胀，加重陈皮用量其胀可消。同时桔梗、升麻也应适当加重用量"。服 5 剂，腹泻减为 3 次，体力有增，告宗方续服，十余剂病愈体康。

急腹症用大黄的体会　　|朱宗元|

在急腹症的治疗中，通便为常用之法，大黄为常用之药。为了达到攻下的目的，有的医生用大黄达 30g 或更多。我在治疗急腹症中体会到，大黄的攻下作用主要在于煎法和其配伍，不一定增加其用量。对于一般性的攻下，只需在攻下剂中加入大黄 10g 左右即可，若需猛攻必配芒硝。

　　大黄的攻下作用与其煎法很有关系，一般而言，待汤药煎成后再入大黄，大黄入煎时间不宜超过 5 分钟，久煎则攻下作用递减。大黄的泻下作用有时很猛烈，这常可引起医生和病人的恐惧。对此，《伤寒论》尝以服冷粥止泻，我在临床中以冷开水代冷粥亦可达止泻目的。服药前事先准备一杯冷开水，待泻下次数达到预定数，即饮冷开水，其泻即止。

　　用冷开水止药物引起的泻下，不仅适用于大黄，而且对甘遂、芫花等药所致泻下均可达止泻目的。

大黄治疗疗毒　|陈致善|

　　忆我初入临床，曾治族弟，患人中疗，用青霉素、四环素治疗 2 日疗效不佳，急请先父诊治。症见：头晕、头痛、恶心、眼发花，大便已数日未解，此为疗毒欲发走黄。急用大黄 15g 捣碎，水煎 5 分钟即服，约 1 时许，排出数枚干结粪便。时已下午，嘱半夜再服大黄粉 3g，天明症状大减。再嘱服大黄粉每次 3g，1 日 2 次，3 日而愈。先父说："大黄乃治疗疗毒圣药，重用通便自愈"。又说："大黄下有形之积滞，泻血分中无形之实热，用之得当，确实有将军之功"。

巴　　豆　|杨传温|

　　"巴豆"一名，童叟皆知。常使人望而生畏，有点"老虎不吃人，恶名在外"的味道。对医界来说，巴豆之性烈，巴豆之力峻，更是无医不晓了。

　　余家世医，祖辈常教诲曰：巴豆别名"肥鼠子"，鼠类最喜食之。又说：巴豆少量口服，可以破积聚、疗癥瘕、治肚腹胀满，成人、儿童均可服用，疗效较佳。成人每次 1 或 2 粒，生用。并举若干病例，授余习之。又谓：若遭巴豆中毒或泄泻不止者，可口服新汲水一碗，解之立效。关于"肥鼠子"一说，作者亲见药厨中的巴豆常被老鼠盗食一空；然何以老鼠服若多之巴豆而安然无恙，其理不知；至于人服之到底有多大毒性，亦不了然。一次偶然的机会，用了一次生巴豆，又巧逢一个幼童误食巴豆的病例，才对巴豆有了实践体会。

　　例 1：蒋某，女，55 岁，教师，素无他病，只是多年患习惯性便秘，经常腹部胀满，隐痛不适，食欲不佳。曾多次服用中西药导便、润肠。开始服用情况尚好，待继续服用，药量越用越大，效果越来越差，一日不用则数日不便，便则肛裂带血，且消化呆滞。无奈，于1984年夏延余诊治。接诊后视其精神好，无病色，脉缓有力，苔黄薄、质正常。遂处方一张：生巴豆1粒，压碎（不去油），用一碗淡面糊送下，嘱患者若拉稀便3次以上时，应立服冷开水半碗至一碗。患者上午10时服用，12时半开始腹泻1次，至下午6时共泻6次，泻时有肠鸣，但无腹痛，自觉便后格外畅快舒服，排泄物为黑黄色黏液兼少量食物残渣及脓液，味恶臭，6时许饮冷开水1碗，后又泻1次，一夜无事，睡眠很好，后未再泻。次日随访，腹部平坦柔软，精神好，无任何异常发现，忌肉、腥3日，自此以后，每2日自行大便1次，不干。现已年余，迄无反复。

例2：刘某，女，4岁，住西安市西关，1985年3月5日上午10时，家长急匆抱来求诊。问其故，家长谓当日8时许，患儿之姨备5粒去皮之生巴豆灭头虱用，当时小女在旁玩耍。当其姨用巴豆时不见，问小女，小女回答她吃了，故速来院求解。查患儿精神好，玩耍自如，压其腹软而无痛，问吃豆豆没有？患儿曰：吃了。计服巴豆1~1.5小时，当即给患儿服冷自来水100ml左右，1小时后又服1次，坐等观察。下午3时患儿有腹痛感，大便1次溏稀，内有巴豆2粒，经观察再未见异常，遂去。

巴豆确有泻下、导便之力，亲所用验，不容怀疑。冷水能缓解巴豆之毒，虽有家训及文献记述，但只有此例为亲见，尚不敢下何结论，仅供同道参考。

商 陆 中 毒 ｜李天德｜

商陆，味苦、性寒有毒，具有镇咳祛痰、泻水消肿的作用。内服量一般用3~6g，小儿按年龄酌减，妊娠忌服。并可外敷疮疡肿毒。

我在咸阳沣西地段医院门诊时，遇2人急诊。主诉上吐下泻，吐淡红色血水及鸡蛋大的粉红色团状物，下泻水样便。吐泻次数频繁，平均10分钟1次，每次量200~300ml。面色暗红，唇干，口腔有小溃疡面，四肢冰冷，有间歇性抽搐、尿闭。舒张压测不出，脉细微。急用针刺、补液及清热解毒之中药抢救。约2小时，抽搐停止，吐泻次数减少；12小时后病情稳定。经询知，患者是在运送商陆去某地途中，因饥饿，取其食之（每人约吃60g以上），遂发病急诊。

可见商陆不宜生食，且用量宜小。如有中毒发生，轻者用甘草绿豆汤频服解救，重者同时针刺、补液抢救。如遇搬运该药而乏中药常识者，宜告之，勿误也。

蒲 公 英 | 张忠选 |

蒲公英，味苦、性甘、微寒。具有清热解毒，利湿散结，补脾和胃，消滞定痛之效。余于临床，通过不同配伍，既用于外感热病，也用于内伤杂证，均获良效。

患者李某，患外感高热数日，身困不适，口干心烦。经服桑菊饮、银翘散加减，其效不显。问其病情多于下午5时左右加重；察其舌苔，白黄少津。经处以银翘散去荆芥加蒲公英30g，3剂而愈。此乃借蒲公英清肺益胃之功，使肺胃热清，津液自复，助其达邪外出，故微汗而解。又患者张某，平时食欲不振，胃脘疼痛十余天，胁肋不适，舌红，苔薄黄燥，脉沉弦数。仿逍遥散意，于该方中去薄荷、白术、茯苓、生姜等升燥渗利耗液伤津之品，加蒲公英、香附、台乌药、焦三仙等清热和胃、理气疏肝之味，3剂痛减，舌苔转白润，再3剂而愈。每遇胃痛怕冷，食滞化热，又不任苦寒之药者，附子理中汤中加蒲公英、香附，亦随手而瘥。此均藉清热和胃散滞之功，使脏腑升降协调，疼痛得释。患者杨某，面目浮肿，腰困腰痛，溲后尿痛，少腹疼痛。经注射青霉素8天及口服中西药不效。察其舌红少苔，脉沉细略数，处以：猪苓、茯苓、泽泻、杭白芍、山药、芡实各15g，蒲公英25g，白茅根、牛膝各20g，当归、金银花各12g。连服6剂，诸症大减，后经调理而愈。

蒲公英断有白汁，《本草纲目》说它补肝肾，乌须发，又治小便不利，能益胃滋肾而利水，既可泻火，又不损土，可常服久服。可见蒲公英并非专治乳痈、疔毒；滋阴清热利水亦是本药之长，且药源充足，值得推广应用。

（毛玉生 整理）

呕逆慎用桔梗 | 张书元 |

我初步医林，即遇一头痛、身困痛、畏冷，轻微腹泻的患者，前医以藿香正气散治之，非但诸症未减，反见呕吐不止。余诊其脉沉细微紧，舌苔薄白而腻。实属夏月感受风寒，内伤生冷之藿香正气散证无疑。再审藿香正气散有桔梗一味，因忆我省著名老中医王慕康老师曾曰："呕逆上气，桔梗一定慎用！桔梗乃药之舟楫，其性上浮"。今呕逆不止，非桔梗之过乎？乃将原方中之桔梗全部捡出（约9g），力劝将余药以灶心土汤煎服之。服药少许后，果然呕吐大减，继进半碗药汤，病者安然入睡。

桔梗性平，味苦辛，入肺经。能开提肺气，利咽喉，畅胸膈。藿香正气散用桔梗意在利胸膈而散寒宣表，用量较少，如用量较大，则成欲治呕反致吐。王老之言确属经验之谈，验之临床，果不谬也，今以此案为例，以供同道借鉴。

运用山楂一得　|秦增寿|

1958年季秋，豫东某县发现白喉流行，因感时行疫毒而罹患此疾者甚多。临床以咽喉淡红干燥、吞咽痛剧、夜晚加重、舌嫩红少苔、脉细数、患处附生乳白色或淡灰色假膜，证属阴虚型者为主；而以发热、咽喉红肿干燥、灼热疼痛不已、舌鲜红、苔黄干、脉滑数、假膜淡黄或焦黄，证属阳热型者次之。阴虚者，投予滋阴清热、凉血解毒之养阴清肺汤；阳热者，予以清热解毒之清瘟化毒饮。外则皆用枯矾、壁钱、冰片等为散，吹敷患处，效果均较显著。然最棘手者，莫过于少数阴虚患者，虽经上法施治，其自觉症状基本消失，然其患处附生之白腐假膜，却缠绵不已，难以退化。细审证候，分析其因，盖该患者多有挟瘀之征，如舌现紫色或有瘀血斑点，且中焦有腐浊之象，如苔白厚而黏腻等。经多次遣药，始发现山楂疗效最佳。遂于养阴清肺汤中加入山楂30g，其效立显。服药后一夜间，白腐假膜即可退化，屡用俱验。

祖国医学认为，山楂善消食积与散瘀血，多用于肉积、癥瘕、痰饮、泻痢等证。推而广之，其善退白腐假膜，亦属其长。白喉之白腐假膜，与患处黏膜相连，强剥则出血，其状如胬肉、败絮，实属疫毒熏蒸，瘀腐凝聚。用山楂配主方，于滋阴清热解毒之外，具消胬肉而散瘀血之功，药证相投，自然获效。

鸡内金乃催月经佳药　|史道生|

鸡内金是家鸡的砂囊内壁。临床应用多取其调健脾胃、消化水谷之功。近代药理证实鸡内金有"促进胃腺分泌之作用"。

读近贤张锡纯《医学衷中参西录》谓：鸡内金善化瘀血，能催月经速于下行，读后颇感惑昧费解。1958年秋，笔者开展尘肺及石棉肺的临床研究工作，曾给部分患者每日生鸡内金粉内服，以消肺内粉尘，其中女性患者多数服后月经超前，甚者一月两行，如停止服用鸡内金，则月经不超前。此后用于闭经及经行后期患者，经不断临床观察，奏效颇奇。至此始知张氏之言，洵不诬也。

鸡内金，鸡肠 　|姜　璇|

鸡内金，寻常之药，对其消食健胃之功人皆知之。鸡肠的药用价值则鲜为人知，目前民间偶或使用，亦不被人重视。

吾师王成魁大夫（河南省武陟县名老中医）对此二药之用独有心得。

王师治疗遗溺、尿频之病，除依照辨证施治原则审证遣方外，其独到处即在于随方加入此2味药，用法是鸡内金一般入药煎服，鸡肠炒为膳用。鸡内金用量1次20～25g，鸡肠1次60g，小儿减半，用法一样。如治李某，女，16岁。每夜遗尿，常湿被褥，甚是苦恼。逢天冷则夜尿甚，两脉细而尺弱。众医见尺弱，或补肾，或温化，或固摄。治疗十余年，然无效果。王师用固脬汤化裁加入鸡内金、鸡肠。服药3剂，则有尿自醒，白天劳累过度，夜间偶而发生遗尿，又3剂，病不复发。其方药用益智15g、桑螵蛸12g、黄芪20g、沙苑子12g、山药20g、升麻3g、当归10g、鸡内金20g，水煎服。鸡肠（自备）炒菜为食。又如杨某农妇，42岁，小便频数月余，每日15～16次，甚则达20多次，饮水一杯，未几即溺，更严重的是，目视水流，耳闻水声即遗。曾去焦作市某医院检查、治疗，化验尿糖（-），症见面色少华，脉细弱，饮食欠佳，倦怠无力，尿清长而无不适感，王师处以：生山药30g、山萸黄20g、益智10g、乌药10g、黄芪20g、柴胡10g、潞党参15g、白术15g、茯苓15g、陈皮10g、当归身10g、炙升麻5g、炙甘草5g、鸡内金20g、大枣5枚、生姜3片。3剂，水煎服。鸡肠（自备）60g炒菜为食。二诊时加生龙骨、牡蛎各30g，白菊花12g，3剂。服后小便日行4或5次，原方加枸杞子、补骨脂以善其后。

苦杏仁炭治脓疱疮 　|吕会文|

脓疱疮，俗称黄水疮。多见于小儿，好发于颜面和头部。若疱破裂则流出黄水，形成糜烂或结黄痂，蔓延甚快。轻者可经 1～2 周而愈，反复发作者可达数月不愈。

笔者十多年来应用苦杏仁炭治愈小儿脓疱疮四十余例，兹将治疗方法介绍如下。

苦杏仁（用量应根据脓疱疮部位大小而定）用火炙成炭，存性，研成细末，把香油或豆油熬开，调末成稀糊状备用。用时首先用淡盐水将污痂洗净，然后将上药涂薄薄一层于患处，可用干净纱布或软布覆盖，以防药物脱落和污染衣被。一般每日或隔日涂抹 1 次。1 或 2 次脱痂，3 或 4 次痊愈。

苦杏仁具有"杀虫，治诸疮疥、消肿、去头面诸风气皶疱"（《本草纲目》）的作用，炒炭应用，既可燥湿，又可化腐生肌，故用治脓疱疮有效。

苦杏仁外用治白疕　|王其玉|

曾治 1 周岁乳子，发热 1 天后胸腹发瘾疹、瘙痒，邀余诊治。首用消风散，继施五福化毒丹，又服防风通圣散。不但丝毫无功，且病势加重，蔓延周身，色白奇痒，皮肤麸皮样脱屑，触之如飞絮。无奈间，猛想起《医宗金鉴》有用苦杏仁、猪脂外用治痒一法。决定试之，遂开方：苦杏仁 60g（捣）、猪板油 15g。2 味调匀绢包外擦。然患者家长治病心切，不及备齐猪板油，即自用一味苦杏仁捣烂布包外擦。是夜患儿安然入睡。上法连用 2 日痒止，4 日后无脱屑，疹消退而病愈。

考白疕一证，俗名"蛇虱"。《医宗金鉴·外科》载有其证。其生于皮肤，形如疹疥，可发遍身，色白脱屑，瘙痒异常。乃由风邪客于皮肤，血燥不能荣养所致。杏仁治风燥，润皮肤，且可杀虫，治诸疮疥。余用之治白疕瘙痒，屡试皆效。

（王海军　整理）

白芍利尿说　|吴立文|

白芍性微寒，味苦酸，入肝脾二经，具有敛阴补血、养肝柔肝、缓急止痛等作用。从临床实践来看，其不仅可用以敛汗、止血、止咳，而且还表现出与收敛相反的通利作用。早在《神农本草经》就有芍药"利小便"之载。

张锡纯《医学衷中参西录》指出：白芍"为阴虚有热、小便不利者之要药"。张氏用白芍利水，有两个特点，一是用量大，二是生用。书中载验案两则：一妇人因阴虚小便不利，积成水肿甚剧，大便旬日不通，投八正散不效，而用生白芍180g，配阿胶，1剂即二便通利，肿亦顿消。另载：治一六旬老人，水肿，二便皆不通利，用生白芍90g，配橘红、柴胡，亦起到二便通利之效。2例皆未用利水药物，可以说明白芍确有利水作用，但用量宜大。白芍炒用，可加强收敛及补养作用，故欲其利水，当以生用为宜。

予曾治谢某，因腹痛，服用阿托品2片后，出现小便点滴不通。西医诊为前列腺肥大，当即给予导尿，并保留导尿管，过2日，仍不能自行排尿，乃邀中医治疗。患者自感少腹不适，口干。察舌质偏红，舌苔薄黄，脉弦稍细。辨为阴虚内热，气化无力而致癃闭。议用滋阴、清热利水之法，以导赤散加牛膝治之。处方：生地黄20g，木通10g，竹叶10g，生甘草梢6g，川牛膝30g。服2剂，未见效果，因思张锡纯重用生白芍善利小便之说，遂于上方加生白芍60g，服2剂，小便通利而愈。后又治李某，因小便点滴难出，仍处以前方，用量亦同，嘱速取药煎服。患者药后不到3小时，二便俱出，其病缓解。益知重用生白芍确有通利之用，不仅善利小便，且可通润大便，亦证张氏之说，确属经验之谈。

白芍所以能表现出利水作用，可能是多种原因的综合。古人认为阴虚则火旺，水随火浮而为肿，谓之"相火溢水"。白芍复阴敛液，其性微寒，可复阴以降虚火，故适用于阴虚性水肿。白芍养肝柔肝，"除血痹，破坚积"，即可起到调肝疏肝之用，有利于水道畅通，故能通利小便。

榆白皮治痹证　　|白兆芝|

已故山西省中医研究所名老中医白清佐系吾同乡，生前治风湿痹证，常于主治方中加入榆白皮一味。吾少时曾患此证，经白老调治，用此药合于主治方中，确有疗效。

榆白皮性甘平，滑利，无毒。查诸本草书中，未见有治风湿痹证记载。《神农本草经》谓能"利水道，除邪气，久服轻身不饥"，将此药列为上品。看来白老以之治痹证，乃取其"利水道，除邪气"之功也。

田三七治外伤胸痛　　|刘芳淑|

三七能活血化瘀止痛，是伤科圣药。它能治疗陈旧性外伤胸痛。

我的一位朋友在解放战争时被手榴弹的碎片打中胸部，留下经常疼痛之老病。有一次他到广西靖西县检查工作，那里是田三七之乡，广大农民都会栽培田三七。一天他的胃痛病发作，经当地医生治疗未能见效。后来一农民告诉他可以用田三七试试。先将田三七切成薄片备用，再杀一只鸡（最好是母鸡），去掉鸡骨，留下鸡肉切成小片，在一个小瓷碗里放一层鸡肉片，一层三七片，碗上再用一小碗覆盖，上笼蒸熟，放盐少许，分数次吃鸡肉及三七片，同时饮汤。他吃了一只鸡和约1两（30g）田三七，胃痛未见好转，但二十余年之胸痛确从此而消失了。他将这一意外的收获告诉了我，我在门诊期间，遇见外伤引起的局部疼痛，便如法介绍，治愈多人。干田三七可用湿布润透，以易切片。

"荞面消浮肿" 见闻　　|李子质|

一天，老伴儿突然问道："荞面能消浮肿吗？"因相识之一老妇患浮肿病，吃荞面而肿消，故怪而问之。我当时不得其解，怀疑该老妇必有其他愈病原因，吃荞面是其巧合，未尝介意。

过了几天，偶与老妇遇，忽忆起"荞面消浮肿"事，便与之闲聊起来。她说："患肝病已3年，曾住医院2次，诊为慢性肝炎转初期肝硬变，经多方治疗，总不见好。从此便失去信心。近2个月来，未再服药，听之任之。病情除原有肝区痛、食欲不振、困倦无力、夜卧失眠等症外，又增全身浮肿、小便不畅、腹胀大、内心烧、上气喘逆。自谓死期将临，卧床以待。不意家人购粮时，买回荞面一袋，喜而食之，十余日后，胃口渐开，小便通畅，浮肿全消，瞌睡增多，四肢亦觉有力，肝部硬块，扪之亦较柔软，此大概由于内部有热，荞面性凉，能清内火的缘故吧。前以白面为食，毫无食欲，勉强吃点儿，即觉胃部不舒，恶心欲吐；自食荞面以来，每顿都吃得香，食后亦甚舒适，现在各方面都觉得很好。日前去医院检查，结果谓一切正常。"

听了这一席话，内心颇有感触：荞麦，西北各省普遍种植，农历六月下种，九月收藏，面粉可做成种种食品，如饸饹面、凉粉、发糕等，味美可口，非常受人欢迎。我亦不例外，但只知其好吃、能充饥，而轻视其医疗价值，故对之毫无认识，深感惭愧！退而查阅《药典》，谓"性味甘凉，入脾、胃、大肠经"，又《随息居饮食谱》云："荞麦，罗面煮食，开胃宽肠，益气力，炼渣秽，磨积滞。"此等性味功能，与该妇之症，颇相吻合，故其食之大见功效。经验从实践中来，老妇之言，对我来说，亦是间接实践中之一得耳。

谈硫磺内服　|王骧腾|

硫磺素有"纯阳之品""火中精"之称。故初学者对其内服常望而生畏，弃而不用或过于慎重，想用不敢用。

笔者在临床上常用硫磺治疗各种虚寒病证，收到了较好的疗效。如治疗妇人宫寒不孕、虚寒带下者，常配伍右归丸、淫羊藿、上沉香、海狗肾、鹿茸、熟地黄等。老人便秘者，配半夏、何首乌、肉苁蓉，当归等。虚寒泄泻者，配四神丸、桂附理中丸等。肾不纳气的虚喘，配伍人参蛤蚧散、都气丸、赭石等。附骨疽溃后、气血两虚、骨弱无力、不易收口者，配十全大补丸或虎潜丸。

笔者体会，对临床上一些虚寒证，若反复使用一般补肾壮阳药不效者，俾加服硫磺，则疗效显著提高。如一女性，36岁，婚后十余年未孕，终年白带清稀量多，淋漓不断，小腹冷痛，热熨则舒。曾延多医诊治，屡用胎盘、肉桂、淫羊藿、菟丝子等补肾壮阳之品，终未能愈。吾以右归丸化裁，另加服硫磺冲服，每日3g，连服1个月，小腹凉痛感全消，白带十去八九，翌年怀孕有子。

硫磺内服一般不作煎剂，宜入丸、散剂。每日用量起始应先从小量开始，1～1.5g，以后再酌情增至3g左右。笔者常喜用天生黄（为生硫磺之一种），其性较为温和，较长时间服用，无不良反应。有人曾报道，硫磺1次用量可高达116.5g，或连续用药（1.5g/日）3～5年。但笔者认为，硫磺不论生用或熟用，毕竟是纯阳性热之品，"损益兼行"，故临床使用时，必须把握好适应证，切勿滥施，阴虚阳亢者忌用。同时注意剂量不宜过大，使用时间不宜过长，"中病当已，不可尽剂"。

吴茱萸杀虫之验 |姚兴华|

1958 年某日，余赴内科病房会诊，途经儿科病房，忽闻孩童呼痛不已，声彻四壁，余急往观之。见一男孩曲腹捧肚，辗转床第，头汗如雨，颜面苍白，神色苦楚。询问其症，医师曰：原怀疑蛔虫，但化验大便并无虫卵，透视腹部未曾发现虫迹，服驱蛔剂亦未下虫，现诊断不明，外科会诊，意欲剖腹探查，家长不允。切其六脉沉细欲绝，断为阴寒内盛、格阳于外，须防大汗亡阳虚脱厥逆之变，急宜大剂辛热，以破阴凝。随拟四逆汤加吴茱萸急煎，待冷徐徐灌下。

翌晨前往，其父欢天喜地，谢吾不迭，告曰：药服后须臾痛减，半夜泻出蛔虫 39 条，团结如绳，腹痛顿消，现正进粥，患儿对余含谢微笑，与昨相比判若两人。

余用四逆回阳救逆，加吴茱萸意在散寒止痛，不料竟有若大驱蛔作用，细思忆《本经》载有吴茱萸根杀三虫之说。且甄权亦云，吴茱萸主腹痛……杀三虫。但每为后世医家所忽略，经此一用也算又增见识。此后每遇脏寒蛔动，其症剧烈者，常以此法救治，每获效验。似较乌梅丸治蛔厥更有药简力专效宏之感，足证学无止境矣。

（姚安萍等　整理）

白芷、藁本代麝香治瘀血头痛 |李修五|

通窍活血汤有活血通窍、行瘀通经作用，适用于头面上部血瘀之证。方内麝香辛香走窜，能增强活血化瘀之力，使窍通血活而痛止。但当今麝香奇缺，且药价昂贵。余临床常代以白芷、藁本，治头面上部血瘀疼痛证，近年来临床观察，效果颇佳。白芷、藁本二药性味辛温，气芳香，性上行而善通窍，故可以代麝香行通窜之功。患者钱玉梅，女，22 岁，患头痛 3 年余，痛呈持续性，严重时痛如锥刺，痛苦万状，甚至悲痛欲死。脑部检查无异常发现，西医诊断为神经性头痛，经中、西医多方治疗无效。根据其疼痛固定不移，痛如锥刺，舌质紫暗，脉弦，经期错后量少，紫黑有块，经前头痛加剧，伴有痛经，经期过后，头痛减轻等症。治以活血化瘀，通窍止痛。处方：白芷 10g、藁本 10g，以芳辛通窍；赤芍 30g、川芎 15g、红花 15g、桃仁 10g、当归 15g，以活血化瘀；怀牛膝 15g，以引血下行；葱白 3 根，通阳入络。将上药加水浸泡 1 小时后再煎，煎沸后文火 30 分钟即可，1 剂 2 次煎取药汁约 400ml，日进 1 剂，2 次分服。6 剂后痛大减，呈间断性发作；12 剂后，惟看书用脑时仍有轻度疼痛，经量增多，血块减少。守方又继服 12 剂，主诉病情已基本痊愈，看书用脑亦无反复。为巩固疗效，又照上方去桃仁，减红花为 10g，加菊花 20g、女贞子 30g，以清头目、滋肝肾，继服 6 剂，完全告愈，未再发作。

童 子 溺 |陈 正|

童子溺，正名"童便"，又名"还元水"，青海乡村俗称"尕娃尿"。多被乡村医生用于治疗外伤急症。此药后世多以污秽看待，很少使用，实为可惜。殊不知本品能引肺火下行从膀胱排出，大凡吐血、唾血、咳嗽痰中带血等证遣之皆效。跌打损伤，血闷欲死，以热尿灌之，下咽即醒，屡有验效。产后血晕，胞胎不下，治之也佳。此品古时被武术家视为珍物，故褚澄《劳极论》说童便"降火甚速，降血甚神"。

1975 年吾于尖扎县康扬地区适遇下乡青年被滚石砸压背部，鼻血，腹膨，神志昏昏，抬来求治。因无手术条件，即以热童子溺一碗灌下，立令送州医院手术。途中衄止，腹膨减轻，能言所苦，抵州医院经治而愈。自此方信历代药籍所述童子溺药功之不谬。于田间、工区劳务者，如遇外伤，以此解燃眉之急。无童子溺，健康男人尿也可。

童子溺古书中多有记载，今人也有所应用。其治疗疾病之功效，不应怀疑。此药并非难得，既经济又实惠，既可应急，又可缓解病情，值得提倡。

童子溺，系取 12 岁以前健康男孩子的小便，去头尾，取中段，清澈如水者趁热供药用。

谈 胆 汁 |柴浩然|

某日，我至食品单位诊病，诊余杂话，偶尔谈及购食猪肝，当时有一经验丰富之职工云："购食猪肝，如新买即食，可摘去胆囊；如延数日后再食，可保留胆囊贮藏，俟煮食时再摘除胆囊，则煮熟之肝，汤色正，味道美，质韧耐咬，为肝之正味；如摘去胆后保存之肝，延日煮食，煮熟后，汤呈黑色，味亦变劣，肝质变糟，不能适口"。我听后，大受启发，再三揣摩，谛思宰割畜之肝胆，胆尚有保肝之用，而况人乎？

嗣后，邑之北乡某村林姓，其患肝硬化数年，曾在省级医院作过确诊，经过各种治疗，效果不著，最后返里，已发生肝昏迷，医皆诿为不治，后得里人献一验方，灌服各种胆汁（如鸡胆汁、猪胆汁、羊胆汁），服用先后无序，服量亦无定数，天天服、顿顿用，如是昏迷逐步清醒过来，后竟完全脱离险境，现已行动自如，饮食照常。

据上所述，说明胆汁是有护肝、保肝、养肝作用，或还有其他未发现的作用，尚待研究。

重用䗪虫治疗妇科病 |李兆秀|

䗪虫一药，性味咸、寒，有毒性。其功用逐瘀、破积、通络，理伤等，是活血化瘀药中力专效速的常用药之一。其用量各书记载，汤剂多在 3～10g，散剂多为 1.5g。因有毒，不宜多用。笔者临床用量经常在 30～45g，从未发现 1 例病人有毒性反应。因本品为活血化瘀破积之药，自当中病即止，勿过量常服，以免损伤正气。

赵某，女，30 岁，1971 年诊。因第 3 胎产后 2 个月余，阴道流血淋漓不断，有时骤然下血甚多，色紫，血块多，少腹坠痛，头晕，腰酸痛，乳汁少。西医诊为"胎盘残留"，肌注催产素，服益母草膏、红花酒等均无效，劝其刮宫，病者不从，要求中药治疗。

查患者精神倦怠，面色淡黄无华，口唇干燥紫暗，舌质淡红，边有瘀斑，苔白微腻，脉沉细涩。证属血瘀阻滞经脉，气虚不能摄血。治宜活血化瘀，益气固经，佐以温经暖宫。处方：炒䗪虫45g、当归15g、川芎12g、赤芍12g、炮姜10g、桃仁12g、红花12g、益母草30g、黄芪20g、党参15g、炒杜仲15g、焦白术20g。服上方 1 剂后血块增多，2 剂时少腹剧痛，10 分钟后下如山楂大之血块夹杂胎膜数块，腹痛渐减，血渐少。又服第 3 剂血止，腰腹痛止。又以饮食调养，遂见康复，至今已二十余年病未发作。

产后胎盘残留而至大出血，属产后血崩。由于瘀血阻滞经脉，血不循经，故淋漓不断或骤然下血。胎盘残留固着难下，非一般活血化瘀所能奏效，故重用蟅虫至45g破积祛瘀，配以桃仁、红花、益母草、炮姜等药活血温经止痛，促进子宫收缩，以增祛瘀之力。又因产后气血大伤，冲任不固，胞宫收缩无力，瘀血无力排除，血流更甚，新血不生，故面色淡黄无华，精神倦怠，面目微肿，乳汁少，脉细涩。在大量用蟅虫及桃仁之辈的同时，佐以益气扶正之黄芪、党参、白术及调补冲任之杜仲等更为重要。

大剂量蟅虫不仅用于治疗产后血崩，尚可配以桃仁、红花等活血化瘀药堕胎。几年来共用于堕胎4例。前医用活血化瘀药未效，余于方中重用蟅虫，3～7剂即完全流产，并无任何毒副反应，但因病例少，有待进一步观察。

麻雀卵治阳痿　|王廉生|

阳痿，"火衰者十居七八……"，医者多受此影响，临证时，遇病因不显、脉舌变化不著的患者，加之不耐心询问病因病史，不加辨证，多从命门火衰、补肾壮阳入手施治，结果有的患者效与愿违，延误病情。余尝治一中年患者，牛某，体稍弱，平素多愁善感。病发于正同房时，因10岁的小孩醒来而受惊，嗣后即发现阳举而不坚。求医年余，医者多予温补下元，投以仙茅、淫羊藿、肉桂、附子之类，服之罔效。患者愁思更甚，渐发展为阳事不兴。视其面色无华，脉弱舌淡。思其病因为受惊伤肾，加之平素思虑忧愁过度，损伤心脾，导致阳痿。正如张景岳所说："凡惊恐不释者，亦致阳痿。"又说："凡思虑焦劳忧郁太过者，多致阳痿"。此正是惊恐、思虑忧郁二因共同作用致病。故投以补阳滋阴、治男子阳痿不起的麻雀卵，每晚睡前食1个（带壳煮熟）；同时服补养心脾、安神疏肝煎剂日1剂（党参10g、白术9g、朱茯苓9g、炙甘草6g、炙黄芪20g、龙眼肉10g、焦酸枣仁20g、当归10g、朱远志10g、柴胡9g、香附8g、合欢花15g），10天1个疗程（每疗程间停药3～4天）。治疗期间戒房事。3个疗程后阳事渐近正常，嘱其以后节制房事，病果瘥，未复发。此案的治法也说明，临证时详细询问病因病史，正确辨证论治是治愈疾病的关键。

动物药——黄鼠狼　|吕广振|

黄鼠狼又名鼬鼠，笔者用其治疗失眠头痛、阴疽、阴蠶、疳积、牙疳，多效。

1. 失眠头痛 曾治一气血两虚、中西药治之久久不效的头痛患者，用黄鼠狼头1个，炖水喝（1个头可炖5或6次，最后连肉一同吃下），后愈。

2. 小儿疳积 曾治一儿因吐、泻失水后，患营养不良，极度消瘦，不能行走，坐时亦无力挺身，用黄鼠狼肉炖水喝，逐渐恢复健康。

3. 阴疽 某患者在长强穴处生一阴疽，久治不效，以黄鼠狼肉水煮，吃肉喝汤，连服3只，自行破溃，出脓水约250ml，溃后自行愈合。（该患者认为此物有效，又服数只，身体健康，并治好了腿部长期不愈的关节炎）。

4. 阴匿（俗称臊疳） 用黄鼠狼1只（带毛）、木通200g、白芷200g、地榆200g，各焙为细末，合匀，每次服6g，早晚各1次，一般3～5日即效。

5. 牙疳 若牙龈溃烂，口臭难闻者，用黄鼠狼肉（头部更佳）炖水喝，连喝5～6次，最后连肉吃下。一般1个即可痊愈。此证我曾治愈多例，可谓有效良方。

歪 打 正 着　　|刘达瑞|

小儿出麻疹，最忌寒凉太过，恐冰伏邪毒，伐伤脾胃，致疹出不畅，甚则下利气虚，疹毒内陷。

余在农村工作时，一日，有一乡女干部急来求诊。述其2个小孩同时发热，相继出疹。其中女孩，因哭闹不休，虑其饥饿，忙乱中将冷牛奶喂于小女。又恐小孩吃冷牛奶有碍病情，因而急来求诊。既至，见男孩，昏睡蒙眬，身热灼手，疹出青紫，气喘鼻煽，脉如雀啄。女孩反熟睡息平，身虽热但不灼手，疹出疏密均匀而红润，脉数，腹平软无所苦。遂循常法拟"麻杏石甘汤"加味予男孩；女孩证属顺候，不必服药，嘱病家注意病情变化，再做处置。次晨经至察看，得知女孩夜间大便1次，精神尚好，并吃饼干数块。是谓泄下秽浊，热毒已出，故热退神清，不必虑其变化。男孩仍身热嗜睡，息促而咳，口渴喜饮，大便燥结，乃肺热仍炽，且伤津便燥。有女孩为例，何不亦予冷牛奶饮之，或可达清热保津之效。遂嘱其母，将牛奶倍水，煮开待冷，时时予之。当晚，解秽浊便1次。次晨进食少许，亦热退神清。

初饮冷牛奶并非为治，却歪打正着，竟获意外之效。细思其理，偶然之中，寓于必然。考《中国医学大辞典》："牛乳汁，性味甘，微寒，无毒，功能养心肺，润大肠，治风热毒气。"又《本草拾遗》："黄牛乳，生服利人，下热气，冷补，润肌止渴。"综上可知，牛乳系甘寒生津、清热解毒之品，冷服则更助其功。故吴鞠通《温病条辨》立牛乳饮方，治秋燥伤胃，取其甘寒滋润，以津血养津血。以此推论，温热病中，伤津便燥者，可用之，且价廉易得，诚为佳品。

制方贵在法严　　|张灿玾|

中药治病，立法制方，至关重要。方药为武器，法度是原则。若法度不严，配伍不当，则难收良效，故不可不审慎从事。关于方制所宜，早在《黄帝内经》与《神农本草经》中已经提出。如《素问·至真要大论篇》曰："君一臣二，制之小也；君一臣三佐五，制之中也；君一臣三佐九，制之大也。"又曰："主病之谓君，佐君之谓臣，应臣之为使。"《神农本草经》曰："药有君臣佐使，以相宜摄合和。"所谓君臣佐使，实即制方的法度，也可以说是处方的原则。故李东垣曾明确指出："主病之为君，兼见何病，则以佐使药分别之。此制方之要也。"

所谓"君"，乃指制方时必须注意病变的主要方面，选择针对性的药物以为主药。所谓"臣"，乃指能辅助君药以加强疗效的药物。所谓"佐"，一则有辅佐君药，帮助解决其他方面问题的药物；一则指监制君药以制约其某些毒性、烈性之偏的药物。所谓"使"，乃指某些引经或具有调和诸药作用的药物。按此原则制方，则既注意了病变的主要方面，又注意了病变的非主要方面：既照顾到发病的主要症状，又照顾到发病的次要症状；既发挥了君药的主导作用，又发挥了臣、佐、使药的协同作用；既突出了君药的某些气味，又监制了与病证有碍的某些气味。使君臣佐使，各有所宜，共同发挥应有的作用，达到一定的治疗目的。这在制方方面，确是一个非常重要的原则。如果不按此原则去制方，指导思想不明确，选择主药不恰当，用药剂量无主次，配合药物不协调，则很难收到预期的疗效。

历代名医所制名方，所以能经久而不衰者，正以其法度严谨，配伍得当；每张有效优秀的方子，无不如是。

古人常以治军与治政之术来喻医道。军贵法度严明，步伍严整；政贵纲纪应时，择人得当；医贵诊断明确，制方有法，选药精当。若下工制方，有法而无方，有方而无法，诸药杂陈，四气并施者，视人命如草芥，医者当戒也。

相反相成用药谈　　|鲁安养|

西安某名老中医用六味地黄丸时辄加鹿茸，疗效甚著。余师杜雨茂副教授闻之云："鹿茸为血肉有情之品，性温而不燥，助阳以生阴，且峻补精血，使六味地黄丸之力倍增，又不至影响三泻之能。其用心之巧妙，非粗工所能企及。"

无独有偶。余之高中同学王某患再生障碍性贫血，众医皆以金匮肾气丸化裁治之，然非但罔效，且日见危笃。后延渭南一老中医诊之，仍八味加减之方。相异处恒加犀角一味。数月后，竟起沉疴，王某已能上班。余窃思，附子、肉桂温肾壮阳，启六味以滋生阴血，原属正治。然血中热毒未清，阴血随生随耗，"再生"何无"障碍"？"贫血"何能改观？"心主血"，犀角"解乎心热"；其咸寒凛冽之性，足以使血中热毒望风披靡；而清咸濡润之能，非但不会冰伏肾中元阳，且能助六味益肾滋阴。信哉，其效若神矣！

六味滋阴，八味壮阳，人所共知；鹿茸温肾，犀角清心，医无不晓。相反相成，古有明训。然如上述针锋相对之例，究属罕见。二位老前辈的功夫可谓炉火纯青矣。

五分和一两　　|张奇文|

中医处方用药，药物剂量的配伍是重要的一环。主药和辅药用量的轻重是根据病机病情而定的，并非 3 钱（9g）、5 钱（15g），任其增减。以王洪绪《外科全生集》所载阳和汤为例，其方组成：熟地黄 1 两（30g）、白芥子 2 钱（6g）、鹿角胶 3 钱（9g）、肉桂 1 钱（3g）、炮姜 5 分（1.5g）、麻黄 5 分（1.5g）、甘草 1 钱（3g）。药共 7 味，配伍剂量从 1 两（30g）到 5 分（1.5g）相差悬殊。本方是治疗阴证疮疡的主要方剂；为历代中医外科名家所推崇。治一切阴疽、附骨疽、脱骨疽、流注、鹤膝风等，凡色白不红、漫肿不痛、舌苔白、口不渴、脉沉细者为其适应证。

此方诸药用量为何相差悬殊？制方人确有真识卓见。方中重用熟地黄甘温补肾，鹿角胶养血助阳，肾主骨，督脉与肾相通，二药都是温补肾督之品，用以补虚壮骨。阴证疮疡多发自深处，阴寒内盛，寒痰凝滞，乃成附骨、流注等阴邪内蕴之证。欲使从阴化阳，逐邪外溃，所以非重用熟地黄、鹿角胶等不可。白芥子透膜祛痰，散结消肿，能使诸药透入病所，使病邪透出膜外。炮姜散寒回阳，肉桂温通血脉，二药辅用，能宣畅血行，使阴寒之邪能温能散。何以不用大量？取其随大队补肾壮骨之品，入里散寒和阳，恐量大辛散走表。其方妙在麻黄仅用 5 分（1.5g），用其达卫散寒，既能协同炮姜、肉桂使气血宣通，又可使熟地黄、鹿角胶补而不滞。麻黄本为发汗走表之品，若用大量，必借其发散将诸药浮行体表，不达病所。用 5 分（1.5g）麻黄与 1 两（30g）熟地黄相伍，熟地黄用量大大超过麻黄，则无权走表，随熟地黄等入里至病所，及至病所又各尽其用。熟地黄、鹿角胶补肾壮骨，补督助阳，炮姜、肉桂温通散寒促其阴邪阳化，白芥子透膜，麻黄由里达表，因其量小力薄，仅能徐徐透达，缓求其功，以防过于发散，失其阳和之义。

由此可见，一张名方，药味份量的大小，并非随心所欲。从阳和汤 5 分与 1 两之殊，足以说明古人立方之严谨，值得我们深思和效法。余在临床上喜用此方治阴寒在里之证，如骨结核、坐骨神经痛、虚寒型类风湿性关节炎等，严格遵守古人配伍之法度，药味之间的用量不增不减，并根据病情再略加二三味，往往收到好的效果。有时也遇到同样用阳和汤治疗不效者，往往与未遵循原方的用量有关，可见组方配伍用量的重要。

服药不拘一格　　|蒋厚文|

服药方法的合理与否，直接影响治疗效果。惟医者临证最关注的常是辨证与处方，对如何正确给药，以最大限度地发挥方药的效能，每每忽视。凡病用药，必早晚 2 次分服，习以为常。其实，中药的服用方法，宜因病、因药而异，决不能千篇一律。以汤剂为例，病轻病缓者，不妨按常规 1 日 2 次或 3 次分服；病重病急者，则宜重剂 1 次顿服，或 1 日 2 剂连服，以顿挫病势；外感病服发汗剂，若一服汗出病差，停后服，不必尽剂，使邪去而不伤正；实水证用逐水剂，宜于清晨空腹服，得下利后，糜粥自养。若下后病不除者，次日渐加再服；治少阴咽痛宜"少少含咽"，使药力持续作用于病变部位，若方中药量大，煎液多，可一剂分多次服用等等。总之，要根据具体情况，圆机活法，合理运用，不拘一格，务使达到最佳治疗效果。20 世纪 70 年代中期，吾在中医研究院全国中医研究班期间，尝闻任应秋老师讲述四川已故名医吴櫂仙妙用旋覆代赭汤的治验，启悟良多。任老谓：曾见吴老与某医同治噫气症，三用旋覆代赭汤不效，某医谢去。吴独见其心下痞鞕如故，噫气频频，况又出现于严重腹泻之后，脉来沉弱，确系胃气已亏，升降之机失调所致，故仍用旋覆代赭汤原方，只是将其中人参15g、炙甘草9g，另煎先服，隔一时许，继进他药煎剂，仅一服而噫气顿止。患者胃气大虚，先以人参、甘草益其胃气，安定中州，再进余药，或降其逆，或宣其郁，或涤其饮，则清气自有所归而能升，浊气自有所纳而能降，噫气得以除矣。同属一方，仅服法不同而收效迥异，服药方法对治疗效应关系之密切，于此亦可见一斑，临证慎勿掉以轻心。

汤 散 有 别　　|党炳瑞|

1975 年，笔者进修于北京中医研究院，是年仲冬，某主任之父暴病呃逆。呃声频作，痛苦难言，投药、施针不止。此翁年逾七旬，病中风已卧榻经年，面晦无华，四肢逆冷，脉微气弱。众医辨证皆谓：胃气虚衰，中阳不振，阳为阴遏，升降失调，胃气上逆，呃声乃作。给丁香柿蒂汤，以益气温中降逆，然服数剂，呃声不止，众殊觉惘惑而束手。时有进修医师王某谓："丁香柿蒂汤用之不当则罔效。用丁香柿蒂汤，必将柿蒂研为细末，再以人参、丁香、生姜煎汤冲服，方可获效，否则无效。此乃几代经验相传耳。"当即按其法，果如其言。众皆叹服。此事于笔者印象颇深，后每遇中寒气弱致呃逆者，照其法投之，亦多得良效。

不同的疾病需要不同的剂型治疗，不同的药物又适宜不同的制剂。临证治病，不仅要选药正确，还要注意剂型。这是中医学几千年来的实践经验，不得随意违越，否则治病无效。但当今恣意将丸剂，散剂改为汤剂使用，致使失其疗效者并不少见，此贻误病家，诚为当今一些医家宜治之病也。

鸡 矢 醴 散　　|邵汉龄|

鸡矢醴散系我父亲收集有效单方之一，是以歌诀的形式记载下来的。歌曰：鸡矢醴散治臌胀，泽泻赤芍广木香，青皮枳壳葶苈子，公鸡屎要炒微黄。诸药等份细研末，每服 5 分黄酒尝。

尝治曹某，患肝硬化合并腹水。西药治疗无效而赴叶县找一位老中医治疗，服三十余剂水臌消退，2个月后复发，又找那位老中医治疗，其已谢世。故来院要求服中药治疗。余诊之，患者腹胀如鼓，青筋暴露，肌瘦，但精神尚佳，脉沉涩，纳差少尿，诊断为水臌，即投鸡矢醴散一料（每味用9g），照法服。7日后来诊，自述服药3日后尿量大增，腹胀满已除，继服3周后来诊，臌胀消退，饮食有增，肝功能正常，肝大肋下3cm，停服鸡矢醴散，给予舒肝丸内服以收其功。后来患者介绍几位病人，也收到满意效果。

本方系辛平利水之剂。鸡屎苦凉，利水泄热，祛风解毒，主治臌胀积聚，是为君药；泽泻、葶苈子为臣药，以助利水之效；青皮、枳壳、木香理肝气以散结；赤芍、黄酒有活血化瘀之功。全方共奏消胀利水，理气活血之效。

鸡矢白酒饮治臌胀　　|刘长天|

曾治李某，女，患肝硬化腹水1年余，诸药不效。查见患者形体消瘦，腹大如鼓，按之坚满，青筋外突，腹壁皮肤紧张光亮，脘闷纳呆，食后胀甚，胸痞嗳气，头晕乏力，动则心悸气急，小便短少，大便秘结，下肢水肿，脉沉而弦，舌苔白、边有紫瘀。予鸡矢白酒饮服，药后腹中作鸣，水泻多次，当日浮肿见退，3日后，纳食增加，腹部青筋减退；又服2剂，腹水消尽，继用济生肾气丸与六君子汤调理而安。

鸡矢白酒饮系用：公鸡1只，以大麦（即草麦）连喂4~5天，取下鸡粪1碗，炒黄色，白酒1瓶，浸鸡粪，然后入水煎，滤去渣，饮之，服后，少时即腹中气转，作鸣，水从大便而出，其肿自消；如利未尽，再服1或2剂，肿消尽后，再用肾气丸、六君子汤调理。

从泻白散之用谈治病求本　　|吕学泰|

异病同治、一方多用，是中医治病特色之一，其道理即在于"病"虽异而"本"相同。治病必求于本，通常辨证求本，同本则同治。以泻白散的临床应用为例谈谈体会。

泻白散，顾名思义，乃清泻肺火之剂。只要是肺火，无论"病"名如何，均可用此方加味治之而获卓效。如盗汗患者杨某，长期盗汗不愈，甚者汗出浸湿被褥及枕巾，口燥咽干，五心烦热，颧红体瘦，舌红脉数。用泻白散加浮小麦 50g，共服 8 剂，盗汗消失。此证属于肺痨虚火，泻白散清泻肺火，甘润不燥，浮小麦敛汗益气，药证相契，故而获效。又鼻衄患者张某，反复发作 4～5 年，有时一日衄血 2 或 3 次，口干鼻燥，头晕眼涩，身热便干，舌红脉数。用泻白散加白茅根 30g、大黄 3g，服 5 剂，诸症悉除，3 年未发。盖鼻为肺窍，肺热伤络，血循窍而出。泻白散能清泻本源，又加茅根泻热以止衄，借大黄泻腑以清脏，故收功甚捷。又王某，患荨麻疹 6 年，冬轻夏重，皮疹红赤，遍及周身，苔黄舌红，脉象浮数。以泻白散加苦参 10g、蝉蜕 20g，12 剂治愈，至今未发。此证乃风热犯肺，"肺合皮毛"，故发疹。泻白散加苦参泻火祛风，用蝉蜕以皮行皮，相得益彰，故收效自宏。

一方多用，关键还在于识证求本，舍此则异病同治即无从谈起。曾治任某，酒后患中风，口眼㖞斜，语言謇涩，偏体动作不灵，初以牵正散合补阳还五汤，无效。更以牵正散合镇肝熄风汤，仍无效。细审诸症，体胖面红，皮热多汗，痰黄稠，舌红，苔黄，脉弦有力，结合素有喘疾，病发酒后之病史，乃是肺火内伏，痰浊壅盛。肺中火痰相搏，痰浊流窜经络，阳盛汗泄，风邪乘机入中于经络，故有口眼㖞斜，肢体不遂之症。遂改用泻白散合升降散，一泻火热，清肺金；一祛风热，涤痰浊。处方：桑白皮 24g、地骨皮 24g、甘草 10g、蝉蜕 30g、僵蚕 12g、姜黄 9g、大黄 6g。总以治痰火之本为主，3 剂症减，又 3 剂症状基本消失，血压从 25.3/14.7kPa 降至 18.7/12.0kPa，药改为隔日 1 剂，10 日后痊愈。

究名探源话逍遥　　│张文阁│

逍遥散是著名的方剂，被古今医家广泛地应用于临床各科。

"逍遥"一词，最早见于《诗经》，其中《郑风·清人》有"河上乎逍遥"之句。医家以其命方者，"逍遥散"是也。

逍本又作消，遥本又作摇，逍遥亦即消摇。其含义有：物任其性，事称其能，各当其分；戏荡往来于广远无极之中，闲放不拘，怡适自得等意。

医家在长期医疗实践中，体会到肝的生理特点与"逍遥"寓意很是相近。所以，针对肝气郁结，藏泄障碍，选药组方以消之、摇之，故名之为"逍遥散"。本方药性平和，配伍严谨，既可以使肝郁逐渐消散，以复其升发条达、曲直柔和之常态，而又无损于正气。

本方名"散"，而不称"汤"或"丸"者，也是有其用意的。这个"散"字，除明示剂型外，更重要的还是突出了"逍遥散"的散郁、疏泄的功能。

逍遥散出自宋朝《和剂局方》一书。有人认为逍遥散是由四逆散衍化而成，又有人认为逍遥散是由当归芍药散衍化而来，还有人认为逍遥散自小柴胡汤衍化而得。几说似均未恰。逍遥散中柴胡、当归是主药，然四逆散、小柴胡汤中均无当归；当归芍药散中又无柴胡。可见，被认作是衍化为逍遥散的3个祖方，每个方中均无逍遥散中的主药当归或柴胡，它们又如何能相辅相成，奏养血疏肝解郁之效？所以说，逍遥散由上述3方衍出是没有说服力的。

如果一定要说逍遥散是由古方衍化而来的话，那么，把它作为"柴胡汤"的衍化方，倒是比较合适的。

柴胡汤（柴胡、桃仁、当归、芍药、黄芪、生姜、吴茱萸）见于《备急千金要方》，为"治产后往来寒热，恶露不尽"而设。方中7味药，有当归、柴胡、芍药、生姜4味与逍遥散同，占逍遥散药物组成的1/2，且当归、柴胡两味主药皆有，往来寒热之症亦备。方中所以用了桃仁和黄芪两味攻、补之品，这是考虑到了产后多虚多瘀的病理特点，不失为和解之剂，具有养血疏调之功。由是观之，《备急千金要方》中的柴胡汤衍化为逍遥散之说，要比四逆散、小柴胡汤、当归芍药散衍化出逍遥散的说法更为妥贴。

滚痰丸治呕吐 　　|欧阳宝霓|

1963年冬初，有患者李某，呕吐不止2个月余。虽经西医多方检查治疗，未见显效，而邀中医诊治。查面容憔悴，唇干发枯，形体羸瘦，精神萎靡，呕吐不止，汤水难下，舌红，苔厚微黄而稍腻，脉沉细而弦。我采用胃病的常规疗法，用赭石汤镇之，半夏汤止之，黄土汤温之，都没有解除病人丝毫痛苦。我把病历反复看了几遍，百思不得其解。深夜独坐，再予思考，头痛医头，脚痛医脚，乃医之大忌。一味在胃病上踯躅，在呕吐里凝思，何能奏效？缘未求本，"脾为生痰之源"，病程日久，顽痰胶滞，蕴而化热，饮食入胃，痰食相拒，致呕吐。参此病人脉证，以及常规治疗无效的情况，其呕当是正虚邪实，实热老痰作祟所致。《丹溪心法附余》所录王隐君的"滚痰丸"，正是清热泻火、重坠顽痰之方。方中礞石降伏匿之痰，大黄通下行之路，黄芩清湿热，沉香降逆气，与此证相投。遂用此方治之，药下获效，呕吐渐止。月余，李某饮食渐增，面色红润，重返工作岗位。

桂枝汤方证问对　|杨基建|

　　余友喜医，初习此道。曾与余有关于桂枝汤之问对，录之于下。

　　问曰：人谓桂枝汤非汗剂，此说然否？

　　余曰：清代周岩曾力陈此说。究之《伤寒论》诸条，于太阳病自汗用之，无汗则申诫"不可与也"，其间壁垒森严，不容置喙。然参之第53、54诸条，均有用桂枝汤"复发其汗""先其时发汗"之语，故执谓之非发汗之剂，亦属不经之论。要而言之，桂枝汤发汗用于太阳中风证，以发汗止自汗；麻黄汤发汗用于太阳伤寒证，以发汗治无汗。谓二者机制各异，运用不可混淆；离开具体脉证，抽象认定其是非发汗之剂，既无必要，也难免得失参半。

　　问曰：今人或谓桂枝汤证之本质为营卫两虚，桂枝汤方为振卫阳、养营阴之用，此说然否？

　　余曰：此说似是而实非。试察太阳中风之证，此实因风邪犯表，而风邪属阳，必致卫强；阳虚固不能秘阴，阳强亦不能秘阴。《内经》云："阳强不能秘，阴气乃绝。"正合此义。又云："风客淫气，精乃亡。"淫气者，风致卫强故见发热；精亡者，营阴失秘自然外泄。至其恶风寒者，乃卫阳过伸，有开无合所致。

　　质之仲景原文，谓"太阳中风，阳浮而阴弱。阳浮者热自发，阴弱者汗自出。"此阳浮阴弱，既指脉象，实寓病机。阳浮者，风淫卫阳所致；阴弱者，营阴内弱之故。又云："太阳病，发热汗出者，此为营弱卫强。"经义昭然如此，不可曲为其说。

　　至于其他营卫不调之发热自汗之证，虽非太阳中风，亦仅是病因不同，其卫强营弱之本质，实无二致。《内经》云："此营气和，营气和者外不谐，以卫气不共营气谐和故尔。"此谓不谐，而非两虚，且矛盾主导在卫强，营弱实乃相对而言。

　　所谓卫强营弱，非言其体，实言其势。故卫强非其有余，治用敛而不用泻；营弱也非不足，治当强而不当补。尤怡曰："惟卫得风而自强，营无邪而反弱，邪正不同，强弱异等"，是之谓也。

　　问曰：诸书皆谓方中桂枝助卫通阳，芍药敛营益阴，此与卫强营弱之证机岂非矛盾？

　　余曰：方中桂枝一味，入血而能温通心脉，故其用在强脉中之气，以救营弱之势，而非能强脉外之卫。故方中桂枝乃为营弱而设。人云血行风自灭。营强则血活，血活则风邪无地自容而后解。芍药酸寒，主收外淫之卫气，虽有益阴之用；然此乃营弱而非阴虚，故意不在补，意在抑卫强之势，故芍药实为卫强而用。人每相信桂枝助阳、芍药敛阴之说，以为千古信证，自不能免自相矛盾耳。

问曰：上说桂枝、芍药之用，与常论睽违，可广其例证否？

余曰：考卫阳不足之玉屏风散证，实卫用黄芪而不用桂枝，桂枝之用非为实卫可知矣，卫虚有自汗而无发热，乃舍桂枝而不用，其理昭然。至于芍药，善敛浮张之阳气，兼以敛中有润，内外证均可用。敛外之风阳已如桂枝汤。至若内证，平肝之剂每用之，其用可知。余如小建中汤倍用之，实因土虚木乘，故见腹痛，用以敛横逆之木气，并加饴糖补中，两治肝脾而后安。它如痛泻要方、芍药甘草汤用之，均可从两调肝脾之义求之。至于芍药甘草汤治足挛，人每解以酸甘化阴能润筋燥，固有其理；然津虚以致筋挛；实亦有肝风微动之变。用芍药敛肝之风阳，润筋之枯燥，亦总未离乎收敛浮阳之理。

由此而及，人谓芍药敛阴，亦属以末为本之谈。芍药能敛阳强不秘之阴，非能敛阳虚不固之阴。故桂枝汤证之自汗用之则是，玉屏风散证之自汗用之必非。人谓中寒当避芍药，亦无非因其有秋敛之性，而无春升之功也。

议十味温胆汤 　　|周世印|

十味温胆汤出自王肯堂的《证治准绳》。由半夏、陈皮、茯苓、甘草、枳实、酸枣仁、人参、五味子、远志、熟地黄等药组成。该方是从《备急千金要方》温胆汤化裁而成，且药足10味，因得此名。是方治疗宿痰不化，脾困不运，胃失和降，肝胆受损所致的烦躁不眠，耳鸣、目眩、纳差、恶心，四肢浮肿；重者心悸、喘息，或发为癫痫之证；且广泛应用于痰浊内停而引起的多种疾病。清代医家吴仪洛在《成方切用》中提出，该方应有竹茹，而不用五味子。认为五味子味酸性温，收敛力较强，用治痰湿，似有不宜。改用竹茹一味，不如用黄连，且熟地黄太腻，当用生地黄为妥。经以上调整，并未失原方之本意，但增强了清热燥湿的功能。

在临床运用时，茯苓、半夏、枳实、党参四味药应重用。且以茯苓、半夏为主药，渗燥结合，温化痰饮。党参益气健脾，枳实调气行痰。用本方加减，治疗多种内科杂病和疑难怪证，每获满意效果。如治疗癫狂证，属痰气郁结、迷阻心窍者，先取铁锈水煎竹茹 60g 取汤，纳诸药再煎服。痰热内扰，心神不宁，而致顽固性失眠者，用合欢皮 50g 煎汤。若痰蒙清窍而致头痛眩晕，当用本方时，应先辨其寒热，随症化裁，属寒痰遏阻，加吴茱萸、干姜、白附子；热痰中阻加薄荷、天竺黄；顽痰固结，加青礞石、沉香。治中风证，属风挟湿痰，上壅清空，痰气闭阻，发为阴闭者，用本方加温阳之品。若痰阻中焦，气机不利，发为胸痹心痛者，可用本方合瓜蒌薤白白酒汤治之。

虎潜丸治足跟痛　　|王炳礼|

虎潜丸是《丹溪心法》一书中的一个著名处方。原为精血不足，筋骨痿弱，足不履地及骨蒸劳热等证而设。余崇方义试用于足跟疼痛者，常获卓效。如一女性患者，三十余岁，十余年来足跟着地即痛，不能劳动，行走不便，经拍片足跟生有骨刺，多方治疗，均无寸功。乃用虎潜丸原方改为汤剂，虎骨以狗骨或猪骨代替，淡盐少许煎水服用，十余剂后，患者疼痛明显减轻，原方继服 1 个月余，病人已可以参加劳动。余常用药量如下：黄柏 20g、龟甲 15g、陈皮 10g、知母 10g、熟地黄 15g、锁阳 10g、虎骨 7g、干姜 3g、白芍 10g、牛膝 15g。淡盐水煎服。

增液承气汤治疗类中风　　|曹玉珊　李桂欣|

患者李某，男，80 岁，退休工人。1980 年 4 月 30 日，以突然口眼㖞斜，言謇不利，半身不遂来诊。既往有高血压、糖尿病病史。患者素体壮实，面红耳赤，神志恍惚，口歪向左侧，眼右小左大，流涎，右上肢肌力Ⅱ度、下肢 0 度、左上肢肌力正常，血压 16.0/10.7kPa，心率 88 次/分。律齐。$A_2 > P_2$，肺呼吸音粗糙。追述病史，已有 5 天未大便。脉弦数滑，舌质绛、苔黄厚干燥。证属燥屎内结，热扰神明。以滋阴通便、豁痰开窍为治。处方：玄参 30g、麦冬 20g、生地黄 30g、大黄 10g（后下）、芒硝 10g（后下）、天南星 10g、半夏 10g、菖蒲 10g，3 剂。服后排出大量燥屎，心中舒畅，肢体较前灵活，语言流利，口眼无㖞斜，脉仍弦滑，舌质红，苔薄黄，血压 16.0/10.7kPa，心肺无异常。为善其后又投 3 剂：玄参 30g、麦冬 20g、生地黄 20g、天竺黄 10g、胆南星 10g、半夏 10g、石菖蒲 10g。服后痊愈，未留任何后遗症。

本例系脑血管痉挛，相当祖国医学"中风""卒中""偏枯""类中"范畴。以口眼㖞斜、肢体偏废、言謇不清为主症。此证因患者年老肾亏，加之 5 日未大便，腑气不通，肾阴不足引起肝失所养，肝肾阴亏，肝阳偏亢上逆挟痰湿蒙蔽清窍所致。痰热上攻则面耳赤、口眼㖞斜、言謇不清；浊邪不降则大便不通、肢体不灵。治用增液承气汤加减以釜底抽薪，荡涤中焦积滞，加用豁痰开窍之天南星、半夏、天竺黄以燥湿化痰、熄风通窍而收功。

补阳还五汤治疗高原性病证有卓效 |李夫道|

业医以来，临床所见患头痛、头晕、失眠、心悸而生化检查及物理检查皆正常的患者，在高原地区甚多。这些病人往往因治无良药，又无明确诊断，而致精神沉闷、心情抑郁，以致身体每况愈下，最终丧失工作能力。20 世纪 60 年代初我曾应用针灸治疗此类病人，收到一定效果，但疗程较长，因患者需每日来院接受治疗，很不方便。后试用天王补心丹、归脾汤、酸枣仁汤等益气养血、安神补心方剂治疗，有获效者，亦有不效者，且获效者也往往因停药而复发，效果不够理想。1970 年我随医疗队赴海北某国营农场，每日应诊数十人，其中患头痛、头晕、心悸者不下 1/3，这些患者经心电图检查，绝大多数为正常心电图。西医认为与高山缺氧有关（该地区海拔 3320m）。而按中医辨证多数具备目赤、颧紫、口唇发绀、舌质青紫、舌下络脉曲粗、甲床紫暗、皮肤干燥等"瘀血症状"；同时又见脉沉细、易疲劳、胸闷气短等气虚证候群。于是均投以补气活血名方补阳还五汤。一般服 3 ~ 5 剂则头痛止，心悸平，疗效满意。经粗略统计，在受治的 213 人中有效率达到 83%。记得有基层干部名尹其瑞者，年五十余岁，主诉心慌、失眠、头痛、头昏，精神萎靡不振；曾去西宁、兰州、西安等地检查，均诊断为"神经官能症"。回场后"老神经"的诨号不翼而飞，于是精神更加苦闷，常独坐家中借酒浇愁，而其症益甚，余授以补阳还五汤后，症状明显减轻，且心情舒畅，连服 24 剂诸症若失，精力充沛。自此，工作兢兢业业，人皆呼之"老还童"。

后经择 100 例脑血流图异常的头痛、头昏患者，单纯服用补阳还五汤，证实了本方对改善脑血流有显著疗效。

补阳还五汤系清·王清任《医林改错》中的补气活血代表方剂，近年来用以治疗脑血管疾患屡有报道。经我们临床观察，此方还有明显改善缺氧的作用，应引起临床重视。

少腹逐瘀汤之用　　石曾淑

少腹逐瘀汤为逐瘀名方，可治多种瘀血疾患。个人临床体会，必须根据患者不同情况，加减变通，疗效方能满意。

曾治8年未孕之妇郭某，每次行经少腹硬满疼痛难忍，拒按，月经涩少，紫黑有块，给予少腹逐瘀汤原方治疗，效果不显。后分析本方破积之力稍差，于是加桃仁、红花、大黄，服3剂后，少腹硬满明显减轻，后3个月怀子。

又治疗患者袁某，2年前宫外孕手术后经常腹痛，以脐下为重，去某医院诊为"肠粘连"。近半年病情加重。痛时觉气上冲顶，腹中硬痛有块，舌质红，苔黄腻，脉沉数。观其症，实有瘀血。然察患者以往所服之药，已用过少腹逐瘀汤，却疗效不佳。余考虑其痛甚时，为气上攻窜，且舌苔黄厚腻，脉有数象，显然兼气滞热郁，故仍用少腹逐瘀汤，加柴胡、香附理气，并重用瓜蒌清热散结，服药3剂，诸症锐减，三十余剂后，腹痛基本消失。

《金匮要略》曾言："夫诸病在脏，欲攻之，当随其所得而攻之。"方剂是中医治病的工具，然而方剂的组成是以临床辨证为基础的。病情有千变万化，就是病机相类、临床表现相似、治疗方法相近，用药也不能执凿一方不变。少腹逐瘀汤的应用即是一例。行医之不易，在难于达变，信然！

升降散的临床应用　　魏仲逸

升降散一方出自杨栗山《寒温条辨》，原为治温病表里三焦大热，其证不可名状者而设。我把此方加重剂量改成汤剂，用于温热病及牙龈肿痛常获良效。其药物组成是：白僵蚕9g、蝉蜕9g、姜黄9g、大黄9g，黄酒、蜂蜜为引，水煎服。方中僵蚕能胜风除湿，清热解郁，治头风齿痛；蝉蜕散风热解痉宣肺；姜黄行气破瘀通经，佐大黄下肠胃积滞、泻血分实热，并加强清热解毒之力。米酒性温味辛苦而甘，令其上行头面，而下达足膝及外周毛孔，内达脏腑无所不至。蜂蜜甘平无毒，其性偏凉。全方共奏胜风除湿、清热解毒、活血祛瘀之功。

凡表里俱实、风火壅盛的实热证都可用之，余用之治疗牙龈肿痛、带状疱疹、浸淫疮证皆效。一老妪，左侧上牙龈红肿热痛 5 天，3 天未能进食，伴有身热恶寒，前医以抗生素等治之罔效。求余诊治。余望其左面颊红肿高大，扪之热甚。大便秘结已 3 天未行，按其脉洪大有力。此风热之毒外束于表，内郁于阳明。急拟散风解表，泻火通便，升降散加石膏、甘草、金银花、牡丹皮。2 剂诸症若失，惟饮食欠佳，继以健胃之剂治之而愈。

一患面部带状疱疹者，彻夜疼痛不已，治疗四五天未见好转，五官科大夫邀余会诊。见患者卧于床上呻吟不已。左眉上部生有皮疹，为簇集状绿豆大小水疱，基底发红，间有脓疱，排成带状。诊其脉象洪数有力，望其舌苔黄厚。脉症合参，证由脾胃湿热内蕴、循经外溢所致。拟升降散加滑石 15g 治之。1 剂疼痛大减，6 剂痊愈出院。

一患者，全身起黄水疮痒甚，昼夜不眠，伴有轻微寒热十余天，视之，以胸部尤甚，整个胸部丘疹遍布，黄水津津，间有血水。曾用中西药治之，病情有增无减。诊其脉滑数，苔黄腻。证属脾肺二经湿热壅盛，外溢肌肤，复为风邪诱发所致。名曰浸淫疮。治以疏风胜湿止痒，佐以泻火解毒。以升降散加地肤子 30g、白鲜皮 15g，6 剂痊愈。

熄风与滋阴清肝　　|张殿隆|

河北名医张锡纯曾制"镇肝熄风汤"以镇肝熄风。但总观该方重镇有余，养阴不足。况金石重坠，有伤胃气，服后常感不适。临床多年自拟"滋阴清肝汤"治疗肝肾阴虚，肝阳偏亢，气血并走于上的眩晕头痛，中风，高血压等出现的脉弦有力，时常眩晕，或脑中时常作痛，发热，或目胀耳鸣，或心中烦热，或时常噫气，或肢体渐觉不利，或口眼渐成㖞斜，或面赤如醉，或眩晕甚至颠仆，昏不知人，移时始醒，醒后不能复原等患者，颇效。

处方：金石斛 15g、生地 15g、白芍 10g、牛膝 10g、当归 10g、黄芩 10g、菊花 10g、夏枯草 10g、石决明 10g、麦冬 10g。

功用：滋阴潜阳，平肝熄风。

如治一患者王清，女，38 岁。素有高血压病史，头痛胀裂，眩晕摇摇如坐舟中。服中西药物不效，面红耳赤，舌红苔黄微腻，急躁易怒，脉弦滑有力，血压 24.0/18.7kPa。诊为肝肾阴虚，肝阳上扰清空之证，予以上方加玄参 10g，3 剂，头不痛，眩晕大减，面亦不红，继服 10 剂，血压降至 21.3/16.0kPa。以此方加减服 1 个月；血压稳定，精神大好，恢复工作。又治一患者王某，女，52 岁，偏瘫（脑溢血）20 天，神志清楚，颜面潮红，右侧偏废，转动不能，舌苔黄，舌质红绛，脉弦有力，血压在 20.0/12.0kPa 上下，诊为肝风内动，肝阳上扰，气血并走于上，风痰阻塞经络。上方加胆南星、竹沥、石菖蒲为治。服 50 剂，血压降至 17.3/11.3kPa，能起床自理生活，但右侧仍感无力，步履不稳，嘱其继续服药月余，家人来告，已能下田间劳作。

用本方须注意：①必须是肝肾阴虚，水不涵木，肝阳偏亢，肝风内动，血气并走于上之病。它如髓海不足，痰湿中阻，血虚不能上荣之眩晕头痛不在此例。②治疗时须辨明兼证。以面舌言之：酒醉面容，须与外感、阴虚潮热鉴别；舌质干红，苔微黄或黄腻为本方适应之证，如见舌质红绛，舌体硕大，为水津不布，宜服泽泻汤或当归芍药散。③高血压必须是收缩压、舒张压均高又兼面红，脉弦有力。单纯收缩压高或舒张压偏高，脉压差小于 5.3kPa 的，此方不宜。老年人高血压，舒张压常较难降，气虚者较多，有时用大量黄芪可有一定作用，用法是黄芪 30g 配陈皮 3g（古方有之），但有火者忌用。④有的患者血压忽高忽低、波动不稳，半夏白术天麻汤有助调理。⑤脉大一定要弦实有力才宜此方。若浮取觉洪，沉取即无或无力是气虚。张锡纯说，脉大，脸红，血压高，但见一症便是，不必悉具。但余体会，临床上三症必须互参，切莫执一而致偾事。

（张殿民　整理）

葛　苏　汤　|潘耀宗|

"葛苏汤"一方，是山东名老中医王逢寅的经验方。该方组织精简，疗效突出，很便于掌握，至今在泰城仍被广泛使用。它既不同于麻黄汤、桂枝汤等辛温解表剂，也不同于桑菊饮、银翘散等辛凉解表剂，独出一格，确有自己的特点。该方组成：葛根 30~60g、紫苏叶 8~10g、荆芥 10g、防风 10g、白芷 10~12g、麻黄 6~9g、甘草 3g。水煎服，每日 1~2 剂，服后盖被令微汗出。

该方功用：解表发汗，解肌退热。主治风寒表证，症见恶寒发热，头痛身疼，周身骨节疼痛，无汗或有汗，舌苔薄白，脉浮紧或浮数有力等。随症加减，亦可主治风热表证。

方义：葛根，辛甘平，解肌退热之效显著，为本方之主要药物，故剂量要足够大。荆芥、防风、白芷均属辛温解表药，剂量宜中等。麻黄，发汗解表，剂量宜偏小，有汗者可减去不用。甘草，调和诸药。

本方加减：①本方主治风寒表证时，症见咳嗽痰白者，加杏仁、白前各10g，以止咳化痰。②本方主治风热表证，症有发热微恶寒，咽干或痛，头痛或身痛，汗出或无汗，或大便干燥，舌苔薄黄，脉象浮数时，可减去麻黄，加柴胡10~15g，玄参、知母各10g，生石膏15~20g，以发散风热、清热生津；兼见咳嗽痰黄者，又当加黄芩、桑白皮各10g，全瓜蒌15~20g，以清肺化痰止咳。

临床中，"葛苏汤"主要用来治疗感冒、流感、急性支气管炎等病以及感染其他病毒属于表证者；表邪入里者，则不可拘泥于本方，当另行辨证施治，或中西医结合施治，以免贻误病机，加重病情。

通变柴胡汤之用 ┃李绍南┃

在几十年的临床实践中，自拟通变柴胡汤，用治外感热性病，每有桴鼓之效。

方药组成：大柴胡24~30g、黄芩9~12g、草果4.5g、半夏9g、陈皮9g、枳壳9g、川厚朴9g、甘草9g、生姜9g。

本方大柴胡解少阳之表，黄芩清少阳之里，为本方的主药。草果辛香辟秽，宣透伏邪；陈皮、半夏、枳壳、生姜和胃降逆，化痰止呕；川厚朴除湿消胀，化痰下气；甘草调和诸药。总之本方是一个和解少阳、除湿辟秽而退热的方剂。

加减法：身痛无汗加桂枝9g或豆豉9g；头痛加羌活9g；寒热汗多加杭白芍10g、桂枝9g、大枣3枚；咳嗽加杏仁9g、枇杷叶12g；食欲不振加焦三仙各9g；呕吐加竹茹9g；咽喉疼痛者加桔梗9g、牛蒡子9g、板蓝根12g；昼轻夜重加鳖甲9g、何首乌9g、党参9g。

适应证：①寒热往来，全身酸楚，倦怠无力，胸胁苦满，食少恶心，口渴，不思饮食，脉弦数，舌苔薄白或垢腻，晨轻暮重，病程缠绵不愈。②疟疾愈后仍夜出虚汗，午后畏寒，食欲欠佳，动则自汗，倦怠无力。③外感热性疾病，体温已退至正常，但较长时间内有纳呆，食欲不振，腹满闷胀，午后背出冷气，微感身倦无力，舌脉如常。

临床上治疗外感热性病的方剂较为多见，但对邪入膜原，湿热内阻或少阳未尽者，运用通变柴胡汤能达到理想之效。

此方依据张仲景柴胡汤及吴又可达原饮化裁而来。

曾治疗1例低热1年余患者，经各种检查未找出发热的原因，运用此方加鳖甲、何首乌、党参、银柴胡、地骨皮，共用十余剂而获愈。

关于大柴胡的用量，在寒热往来明显、热度较高的情况下可用30g，有时可用到45~60g；寒热往来较轻，热度不高，只有明显倦怠无力，口苦脘闷不畅，食欲不振的情况，可用21~24g；古人有"柴胡半斤少阳平"语，信不诬也。

个人经验大柴胡与小柴胡有别，大柴胡为老成者。小柴胡为春采之嫩者，升发力较强。小柴胡用量一般不超过15~18g，否则可导致汗出过多、眩晕等症。

食果丹治虚喘 | 张百庆 |

近年来，我用自拟丸剂"食果丹"，治疗5例虚证哮喘患者，获得显著效果。方为：栗子200g（先煮去皮）、核桃仁200g、炒杏仁100g、炒桃仁50g、生山楂100g、花生米200g、黑芝麻200g、大枣泥200g、柿饼200g、生姜50g。上药在一起捣烂，然后放在笼里蒸熟，做成丸，每丸50g，随每顿饭服1丸，1日3次。

方中核桃仁、黑芝麻、花生米滋阴补肾，敛肺定喘。桃仁活血化瘀，润燥滑肠。生姜散寒止痛。大枣、柿饼、栗子、生山楂健脾益胃，消食化滞。如治崔某，男性，63岁。患哮喘病二十多年。但近几年来病情逐渐加重。咳嗽，吐痰，动则作喘，饮食少纳，形体消瘦，面黄无华，精神不振。余嘱其服用食果丹，半年后，哮喘即愈；且体质增强，满面红光，精神大振。

可见此方不但能治虚证哮喘，而且确有增强体质的作用。

双百膏治肺痨 | 秦增寿 |

某些医者，不顾医德，对其屡验之效方，或以谋厚利，或以留儿孙，对外秘而不传。余以为医者应以"济世活人"为己任，当遵"若有疾厄来救者，不得问其贵贱贫富，长幼妍蚩，怨亲善友，华夷愚智，普同一等，皆如至亲之想"（孙思邈语）之古训才是。某日近邻李某之妻求治，余诊断为"肺痨"。患者出示某医院证明为"浸润型肺结核"。余有屡验之方，故告之，遂嘱其购得百部

90g、百合 60g、夏枯草 90g、牡蛎 60g、蜂蜜 500g。并亲自为其制膏。其法为：将前 4 味药加水适量，文火煎熬 1 小时，滤出药液，再加水适量煎熬 1 小时，滤出，将两次所得药液混合备用。蜂蜜倒铁锅内煮沸，兑入所得药液，边搅边煎，以沸为度，收膏贮瓶内，放阴凉处。制膏时患者等候在旁，亦学会制法。余告其曰：此乃"双百膏"，对尔之肺痨颇效，每次 30ml。惟需常服，此料服完再自制，不可间断。该妇共服药半年，经 X 线胸部透视复查，证实部分病灶吸收，部分病灶已钙化。

"双百膏"乃余自拟方，用于西医诊为"浸润型肺结核"之肺痨，确有良效，不敢自秘，愿其能为更多的患者造福。

软 坚 汤 |孙一民|

近代名医施今墨先生早在 20 世纪 20 年代就常用软坚法治疗疾病，每每取得良好效果。行医四十余年，我在施老用药的基础上筛选了 8 味药组成软坚汤：瓦楞子 30g、海浮石 12g、杭白芍 30g、柴胡 9g、广陈皮 9g、枳壳 9g、桔梗 6g、香附 9g，水煎服。方中瓦楞子与海浮石同用能软坚磨积散结，同为消顽痰软坚之要药。应用时须用醋同煅。

曾治女性病人唐某，因右上腹持续疼痛，呈阵发性加剧，伴有心慌、胸闷、面色苍白，而住某院治疗。行 X 线胆囊造影检查，可见胆囊底部有一枚 0.5cm×0.5cm 和 3 枚仁丹大小的透光性结石。经服用中西药治疗，腹痛减轻，但始终未见排石，因病人不愿手术，遂转我处就诊。见右上腹压痛，舌苔白，脉沉弦。证属气滞热郁，胆囊结石，治以疏肝利胆，软坚排石，活血理气。方拟：瓦楞子 15g、海浮石 9g、柴胡 10g、赤芍 10g、白芍 10g、金钱草 50g、石韦 18g、枳壳 9g、木香 9g、青皮 9g、丹参 20g、郁金 10g、当归 9g、牛膝 9g、甘草 6g，水煎服。嘱患者每次排便后用箩冲洗大便，服上药 3 剂后，初感腹部疼痛，后发现大便中有黄豆大和小米粒大结石，先后排便 4 次，共筛出结石十余块，色黄白，质疏松。右上腹仍有时隐隐作痛，睡眠不宁，仍以软坚汤加减继服以善其后。4 年后随访，未见复发。另外我还用软坚汤治愈过胃柿石、阑尾炎包块、睾丸结核、乳腺增生、子宫肌瘤等病。此法疗效好，痛苦小，无不良反应。但应用时也应辨证施治，如治疗胃柿石时加和胃之品，治阑尾包块加入清热解毒之药，治疗睾丸结核加专治睾丸疾患的盐橘核、盐荔枝核、川楝子，治疗乳腺增生则加入大量疏肝理气之品，方奏宏效。

实肠饮治泄泻 |王永清|

陕南湿盛，秋月多腹泻，先父拟有实肠饮（白术、茯苓、陈皮、泽泻、砂仁、神曲、麦芽、甘草），投之屡效。1979 年 9 月，一马姓友人，泻下水样便已 3 日，自服土霉素不效，遂来就治。询其腹鸣隐痛，视其苔白厚，切其脉浮，身微热。乃书此方，以葛根、滑石易砂仁、麦芽，1 剂显效，2 剂泻止。我问：既有身热下利，何不用葛根芩连汤？父云：因里热不盛；又问：外有表证，内有湿邪，为何不投藿香正气散？对曰：此内湿兼表热之证，非表寒者也，故不宜正气散。上药外疏表热，内祛湿滞，使湿邪从小便而去，肠腑安和，大便自可成形。

对各种不明原因腹泻，先父多以外感兼内湿辨证，投此方化裁，可收到较好效果。

柿蒂固脬汤治遗尿 |亢殿鸿|

余多年来临床应用自拟"柿蒂固脬汤"治疗遗尿，效果满意。

方药组成：柿蒂 30g、石菖蒲 10g、黄连 5g、桑螵蛸 12g、益智 12g、熟地黄 12g、补骨脂 12g、升麻 2g。本方剂量适用于 12～14 岁少年。

祖国医学认为，遗尿的成因多由于虚，即由膀胱不约所致。盖肾司二便，肾与膀胱又为表里，每因肾气虚弱则影响膀胱之气化，膀胱气虚则不能制约其水液，故小便自行排出。

方中以柿蒂为主药固脬止遗，配石菖蒲味辛，具有开通心窍的作用，再佐善清心火的黄连，相辅相成，醒脑清神。桑螵蛸固肾，益智补肾，二药缩小便都有卓效。熟地黄、补骨脂皆入肾，前者滋肾养阴，后者温肾暖脬。升麻善升，能升举清阳。现代医学认为，其对膀胱括约肌麻痹有效，但用量不宜过大，以 3g 上下为妥，过量可使肌肉松弛，并有发汗和催吐的不良反应。综观全方，补肾暖脬，醒脑清神，固缩小便，使肾得所养，膀胱自固。

柿蒂固脬汤系笔者多年临床所得，方中柿蒂治遗尿之功效，系吾祖父所授。取柿蒂 20～60g（少年量）水煎，每日 1 剂，早晚 2 次温服，连服数日，可单用于遗尿轻症有效。足见其有固脬止遗之功。

甘草黑豆汤

史道生

梁某，33 岁，因性交后阴茎持续勃起 5 日不衰，于 1966 年 11 月 11 日入青岛医学院附属医院外科病房。住院经用针灸、骶前封闭、连续硬膜外麻醉、全身肝素化等治疗，病情逐日加剧，于 11 月 20 日邀余会诊。患者精神惶恐，阴茎坚勃，肿胀瘀暗，排尿涩痛难出，腰骶痛楚难述，时有彻夜不寐，观其苔薄白、根黄，诊其脉弦滑。初予百合、黄柏、知母以滋阴与泻相火，伍以桃仁、泽兰叶等品以祛瘀通络。药进 4 剂毫无效验。继进王清任通窍活血汤，伍以生地黄、知母而阴茎勃起如故，色更趋瘀暗，余亦深感内疚。转日夜巡病房，详询感病始末，始悉患者平日善饮贪欲，本病初起即因酒后纵欲而勃起不衰。深思病由，顿悟此属湿热下注厥阴、经脉瘀阻为害，急予龙胆泻肝汤加桃仁、红花、黑豆、琥珀、穿山甲珠等增损进服，另予甘草黑豆汤水煎，每日代茶频频而饮，以祛厥阴湿热之邪，佐以散瘀透络，药进 10 剂病即霍然，阴茎已松软正常矣。阴茎坚挺不衰 35 日始平息，实为临床所罕见。

又一患者女性，自述妊娠 2 次，均足月产，但婴体禀赋虚羸，皮色不泽，均在哺乳月余，虚羸衰竭而夭折。夫妇结合并非近亲，血化验康氏反应阴性。现恐再产夭折，避孕半载，个人精神折磨莫此为甚！从患者目前机体而论，实难分析婴儿夭折之因，暂予少腹逐瘀汤加莪术，嘱其每月经见即服药 3~4 剂，期望改善子宫功能，争取再图育儿保苗。孕后，先予六味地黄汤加菟丝子益肾固冲任，并增小量金银花取其甘寒清解血中可能之蕴毒，每隔 10 日服药 1 剂。并以生甘草 6g、黑豆 30g 水浓煎代茶，每日尽量多饮，使其解百毒而滋阴益肾。当妊娠已足 6 个月时，停服六味地黄汤等。只用甘草黑豆汤代茶，直至生产。以生甘草 3g、黑豆 12g，浓煎每日用乳瓶给婴儿少量吸服，其母则停止饮用，意在预防婴儿可能之蕴毒也。婴儿发育良好，今已半岁，活泼体健。

以上两病收效与甘草黑豆汤有一定关系。《王旭高医书六种》谓："甘草黑豆汤解百药毒兼治筋疝也。"

益气活血汤治疗肢体麻木

李希民

肢体麻木，于"血痹""湿痹""脱疽"等病中多见此症。本人在临床上自拟益气活血汤治愈了许多患者，临床观察患者正气虚而复感寒邪，经络闭塞，血行不畅者多罹此疾。故治宜益气活血，温通经络。药用：红参10g、黄芪40g、熟地黄20g、当归12g、川芎10g、赤芍15g、桃仁10g、红花10g、熟附子20g、桂枝10g。人参、熟附子先煎1小时后放入他药再煎。如服3剂无效，系兼风邪袭入，需加乌梢蛇12g。如寒甚可酌加附子量。曾治王某，因冬季救火右臂着水冻伤，致麻木失去知觉，住某医院治疗月余无效，后服该方3剂而愈。又如治付某，因冬季涉水及受寒，而致右足麻木、肌肤寒凉，间歇性跛行，足背趺阳脉消失，证属脱疽，服此方20剂痊愈。

马钱子散可治痿证 |陈文光|

马钱子是毒性很大的中药之一，近人用它治疗风湿痹证有一定效果。笔者曾用治痿证效颇好。如患者张某，男，因半年前劳累过度、汗出当风、夜间露宿之后，先是两眼发黑，视物不清，接着出现面部眼睑和四肢松软无力，病情逐渐加重，很快就嘴不能嚼，吞咽困难，饮水发呛，说话不清，四肢不能动，要先注射新斯的明后方能进食，肢体才能活动，过2~3小时后，复不能动。省内外医院诊为重症肌无力。应用新斯的明、辅酶A、三磷酸腺苷、氯化钾等药，并服中药补中益气汤、三仁汤等治疗，都未见好转，病情反逐渐恶化。察其舌，苔白腻质淡；诊其脉，脉濡无力。拟方玉屏风散合桂枝汤加马钱子散化裁：黄芪30g、白术12g、防风9g、白芍18g、桂枝12g、甘草9g、生姜3片、大枣4枚，水煎服。马钱子散1.2g，分2次冲服。上方共服24剂，其中马钱子散从1.2g起，每隔3天递增0.6g，当马钱子散增至每日2.7g时，诸症明显好转。原三餐进食前每次要肌注新斯的明2mg，现仅需每日注射新斯的明0.5mg，并能自己下床活动。但又出现复视、口干，脉细数。考虑马钱子散每日2.7g用量过大，减为每日1.2g。加服明目地黄汤12剂后，停用新斯的明亦能进食，且能步行外出。停用汤药，每晚服马钱子散1.2g，半年痊愈。数年后随访未见复发，并能参加重体力劳动。

马钱子含有番木鳖碱，能使脊髓、延髓和大脑皮质兴奋，从而增强骨骼肌紧张度，改善肌肉无力状态。需要说明的是：①马钱子散毒性大，对药物耐受量因病而异，临床上应用必须从小剂量起，逐渐增量，切忌首次即用大剂量。用药对证，疗效好，则耐受性也大。曾对1例多发性神经炎并发呼吸肌麻痹1次冲服3g，无不良反应。若不对证则耐受性差，有一健康人误服马钱子散3.6g

而致死。②服马钱子散达到一定剂量后，引起牙关拘紧，口唇麻木，患侧抽搐，说明药量达到极限，应适当减量，一般不作特殊处理，若健侧也抽搐，则是马钱子的中毒表现。应停药或及时处理。③马钱子中毒表现为口干、嘴唇麻木、牙关紧闭、四肢抽搐、甚至角弓反张等。

升血汤生血　|张美珠|

目前对患有恶性肿瘤的患者，医生们尚无理想的手段彻底治愈。化疗虽可使部分病人得到缓解，延长生命，但化疗不良反应太大，主要是用化疗后的白细胞下降问题不好解决。近几年来我观察到晚期恶性肿瘤病人多有倦怠乏力、少气懒言、头昏心悸、面色少华、舌质淡、舌体胖、有齿印、脉细弱的表现，而这些症状又是气血虚弱这一病机所产生，于是我便研制了一方，名升血汤，配合晚期恶性肿瘤病人进行化疗，经临床试用效果良好。方药：黄芪 20～40g、当归 10～15g、鸡血藤 15～20g、茯苓 10～12g、陈皮 10g、熟（生）地黄 12～15g。水煎服，每日 1 剂，若伴有恶心呕吐者，可再选加半夏、竹茹或代赭石。纳差者可选加焦三仙、白术、砂仁等，此方具有较强的补气生血之功。

将 28 例病人分为甲乙两组。甲组为用药组，乙组为对照组。经过限定时间的治疗观察，两组治疗后的白细胞数与治疗前的白细胞数相差的量有明显的不同。即用药组白细胞不下降或下降很少，而对照组则相反，白细胞下降明显，经统计学处理差异有显著性意义（$P < 0.01$），说明升血汤确有防止化疗所致白细胞下降的作用。

创制一首新方的思路　|董　平|

我从阑尾脓肿特效新方——痈脓内消汤的创制过程中体会到，创制新方并非高不可攀的难事，只要对患者高度负责，以救死扶伤为宗旨，从祖国医学的宝库中努力发掘，推陈出新，就可能创出疗效卓越的新方。

20 年前，宁夏老乡患了阑尾脓肿，尽管是手术适应证，也多半宁死不愿手术，转而求治于中医。面对如此内痈大症，一种不忍坐观不救的同情心与医生的责任感迫使我在没有现成可靠治疗成方的困难条件下，毅然接受治疗任务，大胆从事救治内痈新方的尝试。

创新须在善于继承的基础上进行。我首先想到《外科正宗》的透脓散和《金匮要略》的薏苡附子败酱散。经过推敲，透脓散是针对外痈患者正气不能托毒溃脓而设，除用黄芪益气托脓，当归、川芎和血化营以外，还用穿山甲、皂角刺溃脓外出，而肠痈之脓，大忌内溃流入腹腔，故须去掉穿溃性的皂角刺，只可用穿山甲透坚入里，引导他药直达病所，且须与酸敛的白芍同用，使痈脓不向外溃而从内化。薏苡附子败酱散只宜用于阴证，不宜于阳证。《外科大成》载有主治肚痈、内痈已溃的会脓散，能使脓从大便而下，但方内蜂、蜈蚣、当归、白芷等温热药过多，也不宜于阳证。同书尚有薏苡仁汤一方，虽宜于阳证肠痈、但所用薏苡仁、牡丹皮、白芍、瓜蒌仁、桃仁等剂小力薄，治不了重症。于是我想到集中古方经验加以融会贯通，然后在此基础上，结合临床需要，解放思想，大胆创新。

想创新方，先要定治法；要定治法，先要分析病机。阑尾脓肿属于肠痈成脓的病症。它的病机是湿热郁滞，阻碍气机，气滞则血瘀，首先使人疼痛难当，再加热毒熏蒸，便使患者血肉腐化而成脓。分析这里面的病理因素，计有热毒、湿邪、郁气、败血、肠内积滞5项。针对这样的实证、阳证，在治则上自应以祛邪为主；祛邪的具体治法也该与上述5项病理因素相对应，即清热解毒、渗湿消肿、行气通滞、散血逐瘀、破积导滞5项。另外，还得加用益气内托的药，促使脓液从内部吸收。为了加强全方各药之间在消痈散肿方面的协同作用，我在选择上述5项治法的代表性药物时，特别注意优先选择其中兼具消痈散肿作用的药物，如清热解毒的金银花、连翘、瓜蒌、大黄，渗湿消肿的薏苡仁，行气通滞的没药，散血逐瘀的桃仁、牡丹皮、芍药、穿山甲，破积导滞的枳实、瓜蒌、大黄等等，都兼具消痈散肿作用。为了使这首新方能够符合于抢救急腹症迅速控制病情的要求，我又参考古方的用药剂量，大胆使用特大剂量。

根据上述构思创制出来的痈脓内消汤各药的最大剂量如下：金银花120g、连翘120g、生黄芪120g、炮穿山甲25g、赤芍60g、白芍60g、没药15g、生大黄25g、瓜蒌90g、牡丹皮25g、桃仁25g、薏苡仁60g。半阴半阳证去牡丹皮、瓜蒌、赤芍、桃仁，生大黄改熟大黄，寒凉药剂量减，再加附子6～12g，败酱草15～30g。

上药用大砂锅煎2次，取汁合并，小火浓缩成600ml，每日3次分服。病重分2次服。特重者可日进2剂，共分4次服，每次相隔4小时。

上方拟成以后，随症加减剂量及药味，先后治过近20例阑尾脓肿，全部治愈，平均疗程只有7天，而且没有1例发现后遗症。实践证明，这首从继承中创新的效方，发挥了祖国医学的优势，收到了预期的效果。

斩　毒　剑
陈光思

　　斩毒剑一方，是我 22 年前侍诊时所得验方，由五花解毒饮加乌梢蛇一味组成。药物为蒲公英 30g、紫花地丁 15g、金银花 15g、连翘 10g、野菊花 10g、乌梢蛇 10g。多年来每见丹毒、疔疮、疖肿等病，用之殊效。或单用此方，或随症加味，得心应手。如近遇几例带状疱疹患者，祖国医学称之谓缠腰火丹，红热奇痛，依上方加当归、牡丹皮、丹参和血之药，均 3 剂而愈。身热心烦乱者还可加生石膏、淡竹叶，效如桴鼓。究此方之妙，应在乌梢蛇，其能搜经络，帅药攻毒，去之则药效大减。

妇科良药——培坤丸
杜林平

　　培坤丸创始于明代万历年间的西安中药店藻露堂。该店现仍坐落在西安市南院门五味什字街东口，保留着古朴典雅的风貌。培坤丸的创制人系宋林元先生。他积几十年治妇科病的经验，制成妇科成药培坤丸。该药一问世，很快名振古都。清同治年间，藻露堂因一场大火而倒闭，后全靠培坤丸重振家业。现由陕西省西安国药厂遵古炮制生产。

　　笔者曾用培坤丸治一张妇，婚后 3 年未孕，经行后期，量少色淡，经期腰酸腹痛，脉细缓。服培坤丸 1 个月，月经正常，诸症减轻，继服培坤丸 2 个月，恙疾悉除。转年娩一男孩。

　　又治一任某，女，婚后 5 年未孕。近 1 年来月经淋漓不断，腰腹冷痛，神疲乏力，脉沉细。妇科检查为子宫偏小。用培坤丸益气养血，培补肝肾，服药 2 个月，月经正常，又服药 1 个月，受孕。

　　培坤丸是由八珍汤、归脾汤、还少丹 3 方加减而成，有补益心脾、养血补肾、调经种子之功。主治肾虚、心脾不足、精亏血少、胞宫虚寒之月经不调、不孕等证。

　　三百多年来，培坤丸久享盛誉，治疗妇科疾病功效卓著。此药在国外也颇有影响，被誉为妇科良药，远销东南亚各国。

用中成药三法　　| 封万富 |

中药为中医临床治疗疾病的主要手段，中成药又是其中一个重要组成部分，不仅方法捷便，而且疗效显著。然取效与否，关键在于运用。现就有关问题略谈于下。

求辨证

病有虚实寒热，药有补泻温凉，中成药成分固定，功效专一，临床要首求辨证。如治疗咳嗽一证，属风寒者，是因风寒之邪外束、肺气郁闭不得宣通；属风热者，是因风热犯肺、肺失清肃不能宣降。二者病因病机迥然有别。故前者宜宣肺解表的通宣理肺丸，后者宜清热化痰的止嗽青果丸或二母宁嗽丸。再如妇科闭经一证，主要原因不外虚实。虚者多为阴血不足、血海空虚，治宜补气养血，宜用八珍益母丸或归脾丸等。实者多为气滞血瘀、经血阻隔、脉道不通，治宜活血行瘀，可用益母丸、大黄䗪虫丸等。由上可知，临床运用中成药的疗效，关键在于辨证。

细审药

相类药物在具体运用中尤应细审，如牛黄上清丸，牛黄解毒丸、黄连上清丸，这三种药物虽在组成及功效上有许多相似之处，有时虽可相互代用，但仍是各有专主。牛黄上清丸内有菊花、桔梗、荆芥穗、薄荷，适于风热郁于上焦之风火赤眼，头晕目眩者。黄连上清丸重用大黄、生石膏，清荡肠胃，除胃腑之热，对治疗疮疡肿毒，功效专长。牛黄解毒丸有金银花、赤芍、连翘等，清热解毒效果较好，治邪热壅结咽喉、口舌生疮者为佳。再如羚翘解毒丸与银翘解毒丸、健脾丸与启脾丸等亦应分别应用。

巧配伍

运用中成药亦存在一个配伍问题，配伍得当疗效益彰。如治疗泄泻（包括现代医学溃疡性结肠炎、过敏性结肠炎、慢性阿米巴痢疾等），单以附子理中丸，用干姜、附子温阳而祛寒，人参、白术、甘草甘温而补中，虽亦可取效，不若再配健脾丸开胃健脾，更益运化而取实脾之功。二者合用温运脾阳，健脾益气，故治疗泄泻可取事半功倍之效。

蒙药剂型与中药丸散　|冯润身|

　　蒙医是我国蒙古族劳动人民长期和疾病作斗争的经验结晶，随着民族间的交往，它吸收其他民族的医学精华，逐步形成了自己的医学理论体系，为保障人民身体健康做出了贡献。

　　蒙药是蒙医的重要组成部分，其剂型多是复方丸散，但也有称为"汤"者，即煎散作汤。丸剂都是水丸，糊丸。我认为蒙药有4条优点：①医生携带、配用方便。医生出诊时把常用的百十种复方丸散药纳入一个小型手提包内，完全可以满足治疗常见病的需要；②患者服用方便。不需要煎药容器，有时需加红糖、冰糖、酥油、酸牛奶等作药引，这些都是生活中的常用食料；③用量小。一般成人量：质轻的散剂一大勺，质重的散剂一小勺（旧制1钱左右，约今3g），桐子大丸剂一般药量10～15粒；药力雄猛者酌用3～7粒；④疗效好。如果证药恰合，常收较好疗效。著名蒙医古拿老先生以"玛努西汤"合"音达拉西汤"治疗外感风热，时行感冒，用药总量不超过10g即愈。于庆祥老先生将"巴布敦珠尔"制成绿豆大丸药，用以治疗小儿洞泄，一般不超过48小时即愈。在长期和老蒙医的接触中，一方一技也有受益，如以"拉西纳木吉勒"随症配用药引治疗妇科病，用药不多，疗效也很好。诸如此类，不胜枚举。蒙药剂型的这些优点应当发扬。

　　在蒙药剂型的比照下，我曾联想到中药的剂型问题。中药的剂型有很多种，如汤液醪醴、丸散膏丹都是适证而用。就丸散而言，也有很多疗效卓著的成方，如七宝、九龙、红升、白降等等，用之得当，疗效甚佳。可是近年来在临床上已经很少用，而追逐大剂汤药较多。这样，既增加了患者负担，也浪费了药物，且疗效也不见得理想。为提高临床疗效，当对尚未广用的丸散加以挖掘和推广，或可小补于临床，未知同道首允否？

对小儿应注意望诊　|张奇文|

　　诊察小儿疾病，望诊占有特殊重要的位置。尤以3岁以下小儿，智力未开，言语不能准确地述其病苦，望、闻、问、切，"以望为主"，更为历代儿科医家所推崇。但如何才能准确地把望诊运用好，医书很少提及。在临床实践中，我体会到，真正能把握小儿的病机，熟练地在一霎那间洞悉患儿的病情，于候诊时望诊是必不可缺的。也就是说，要想通过患儿的精神，面色、形态等表现，了解患儿的病情，单靠把孩子抱至跟前，医生再去运用望诊是很不够的。这是因为由于小儿惧怕、哭闹等因素的干扰，往往失其本来面目，不能准确地反映病情，容易给人以假象，若医生以此为据，进行辨证论治，未免会产生虚实难辨、寒热俱似之感觉。稍有疏忽，也易偾事。

"有诸内，必形诸于外"，透过现象看本质，是望诊的主要理论根据。小儿脏气清灵，肌肤柔嫩，外感风寒风热、内伤饮食停滞、卒受惊恐等病变，很快即形诸于面目、形身，尤以面色、精神可谓小儿病否的"寒暑表""试风旗"。母亲或亲近的人，所以能知儿病，也就是从孩子的精神、面色、饮食、形态等出现异常之后，才加以注意的。但单凭他（她）们的述说，还不能完全取信，必须医生亲自诊视（包括望闻大便、小便在内），才能使医者辨证有据。凡来诊者，总有一段候诊时间，在这段时间内，患儿未接近医生，或偎母怀，或睡车内，或坐椅上，其精神、面色、形态等，皆现其病后的自然状态，最能反映其病的本质。医者如能在"手挥目送之间"，趁其不注意之时，把握患儿的现象，做到心中有数，然后再抱至诊桌前，进行仔细的望诊，两者合参，可得事半功倍之效。这里应特别注意的是，作为一个儿科医生，在诊断儿科疾病时，要练得一身熟练的功夫，用"手挥目送"来形容，并非是渲染之词，实是我亲身的体会。至于对哭闹之小儿，应尽量戏逗、说服，使其无惧怕心理，神态平静之后，才能将望诊所得作为辨证的依据；否则，急于求成，了草从事，都会给辨证带来错误。

清·夏禹铸提出"小儿以望为主"。我理解，在儿科临床，以望为主，但其他三诊也不可废，必须四诊合参，才能更全面地、准确地、及时地把握病机。另外，俗说"走马看小儿"，是言小儿疾病变化之速。小儿体质稚阴稚阳，抗病力弱，起病骤急，变化迅速，易虚易实，易寒易热，作为一个儿科医生，对儿科疾病的诊断，除应及时地确诊之外，还应该随时地进行仔细观察，借以了解疾病的进退，不可仅一次辨证而完功。特别是病重病危的患儿，更应随时随地地进行周密而细致的诊视，因此，诊视法值得大家共同探讨。

谈口干舌燥　　|吕同杰|

口干舌燥，原因比较复杂，并非完全属于内热炽胜和津液亏乏。高热病人口干舌燥，多属热毒内盛，或汗出过多，耗伤津液，病人多见口渴，舌面少津，苔老黄或黄燥；热病后期，口干舌燥，津液亏耗，多属病久伤阴，舌质多红绛，或干红无苔，病人虽口干舌燥，但不欲多饮；中风病人，目合口开，手撒遗尿，元气暴脱，津液失布，亦可出现口干少津，并非津液枯竭；臌胀病人，水湿停聚，常舌红少津，乃肺脾肝肾诸脏之功能失调，气化无权，升降失司，津液不能上承于口，故亦不属于津亏范围；年高之人，元气不足，筋肉弛缓，睡中常张口呼吸，津液被外气蒸发之口干舌燥，醒后可自行恢复。医者应谨守病机，细心体验，不能一见口干舌燥，即按伤津耗液论治。

切脉必究脉象之理　　|雷声远|

脉诊为中医探索病因病机之得力依据，然若诊脉而不究脉理，则只知常而不知变，鲜有不误人者。

例如浮、沉二脉，浮脉常见于外感表证，沉脉多见于各种里证。然而里证见浮脉，表证见沉脉者，亦非少见。盖脉之波动由乎气，患者既有表证，而不见脉之浮，乃体质虚损，气力不充，捍卫不逮之故，如《伤寒论》所示："病发热，头疼，体痛，脉反沉者，当救其里"者是也。

妇人血崩，原属里证，而脉来浮大，沉取则空虚无物。盖脉所载运者为血，今因崩而血夺，故脉空。其所以浮大者，全由气热之撑持。治以固脱、滋血、清热之剂，则崩当愈，脉当平复。若纯属虚寒之体，脉必微细，不致浮大。盖脉之细，亦由血之乏；更兼气阳衰微，则无力以鼓其脉，故脉细而微。见此脉者，又当益气与补血并施，不可偏废。

脉数为热，迟为寒，此理昭然，人皆知之。但有因热而脉迟者，如常见之阑尾炎，古谓之肠痈，其病初起，脉多迟缓。腹诊则腹结穴（西医谓"麦氏点"）部，痛甚拒按。倘不究其理，但据脉迟以寒论治，未有不加剧其病者也。盖湿油瘀塞，则血行阻滞，血郁热烘，则血变稠浓，循行迟缓。脉理既明，复参以腹诊，则判断为热，无疑矣。

数脉多属于热，然有不属于热者。尝治产后伤风者数人，脉皆浮数。同时有恶寒、肢节痛见症。余断为新产气血虚损，外卫力薄，风邪串扰脉络而然，用黄芪当归桂枝汤治之，皆药到病除。

夫脉象之复杂多变，非书载常见之37种脉所能尽。盖患者病因不同，体型各异，又有家境、工种、性别、年龄之差异，因此变脉迭见，未可以常理拘之。

故医者诊脉，必须知常达变，触类旁通，不拘脉名，但究脉理，则病机不失，处治不讹矣。

脉 诊 小 议　|魏武英|

基层医院，尤其是农村医院的中医，临床上常遇到这样的难题，就是问诊困难，脉诊也困难。并不是医者不会问，而是患者不让问；不是医生不会诊脉，而是患者对诊脉的要求过高。他们往往对医生说："您给诊诊脉，看是什么病。"好像诊脉是万能的，只要一诊脉，百病就都知道了。如果你定要询问病情，那就会给病人产生医术不够高明的感觉。

中医诊病，要求望、闻、问、切四诊合参。可人们为什么会产生上述偏见呢？究其原因，一是缺乏医学知识，对中医诊病的方法不了解，这一点倒无可非议；二是由于一些医生的言行造成的。有些医生为迎合病人的心理，不注重问诊，恐怕别人说他技术不高；又有些医生为了炫耀自己医术的高明，甚至拒绝病人叙述病情。他们凭自己的经验，靠望、闻诊取得病情资料，移说于脉，取得信任。但这些人也有不少因失误而感到难堪的时候。一位女患者告诉我这样一件事：她曾请一位妇科医生诊病，诊脉后，医生未经询问病情就说："怀孕了"。当她声明自己已做了子宫切除术多年时，医生无言以对。

中医是门科学，中医诊病有系统的方法。医者必须持实事求是的态度，脱离实际的吹牛与科学是背道而驰的。那些凭脉断证的医生，不仅给个人造成损失，贻人以笑柄，而且也毁坏了中医在人民群众中的声誉。

脉 诊 点 滴　|徐光先|

切脉一事，明于书未必明于心，明于心未必明于手，所谓"心中了了，指下难明。"临诊之际必加意揣摩，才能达到"炉火纯青"的境界。余临证数十年，对促、结、代、疾四脉略有心得，兹述于后。

促脉：促之为意，于急促之中时一止，若阳气盛，脏气乖违，稽留凝涩，阻其运行之机，因而歇止者，其止为轻。若真元衰惫，阳驰阴涸，失其揆度之常，因而歇止者，其止为重。如诊王某，年已花甲，泄泻数月，神疲色瘁，诊得促脉，或五六至一止，或七八至一止，余曰："法在不治。"月余果殁。

结脉：结之为意，结而不散，迟滞中时见一止，譬如徐行而怠，偶羁一步可为结脉，若结而有力者为积聚，结而无力者为真元衰弱。如一营业员，年近花甲，以脘腹胀痛求治，攻痛连胁，嗳气畏食，烦闷不舒，诊得结脉，或三四至一止，或五六至一止，投以疏肝理气之剂，3剂尽而病愈脉复。

代脉：代之为意，如四时相代。邻庄黄姓患者，心腹绞痛，痛掣左肩，面色苍白，汗出肢冷，呼吸困难，脉三动一止，良久不能自还。其年已56岁，而心腹绞痛，虽有代脉，不能多虑，即以针刺之，并投辛温通阳、活血化瘀之剂，果越旬而病好转，能独自室外活动。

疾脉：惟伤寒或温病热极，方见此脉，非他病之所恒有。若劳瘵虚惫之人见之，属阴髓下竭，阳光上亢，有日无月，可决之短期而终。如退休工人黄姓，年逾古稀，病已月余，面色萎黄，两目凹陷，肌肉瘦削，食少纳呆，少气懒言，脘腹胀满，每于午时脘腹隆起胀甚，喜于揉按，下午3时后则隆起自消，便干色黑，诊得疾脉，一息七至，余劝其住院治疗。1个月后，脉更进疾，一息八至，又过旬日果殁。

黄赤未必皆热，清白未必皆寒 | 张正昭 |

色诊黄赤热，清白寒，常者虽居多，而变者亦屡见，为医不可不慎察。

如痰色之白者，常主脾虚肺寒，而肺燥之证，亦咳白黏之痰。黄痰多主肺经有热，而证属虚寒者也可多见。先师曾治一肺脓疡，经西医施治，月余未愈。后邀师诊，初以桔梗汤合千金苇茎汤予服，旬日未效。后见其痰虽黄浊，而口却不渴；脉虽现数，却虚软无力；并有舌淡、体倦、畏寒、小便清长、大便微溏等阳虚脾弱见症。遂改仿《金匮要略》甘草干姜汤与皂荚丸意，疏方6剂，果获大效。又以原方续进6剂，终以理中汤加味培土生金、补肺化痰而愈。再如黄苔虽多为热，而肾阳不足、虚阳上泛者，舌苔亦可现黄；脾胃虚寒之人，因酒食而积，饱食畅饮之后，亦有过宿而苔变黄者。白苔为寒，而温病伏邪，热化迅速，白苔亦多有未及黄变者。更有因素体之异，药食之染，而使舌之苔、质与其病证不相合者，亦屡见不鲜。又如小便，短赤者主热，然脾胃阳虚，不喜饮水而小便少者，其尿却无不赤者；肾阳不足，气化失常，排尿不畅者，小便也常见赤涩。寒则小便清长，但却有太阳或少阴寒证而小便赤黄，得解表药或温经药而小便反变清长者。故陆渊雷先生说："仅仅小便赤，未可断为里热下证，惟下证则小便必赤耳。"

又如带下，黄为湿热下注固为人所共知，而属寒无热者亦每每有之。余曾治数例，皆按常规先予易黄汤之类清热利湿未效，后却以温肝理脾、益气祛湿法收功。至于面色之红赤者主热，却有戴阳之辨，阴虚之分，人皆易晓。而因于体质禀赋之所异者，亦不可不察。亲见有病下元虚寒，经水失调；继之心脾气血不足者，血红蛋白虽降至60g/L，而其平素面颊之红色却依然如故。

凡此种种，皆说明色诊与其病证，有相应者，有不相应者。相应者为其常，不相应者为其变。色之黄赤者未必皆热，色之清白者未可皆寒。故平脉观色，据症辨证者，必须知常达变，才能识得病证之本质，而不致被个别证候色脉之假象所迷惑。

汗不分昼夜，阴虚阳热者多见　　孙一民

汗出一证原因颇繁，然以阴虚内热汗出为多见。不仅晚上睡时盗汗多属此类，白天醒时汗出亦多属此类。人每以白天烦躁汗出，诊为阳虚自汗，用黄芪之类固表止汗，虽能暂时收功，但烦躁难消，效不巩固，有时还能加重病情。如热病后期阴虚，烦躁汗出，热气上冲，乃由内伏邪热，余邪未清之故。治疗应以养阴清热治其本，佐以止汗治其标，方能收到较好疗效。

阴虚内热而致汗出，缘于心经有热和心肾阴虚。汗血同源，血为心所主。古人称：汗为心之液。烦为心热，热则气冲于上而头面烘热，热迫液泄则汗出。可用栀子、连翘清心泻热。肾主五液，为元阳元阴之宅，阴虚不潜随阳外越即为汗。可用石斛、天冬、麦冬滋养心肾之阴合之。心经之热除，心肾之阴复，汗当自止。将此法随症加以变通，验之临床每每取得较好功效。

余曾治一苏姓女患者，57岁，自述多汗有年（原患功能性子宫出血）。发作前先烦躁，自觉有股热气由腹部上冲于头，随即汗出淋漓，内衣尽湿。片刻心烦减，汗止身凉，一如常人。最多每日可发作20次。即使冬季冰雪严寒亦如是。病人深感痛苦，四处求医，皆谓阳虚自汗，以温补治之效不明显。余查舌红苔白，脉细数。证属阴虚火旺，治以滋养心肾之阴，清降心经之火。自拟止汗汤：生地黄6g，玄参15g，沙参9g，石斛9g，天冬、麦冬各9g，栀子9g，连翘9g，竹叶9g，龙骨9g，牡蛎30g，浮小麦30g，五倍子9g。

上方诸药配合，调节体内阴阳，使阴平阳秘。服药10剂而获全功，后随访未复发。

（孙　阳　整理）

海拔梯度不同，中医征象亦不同 | 邓尔禄 |

　　健康人从平原进入高原，在中医征象上将发生什么变化？从 24 名健康人员，从海平面（青岛市）→2260m（青海省西宁市）→3570m（青海省玉树州结古镇）→4350m（青海省果洛州玛多县）4 个海拔梯度的中医征象自身对照观测表明，随着海拔梯度的逐渐增高，有关征象发生了明显变化，从这些变化说明人与自然的统一关系。

　　1. 舌象变化　舌质色泽随海拔增高，渐由淡红转变为紫暗。

　　2. 脉象变化　随海拔增高，缓脉类例数减少，数脉类例数逐渐增多。

　　3. 面部望诊　颜面部望诊呈紫色或紫暗色，仅见于玉树玛多，尤以唇与耳垂明显，青岛及西宁则不见紫或紫暗色。

　　4. 尺侧皮肤触诊　青岛与西宁均呈温暖，润泽；玉树尺肤欠温者 3 例，粗糙 5 例；果洛玛多尺肤欠温者 3 例，粗糙 7 例。

　　5. 自觉症状　随海拔梯度增加，头晕、头痛、心悸、气短、咳嗽、胸闷、脘腹胀满、关节酸痛、口渴口苦、鼻衄、齿衄、多尿、眠少、神疲乏力、食欲减退等症状出现的例数逐渐增多。

　　6. 甲皱微循环观察　随海拔梯度增高，管袢清晰度逐渐转为模糊，畸形管袢增多，红细胞聚集状态逐渐明显，血流速度逐渐减慢，血色呈暗紫例数逐渐增多，毛细血管周围渗出逐渐明显。这些指征提示了随海拔增加，甲皱微循环不良有所递增。

　　上述资料从中医理论角度看，健康人群从低海拔地区逐渐进入高海拔地区，由于低氧、低气压、寒冷、干燥等的影响，产生了如下病理变化。

　　1. 气虚　由于高原海拔环境的影响，自然界之清气减少，不能补充人身之清气，导致气逐渐变虚，出现精神差，乏力，气短，肢末发凉，舌边齿痕，脉渐变数等高原气虚之征象。寐少属心，少食属脾，多尿属肾，头晕困倦属肝，亦是气虚波及各脏的突出表现之一。

　　2. 血滞　因清阳不足，气虚，因而血行阻滞，脉络郁阻，常导致络伤血溢、失血。血行不畅，肌肤失养则由润泽转为粗涩枯燥，并见舌色、甲色紫暗。

　　3. 津亏　外界之燥，亦可伤人之津液，"燥甚则干"，呈现一派津伤、津液滋润不足之象，如见皮肤枯燥、口干苦、饮水量增多。

　　4. 脏腑失调　由于气虚、血滞、津亏、气血运行阻碍，因而引起脏腑功能失调，其表现为多种多样。脑为元神之府，脑失所养，气血失调，可见头晕、头痛、少寐、精神差或嗜睡；脾失健运可见食欲减退、食量减少、乏力、脘腹胀满等，肝失所养，肝血瘀滞则见视力减退、头晕神疲、胸胁胀满甚或疼痛；肺气不利则见胸闷、气短、咳嗽；心气受抑，心脉不畅见心悸、胸部憋闷；肾气受抑则耳鸣，或见小便次数增多。

综上所述，高原反应及高原病的中医病机主要是气虚、血滞、津亏、脏腑失调。提示中医防治高原病应从补气、和血、生津、调补脏腑入手。

同证未必症同 ｜张正昭｜

在《伤寒论》的注本和教科书中，常可看到这样的解释：此条叙症过简，以方测症，还当兼有某某症，否则，不能仅凭某症而用某方。这种解释法反映出一个共同的认识倾向，即以为用方相同者（即"证"相同者），其见"症"亦必相同。然而实际上并非如此。一个浅显的道理是：若用方同者见症必同，则《伤寒论》中以数条原文反复论述同一方证岂不成为多余？

相同的"证"所以不一定必见相同的"症"，是由于"证"是反映病机的，代表着疾病在某个发展阶段病理变化的"本质"；而"症"则是疾病的外在表现，属于"现象"。尽管现象与本质有着必然的内在联系，即"证"要通过"症"来体现和反映，但"症"（现象）反映"证"（本质）的形式却并不是一成不变、完全相同的。这是因为，现象反映本质，还要受许多其他因素的影响，它们之间除了统一的、一致的一面外，还有不一致的一面。并且，无论是现象（症）与本质（证）在表面上是否一致，都要经过一个具体分析的中心环节，才可能使现象（症）上升为本质（证）。如果现象是一成不变的，在任何情况下都以一种固定的形式反映本质，则现象便可直接等于本质，一切科学，包括辨证分析就成为多余的了。以第320条"少阴病，二三日，口燥咽干者，急下之，宜大承气汤"为例，若单从"口燥咽干"看，确实是有点"叙症过简"，无法作为使用大承气汤的指征。然而，其重要之根据在于此本"少阴病"，而非阳明病。假若在阳明病的情况下，仅见口燥咽干，自然是不能用下法的，更何况急下！少阴病之大承气汤证之所以不能与阳明病大承气汤证一样见相同的症，是因为两病的基本矛盾不同。阳明病时，气血旺盛，反应强烈，稍有邪热，便蒸蒸然于外，故其病看似热势极盛，却未必是用下法之征。而少阴病时，由于阴阳双虚，气血欠充，反应低下，在里之邪热不能外张其势，只能暗耗其阴。

故虽可能里热极盛，也只能表现一些伤阴耗液之征象，而不含有阳明病那样的一派热气腾腾的反应。故二三日出现口燥咽干，就足可说明为里热炽盛、烁灼真阴之候，而非急下存阴不可。这就是不同疾病的特殊性。故欲少阴病之大承气证亦出现阳明病那样的"胃实之证，实热之脉"则是绝对不可能的。这说明反映同一"证"的"症"必然随着"病"的不同而不同。

"以方测症"的解释法和教学法，其危害性就在于：它给学习者造成一种误解，即以为《伤寒论》之方，一方只适用于一组固定的症状（通常称作某方的"主证"），尽管他们也可能从老师那里知道仲景一方可治许多病，但却总以为这许多病在使用某个方子时，都必须见某方之"主证"；加之我们的教学也常喜用"某方之主证是什么"之类题目来考核，以能记住某方及其主证为满足，这就更促使他们把记忆方剂及其主证作为重点，很少去注意研究原文是怎样分析辨证，如何得出"某汤主之"的辨证结论的。其结果是，学完了《伤寒论》，除了记住几个名词术语、基本概念和113首方剂及其主证外，对于书中体现的仲景的学术思想，辨证分析的方法等重要内容则学到甚少，甚至根本没有学到，把一部活泼泼的、内容极其丰富的《伤寒论》，学成了方剂学，难怪有人提出要砍掉这门课了。这种情况难道不应该引起深思?!

辨证不可忽视辨病　　|蒋泽霖|

张仲景融合医经与经方为一体，确立了辨证论治的治疗原则。辨证立法，依法用方，据方遣药，将方与证通过八纲与八法紧密地联系起来，形成了仲景学说中的"方证"（或称"汤证"）这一独特范畴。使古"汤液"从经方家的自发运用，发展为以辨证论治原则为指导的自觉运用，从而大大提高了临床疗效。"方证"范畴，集中体现了仲景辨证论治的基本精神，但应当指出的是，仲景确立辨证论治的治疗原则，是辨证与辨病相结合的（此"病"，指中医学概念的病）。在辨病的基础上辨证，才是对仲景辨证论治精神的完整的理解。单纯强调"辨证"，或单纯强调"辨病"，都是片面的。一些临床医生，只管辨证而不识其病；甚至一些学者，为强调仲景辨证的思想，往往忽略了其中还有辨病的一面。《伤寒杂病论》合论伤寒与杂病，即明确教人首先必须辨别伤寒病与杂病，而伤寒病又统赅六淫为病，杂病的种类就更多了。《伤寒论》与《金匮要略》阐述的因、证、脉、治的内容，无不体现了辨证与辨病相结合的治疗精神。在《伤寒论》中讲有杂病的辨证治疗，而在《金匮要略》中又有不少

《伤寒论》的证治内容，道理即在此。如：风湿病是杂病，但风寒湿三气杂至，自表而入，故可以见到与太阳病类似的证候，因此在太阳病篇中列出了桂枝附子汤证、去桂加白术汤证、甘草附子汤证，以此风湿三证与太阳病的证治做鉴别。又如：《金匮要略》中之痉病，属里燥筋急之筋脉病变，但若由外感风寒引起者，初起可以出现太阳表证，所以刚痉有葛根汤的证治，而入里又有承气汤的证治，说明了伤寒、杂病治无二理，有是证，即可用是方；但痉病终属杂病，自有其特殊规律，若起因风寒者，其风寒属标，而里燥筋急是其本，故治当以滋养筋脉为第一要义。再如：就六经病证治来看，虽六经病不是独立的"病"，但若从特定的意义来说也有辨"病"（即六经病）的问题，如柴胡证，无论其由太阳传入或从厥阴出转，均治用小柴胡汤，但二者的转归及预后则截然相反，若仅立足于"但见一证便是"，就不能从全局把握转归及预后，从而失去了辨证论治的预见性。由此足以说明，仲景辨证论治概念本身，包含了辨证与辨病两个方面的意义，二者不可缺一。在辨病的基础上辨证，这才是张仲景辨证论治的完整涵义。

虚 实 之 辨　　|王立华|

　　山西广灵名医王老联芝，行医五十余年，在当地享有盛誉。我村一妇女，患腹痛多年，且腹有包块，停经半年，多方求医，竟无疗效，请王老之子治疗，服药数十剂亦无寸效，后因考虑血瘀为患，嘱服大黄䗪虫丸，月余病反日渐加重，其子束手，乃嘱患者，进城求父治疗。王老诊后，并观其子之方，乃曰：此乃虚寒肝郁腹痛也，吾儿不察，乃犯虚虚实实之戒，故反加重也。遂拟当归建中汤加川楝子一方，患者服 2 剂而见效，再服 2 剂，竟起床下榻，腹痛若失。续服半月，食欲增加，精神大振，腹中包块消失，月经相继而至。

　　张景岳曰："大实有羸状，误补益疾；至虚有盛候，反泻含冤。"观此案其子以大黄䗪虫丸攻之而反重，王老以当归建中汤益之而取效。遇夹杂危重之疾，虚实之辨，可不慎欤！

试 论 潮 热　　|樊文有|

　　潮热，如海之潮，按时发热，故称潮热。临床所见，有午后潮热，日晡潮热和夜间潮热。寐而低热汗出，称为潮热盗汗。潮热有虚实之分、部位之别，先阴虚内热而后潮热者，为虚，先实热伤津而后潮热者，为实。在肺者多虚，在肠者多实。日晡潮热者多实，夜间潮热盗汗者多虚。不论虚实，凡形成潮热者，均与热和伤津有关。阴虚生内热，当内热再伤津时，便产生潮热；实热伤津，当津伤至甚而微热时，亦产生潮热。可见，形成潮热，以阴虚为主，而热次之，病虽阴虚内热，但不可概以阴虚内热治之。因为，致病之因、邪处之所不同，而治之则异。

阳明病，邪热与燥屎相结于肠而潮热者，以承气汤攻之；汗下伤津，邪热内入与水互结于腹而潮热者，以大陷胸汤逐之；少阳郁热结于胸胁而潮热者，以小柴胡汤和之；温热伏于膜原而潮热者，以达原饮剿之；湿热郁遏三焦而潮热者，清之利之；瘀血内结于腑而潮热者，活之行之；阴虚之甚而潮热盗汗者，滋之清之。潮热之多，治之之殊，不可不辨。

一妇，42 岁，低热年余，体温 37～38℃，多在下午五六点发作，至半夜而止，常伴有食欲不振、腹胀，大便四五日 1 次，有时胸闷胁痛，久治不愈。疑肝胆系统有疾，来郑州检查，未发现实质性病变，按慢性胆囊炎处理，时轻时重。一次返里，日暮入室，正值潮热，问：大便若何？曰：四五日 1 次，难解，所下之物如丸状、硬而坚。予大悟，此潮者，实也。大承气汤 1 剂，日行 8 次，热止身和，1 年后原病复作，又以大承气汤 1 剂而愈。

一男，年 30 有余，素体健壮，因感冒汗出过多而致不大便，医为邪入阳明，又以承气汤攻之，此后，日暮之前，潮热时许，大便干结，四五日 1 次，口干舌燥，心烦口渴，少腹硬满，某日突然腹痛剧烈，腹肌紧张，拒按。以大陷胸汤 1 剂便通痛减，再剂缓解，后以清热为主治之而愈。

一妇，年三十有余，下午低热年余，久治不愈。伴胸闷呕恶，食欲不佳，口干心烦，脉弦而数，舌红苔腻。以达原饮 6 剂而愈。

张某，女，28 岁，午后潮热 6 个月，伴腹满身重，面红口干，大便不爽，腰痛腿酸，头晕目眩，带下黄稠，臭气异常。以三仁汤 9 剂而潮热止，后以完带汤加减治之而带症愈。

靳某，男，40 岁，干部，感冒未愈，又遭雨淋，恶寒发热已去，寒热交替而作，胸胁满闷，心烦欲呕，失眠多梦，后转为午后潮热，体温 37.5℃左右。小柴胡汤 2 剂而解。

苏姓，女，43 岁，午后潮热，夜间尤甚，心烦意乱，失眠多梦，喜着凉席，喜吃凉食，喜吹凉风，虽冰雪在地亦喜外出，经期提前，少腹痛。以血府逐瘀汤 4 剂而愈。

一女，三十有余，夜间潮热盗汗，伴头晕心悸，月经量少，口干心烦，夜梦纷纭，脉细而数。以秦艽鳖甲散加减，12 剂而愈。

上述案例多有近似，但各有特征。大便如丸状，硬而坚，为阳明腑证潮热的特征；少腹硬满，突然腹痛剧烈、腹肌紧张，为大结胸证潮热的特征；胸满呕恶、舌红苔腻，为邪伏膜原潮热的特征；口干腹满、大便不爽，为邪遏三焦潮热的特征；胸胁满闷、心烦欲呕，为邪郁少阳潮热的特征，午后潮热、夜间尤甚、少腹痛，为瘀血潮热的特征；潮热盗汗，脉细而数，为阴虚潮热的特征。临床上只要抓住各证的特征，辨证明矣。

热病寒厥须慎辨　　|李景荣|

厥证常出现于多种疾病的危重阶段。寒厥与热厥判若冰炭，治疗失当，则祸不旋踵。热病中出现热厥是其常，热病中出现寒厥亦绝非偶遇。1970 年 11 月，我在陕西省周至县终南镇接诊过一位农民男患者张某，恶寒发热 5 天，第 6 天，病情突然加重被抬送医院。症见面色苍白，四肢厥冷，烦躁不安，无热恶寒，体温 35.5℃，眼睑及球结膜明显浮肿，前胸及两腋有鞭笞样出血点，腰痛似折，当日腹泻 4 次，为未消化的食物。舌质淡，苔白略黄，脉微。血压 10.7/9.3kPa。西医诊为流行性出血热，低血压期。余诊断为冬温时疫，气脱亡阳寒厥证。急用六味回阳饮加葱白以益气固脱，温中回阳。处方：附片 30g、干姜 45g、炙甘草 30g、人参 15g、熟地黄 30g、当归 30g、葱白 4g。煎汁 600ml，每 2 小时服 200ml。24 小时内连进 3 剂，即四肢转温，泻止，症状明显减轻，脉象可及，血压 13.3/9.3kPa，自觉全身舒服，并要求饮稀粥。后改用当归四逆汤加人参 3 剂以温经散寒，养血通脉，使其脱离了险情。

热病中出现热厥，系热极生寒，为内真热而外假寒，此证在临证中每可见之。然热病中出现真寒厥则少见，余在临床中仅遇 3 例。据余观察，热病寒厥其病机不外患者素体阳气虚弱，感受温邪后，由于邪盛阳微，温毒乘虚内陷，损及营血，导致气血运行失常，气机逆乱，真阳暴脱。治当回阳救脱，万不可胶执热病投以寒凉，否则必致偾事。

真寒假热证　　|张子久|

1967 年，由亲戚介绍来一患者，女，16 岁，据谈病将近 2 年，不吃五谷，喜吃水果冰冷之物，经各大医院治疗无效。观其面色淡白无华，精神不振，舌苔淡白，六脉沉迟，虽喜冷饮，但肢体却畏寒怕冷，脉证相参，似"寒极似热"之证，宜以热药冷服治之。遂用于姜、附子、白术、炙甘草、人参之属，嘱用冰块化水煎药，待冷与之，随其性而饮，服2剂后已闻五谷味，4剂后已能进点米面，8剂后已不喜冷食，五谷皆能入口；不久恢复正常。

莫以"阳郁"为"阳虚"　　|马正山|

"阳郁"与"阳虚"，虽仅一字之差，而病则迥异。设辨之不清，辄犯"虚虚实实"之戒，轻则益疾，重则致危，故不可不察也。

夫"郁"之与"虚"，固相径庭，医者何以误治？盖二者之为状也，每多酷似，真伪难辨，医者若不审慎，易为标象所惑，阴差阳错而致张冠李戴。临床所见，以"阳郁"为"阳虚"，误设温补而偾事者，不乏其例。

尝见有患者形寒肢冷，手足厥逆，虽衣重裘而寒不减，伴心下痞鞭，吐痰如冰，口不作渴，饮极热姜汤或以热熨而觉少舒。医与温补参芪不效，桂附随之，愈补而形愈弱，虽温而寒不减。患者失望，病属虚寒之象，医用温补之药，法当向愈，而反剧者，何也？古人云"大实有羸状，误补益疾"，其斯之谓欤？遂细心体察，详审脉证，见患者气息粗壮，舌赤苔腻，溺涩便坚，脉来沉实。余恍然大悟，此乃"阳郁"，非"阳虚"也。盖有形之邪内阻，阳郁不能外达，故形似虚寒而实因痰、瘀、饮、水内结者是也。医者当辨其何邪所结，得其所而攻之，则邪祛阳通，气机展布，病必自愈。遂以豁痰涤饮、通经宣郁之法治之而获效。

1979年6月，余曾治一男性患者，岁在不惑，而阳事不举十载。诸前医咸曰肾虚而迭进填补，诸如熟地黄、山茱萸、枸杞子、菟丝子、阳起石、巴戟天、鹿茸、海狗肾等品，然毫无进退，且咳痰，胸满，痞塞短气，手足逆冷，倍感畏寒。每值冬月，虽着皮衣，不足御寒，夜覆厚被，而手足如冰。观其形体丰腴，口唇深红，苔黄厚腻，脉沉伏而滑。以其病者嗜酒，断为病起于湿热，盖酒为湿热之魁也。湿热下注，宗筋弛缓，安得不痿？前医以实为虚，大进滋补，致气机壅闭，阳郁不达，此痞满短气，畏寒逆冷之所由来也。遂以豁痰理气、清利湿热之品与之，诸症递减，是年三九隆冬，虽未着皮衣而手足温暖，阳事亦大振矣。

漫谈脾阴虚 |王新春|

近人对脾胃虚弱患者，恒用温脾阳、养胃阴两法治疗，但对滋补脾阴，每多忽视。脾与胃，相对地说，胃属阳而脾属阴，但细分之，脾和胃还各有其阴阳。盖脾阳是脾脏运化水谷的推动力量，而脾阴则是脾主运化的物质基础，脾之阴阳相互依存。故脾主健运，需要阴阳两方面的密切配合。脾阳主温运，脾阴主融化，脾阴不足，常见肌热腹满、四肢倦怠、消渴口糜、肌瘦皮燥、大便干结、颧赤舌红、脉虚细无力等；胃阴不足，常见口干、咽干、食难下咽、或饥而欲食、胃中灼热、干呃便秘、脉细数等症。二者显然有异。

脾阴虚多由外感暑邪、燥邪、湿邪化热，灼伤津液；或恣食辛辣厚味；或妄施吐、下；或久病耗阴等耗伤脾阴而致。

在治疗上，一般认为脾为阴土，喜燥而恶湿。东垣倡"甘温以补其中而升其阳"之说，此仅指脾阳不足而言，如果是脾阴不足，则不宜甘温而宜甘凉。故缪仲淳说："胃气弱则不能纳，脾阴亏则不能消，世人徒知香燥温补为治脾虚之法，而不知甘凉滋润益阴之有益于脾也。"故脾阴不足之证，当用滋润甘凉之品，取其甘以补脾，润以益阴，补而不腻，运而不燥。我常用周慎柔的养真汤（人参、白术、茯苓、甘草、山药、莲子、白芍、五味子、麦冬、黄芪）治疗低热、口渴、便溏、尿频、四肢乏力、不思饮食、舌红苔薄、脉虚细数等属脾阴不足患者，每获良效。

肝虚证不少，肾实证确有 |张金楠|

肝病多实证、肾病无实候的论点由来已久。如宋代钱乙曾说："肾主虚，无实也"，谈肝病多实证的人更多。在这种论点的影响下，古今不少医家对肝虚证与肾实证的研究多有疏漏。从辨证法观点讲，虚实既是相互对立又是相互统一的，矛盾双方都不可能脱离另一方而单独存在。因此，"肝病多实""肾病无实"的论点，显然是片面的。

早在《素问·藏气法时论篇》中就列举了肝肾虚实证候的临床表现："肝病者，两胁下痛引少腹，令人善怒。虚则目䀮䀮无所见，耳无所闻，善恐，如人将捕之"。"肾病者，腹大胫肿，咳喘身重，寝汗出，憎风。虚则胸中痛，大腹、小腹痛，清厥，意不乐"。从经文中可以认识到肝实证有肝气郁滞造成的胁下痛，有肝阳、肝火亢盛造成的善怒；肝虚证中有肝阴血不足造成的耳聋、目昏、目盲，也有由于肝气虚造成的善恐。经文中又列举了感受外邪引起的水液代谢障碍的肾实证，也列举了阳气不足引起的肾虚证。《本草经疏》提出肝虚10证，《太平圣惠方》治肝虚补肝诸方中，列举肝虚15证。关于肾实证，张景岳、张锡纯等医家的著作中均有论述。从文献记载看，肝虚证是不算少的，肾实证确实是存在的。

在临证实践中，肝虚证也是常见的。如肝血亏虚引起的目昏、筋脉痿软、手足震颤、麻木、爪甲凹陷易折；因肝阴不足引起的虚风内动；因肝气不足引起的善恐、胆小，均属肝虚证的范畴。

肾实证在临证中也不鲜见，只是由于"肾病无实证"这种偏见的影响，将不少肾实证归属到其他脏腑中去了。如《素问·风论篇》中记载："肾风之状，多汗恶风，面胪然浮肿，腰脊痛不能正立，其色炲，隐曲不利，诊在颐上，其色黑"。从这段经文的症状描述，与后世的"风水"极为相似。部分医家认为是由于感受风邪，肺气不宣，不能通调水道致水湿停聚所致。但此证若以风寒伤及肾与膀胱，气化不行，壅遏水道，致水液停聚解释更为恰切。因为风水的浮肿症可以用肺受风后通调水道的功能受影响解释，然而"腰脊痛不能正立，隐曲不利"症用肺脏的病理很难讲通。脊背为太阳膀胱经循行部位，肾主水，肾司二便，用肾与膀胱去解释就显得更为完善。张景岳直言不讳地指出"肾主水，风在肾经即名风水"，属肾的实证。其他如小便热、涩、疼痛等病变，是热注于肾与膀胱造成的肾实证，而后世医家为不违背"肾无实证"的论点，只言"湿热下注""膀胱湿热"，而独不敢言肾实。然而张景岳却明确地说："肾实者，多下焦壅闭，或痛或胀，或热，可见于二便"。张锡纯的"清肾汤"也是为肾实证而设的方剂。他们不为世俗偏见所惑，正确地认识、观察、治疗肾实证的治学精神，是值得我们学习的。

肝病虚证并不算少，肾病实证确实存在，这一认识不管从哲学的观点、从古医籍的记载或从临床实践验证都是成立的。重视肝虚证、肾实证的研究，将会使中医的脏腑辨证理论更臻于完善。

肝阳亦有虚证　　| 贾文和 |

根据中医的阴阳学说，肝和其他脏一样也有阴虚和阳虚。但"肝为将军之官"，性喜条达，内寄相火，阳易亢动，阴易亏损，故有"肝常有余"的说法。从而强调了肝阳易亢的一面，而忽视了肝阳衰弱的一面。在中医著作中很少提及"肝阳衰"，临证时也未引起足够的重视。根据临床实践的观察，可把"肝阳虚"的症状归纳为三大类。

一是本经的虚寒证：多出现在肝经循行部位，如胁满、筋急、肢冷、目视䀮䀮、筋痿脚弱，少腹疝痛、囊冷阴湿、脉沉细或弦迟或紧。多因经气先虚，寒湿久滞伤阳所致。

二是肝用不强的表现。如四肢乏力，不耐疲劳，懒言、太息，善惊惕、如人将捕之，悒悒不乐，月水不利，以及消化功能障碍、腹胀、不欲饮食、食则胀甚等。多因久病体衰，或年老真阳渐耗，或过食生冷、误用寒凉，阳气被削所致。

三是与肝有表里、母子关系的脏腑发生相互关联的病变，多由心、肾、脾阳不足影响转化来。

肝阳虚的治法，《内经》所确定的寒者热之、衰者补之、郁者达之等治疗原则同样适用。宋·陈无择用补肝汤（山茱萸、炙甘草、桂枝各30g，细辛、茯苓、桃仁、柏子仁、防风各60g，川乌头炮去皮脐15g，剉散，每服12g，水盏半，姜5片，大枣3枚，煎至7分，去滓，空心服）。治肝虚寒。用附子理中汤治"肝中寒"，均为温补肝阳之剂。

笔者体会，温补肝阳以肉苁蓉、巴戟天、淫羊藿、杜仲、川续断、龙眼肉等为宜；若阳虚寒甚则必赖附子、肉桂、干姜等辛热之品温之。

临床上我曾尝试采用补益肝气、温补肝阳的方法治疗此类疾病，效果尚好。如一藏族妇女，平素易惊善恐，每至秋季，便觉巅顶疼痛，两目发花，恶寒，呕吐清水。遍求医者，服药无算，仍未彻底治愈。诊其脉弦细而迟，舌淡苔薄，此乃肝经虚寒之兆。投以吴茱萸5g，干姜10g、炙甘草10g、法半夏10g、煅牡蛎20g。连进十余剂，中间稍事加减，诸症大减。后以补中益气加桂枝合小半夏汤调理而愈。

治病必求于本　　│张盛之│

1962年的秋天，余在济宁市立医院中医科实习。当时临证不求病机，处方不究辨证，对一呃逆患者先误后正的治疗经过，至今难忘。

兖州某女，28岁。结婚5年不孕。盼子心切，求某医诊治，服其自制丸药，致成呃逆症，来济宁市立医院求治。先是在内科以西药治疗3天罔效，后转中医科由我试治。那时我学医 2 年，自觉满腹经方，对于本病，蛮有几分把握。观患者呃逆频作，言语常被呃逆所阻梗，望、闻、问、切粗过，便处汤药，予旋覆花代赭石汤。自思当有桴鼓之效，期待佳音。孰知汤进 2 剂，全然无效，呃呃作声，众闻不忍，时自思方用无误，惟是量小，随加旋覆花、赭石之量继服之。又进 1 剂，复不见效，方悟幼稚识浅。翌日，适母校李少川老师来探视我们实习，就餐之时，邀李老师明晨会诊。李老师诊毕，闻得患者所服丸药，内含巴豆、硫磺、砒霜，便断言：此三药乃大辛、大热、大毒之品，易耗胃阴，伤胃气。不滋其胃阴，难以敛其逾越之阳；不益其胃气，难以固其根本。前方之所不效，即在此也，当以麦门冬汤加味处之。

方曰：麦冬 60g、半夏 12g、党参 15g、沙参 15g、石斛 12g、白术 12g、防风 12g、甘草 12g，2 剂，水煎服。余询曰："防风何用？"师答："与甘草解砒霜、巴豆之毒也。"2 剂服后，患者欣然而来，寂无呃逆，一无愁容苦貌，神效如此。思之，全赖"谨守病机""治病求本"之故也。

知标本者，万举万当　　│戈敬恒│

初上临床的青年大夫，往往对患者的各个症状，等量齐观，不分主次先后，不分轻重缓急，也就是说，不分标本。

祖国医学辨证论治的根本原则是"治病必求于本"。所以说，在一般情况下，"本"是病的重点，"治本"是解决病证的关键。但是，疾病的发展变化是非常复杂的，"标"与"本"在疾病的各个阶段、各种情况下，何为重点与关键，并不是固定不变的，治疗的方法也就不应是一成不变的。当疾病发展至某一阶段，标病发展得特别严重、甚至危及生命时，这时"标病"就成了影响全局的重点，"治标"就成了解决病证或抢救生命的关键，所以古人指出"急则治其标，缓则治其本"。若病证标本并重，又必须采用"间者并行"即标本兼顾的方法，以提高疗效。

曾治一病妇，今年 90 岁，因肝肿大，高热 50 多天不愈，形成胸腹水，在医院抽出大量血性胸水。延余诊治。诊得患者日晡潮热，气短喘迫，不能平卧，心中懊憹，腹胀大，心下硬满而痛，大便秘，脉沉紧而数，口干舌燥。此热与水结于胸胁之象。此时是先治肺肝之本？还是先治热与水结之标呢？考虑到标病甚急，已成为影响全局之重点和危及生命之关键，必须先治其标以逐水通腑泄热，待水去、热泄、喘满平，再议调治肺肝以治本。经谓"先病而后生中满者，治其标""小大不利治其标"。遂与大陷胸汤加大枣，速进 2 剂，大便得通利，下水甚多，诸恙悉平。继进益气化瘀疏肝之剂，病体逐渐恢复。

临证抓住证候的重点与关键，治疗就会击中要害，就能收到满意的疗效，否则不但无益，甚至延误病机，造成不良后果。

"治病必求于本"，是中医治法的原则；"急则治其标"，是中医治法的灵活性。治病求本的原则性必须与急则治标的灵活性相结合，以掌握当时病证的重点，抓住当时解决病证的关键，这就是祖国医学标本学说的实质。所以说，"知标本者，万举万当；不知标本，是谓妄行。"

异 病 同 治　　|王与贤|

同病异治，异病同治，是祖国医学辨证论治的特点。它广泛地使用于临床各科，为治病求本之法。它是从繁复多歧，甚至千差万别的疾病群中，综合归纳，寻流溯源，识假象，求真谛，直取病机，专攻主力，可以执简驭繁，一法多用。病的表现虽千差万别，只要病机相同，病虽异而治相同。反之病虽同，而病机各异，所治亦异。今举异病同治 2 例明之。

口眼㖞斜

1973 年 3 月曾治疗一个庞姓妇女，40 岁，患口眼㖞斜已 1 年多，屡经中西医及针刺治疗，均未取效。初诊六脉虚缓，舌淡苔白，左面部麻木不仁，冷汗时出，左目不能闭合，口角向右㖞斜，泪液盈溢，胸胁隐痛，喘满息艰，而罹感冒，查所服药，多属祛风发散攻逐之品，据脉察症，口眼㖞斜，实外风之侵袭，但脉象虚大乃元气久虚故也。《内经》曰："邪之所凑，其气必虚。"今元气既虚，抗邪无力，是以致牵正久治无效。只有大补元气一途，俾正气充足，病邪自退。处方以桂枝汤加黄芪 30g、升麻 6g、柴胡 3g 煎服。连进 2 剂后，虽口眼㖞斜如故，而胸满气喘减轻，精神稍好，遂将黄芪加至 60g，又服 5 剂后，汗即大止，脉弱转健，口眼㖞斜亦愈其半。续将原方连进 10 剂，口眼全正，运用自如，身体亦健，完全治愈。

全身奇痒

1978 年夏，一中年妇女赵某 1 年前在劳动时，汗出当风，随即全身瘙痒，日夜不停，每到痒甚之时，毛孔皆如粟粒晶莹。在当地医院用中药寒热攻散之品及西药激素、抗过敏之类连续治疗已 1 年左右，全身虚胖如肿，而瘙痒依然如故，甚或更重，每到夜间或刮风下雨之天，剧痒不宁，常须两人力搔。初诊六脉浮微、舌淡苔白，除严重痒疹外，并有身冷汗出，头目眩晕，面色㿠白，气短胸闷等症。根据脉症分析，汗出身冷系卫阳不足，风邪稽留，太阳表虚之征；面色㿠白，胸闷气短，乃元气不足之象。治以实表散邪，大补元气为法，方用桂枝汤合玉屏风散：桂枝 10g、白芍 10g、炙甘草 6g、生姜 6g、大枣 3 枚、黄芪 60g、防风 6g、白术 10g。二诊时患者欣喜异常，自谓服药后半时许瘙痒倏然停止。头晕汗出亦已减轻，一夜安睡。遂将原方连服 7 剂，诸症痊愈，欣然而去。

例 1 口眼㖞斜，原是气虚中风，前医大多投以驱风发散之类，又加长期针刺取穴太多，留针时间又长，不顾实实虚虚之戒，故久治不效。例 2 经中西药治疗 1 年左右，寒热攻散毫无效果，且渐增重，导致元气亦虚。后用桂枝汤合玉屏风散治之，实表散邪，扶补元气，是故取效。《内经》曰："治病必求于本"，见痒治痒，是谓治标；求病证之本原，是谓治本。治标无效，治本效卓。2 例验案属异病同治之法。同为气虚中风，一为口眼㖞斜，一为全身奇痒。临床表现虽截然不同，然溯本求源，皆卫阳衰微，元气大虚之证，同以黄芪桂枝汤重用黄芪而愈。口眼㖞斜症集头面，引以升麻、柴胡，俾升举上达；全身奇痒满布肌表，使以白术，防风以充实周身。2 例之治，仅升麻、柴胡和白术、防风之引经有异，而实表补元则无不同也。

异病同治一则　　|王培诚|

某妇，因其夫久出不归，思念成疾。一日突发谵妄如狂、持物乱奔，数人按之不住。邀我诊视，诊其脉沉实有力，询其母患者月经如何？其母曰：两月未见矣。诊为瘀血发狂，遂灌服桃仁承气汤 1 剂，狂妄即定，后予以活血化瘀丸药以善其后，迄今未犯。

本市某男性工人，患头痛、牙痛，经久调治不愈，阅其以前病历，所服之药多属清凉之品，服后疼痛稍减，药停复如常。诊其脉沉涩滞，舌见瘀血斑点，亦诊为瘀血阻络、郁久化热，给与桃仁承气汤，泻后即觉神清气爽，数剂疼痛逐渐消失，随访数年未发。

病虽不同，其病机则一，皆属瘀血化热上冲所致。"治病必求于本"，瘀去热清，故两病皆愈。

（赵新田　整理）

异病同治话三子　　|钟孟良|

三子养亲汤一般用来治疗老年痰喘咳嗽。吾师赵绍琴教授扩大本方应用范围，在临床运用中取得了不少经验，吾随师侍诊，聆听教诲，颇有收益。

赵师指出，临床见有胸痹心痛、憋闷气促者，若其苔垢腻，属痰滞积心，治以本方加旋覆花，青葱管等；中年以上，慢性咳喘、痰多气逆者，以本方加牛蒡子、葶苈子、冬瓜子等以降气平喘，肃喘涤痰；痰湿素盛之肥胖症，用此方能减肥；胃脘痞闷，口黏纳呆，属痰湿阻滞中焦，可以本方加焦三仙等治之；腹满便溏不爽，苔浊腻，为湿浊困脾，治以本方加荆芥炭、防风炭等；着痹属痰湿者，用本方加片姜黄，海桐皮等以化痰通络；痿证属痰浊凝阻经络者及风痰入络之瘫痪证、偏身麻木证，可以本方加桑枝、秦艽、天麻、路路通等以祛风化痰通络；无名肿块、水肿不消，可以本方加海浮石、川贝母等（研粉吞服）以消痰散结；风痰阻络之偏正头风，用本方加川芎、藁本、白芷等以祛风化痰。

总之，运用本方，只要病机属于痰浊凝阻，无论全身上下内外诸疾都能治疗，实是值得推荐的佳方。

按 时 发 病　　|王与贤|

近年来，对于生物钟现象的观察和研究日益深入，时间与疾病的发作、变化、转归及治疗有相当密切的关系，中医古籍及各家医案中有关记述甚多，不能备举。兹将笔者临证中遇到的发病与时间关系较明显的病例数则翔实记述于下。

1. 上午目赤　一米姓学生 1976 年 6 月求治，自述发病半年多，每日清晨开始，两目红赤，视物模糊，中午后，眼睛红赤全退，视物亦清，逐日如此，不稍变化。经眼科检查为慢性结膜炎，用药无效，延请中医治疗，亦未有验。诊脉略沉，舌淡苔白，无他症状可据，自诉以前每服一种药时，均出现胃纳不佳，心下胀满，头目晕眩。查阅以前服过之药，多是龙胆泻肝、荆芥、防风、桑菊、冬地、玄参之类。因思上午为阳气用事之时，病发于此时，非阳盛即阳虚，根据现在脉象及过去用药表现，乃阳虚之象，遂投以真武汤加细辛以辛温回阳，2剂后，上午目赤出乎意料霍然痊愈，随访4年未发。

2. 上午头痛　1964年遇一10岁男孩，2年多来，每日上午头痛，开始时作时止，渐至持续而痛，某院诊为"神经性头痛"，用过二丑、大黄及补中益气汤、六味地黄汤等方剂，未愈。初诊脉象稍沉，舌淡苔润，虽然头痛，但不剧烈，只是隐隐作痛，过午则痛全止。分析证候舌脉，显皆阳虚，遂予附子理中丸6粒，每日1粒，并嘱忌食生冷，服2粒后，头痛倏然而止，余药以2日1粒分服，完全治愈。

3. 上午热重　1962年5月，一3岁男孩十余日来，连续高热，颈项强直，手足抽搐；经西医治疗，抽搐稍止，但高热不退，诊脉急数，舌红苔黄，热象虽重，神识尚清。细察病情，上午则躁扰不宁，过午却安静，体温上午40℃以上，午后下降为38℃左右，汗出身热，口渴能饮，颈项仍不柔和，诊为阳盛热极。以大剂白虎汤合羚羊钩藤汤，日夜连服后，诸症明显减轻，续服6剂，热退身安。

4. 胎动不安，午后症剧　1973年10月，一霍姓妇女，妊娠4个月，胎动不安，曾多次服保胎诸方总不见效，诊脉沉紧，舌淡苔白，面㿠无华，胃纳甚差，每到午后即腹部饱闷胀满，难于忍受，胎动也随之增剧，虽少食或不食，亦不减轻。根据脉证分析，午后系阳气衰微，运化迟滞，胎元不得温养，致胎动不安，处方以附子理中加当归、川芎等，2剂后，下午胀缓，胎亦稍安，阳衰未复，仍稍有发作，遂继服10剂，下午满痛全消，元阳既振，胎气遂稳，至期安全而产。

5. 夜间崩漏　一樊姓妇女，连续3年经来淋漓不断，十多日始止，1971年10月25日突然大量出血，经用西药止血、输液、中药归脾汤、补中益气汤等方投之，27日夜间急诊，脉大弦急，舌红少苔，夜间大量出血，胃胀呕恶，自觉两足冰冷。分析症脉，为阴盛阳衰；病既属寒，夜间又值阴时，两阴肆虐，阳气孤微，故崩漏大作。遂以附子理中汤加当归、白芍、龙骨、牡蛎以收敛回阳。服药后约20分钟，流血即止，头晕亦减，连服15剂后，数年来之崩漏痊愈，10年后随访，病未复发。

6. 夜间发热　一男青年赵某，患病1年，体倦神疲，日见瘦削，每到夜晚即骨蒸潮热，睡则汗出，尤其手足心热甚，竟至不能安睡，常以凉水沾濡以图清快，口燥咽干，头目眩晕，气短心悸，渴不欲饮，饥不能食，以致辍学。医院诊为神经衰弱，治而未效。诊脉细数，舌红苔薄，分析时证，夜间热甚为阴液亏耗，虚热内生，以四物汤加玄参、麦冬、牡丹皮、地骨皮，连服4剂，热不退，汗不减。细思此证，阴虚发热，何以滋润无效？恐未顾及中土运化，改服香砂六君子汤，发热反更增，因忆前人治虚之法，常须脾肾两顾，改用张锡纯之资生汤，重用玄参、生地黄，以治阴虚劳热，白术、山药、鸡内金以调理脾胃，既可扶持脾胃之虚，又可奏壮水制火之效，2 剂后饮食显增，汗、热亦减。继服 15 剂，夜间烦热悉除，精神转健，将息月余，痊愈复学。

7. 子夜失眠　田某系中年男子，1979 年 3 月间失眠二十余日，经用西药镇静安眠，中药健胃养心等法治疗未效。诊脉两关弦劲、舌淡苔薄，发病特点为白天心胸不舒，烦满呕逆，每到夜间子时以后，突然心下逆气上冲，翻搅难忍，不能安睡，必须起立活动行走，至 4 时左右，逐渐缓和，日日如此，不稍变异。动则病缓，静则病甚。谛思良久，两关脉盛，乃肝胃之病；动则病缓，静则病甚，乃气血流通行滞有异之故，夜间子丑之时，阴极阳生，子丑为肝胆主气之时，从脉象、症状、时间合斟，投以温胆汤合旋覆代赭石汤，重加赭石、白芍以平镇敛降，少加附予以促经气流通，服 1 剂后，夜间发病，稍能忍耐，又服 3 剂，心下冲逆停止，能一夜安睡而愈。

《内经》云："平旦至日中，天之阳，阳中之阳也，"上午为阳气用事之时，所发之病，非阳气之太过，即阳气之不及，太过者，如上午之热重，阳气盛而热也；不及者，如上午之眼红头痛、阳气虚而寒也。又云"合夜至鸡鸣，天之阴，阴中之阴也，"此时发病，非阴气之太过，即阴气之不及。太过者，如夜间崩漏、阴气盛而寒也，不及者，如夜间发热、阴气虚而热也。心下冲逆，按时病发，以致不能安睡，乃肝胆之不和。一年之中，寒暑变迁影响于人明显易识，而一日之变化，颇多忽视。祖国医典早有明训，人多习而不察，本文所举 7 例，皆合于日生物钟的变化规律，按中医理论治疗取得较好效果，时间医学实值得进一步探讨。

治病求本话升降　　|裴一民|

生命在于运动，运动的形式，《内经》概括为"升降出入"。所谓升降出入，无器不有，而贵常守，反常则灾害至矣。生命的新陈代谢，生生化化，就在于不断的升清降浊，吐故纳新，即所谓常守，反常则病变生。医学的目的与效用，就在于能转其变而复其常。但升降出入，错综复杂，难以穷极，及其反常，更有气血阴阳表里寒热虚实之分，辨别尤难，姑举临床运用数则，以明其用。

1952 年夏，一康姓老翁来诊，大便通而不畅，色黄质软，无脓血，但粪便形细而扁，登厕费时努责，甚为苦恼，此外无他疾，形色脉舌一般，因思肺与大肠相表里，肺藏魄，肛门亦称魄门，便通而不畅，是肺气不降、大肠失传所致，所谓气秘也，应以通降肺气为治。处方：杏仁9g、陈皮3g、枳实4.5g、甘草3g。方以杏仁降肺气，陈皮、枳实利气导下，甘草缓挛急和诸药。服药2剂而愈。

1956年春，同乡赵某之子，发热数日不退，某以外感治之不应。患者年20岁左右，察伊面黄肌瘦，神情疲惫，声低息短。若属外感，当此年纪，应见息粗声高，面赤气壮，何至委顿若此？故发热不退应是中气下陷，浮阳不敛，即东垣所谓之内伤证。遂与补中益气汤。又忆及前人有云，补中益气汤温补升提，阳虚、阴虚、血虚者慎用，惟气虚者是其的对，因加杭白芍、牡蛎各9g以潜镇之，服药2剂，热退而愈。

1960年春，一张姓老翁来诊云：小便点滴困难，经某医院诊断为前列腺肥大，须手术治疗。心惧之，想服中药试试。老翁微驼，语声低弱，脉濡舌淡，苔薄腻，色脉合参，应是中气不足，下焦壅滞，以致排尿困难，法当升提以开之，予补中益气汤加炮姜3g、车前子9g、琥珀粉3g（分2次冲服），连服数剂而愈。嗣后二三年间，每年春、秋易犯，犯则予原方而愈。盖升降之机，在于中焦，中气不足，春季少阳当升不升，故病作。遇秋行降令，而降甚致壅故亦病作也。

1978年秋，拳师张某有一河南老乡，患中风不语，正住某医院观察室，请往观之。见患者依被而坐，不言不动，形体丰硕，油垢满面，炎炎正赤，一派气升、痰升、火升之象，显系浊阴壅滞，上逆清窍；所谓脑满肠肥，昏愦者也。查其脉洪大，舌苔黄腻，应是闭证，闭则宜开，上病下取，法当寒凉润降以开之，予《千金方》生地大黄汤方：干地黄60g、生大黄6g（后下），水煎顿服。药后下泥样黑便许多，异日即能言，嗣知该患者存活数年而终。本方寒凉润降，《千金方》原用以治血热妄行，吐血、衄血等症。地黄凉血；大黄下瘀血，破癥瘕积聚，留饮宿食，荡涤肠胃，推陈致新。二药所主，与本证相合。本方是下法中之另一格，泻热而兼益肾水，治热淫所胜，血痹壅滞，冲激上逆的血管疾患，随症加减运用确有良效。

1982年秋，一韩姓老妪因尿闭邀诊，知老人素患哕疾，今又增尿闭，日用导尿管导尿，痛苦不堪。《伤寒论》第232条有谓："若不尿，腹满加哕者不治。"《金匮要略》有谓："哕而腹满，视其前后，知何部不利，利之则愈"。吴鞠通谓：连声哕者谓中焦，声断续、时微时甚者属下焦，为下焦冲虚之哕。总之二者都是冲气上逆，肺气不得顺降所致，又王冰在《素问》"升降出入，无器不有"句下注云：空管溉满，捻上悬之，水固不泄，为无升气而不能降也。

尖口小瓶，顿溉不入，为气不出而不能入也。由是观之，无升则不降，无降则不升，无出则不入，无入则不出。哕而尿闭，正是升降出入失节之故，调其升降，疏展气机，则哕与不尿，当可两除。朱丹溪有言：二陈汤加升麻，能使大便润而小便长，师其义处方为：半夏9g、茯苓9g、陈皮3g、甘草3g、升麻3g、滑石9g、二丑6g。给药2剂，尿通哕止。

方用半夏下气降逆，茯苓甘淡，主胸胁逆气而利小便。陈皮苦辛气温，濒湖谓曰：用补药则补，用泻药则泻，用升药则升，用降药则降，但随所配，而补泻升降也。甘草和诸药缓挛急。升麻升清阳。至滑石一味，滑可去著，甘淡入胃，上输于肺，下通膀胱，肺为水之上源，膀胱司津液。滑石上升发表，下利水道，外开里亦开。上通下亦通。二丑峻下通便。升麻一味，微升其气，协群降药促成启上而通下之功。昔有治尿闭而用吐法者，同此理。盖吐则气上提，上口开，下口亦通故也。

古人说："天生蒸民，有物有则"。又说："物有本末，事有终始，知所先后，则近道矣"。"道"和"则"就是宇宙间事物存在和发展的客观规律。《内经》则明确指出：生命就是不断地、有节律地升降出入运动着的物质。然万事繁复，其理幽深，难以穷极，倘能穷理尽性，阐明究竟，直可揭开生命的奥秘，岂独治病而已。

"通因通用"浅话 　尹锡泰

"通因通用"语出《素问·至真要大论篇》，乃从治法之一。原指"甚者从之"，即病情严重、证候复杂之时，方可运用此理此法。愚意临床所见"通因"而"通用"者殊多，大可不必囿于原义，致使精理妙法置之不用。

"通因"以言证情表现，"通用"以明治疗方法。寥寥四字，言简而旨赅，文约而旨精，充分体现了中医辨证论治的特色，也反映了治病求本的基本要求和方法多样的灵活性。"通因"的证候都表现在人体之孔窍，上为眼鼻口，下为前后二阴，外为汗孔。"通用"的治疗方法，则并非完全专一于孔窍之治。或从上从表以宣其气，或从下从里以攻其积，总在用通法以去其致病之由为要务。这种立足病机，从整体着眼，采取因势利导，最后达到开门祛邪的目的，应该说是中医学的精华之一。

眼泪与鼻涕：麻疹将出未出之际，涕泪交流，或青少年时期眼睛迎风流泪，或一般人外感初起，鼻流清涕，是风邪外袭，气失布化，孔窍受扰，约束无权所致。上述诸症，治法细节虽各有特异，但辛散通泄，展气化以宣孔窍，祛风邪以止涕泪则是一致的。药如桔梗、牛蒡子、荆芥、防风、薄荷、麻黄之属。

口吐厚浊涎沫：为脾瘅病。乃湿热气聚于中，盈满而泛溢于上。一般用佩兰、藿香、石菖蒲、苍术、紫苏叶之类，芳化辛开以化湿浊。亦是通法之一格。

邪扰自汗：风寒客表。症见恶寒发热，汗出，头身疼痛，脉象浮缓，用桂枝汤以调和营卫，使毛脉合精，表证解而汗自止。再如表虚邪扰汗出，用玉屏风散，取防风以解表，配黄芪以实卫固表，白术化谷精以充卫气，意同桂枝汤啜热粥法。以上二法为扶正祛邪之复法。

泻痢：《伤寒论》"少阴病，自利清水，色纯青……"。后世所谓的"热结旁流"证，用大承气汤。泄泻症见粪色黄、气臭、质糜黏秽、肛门灼热，病属湿热挟滞，内阻胃肠。泻乃邪之出路，用消积导滞、清化湿热法，取枳实导滞汤。其中小承气汤，正以通下为用。痢疾初起，腹痛阵阵，里急后重，便下赤白黏冻，用芍药汤，取槟榔、枳壳、大黄并当归之滑润以行气降泄，通下湿热积滞。

小便：膀胱湿热气聚。症见小便艰涩灼热，或挟有沙石，尿急，尿频，治用清热利湿，寒滑去浊，取八正散。此为水道通法之一格。

遗精带浊：亦有属于湿热结滞下焦者。用泄湿热法，如龙胆泻肝汤。从寒化者用萆薢分清饮。王应震有言："遗泄勿收涩"。即为此病机而鸣起的警钟。

崩漏或妇女经行不畅，挟有瘀块，少腹疼痛胀急，多用活血逐瘀法。药如桃仁、红花、牡丹皮、焦山楂、牛膝，大黄等加于所选方中。

通因通用，表现繁多，用法各异。如何掌握其基本规律呢？我以为应着重注意以下几个问题：其一是上焦清窍之所以"通"，病因重在一个风字。因为伤于风者上先受之。其二是下焦浊寒之所以通，病因重在一个湿字。因为伤于湿者下先受之。其三是无论在上在下，须别其属寒属热，在气在血，挟食挟瘀，各有见症。治风宜辛散，治湿宜清化或渗利，挟食宜消导，血分必活之、逐之。总之通以祛其邪，邪祛则病自止。

因"世"制宜话通补 姚树锦

笔者以往崇尚东垣学术，重视补中益气之法。近年来却动辄枳实、大黄、龙胆草、半夏，而疗效较之往昔，亦有过之而无不及。

回首窃思，确非有意弃东垣而效子和，欲以攻下派自诩，实乃时世不同，使余不得不改弦更张。简言之,因"世"制宜而然。

欣逢盛世,国富民殷。人民生活水平迅速提高,饮食成分显著改变。肉蛋乳酪日见增加,粗粮野菜无人问津。饮食习惯的变化已经导致病证类型发生改变,为医者自不能充耳不闻,熟视无睹,胶柱鼓瑟,作茧自缚。

近年来,恣食厚味所致的食滞中阻、郁热内伏、痰浊壅塞,比比皆是。由于气机升降受阻,常见胆胃不降之口苦、呕恶,中焦壅滞之胀满痞痛,腑气不通之烦扰便结等症。此与现代医学之胆胃疾病关系密切。

六腑以降为和,以通为补。上述病症之治自宜通降。以泻促降,以降达升,清升浊降,六腑自和。

通降之法,有辛开苦降、通里攻下、消痞散结、导滞涤痰、利胆疏肝、理气解郁、活血化瘀之异,临床若运用得当,自可事半功倍。笔者因"世"制宜,本通补治腑之法,与西安国药厂合作研制成胆胃通降片。经临床 320 例验证,对胆胃等消化系疾病总有效率达 99.6%。该药已通过技术鉴定,投放市场。临床效果证明了通补治腑之法于今世的确具有旺盛的生命力。

漫谈因势利导 |张正昭|

中医治病,立足于整体,主张因势利导。然而,究竟怎样才是"因势利导",如何才能正确地掌握和运用这一方法,却未必人皆明晓。尝见有治食伤者,虽病人温温欲吐,却不思"因而越之"。反拘于"中满者泻之于内",孜孜于降逆消导;治疗水气,不论有无表证,也一概采用利水之法。即使认为有"开鬼门"之证,需采用发表法,也往往非加几味沉降利渗之药不可;治疗表证发热,亦动辄使用灯心草、竹叶、石膏、金银花、连翘之类。这种从主观愿望出发,希冀药力使病邪按照医者的意志外达的治疗方法,并非因势利导,而是强攻硬夺。即使最终治好了病,也必给正气造成一定的挫伤;还有一些人,不是把《内经》中"其高者""其下者""其在皮者"看作是机体抗病的趋势所向,而是片面地理解为"病位"的高下深浅,往往以解剖病位之所在,决定"越之""竭之""发之"之治,并说这是"就近祛邪"。殊不知中医之所谓"病位",多非指真正的解剖部位,特别是在外感病中,所谓表、里、半表半里之概念,完全是指机体当时对病邪的抵抗趋向和病理状态而言,非邪气当真在表或当真在里。况且,即使在杂病中,某一脏腑病位上的病变,在不同病体和不同阶段所反映出的病理趋势也不尽相同,甚至完全相反。譬如宿食,虽其病皆在胃肠，但有的却温温欲吐，其势向上；有的则腹泻肠鸣，势欲向下。这说明病位所在并不一定与病势所向相一致。且所谓"势"者，趋势也，病位并无什么"势"可言。可见，因势利导并非以解剖病位为依据，而是以其时的病势为出发点，应根据机体当时的反应状态和正气抗邪的自然趋势，来选择扶助利导的治疗方法。譬如表证，脉浮是气血趋向于表，发热是卫阳亢盛于外，表明正气此时有向上向外逐邪之势，故其治就应选择作用所向与正气抗病趋势相一致的药物。这就是解表剂皆宜辛散之品的道理。反之，若见发热，即投一派寒凉沉降之物，则必逆正气之势，不但于愈病无功，还将使正气受挫。因而《伤寒论》中屡屡告诫"外证未解，不可下之"。正因为脉浮发热之"表证"是正气抗邪于外的表现，所以仲景不但于太阳病脉浮者用桂枝汤，而且于阳明病中，只要还存在一分表证，亦必用麻黄、桂枝，而对其温热之性在所不忌。这是因为其性之温热虽于里热有碍，而其辛散之功却可使邪热向外透达，相反而可以相成也。后世于温热病之表证，创银翘散，变辛温为辛凉，是对解表剂的发展和完善。

正气驱邪之势，随着不同的疾病、不同的病情发展时期和不同的机体反应状态，有着不同的表现形式，故"利导"之法，亦须随"势"应变。譬如，宿食酒积于胃，欲吐者，则吐之，欲利者，则下之；水气痰饮之病，有外出之势者，则散之越之，有下夺之势者，则利之泻之。究以何法为宜，总要以其势之所向为根据，决不可凭医者之主观愿望，强攻硬夺。对此，仲景之书堪称典范，学者可于其中细细揣摩，研习效法。

谈宣肺与肃肺二法 ｜张太康｜

宣肺与肃肺二法，可调畅肺气，相辅为用，但须严格区别，不能混淆乱施。宣肺法是用具有辛散宣发、开泄肺气的药物，宣发肺气，促使卫气充肤温肉以卫其外，熏肤泽毛以散其邪。如麻黄、荆芥、紫苏叶、桑叶、牛蒡子、桔梗之类。多用于表邪郁闭之肺卫不宣之证。

肃肺法是用具有清肃下降肺气作用的药物，促使肺中津气下行而行肃降之权；或取降泄下行以祛痰下气，调畅气机升降之枢。如桑白皮、紫苏子、莱菔子、葶苈子、枇杷叶、杏仁、厚朴之类。此法多用于肺失清肃、气逆于上之证。

宣肺与肃肺之法各有不同的功能和适用范围。例如同一咳嗽，若初病风邪束肺，卫气被遏，肺气不宣，则忌过早施用肃肺降泄之法，若投之则咳嗽不能速愈，反能恋邪，或引邪入里为害。若病久咳，肺失清肃，或痰浊内阻，肺气壅塞，清肃之令不行，又忌用宣肺之法，误投则气逆痰浊不降，反耗伤肺气，咳嗽必甚。由此可见，宣肺与肃肺二法是针对两种不同的病机而运用，切不可混而乱用。二者又是相辅相成的。宣能促降，降能助宣，宣肃相济，肺气得畅。假若宣发不能，则肃降失司；肃降受挫，则宣发无权。故二者有因果关系。在临床中宣肺与肃肺常须配合应用。例如外邪束肺，肺卫失宣，内有痰浊阻滞之证。初起表证为重，则宜宣肺为主，少佐肃肺。如麻黄汤中的麻黄、桂枝佐以杏仁，杏苏散中紫苏叶、前胡、桔梗佐以杏仁、枳壳；若因痰浊壅肺，肃降无权，肺气上逆，宣发不能，则应以肃肺为主，兼以宣肺。如定喘汤中，紫苏子、杏仁、半夏、桑白皮佐以麻黄。总之宣肺与肃肺二法之运用，首当辨清病机，分别主次，配合恰当，方能使肺气调畅。

运脾法治重症　　孙继芬

　　吐食与便闭是消化道疾患常见的两个症状。升降失调，浊阴不降又是吐食与便闭的主要病机之一。两者发病又多与脾失健运有关。据此理，余用运脾法治疗吐乳与便闭患儿各1例，尽管证候危急，但常法治重症，却收到满意效果。

　　1968年和1971年曾遇2例不常见的病例。1例为出生1周的婴儿，患吐乳症。其母诉说，小孩吃乳时吐得特别严重，吮乳即吐，吐尽方休，吐时腹部起伏凸陷，随呕吐动作而起落。赴儿童医院，检查诊断为"幽门肥大症"，建议手术治疗，全家为此焦虑不安，急求余施以良法。余细视该儿虽有吐乳之疾，但观其舌质淡，舌苔薄白；切其腹平软无紧张感，无停食内滞之征象，寻思良久，此脾虚也。应从运脾入手，脾运一行，吐逆当止。遂投异功散汤剂浓煎，用4层纱布过滤后缓频呷之。1日1剂，1次约5ml。服药3剂，呕吐大减。6剂，呕吐停止。后随访，未再复发。小儿吐乳，有虚实之别，实证多见，而虚证亦颇不少。同为健脾助运，法不一也。另1例为13岁童子，患大便闭结。初发时，大便半月行1次，3岁发病，今已10年。发病初期大便后诸症缓解，尚能进食，继之进食越来越少，以致呕吐，腹胀如鼓，痛苦难言。由于僻居山区，患儿除服中西泻药以外，未作其他检查。余诊时，诉说已13日未解大便。见病儿大头细颈，腹胀如鼓，青筋暴露，身体瘦小如四五岁幼儿，面色少华。察其舌，质淡而苔白滑；切其脉却弱而无力。建议其作钡灌肠、X线检查，报告为"乙状结肠变形，整个乙状结肠呈大口袋状，肠壁极薄"。诊断巨结肠症。脉症合参，舍症从脉，仍为脾虚不运。放胆投六君子汤以治。药用：党参 15g、白术 10g、茯苓 15g、炙甘草 10g、陈皮 10g、半夏 6g。6 剂，连服 6 天。并嘱其无论有无便意，须每日定时赴厕。6 剂尽，大便较爽，原方继服 6 剂，大便如常。停药后，亦未复发。经曰：勿实实，勿虚虚。常法治重症，此之谓也。随访 3 年未复发，身高体重发育正常。

轻法治重病 |邓占元|

病有轻重，治有缓急，方有大小，剂有奇偶。而"轻"是治病的基本法则之一。人所患疾病，如同桌面上的尘土，有薄厚之分、新久之别，然只要施法正确，常可以极轻微之羽毛掸之去净；如用大扫帚清扫，则不惟尘土难净，且会或多或少地留下痕迹。故选方用药时，当以轻薄、淡浮之品为要，药量也应以轻小为宜。此既可去病，又不伤损正气。如法用之，常起沉疴。

曾治一李姓妇人，患外阴白斑数年，阴痒难忍，伴咳呛不愈，时作时止，以轻宣肺气为治。用桑叶 10g、杏仁 10g 煎服，同时外用桑叶 15g、杏仁 15g 煎汤熏洗外阴部。守方不变，坚持治疗数月，顽疾基本痊愈。桑叶入肝能清，走肺经能宣，再加轻宣肺气之杏仁，内服散风热，外用熏洗开腠理，引风热从皮毛而出，则皲裂无存而病愈。

又如治杨某，男。病肠鸣泄泻数年，经久不愈。病标在肠，病本在肺。用炒杏仁宣通肺气，伍通草畅利三焦水道，加配诃子以涩泄固脱。如此配伍，药味虽少，但既可导邪外出，又不损伤正气，且有渐运复苏之功，而无呆滞克伐之弊。数年宿疾而以轻剂收功。

（温启宗等　整理）

补法治痛，痛非不通 |岳中和|

疼痛一症临床多见，以疼痛求治者更多见。有些医生一见痛证便以"通"法治之，此乃拘于"通则不痛，痛则不通"之说。近年吾遇数例剧痛患者，均经前医以"通"法治之，其效不著而来求治。譬如农民马某于 1977 年患臂痛，半年不愈，右侧为重，阵发样发作，历时半小时许，日二三次，每发作则痛不欲生，涕泪皆出。县医院诊为神经痛，中西药杂进均罔效。诊其面色㿠白无泽，舌淡无苔，脉大而革。纳呆、不渴、二便如常。细询之，其痛发作时必揉按始觉舒适，但不能止痛。经言："按之痛者为实，不痛者为虚"。病患所见之症乃血虚偏寒，治宜填补，以复其精血，佐以温药以暖其寒。方用人参养荣汤加鹿角、桑寄生。3剂痛减，原方复进9剂而愈。

由此可见，补法可以治痛，痛者未必均由不通，虚而不养也可为痛。故治痛当辨虚实，当通则通，当补则补，才能万全。不通则痛，有实邪阻滞之气血瘀阻不通而痛，亦有气血不足，不能荣养，亦是一种不通而痛的病机。因此对不通则痛，应从虚实两方面全面理解。

以 吐 治 急　|刘海涵|

吐法是中医治病八法中的一种，简便易行，经济实用，倘能证辨清、法用对，确能立竿见影，起死回生。临床上我每次采用赤盐探吐法，均获卓效。所谓赤盐探吐法，又称烧盐探吐法，适用于位在上焦胸膈、胃脘等部位的痰涎、宿食、食入毒物等症，尤对宿食不消者更佳。其法：将食盐适量（约60g）放置于切菜刀上炒至色呈红褐，用开水3碗（约1500ml）将炒好的食盐淬入水内，调匀扬温，令患者服1碗，服后用一根洁净的鹅毛探喉助吐，不尽者，再服再吐，以吐尽为度。下举验案，以供参考。

1. 暴食停积　患者王姓，女，31岁。1941年农历6月20日，正值中午酷闷炎热，自高粱地捡得秫秸一捆负荷而归。婆婆怜其劳累，早做好凉面条一大碗冰于新汲井水中，该妇回家后，口渴腹饥、心中焦灼燥热，急食冷面条入腹。顷刻间腹痛大作，抱腹滚地，脉微肢厥，冷汗自出，势有顷刻欲绝之候。余询得底里，急以赤盐探吐而安，令其禁食2天，少以稀面汤自养而复。

2. 干霍乱　项氏，女，27岁。1946年夏，因感暑秽之气而发病，欲吐不得，欲泻不能，捶胸顿足，辗转仰俯，摇身嘶嚎，烦冤欲死，绞肠懊侬，心腹刺痛，以致身颤齿叩，四肢抽搐。病势急重，邀余诊治。按其脉伏，肢厥汗冷。诊为干霍乱，急以上方探喉3吐而安，禁食3天，少以稀面汤养胃，继以益胃汤2剂善后。

3. 宿食停滞　王某，男，52岁，农民。1946年冬，鳏居无依，傍晚不炊，强食剩面条两碗，内有多量棉籽丸子（即旧社会贫民断炊少粮以棉花种子捣碎和以萝卜做成面丸子充饥代粮）。至午夜时分，腹痛大作，脘闷刺痛，膜胀欲死，吐泻不得，反复滚翻于床上，余仍用盐汤探吐而安。禁食 2 天，少以稀粥养胃，继以香砂平胃散 1 剂而愈。

按：赤盐探吐法，全赖其味极咸，饮之入胃，激而涌越，吐出病邪。《成方切用》云："咸能下气，过咸则引涎水聚于膈上，涌吐以泄之也。咸能润下软坚，能破积聚，又能宣涌，使不化之食物从上而出，则塞者通矣。"咸入肾、能润下软坚，此乃食盐性味之常，但任何事物都有其两面性，通常情况下，食盐以其味咸、下行入肾，而在变常情况下，它又能涌越上走。盐汤探吐，正是取食盐激越变常之性，以为临床效用。

食盐药性平和，药源广泛，方法简便，易行易用，且功效可靠，正像《医方集解》所谓："方极简易而有回生之功"，不可忽视。尤其在地处边远农村、山野之际，更不失为捷效良方。

食滞胃脘，膜胀欲绝，有形之积不去，则病难愈复。要去谷道积滞，惟上下两端，若从下去，则因积滞在上，下行要经过多个曲折回环，更因谷道挛急，就难达目的，且有使病情加重之危机，因而只有从上去邪之一途，也就是病在上因而越之法。从上述 3 案例看，均获佳效，更说明此法用吐与病机正合，取极咸涌越之盐汤顿饮，更以鹅翎探喉助吐，使积滞除正气复，法简效捷，经济实用，不失为救急之良方。有志趣于此者，不妨一试。

肾阴虚感寒证 | 鲁开基 |

肾虚感寒，有阴虚、阳虚之分，肾阳虚感寒证临证多见，而肾阴虚感寒证则较少。

肾阴虚感寒，乃肾水亏竭。表现为夜热昼寒。若认作阳证治之，则口渴而热益炽，必致削尽阴水，吐痰如絮，咳嗽不已，声哑声嘶，变成痨瘵病证。法当峻补其阴，则阴水足而火焰自消矣。拟方金水汤：大熟地黄 40g、山茱萸18g、麦冬 20g（去心）、五味子 10g、黑玄参 15g、地骨皮 15g、牡丹皮 10g、北沙参 30g、芡实米 20g、车前子 6g、霜桑叶 6g。加水 1000ml，煎至 550ml，分 2次口服。忌食油腻辛燥之物 2 周。

此方多用纯阴之品，径进肾宫，滋其匮乏；玄参、地骨皮、沙参、牡丹皮，清其髓中之虚热，自然使阴长阳消，不治阳而自安也，此治阴火自动之良方矣。

1951 年春，临城镇镇长高维祥，男，年 46 岁，于 3 个月前因外出工作，感受寒邪，发热 38.5℃，伴有咳嗽频频，经过治疗，热退，少感胸部隐痛，夜间盗汗，经某医院初诊为浸润型肺结核，对症治疗1个月，病状不减，后拍片检查，排除结核病，给予抗炎药物，连续40多天仍未愈，本人思想压力很重，体重下降，失眠，头晕，食欲不振，呈现干咳频频。邀我治疗，诊其脉虚大无力，左尺脉虚弦少长，根据临床经验诊为，肾虚感寒证，投上方3剂水煎服，服药后全身舒适，咳嗽大减，饮食调理而愈。

入 睡 吹 气 ｜王廉生｜

一姓陈男性，29岁，搬运工，体壮实，患入睡吹气，即呼出之气不出鼻窍，经口吹出，夜静尤著，影响同舍他人，皆厌之。2年来患者四处求治，既无效果，又无病名诊断，甚痛苦。1978年夏月延余诊治。其症状不多，脉舌无著变，同样下不了病名诊断。根据中医理论思之，《灵枢·脉度》篇说："肺气通于鼻"，所以肺呼出的浊气通过肺窍——鼻，方为顺，今呼气通过脾窍——口，由口吹出，说明病变部位不仅在肺，也涉及脾胃。病机属肺气宣达不足，中气升过于降，使呼出之气不走鼻窍而出于口。给以紫苏叶10g、桔梗10g、葱白1段、杏仁9g、党参10g、枳壳10g、石菖蒲9g、旋覆花9g、生赭石15g（打细）、半夏9g、沉香2g。水煎服，旨在斡旋枢机，通达肺气，调理中气。3剂后显效，吹气减轻，时吹时止，守方稍有加减，共进12剂病愈。随访1年仍为正常。由此悟出，只有认真学习中医理论，才能解决临证中的难证。

治 咳 四 法 ｜史 纪 周世印｜

咳喘一证，涉及范围广泛，类型繁多，可损伤多个脏器，且易复发，常迁延缠绵，故素为医家所关注，述其治疗，古今何止千方百法。

先师郑颉云老医师，治疗咳喘证，则执宣、清、补、固四法为要，临床应用，随证变通，纲举目张，屡获良效。

宣法，即宣发肺气、驱除外邪之法，临床多用于新感初起之证，风寒外束，腠理壅遏，致肺气郁阻，须宣肺解表，汗而越之，使邪从表解。常用宣消散（自拟方：薄荷、荆芥穗、杏仁、麻黄、焦三仙、紫苏叶、番泻叶），温肺定喘汤（自拟方：干姜、细辛、杏仁、紫苏叶、麻黄、五味子、薄荷）；若外感风热或风寒郁而化热，应辛凉宣透，其热重咳喘轻者，用桑菊饮加减；咳喘重热轻者，用麻杏石甘汤加全瓜蒌、贝母等。

清法，其重点在清泻肺胃大肠之实热。肺经郁热，痰涎壅阻，咳喘频作，用清热平喘汤（自拟方：生石膏、杏仁、麻黄、甘草、松萝茶、大枣）；热毒内攻，脓浊阻肺，咳吐脓血，用千金苇茎汤；阳明腑实，大肠不通，顺经上干于肺，发作咳喘，用牛黄散（自拟方：大黄、牵牛子）；若因跌仆损伤，或小儿因啼哭暴怒，伤及血络，气滞血瘀，肺气阻滞而致咳喘者，用活血理气汤（自拟方：胡桃仁、三棱、莪术）治之。运用清法时，依证候变化的特点，亦可兼用他法。与宣法同用，组成宣清之剂；与下法同用，组成清下之剂；临床应随症变通。

补法，有补阳、补阴、补气之不同。寒邪袭肺，气逆不降，宜温肺降逆，小青龙汤主之。重用干姜温阳散寒，脾得温而运，使之散精上归于肺，肺能肃降，通调水道，下输膀胱，水液在体内运行无阻，不使停蓄，此为温脾肺而从其本。咳喘属阴虚者，多为肺、肝、肾三脏津伤液乏所致。每两脏相兼而病，虚损劳瘵，伤及肺肾，当滋阴润肺，止咳定喘，方用滋补定喘汤（自拟方：生晒参、麦冬、五味子、沙参、枸杞子、熟地黄）。若热病后期，或风燥伤肺、肺津被灼，用清燥润肺法，沙参麦门冬汤、清燥救肺汤等随证应用。咳喘气虚证，应调补脾肺两脏，尤重补脾，培土生金，常用四君子汤、参苓白术散等。久病气虚，阴损及阳者用人参蛤蚧散。气阴相关，气虚易伤阴，阴虚易耗气，终致气阴两虚，治宜滋补气阴，方选生脉散。

固法，用于久病无表邪者，寓敛肺和固肾之意。久病不已，肺气不固，宜敛肺止咳，方用九仙散，取养中有敛。若元气不足，肾气不固，应滋阴补肾，佐以酸涩固本，方用都气丸或麦味地黄丸。或用固本定喘汤（自拟方：白果、细辛、龟版胶，五味子、干姜）。若见真阳亏损之候，常配以紫河车粉服用。

宣、清、补、固四法是郑老医师临床治疗咳喘证的主要法则，临床运用应重证、重理，用药守此四法并加以变通，不可拘泥一端。

慢性咳喘，"痰"为关键 　　|孟琳升|

慢性咳喘根治颇难，西医慢性气管炎多属此范畴。据笔者对 68 例进行观察，病位以肺、脾、肾为重点。病性虽有痰、饮、虚、实、燥、热、寒等，但以"痰"为重要环节。其病机分证，计为痰浊内聚壅遏肺气、痰热伏肺宣肃被遏、阴虚肺燥痰浊留恋、气阴两亏肺肾同病，肾虚失纳浊痰上扰五大类，临床见症，独现痰证、饮证者有之，兼挟为患者有之。笔者所观察 68 例 158 诊次中，纯痰者 11 诊次，余均兼挟，尤以阴虚肺燥痰浊留连为多，计 70 例次，约占总数 45%。为此笔者常于辨证基础上，加选海浮石、海蛤壳粉、葶苈子等祛痰药物。

慢性咳喘，特别是慢性气管炎，属单纯气虚者不多，而"痰浊""痰热"壅阻肺气者较多见，对此祛除痰浊后，一些所谓"气虚"表现也随之消失。据此可以看出，在咳喘属气虚型时，不排除应用参、芪；但必须是痰浊不多、胸满不甚者，方可予之。实践证明，大剂参、芪如应用于痰多胸满之证可致排痰不利、呼吸困难加剧。相反，运用葶苈子等祛痰药物，不但有利于排痰，保持气道通畅，而且能使呼吸困难得以缓解。

标本兼顾治咳喘　　|姚树锦|

咳喘是呼吸系疾病的显著特征。经久不愈的咳喘向来是医者棘手的难症之一。治疗咳喘的方药虽层出不穷，但鲜有令人满意者。

慢性咳嗽多属虚寒，常表现出肺失宣降、脾失健运、肾失固摄等病机。治当扶正祛邪，标本兼顾，温寒补虚。

吾与西安自力中药厂合作，在祖传咳喘丸的基础上研制成"固本咳喘丸"，经 330 例患者临床验证，该药解除症状快，有效率达 92.7%，近远期疗效皆好。通过鉴定时，专家一致认为，该药已达国内先进水平。

该药主要以人参、五味子、川贝母、白芥子、辽细辛等组成，因此具有助肺益气、健脾化痰、补肾固摄、温寒补虚的作用。故能扶正祛邪、标本兼顾、蠲咳平喘、强身健体。

实喘之辨证一例　　|王俊奇|

有一患者，喘促气粗，痰声漉漉，咳嗽痰稠，咳痰不爽，胸中窒闷，纳呆，舌苔白腻，脉滑。某医诊之，曰喘证，以麻杏石甘汤加减治之。服数剂，痰由稠变稀，易于咯出，其症减轻，但续用此方而病不愈。余详察之，曰：其诊断无误，而用方谬也。喘有虚实，实喘病势急骤，呼吸深长有余，以呼出为快，气粗声高，脉数有力。虚喘病势缓慢，呼吸短促难续，以深吸为快，动则喘息更甚，气怯声低，脉微弱或浮大无力。该患者属实喘，然实喘亦当辨其因。实喘之中，有风寒袭肺之喘、风热犯肺之喘、痰浊阻肺之喘、气郁伤肺之喘，表现各不相同，治法亦不一致。该患者之喘，属实喘中之痰浊阻肺者。喘促气粗，痰声漉漉，咳嗽痰稠，咳痰不爽，胸中窒闷，皆由痰浊壅阻于肺，气道被阻、肺失肃降所致。纳呆和脾胃有关，脾为生痰之源，痰浊不但壅阻于肺，亦困于脾。苔白腻、脉滑皆为痰浊内蕴的外在表现。故治疗应以三子养亲汤合二陈汤加减，祛痰降气平喘。结果照此用药十余剂而喘平病瘥。观此，治疗喘证，不但要辨虚实，而且还当从虚实之中再细求其病因，从大到小，从粗到细，精益求精，治疗方能丝丝入扣。

哮喘从瘀治　　|王怀义|

笔者宗叶天士"久病入络"说，施治于久病年深、诸常法施治不效，而出现咳逆胸满、胸痛如刺，或经期前后，哮喘严重发作者，以活血化瘀与降气平喘之剂同用，取效甚验。

如患者孟某，女。患过敏性支气管哮喘5个月有余。询其喘作之状，哮发则胸高吸短，甚则咳逆倚息，彻夜难卧，喉有哮鸣，早晚必作；哮止则若常人，查其舌色红赤而暗，苔白而润，脉沉而涩。投以血府逐瘀汤加祛风平喘之品：赤芍10g、桃仁10g、当归10g、红花10g、枳壳10g、柴胡10g、川芎8g、桔梗10g、麻黄10g、荆芥10g、防风10g、紫苏子10g、甘草8g。3剂喘平能卧，月经即潮，继服6剂，至今喘未再作。

又如刘某，男，51岁，气喘心慌，时发时止6年，1周来病情加重。询其病作之时，胸满气短，呼吸困难，喉中有痰哮声，过后又如常人。诊其舌苔厚腻，脉细，西医诊为支气管哮喘，病属肺实肾虚，先予麻杏石甘汤加紫苏子、白果、莱菔子、桑白皮、陈皮、半夏、沙参治之，病无进退，改予血府逐瘀汤加赭石、紫苏子、紫菀治之，间服耳聋左磁丸益肾纳气，3剂后病大减，6剂喘止。追访3年咳喘未作。

窃思王清任血府逐瘀汤主治胸中、血府血瘀之证，肺亦在胸中。例1用麻黄、紫苏子、荆芥等祛风，宣降肺气之药加于血府逐瘀汤中，血活风去，瘀祛气降，喘逆自平。例2久病肺实肾虚，乃化中有补，有升有降，血活气降，而喘息不作，可见降气可以平喘，化瘀亦可平喘，哮喘病久从瘀治，实一法也，不可不知。

过汗水灌致哮喘 | 刘镜如 |

哮喘是一个临床大证，也是一个难治之证，其病因病机不同，治法各异，而分清病因、辨明病机、因人施治，是有效治疗的重要方法。

1975 年夏，到昌邑巡回医疗，遇一青年男子，在麦收劳动后，大汗淋漓，口渴，饮大量生水，仍然热不可耐，为纳凉，跳进池塘沐浴，归后当晚，恶寒高热、咳嗽、气喘，请乡村医生注射青霉素，2 天后热退，但哮喘不止，入夜加重，曾服各种西药病未好，3 个月来靠服氨茶碱缓解症状。

查看病人时见微微作喘，伴有哮鸣，面带倦容，时而轻咳，吐出少量白黏痰，舌苔薄白，脉略数。结合病史，此病系哮喘无疑。

病人年轻体壮，无宿痰，病因劳动后出汗，以冷水激之而发。劳动后，腠理开，大汗出，以冷水洗澡，水寒之气从皮毛入侵，皮毛阻塞，肺气不利，上逆而致喘。《伤寒论》第 75 条说："……以重发汗虚故如此。发汗后饮水多必喘，以水灌之亦喘"。部分注家认为饮水多之喘可用小青龙汤，遂用小青龙汤 3 剂以治。

3 日后病人复诊说："服药后心中微微作悸，哮喘如故"。我反复斟酌，决定采用桂枝加厚朴杏子汤治疗，以辛温解肌，利气定喘。服 3 剂后复诊，病人症状大减，复开 3 剂，服后病愈。

结核病新方 | 董 正 |

结核病是常见的慢性传染病。

解放初因链霉素奇缺，结核病在农村发病率高。为了解除病人的痛苦，先父根据祖国医学"万病皆生于邪"和"万病生于一毒"之说，设想用中医祛邪之法，采用中草药，排除其毒素，增强机体抗病力，以达到治愈本病的目的。于是根据民间马鞭草治肺痨的传说，经过临床反复实践、研究，选用以马鞭草为主，配合其他清热利尿、杀菌排毒的中草药，制定马鞭汤。此方对清除结核病人的中毒症状，改变周身情况有显著效果。实验证明马鞭汤煎剂在小白鼠体内有抗结核菌的作用。

治病要求本。当结核病人中毒症状突出时，应先服用马鞭汤以祛邪治标；待中毒症状缓解后，即应从治本着手。所以，先父又制出滋阴潜阳、补肺益肾的"龟龙丸"以扶正治本，增强机体的抗病能力，促进病灶吸收和钙化（天水中药厂生产的"结核丸"就是依本方配制的）。

马鞭汤的组方：马鞭草9g、茺蔚子9g、白菜根9g、忍冬藤9g、甘草梢6g、连翘9g、紫石英6g、瞿麦9g、蒲公英9g、木通6g、酒大黄6g。每日1剂，煎汤服用。龟龙丸的组成：制龟版90g、制鳖甲60g、生牡蛎60g、生龙骨30g、生地黄30g、熟地黄30g、炙百部90g、天冬30g、麦冬30g、川贝母60g、北沙参60g、阿胶珠30g、紫石英30g、酒大黄15g，共研细末，炼蜜为丸9g重，早晚各服1丸。

嗣后，又在此基础上加减，如马鞭汤加羚羊角3g、蜈蚣3条、全蝎5个，治结核性脑膜炎；加昆布、海藻治淋巴结核；加生鹿角治骨结核；加益智、煨肉豆蔻、炒补骨脂、五味子等治肠结核；加五灵脂、生牡蛎、三七治结核性腹膜炎；加煨芫花、川楝子、延胡索治结核性胸膜炎等，皆获较好效果。

治肺痨应重视培土生金　　|刘继明|

肺痨即西医所说之肺结核。世医一般泥于古训而以滋阴除蒸为治，岂不知肺脾气虚，土不生金者屡见不鲜。曾治一少妇张某，病肺痨6年，经滋补肝肾、清热除蒸中药及抗痨西药治疗，病情时轻时重。1980年因妊娠2个月复又咳痰带血而到省某医院结核科诊治，肺部X线拍片为"空洞型肺结核"，建议终止妊娠，继续抗痨治疗。患者大龄怀孕，不愿流产，但又恐西药影响胎儿发育，遂来求治。病见干咳咯血，低热盗汗，气短懒言，纳呆乏力，大便溏泻，日2或3次，舌淡苔白，脉象濡细。此属脾虚失运，后天亏损之证。治宜益气健脾，培土生金，方用四君子汤加味。党参120g、白术150g、茯苓120g、黄精200g、炒山药300g、生黄芪300g、白及150g、黄芩100g、橘红100g、百部120g、百合120g、甘草30g。诸药共为细面，炼蜜为丸，每丸10g，每日3次，每次1丸，开水送服。共服3个月诸症消失，肺部X线拍片复查，空洞闭合。后足月产一女婴，母女安康。

脾属土，肺属金，在生理上有资生关系，病理上便相互影响。肺痨病虽在肺，但久病则"子盗母气"；脾土为后天之本，失健则"母令子虚"。如此恶性循环，终致肺脾两虚，机体失养，御病能力下降，痨病遂成。在治疗上应从健脾入手，达到培土生金之目的。

悬饮从肝治 |李达祥|

笔者认为悬饮病属于胸胁，正当肝经所经之处，其治不应拘执于水，亦当着眼于肝。故倡用疏肝通络、理气利湿之法。我在山东省沂水医专执教时，本校炊事员张君患结核性胸膜炎住院，胸部透视示右胸腔积液，两次行胸腔穿刺抽液均未成功。增服泼尼松每日40mg，加用链霉素肌肉注射已15天，病情无好转。诊得脉象弦滑，舌苔白厚腻。证属痰饮阻肺，水湿停滞胸胁而成悬饮。由于胸胁部是肝经所过，气行则水行，所以立法用药在健脾燥湿、泻肺逐饮的基础上，配伍疏肝理气通络之品。药用：柴胡12g、苍术9g、枳实9g、郁金9g、葶苈子9g、薏苡仁30g、茯苓30g、瓜蒌15g、王不留行12g、丝瓜络9g。服药1小时后，感到患侧胸胁部有酸胀感，3小时后，患部有舒坦感，闷痛随之减轻，服1剂后食欲增进，大便畅行。嗣后，结合脉象，舌苔变化，略作增减，服药12剂，胸部透视复查示胸水完全消失，迄今未复发。

"饮为阴邪，非温不化""痰饮之病，当以温药和之"。人目此语为金科玉律，实则《金匮要略》治饮诸方中，治热饮者居多，治寒饮者少；攻饮者多，和饮者少。笔者从病变部位辨证着眼，遵气行则水行经旨，重用疏肝理气利湿法，效果比单纯治饮更为理想。

不 寐 一 得 |申生桢|

知识分子之健忘不寐多为劳神过度、暗耗阴精、思欲不遂、肝气郁遏所致，此与血虚失养，心肾不交、余热未清、心胆气虚等所致之不寐自是有别，临床多见夜难入睡、思想纷纭、睡则多梦易醒，次日出现头晕、头痛、精神萎靡、呵欠频频、记忆不佳等证。西医称之为神经衰弱或神经官能症，中医似可名之脏躁不寐。

先师姚兴华老大夫用甘麦大枣汤、四逆散合《千金要方》之孔圣枕中丹加味投之，疗效颇佳。

甘麦大枣汤可润养心神,其治在心;四逆散调畅气机,其治在肝;孔圣枕中丹补肾定志,其治在肾。三方药共 10 味,计有甘草、淮小麦、大枣、柴胡、白芍、枳实、龟版、龙骨、远志、石菖蒲等,先师嫌其力弱,临证常加酸枣仁、菟丝子、茯神、当归、夜交藤等,以增强其补肾养血、安神益智之功。诸药协力,心肝肾兼及,气血阴阳均顾,补而不滞,滋而不腻,使虚得补而郁得疏,心得养而神得安。

先师临床多宗经方,但亦用时方;常善简化经方,但有时亦扩充经方;喜投小方,但有时亦予大方、复方。此证之治,乃先师合用时方,扩充经方,施以复方之例。正可窥先师临证用药之一斑。

不寐本于肝不舍魂　　│王成德│

夫不寐一症,人多责之于心,实则非也。《内经》谓夜卧血归于肝,肝藏血,血舍魂,夜则入寐。若肝血虚,血不舍魂,则难入寐。古方珍珠母丸,正是养血镇肝安魂、治疗不寐症的好方子。

邮电职工常某,有 10 年失眠病史。每夜总以安眠药维持,白昼头目昏沉,苦于无治。余仿珍珠母丸之意处方:太子参 15g、丹参 30g、麦冬 24g、炒酸枣仁 30g、生龙齿 30g、珍珠母 15g、桑椹 30g、白芍 12g、茯苓 15g、炙甘草 3g。名镇肝安魂汤,令其服用。服此 10 剂初见成效,30 剂而痊愈。

余于临床,凡遇不寐之症,总以此方出入化裁,多有良效。

夫昼为阳,目得血而能视;夜为阴,目闭而血归于肝,血舍魂而寐。若目无睡意,夜难入寐者,必肝不藏血也。本方以太子参、丹参、麦冬、桑椹益气养血而柔肝;白芍、酸枣仁敛肝,佐茯苓以安神;珍珠母、生龙齿镇肝安魂。如此,则血得安养,魂有所舍而寐成。

失眠症与归脾汤　　│陆永昌│

失眠一症,有虚实之分,临床见症不同,病机有别,治法各异。失眠在中医书中亦称为"不寐""不眠""不得卧""不得眠",是指经常睡眠时间太少,或睡不沉熟,似睡非睡,乱梦纷纭等。轻者入睡困难,或睡中易醒,或时寐时瘁；重者可彻夜不寐。本病可单独出现，但常与心悸、怔忡、健忘、食少、倦怠等症同时并现。从临床症状看，现代医学中的"神经衰弱"和"贫血"等慢性疾病常以失眠为主要症状。

失眠的原因很多，本文所论，是以归脾汤治疗收效的失眠症，其病机以虚损劳伤心脾，气血两虚为主。如兼肝气郁滞化热，上扰胸胁而症见失眠、多梦、烦躁、疑虑、胸胁满闷等，用归脾汤益气血、养心脾，加郁金、柴胡、香附疏肝理气解郁而除胸胁之胀满，加焦栀子、淡豆豉、生龙齿清热除烦、安心宁神，每收到良好效果。又如病机同属劳伤心脾、气血两虚，但患者年老体弱、阴精暗耗，每当情志不遂，精神受刺激时，则易激动而失眠、惊悸、心烦、体倦等症随之加重。遵前贤张景岳"若思虑劳倦伤心脾，以致气虚精陷而为怔忡惊悸不寐者，宜……归脾汤"之言的启示，当用归脾汤，并加入柴胡、白芍以疏肝柔肝，行气解郁。与上述之用香附、柴胡效用不同。前者是因肝气郁，善疑虑而用香附以散之；后者是因肝阴虚，易躁动故用白芍以柔之。二者之病机同属心脾两虚，但兼证略有不同，故选择用药也稍有差异。药虽一味之别，但各有不同作用。此外，病机亦属心脾两虚，气血不足，但伴有脾肾阳虚，火不生土，症见大便溏泻，食欲不振者，用归脾汤补心脾而益气血，加炮干姜、炒补骨脂以温命火而生脾土。当归改用土炒，取其同气相求，润燥相济，既能收健脾补血之效，又能去其滑肠之性，扬其长而避其短，这是已故名老中医刘惠民老师经验之谈，临床证明效果良好。

引火归原治失眠 | 曲祖贻 |

失眠症以肝阳偏盛、阳亢阴亏者较多见，阳虚沉寒型者则少见。1978年7月在兰州新医药学研究所门诊中遇到本型1例。

患者系兰州市某中学语文女教师。就诊时形衰体弱，面色苍白，精神萎靡，说话无力。因爱人不幸壮年早故，多年含辛茹苦，抚育两女一子，既忙于教学，又累于家务，忧虑成疾，而患失眠。年方五十许，牙齿多脱，嚼食困难，不思饮食，食亦难消。长期以来，胸中烦热，小腹阴凉，舌干苔白，脉象沉缓而弱，两寸尤甚。中西医药多方调治，效果不显。

据脉证分析，此系阳虚沉寒型失眠症。遵业师张锡纯所用引火归原法，回阳以济阴，使水火既济，心肾得交，则烦热可除，阴寒自消，元阳来复，可得安眠矣。处方如下：党参30g、附片6g、生杭白芍6g、山药15g、茯苓9g、佛手6g、高良姜6g、石菖蒲9g、炒酸枣仁6g。前后各煎1杯，早晚温服。

连服 3 剂，烦热、腹凉、失眠诸症均有明显好转。原方去附片，加太子参15g、生鸡内金 3g，再服 4 剂。夜间可以熟睡 5~6 小时。烦热既去，腹凉亦消，食欲及精神显见好转。休养月余，即恢复工作。

上方党参、附子并用，补阳虚以除阴寒；芍药敛阴，可收摄上焦浮阳；山药、茯苓健脾以滋阴；佛手、高良姜芳香暖胃以温下元；用石菖蒲、酸枣仁以安神。复诊去附片易太子参者，因久病多气虚津亏，太子参善补气生津，既解胸中之烦热，与党参合用，又可收全身补益之效。

慢性疾病，水谷之养极关重要，失眠久者，胃肠多弱，精微难收，鸡内金不仅能消食导滞，与佛手、高良姜合用，还可加强脾胃功能，有助营养吸收，且能消除寒积，对于咀嚼困难的年老患者，尤为相宜。

本方使用引火归原法，浮阳可回，阴寒渐除，心肾得交，脾胃通调，阳气既旺，精神自然焕发矣。

治不寐要辨虚实　　｜卢丙辰｜

辨证论治，说起来容易，但非下苦功夫则不易做到。我初为医时，曾遇一崩漏失血后失眠患者，治疗多日，总以为是血虚，用补心丹、归脾汤等养血安神方药治疗无效。后请一老中医会诊，其根据患者头痛心烦，易于激动，口苦溲黄，舌边尖红，脉弦细有力等特点，认为其失眠为肝郁化火所致，投以龙胆泻肝汤而很快取效。此患者之所以取得满意的疗效，完全是根据全身的表现，运用中医基本理论进行辨证论治的结果；而我以实为虚，难怪无效！

不寐证现代多属"神经衰弱"，但"神经衰弱"并不等于中医的"虚弱"，病因不一定只是心血虚、心气虚等，其属实证者亦不鲜见。所以，一遇神经衰弱就益心气、养心阴、补心血或养阴清热，有时恰与病因病机相悖，与辨证论治法则不相符合。笔者曾治一干部陈某某，睡眠易寐易醒，一夜间可辗转十余次，甚则彻夜难眠，白天则头目眩晕，心悸烦躁，胸闷乏力，脘满腹胀，食欲不振。延余诊治时出示前医之方，皆归脾汤、补心丹、柏子养心丸及龙骨、牡蛎之类。诊之，苔白厚腻，脉象滑数，似属脾胃痰湿壅盛，与"胃不和则卧不安"颇相符合，于是仿半夏秫米汤意，给半夏、茯苓、陈皮、神曲、麦芽、胆南星、小米等水煎服之，第 1 剂药即彻夜熟睡，直至天晓。6 剂后自觉精神饱满，失眠已愈。此不安神而神安也，设不辨证论治，可乎？

张景岳曾分不寐为"有邪"与"无邪"两类。他说："寐本乎阴，神其主也。神安则寐，神不安则不寐。其所以不安者，一由邪气之扰，一由营气之不足耳。有邪者多实，无邪者皆虚。"说明不寐证有虚实之分。一般地说，虚证多由阴血不足，重在心脾或肝肾；实证多因食滞、痰浊，重在胃腑，也有因肝火上炎而扰动心神者。心脾肝肾阴血不足，或兼心火亢盛者，治以归脾汤、黄连阿胶汤、天王补心丹自然有效，倘遇实证亦用上方，无异浇油于火。实证之治法，胃气不和者可用半夏秫米汤和胃安神，胃有食滞者可选用保和丸消导积滞，痰热内阻者则须以温胆汤化痰清热，肝胆火炽者又必用龙胆泻肝辈清泻肝胆。总宜详审病因，辨明虚实，法随证转，因证用药，自可收到安神之效。

心 与 胆 通 ｜张殿民｜

　　1978 年 8 月治济南市姚家乡窑头一农妇张某，因于麦场惊雷受恐而发疑虑交集，幻听幻觉，如见神灵之病。时而面壁自笑，时而欠伸泪出，常一二夜彻夜不眠，也无倦意，目两眦满布血丝，目光炯炯有神，两脉细数。以脉测证，诊为惊恐伤肾，心肾不交，水不济火，心火炽盛。用安神定志法兼壮水制火月余而罔效，症状加剧，故建议病者去附近精神病院检查治疗。病家去检查后，复来我处，沉思良久，拟下方：生龙骨、生牡蛎各45g，制半夏9g，朱茯神12g，化橘红9g，炒枳实6g，青竹茹9g，小麦1 把（煮水煎药），甘草9g，大枣6 枚（擘），水煎服。

　　此方开出以后，自忖投方一试，把握甚小。但患者服药后效果显著，2 剂入睡，夜达 5～6 小时，6 剂诸疾平复如常，自理家务。

　　考虑此疾虽属神不守舍，两脉细数，但胆热木炽，安神定志犹如杯水车薪。唐容川有言："心与胆通"。上方意在清胆经之热加甘药以缓肝胆之急。清胆热正所以降心火，缓肝急正所以使血归心。通过此例，始悟唐氏言之不谬。

　　后余每遇此类病症，重者用柴胡龙骨牡蛎汤，轻者辄用温胆之意加重镇缓肝之品，均有良效。如此者，亦证"心与胆通"之理。

克山病病因之认识与厥证治疗 ｜米伯让｜

　　克山病是一种以心肌损害为主的地方病，俗名吐黄水病。关于本病的病因学说，目前已有二十余种之多。但概括言之，主要是传染、中毒、营养缺乏、水土等学说。其中争论的焦点集中在传染学说和水土学说、生物性和非生物性致病因子的问题上。我认为克山病的发病因素不是一个单一的因素，而是一种综合因素所致的疾患。更重要的是决定于患者机体强弱的内在因素而发病的。从中医发病学上看，本病的形成不外是邪正斗争。因此祖国医学有"正气存内，邪不可干，邪之所凑，其气必虚"之说。多年来，我通过治疗实践，并结合祖国医学理论进行探讨分析，提出了该病的本质是由于饮食劳倦，不服水土，以及疫区独特的外因致使中气不足，进而累及心脏的一种地域性的慢性虚衰疾患，属于虚劳内伤病范畴。慢型为虚劳内伤病之续发病，急型为虚劳内伤病突受外因过度刺激所诱发之突变病。从这个认识出发，对潜在型克山病的预防提出了"甘温补中，健脾益气"的治疗法则。以增强人体的适应能力，从而控制本病的发展并抵抗附加因素诱发本病急发。

急型克山病中所见之厥证，在我省可见者皆系寒厥，这可能与当地气候环境有关。对本型病人的治疗，认真贯彻早发现，早诊断、早治疗的原则。及时纠正厥逆是其关键。必须紧抓固护肾气这个原则。因本病临床所见厥证，虽为心气衰竭，实为肾衰竭，因肾为先天之本。心脏虽位居上焦，主宰血液运行，为循环枢纽，其动力实根于肾间动气。中医对本型病人的治疗，首先投以回阳固脱、救逆复脉之剂为主，外用艾灸神阙、足三里等穴以助阳气回升。如遇外观似为热象，实为真寒假热之证，当采取热药冷服、寒因寒用反治之法以达回阳救逆之效。本证由于孤阳上越，肾阳将脱，下寒上热，若遇热饮即抗拒纳入，往往因此畏难停药而失败。改用热药冷服，以掩护辛热之品，直达下焦，发挥其回阳固脱之力，使命火归原，呕吐即止。厥证纠正后，必须注意补养气血，调理脾肾，并要根据病情变化辨证论治。对于伤寒血虚寒厥证，法当温经散寒，养血通脉，益气和胃，平肝降逆。方用当归四逆汤和人参 10.5g、吴茱萸 21g、生姜 30g、白酒 30ml。如 1959 年冬，我在黄龙县治一女性住院患者。症见突感心口难受、恶心欲呕、呼吸困难、四肢厥冷、神气苦楚、面色口唇发绀、舌苔白滑、脉微欲绝。西医诊断为克山病慢型急发，心肌缺氧。病情危重，当时无输氧设备，那时大剂量维生素 C 尚未在临床应用，要求中药治疗。我用当归四逆汤加人参、吴茱萸、生姜各 17.5g、白酒 60ml。服第 1 煎后 2 小时许，观察患者手足温暖，脉复有力，呼吸转平稳，恶心欲呕症状消失。服 2 煎后病已脱险。当时有人惊讶地说："中药当归四逆汤还有这样大的作用?!"对于气虚血瘀寒厥证，法当通窍活血，益气复脉，回阳固脱。方用加味通窍活血汤、人参四逆汤合剂。症状纠正后可改用人参养荣汤，脉律不齐可用炙甘草汤调治。对于伤寒直中三阴寒厥暴脱证，法当回阳救逆，益气生脉。方用回阳救急汤加红花 10.5g。服上方后手足温暖，脉见有力，血压回升正常稳定，即可停服。改用人参养荣汤、香砂六君子汤、补中益气汤调理恢复。如遇病情紧急，煎药往往来不及时，可用姜酒汤或硫磺散、正阳散急服。同时配合针灸或大葱、吴茱萸熨脐法。如1960年春，我在黄陵县治张某，患者夜间突感心口难受，恶心欲呕，胸痛气喘，呼吸迫促，四肢厥冷，双手无脉，血压测不到。中医诊断为伤寒直中三阴、寒厥暴脱证。当时没有中药，急用大炷艾卷灸神阙穴20壮以升阳固脱。当灸至11壮时，舒张压上升到9.3kPa以上，脉搏出现，血压继而稳定在10.7kPa，症状亦渐好转而脱险。此例说明灸法升阳固脱的效果是很明显的。有鉴于此，后又选择10例克山病低血压患者，其中伴有心律紊乱，经用艾灸治疗后，不但血压恢复正常，而且脉律亦转正常，消化道症状也得到改善。上述事实，充分说明祖国医学在治疗急性病中的巨大作用。

（米烈汉　整理）

冠心病心绞痛证治一得　　|杨宗善|

　　冠心病心绞痛属中医"胸痹心痛"范畴。病机为"本虚标实"。中医认为"人年四十，阴气自半"，"八八"以后"肾气衰"，说明人40岁以上，尤其是60岁以后，脏气日渐衰退出现本虚，这种本虚不仅是冠心病，亦是其他老年性疾病所共有。但因患者个体差异，有气虚、阳虚、阴虚之不同。标实有气滞、痰浊、血瘀之别。笔者在论治时多标本兼治。在治本方面，气虚多用保元汤；阳虚多用瓜蒌薤白桂枝汤加淫羊藿之类；阴虚多用生脉散加黄精、何首乌之类。治标方面，气滞多用金铃子散加青皮、柴胡、香附或苏合香丸；痰浊用温胆汤；血瘀用自拟通冠疏络汤（丹参、赤芍、川芎、红花、延胡索）。笔者在实践中体会到该病在标实方面以血瘀证多见，为大多数患者所共有。故常以通冠疏络汤按病情加味化裁，标本兼治，系统观察本病50例，与西药组比较，疗效尚满意，其对症状体征的总有效率为98%，而西药组为95%。对心电图缺血性改变的有效率为62.2%，而西药组为35.5%。

胸痹心痛从肝论治说　　|李达祥|

　　胸痹心痛，一般多用宣痹通阳、活血化瘀、化痰通络等法治之。然就临床所见，尚有部分患者以治肝之法收功。人之气血，以流通和畅为贵。然气血之流畅又离不开肝的疏泄作用。肝之疏泄功能正常，气机冲和条达而不郁遏，则血脉通畅；如疏泄失调，不仅影响肝与经络气血的调和，而且还可影响心主血脉、肺主宣降、脾主升清、肾主和降的功能。胸痹心痛之病机，约言之系气滞血瘀，不通则痛。笔者临床辨证发现有部分患者属肝病为主或心肝同病者，从肝论治，疗效颇好。

（1）如肝气郁于本经，疏泄失职，常有胸胁痛、心痛、肩酸，治宜遵《内经》"疏其血气，令其条达而致和平"的原则，药用柴胡、旋覆花，郁金疏肝解郁，丹参入心、肝经活血凉血；白芍柔肝敛阴。

（2）肝气有余，横乘脾土，则见胃脘、胁肋、心前区疼痛，脉弦大，苔薄黄，用柴胡疏肝散、金铃子散泄肝止痛，温胆汤加菖蒲、橘络和胃化痰。

（3）如心肝之火并盛，心痛呈热辣感，舌尖边红，左脉弦劲，常用黄连、连翘、木通清心泻火；川楝子、旋覆花、郁金、白芍清泄肝火。如木火刑金，火撞金鸣，咳嗽气逆，加瓜蒌、杏仁肃肺降逆，桔梗宣发肺气。

（4）肝脏体阴而用阳，乙癸同源，肝肾阴虚则肾水不能上济于心，肝阳与心火偏盛，症见头晕，心烦，面红，脉弦细数，舌红无苔，宜用生地黄、玄参、何首乌、玉竹滋养心肝肾之阴，佐以竹叶、郁金、琥珀、沉香凉血活血通络。

总之，临床上针对肝气郁结、肝胃不和，肝火上炎、阴虚阳亢不同证候，采用疏肝、清肝、泄肝、养肝等法，治疗胸痹心痛，取得疗效，说明中医辨证施治理论具有强大生命力。

冠心病之治不惟活血化瘀 　|齐兴兰|

冠心病是冠状动脉粥样硬化性心脏病的简称，医家多拘泥于祖国医学"心主血脉"之说，对此病的治疗，常用"活血化瘀"法，但疗效并不十分满意。其原因，主要是忽视了在整体观念指导下的辨证论治。

有资料表明，冠心病的好发年龄多在40岁以后，根据祖国医学"五八肾气衰"的理论，说明肾气的盛衰与冠心病有密切的关系。"肾者主水，受五脏六腑之精而藏之"，若肾气衰，主水、藏精无力，加之肾虚则肝失母养，失其条达疏泄之力，致使气血津液运行失常。故《素问·上古天真论篇》指出："气脉常通而肾气有余也"。可见，肾气衰与气脉不通相关。冠心病其病变部位反映在胸膺，又和胃、肺有一定关系。"胃之大络，名曰虚里，贯膈络肺出于左乳下，其动应衣，脉宗气也"。"诸气者皆属于肺"。"肺为气之本""心之盖""主治节"，朝百脉，说明冠心病的发生机制，涉及面广而复杂，它关系到肾、肝、肺、胃、气、血、津液等方面的错综机制；本病多与精神刺激、疲劳过度、暴饮暴食、寒冷气候等因素的诱发有关，也证实了这一点。因此，其本在肾气，其制在肝胃，其标在心肺，是冠心病的病理特点。所以，冠心病的辨证论治，治脏、治腑、治气、治血、治痰、治饮诸法，皆在其中，决不应单纯采取活血化瘀一法通治冠心病。

冠心病从胃论治　|王福昌|

　　冠心病多从祖国医学的"心"辨证施治，而胃气受伤、失于和降亦能影响于心，产生心绞痛的症状。《素问·痹论篇》云："饮食自倍，肠胃乃伤。"若长期饮食不节，特别是进食大量的动物脂肪，可使胃腑受损，失却顺降，影响脾的转输功能，致食滞胀满、气机不畅。气为血之帅，气行则血行，食滞气阻则血行迟缓，久之必瘀而为患。心主血，心血瘀阻而脉络壅遏不畅，阻碍气血运行而发是病。

　　1978 年冬余治一患者，常感胸脘胀满，嗳气反酸，食欲不振，某天子夜餐后入寝，不久突感胸痛阵作，连及臂、脘，呕恶气闷，嗳气频频，急至某院查心电图，示 ST 段下降，诊为"心绞痛"，经服西药症状缓解。嗣后常在饭后疼痛发作，同时并见室性早搏，继用西药 1 个月无明显好转，乃邀余会诊。察其苔厚质暗，脉细并有间歇，当时辨证属胃气不和，食滞血瘀，宜健胃消滞，佐理气化瘀之品，用温胆汤化裁。药用：陈皮、半夏、枳实、木香、焦三仙、苍术、刘寄奴、泽兰、赤芍、茯苓。1 剂痛减，6 剂胸腹舒畅，食欲好转。因还有心律不齐，又以上方增减药味，服半月后症消病瘥，随访 1 年，未见发作。

治心源性休克的思路　|李玉林|

　　王某，阵发心前区痛入院，发作时以胸骨为中心，剧烈胀痛，持续长达半个小时，大汗淋漓，烦躁不安。2 年前患高血压（21.3 ~ 16.0/10.7 ~ 16.0kPa），心率 80 次/分。查白细胞 22.4 × 10^9/L，中性 0.82，淋巴 0.18。心电图报告为急性广泛前壁及侧壁心肌梗死；完全性右束支传导阻滞。诊断为急性广泛前壁及侧壁心肌梗死并发心源性休克。经用 ATP、辅酶 A、细胞色素 C、地塞米松、吗啡、异丙肾上腺素等多种药物并吸氧抢救治疗之后，病情好转，但加压胺却不能停减，一减量就出现低血压、心源性休克。连续 25 天的静脉滴注，使患者很痛苦，遂邀请中医会诊。诊察病人，症见面白神倦，气短懒言，口渴多汗，咽干舌燥，肢痛麻木。脉沉，舌质瘀暗，苔黄。证属气阴不足，瘀阻心脉。处方用生脉散加味〔人参粉、三七粉各 3g（分冲）、丹参 30g、麦冬 15g、五味子 12g，水煎服〕。生脉散可益气养阴、生津止渴、固表止汗，加用三七粉、丹参活血祛瘀止痛。现代药理研究表明，用生脉散注射液抢救休克病人，能使血压回升。三七能直接扩张冠状动脉、减低冠状动脉阻力，增加冠状动脉血管流量，减少心肌耗氧量，能促进梗死心肌冠状动脉的侧支循环的形成，改善心肌供血。服中药 2 天后停加压胺。停加压胺当夜收缩压从 17.3kPa 下降到 11.5kPa。但病人自觉良好。以后血压恢复正常。用中药解除加压胺依赖性成功，1 周后停药，血压仍正常。出院后，一直良好。

临床辨证论治时，既遵照中医辨证施治原则，又参照现代药理研究成果。实践说明，在传统中医理论指导下，结合现代研究成果探讨更有效的治疗方法是临床研究的重要课题。

益气温阳治高原冠心病 |陈祥林|

高原地区冠心病发病率较平原为高，隐性冠心病更多见。笔者在临床工作中发现此病患者多表现为胸闷憋气，心前区隐痛，心悸气短，疲乏无力，头昏眠差，食欲不振，畏寒肢冷，每逢阴雨、夜间、冬季或气候剧变时症状加重或复发，舌质多暗红，舌体往往胖嫩，有齿痕，苔白或白腻，脉多细弱或弦细。典型心绞痛及急性心肌梗死则少见。

上述证候多属祖国医学"气虚血瘀""寒邪凝泣"之证。这与高原地区空气稀薄，气候寒冷多变有关。因高原缺氧，宗气形成不足，易造成"气虚血瘀"；心气不足，心阳衰微，易受寒邪侵袭，出现"寒邪凝泣"之证。故在治疗上采用益气温阳治其本，宣痹化瘀治其标，通补兼施，获得了较满意的效果。常用药物为党参（人参）、炙黄芪、桂枝、丹参、赤芍、郁金、薤白、补骨脂、炙甘草等。

益气养心治胸痛 |赵国岑|

胸痛一症，临床多见。现代医学之冠心病、心绞痛、心肌缺血等常有胸痛症状。

引起胸痛的原因与情志不遂、气血瘀滞、心血亏虚、痰湿郁结等有关。治疗冠心病所发胸痛多采用温通心阳、活血化瘀等法治疗。特别是活血化瘀法曾一度流行，理气止痛法也很时髦，我也用此法治愈不少病例。近年来，随着对胸痛患者的接触增多，以及临床辨证的深入，发现因气血虚弱引起胸痛者不少，采用益气养心法治疗，收效较为理想。

1982 年 12 月 31 日，我曾接诊一位 63 岁的农民患者，左侧胸痛、心慌闷气4 个月，近几天加重。察其面色㿠白，神疲乏力，面部及下肢浮肿，尿黄短少。脉细数无力，舌苔薄白，质淡。心率 120 次／分，律齐，心尖部可闻及 Ⅱ 级收缩期杂音，血压正常，肝脾未触及。心电图：①窦性心动过速；②高侧壁供血不足。证属气血两虚型之胸痛。自拟生脉养心汤（当归补血汤合生脉散加白芍、桂枝、白术、茯苓、酸枣仁、远志、炙甘草）服 15 剂，症状基本消失，心电图正常。患者惟恐复发，照原方又服二十余剂，至今未发。

余据临床所见，胸痛属实证者多，虚证者少。前者因血瘀而致心脉阻滞，气机不畅而痛；后者因气血虚弱，血行涩滞，脉道不利而痛。二者虽都是"不通则痛"，其因有异，则当细辨。治疗胸痛用攻消者多，补益者少。止痛虽都以"通则不痛"为原则，但手段有别。益气养心，气足则行血之力宏，气足血通，通则不痛；其次益气能补血，血足能养心，心得血养则痛亦止。近年来，余据此理，用益气养心法，自拟生脉养心汤治疗因气血虚弱所致胸痛，获效殊多。

胸痹不尽属寒证 |王福昌|

胸痹病近似西医的冠心病，历代医家认为胸痹病机大都为心阳不振，痰浊内阻，阳气不能温运营血，血行障碍，心脉痹阻。由此可见，胸痹属寒证者居多。《金匮要略·胸痹心痛短气病篇》共 9 条原文，除 1 条不属本病范围（"平人无寒热，短气不足以息者，实也"）以外，其余均从不同侧面说明胸痹属寒或属痰。我于 1975 年曾治 1 例，症见心前区阵痛，并有烧灼感，每日发作 4～7 次，伴见心悸、心烦、耳鸣、失眠、盗汗。心电图提示 ST 段抬高，心肌缺血性改变，诊为"冠心病心绞痛"。久用西药未曾见效，后邀余诊，除上症外，诊见舌质红、脉细数等，辨证属阴虚血热。思之良久，从王清任"血受寒则凝结成块，血受热则熬煎成块"受到启发，悟及本病属阴虚内热，熬煎血液，而致瘀阻，乃予清热凉血、活血化瘀之法，用小陷胸汤合血府逐瘀汤化裁。3 剂服后，心绞痛竟减为每日 2 次。1 周后心绞痛基本消失，余症大见好转，调治 1 个月，各症消除，心电图与治疗前对比，供血明显好转。随访 3 年，除劳累过度时自感心前区发闷外，余无不适之感。由此可见，胸痹实不可概作寒证治之。

中药治愈心脏肥大 |李玉林|

炊事员杨某，22 岁，患胸闷憋气已有 2 年，有时胸骨后疼痛，饱餐、登高则加重。青岛某医院诊断为梗阻型心肌病。送到军区总院住院检查未能确诊，随即出院，诊断证明上只写了个"左室高电压"。后经本院拍 X 线胸片证实心脏肥大，心胸比例不正常。诊断也不明确，治疗没有什么好办法。主治医生建议找中医治疗。诊其脉滑数，舌苔薄白，舌质正常，口唇紫暗。辨证属气滞血瘀。治以宽胸理气，活血祛瘀。方用：瓜蒌 30g、薤白 12g、丹参 30g、赤芍 24g、川芎 12g、郁金 12g、红花 10g、葛根 30g、甘草 6g。随症加减。水煎服。经治 1 个月后，除偶感胸闷外，其余诸症均消失。服药 3 个月后查心电图正常，自觉无不适。服药期间一直上班工作。后炊事员集体体检时，复查心电图正常，胸部 X 片显示肥大的心脏缩小了，横径由 15.7cm 缩至 13.4cm，心胸比例已恢复正常。仅治此 1 例，供同道参考。

消补并用，降脂柔脉 |杜雨茂|

高脂血症是中老年常见疾病之一，近年来发现其罹病年龄有逐渐下降的趋势。高脂血症与动脉硬化的形成和发展有密切的关系，及时降低过高的血脂，对防止冠心病、脑血管意外等疾病的发生均有重要的意义。

高脂血症多见于 40 岁以上形体较胖的人，按其临床表现多属中医的胸痹、惊悸、眩晕、头痛等病症。中医认为，胖人多湿盛，中年以上之人肾气渐趋衰减；胸痹、惊悸，又多为胸阳不振、浊阴之邪上乘所致；眩晕与头痛除痰湿为患、清阳不升之外，又往往与肝热上扰有关。其总的病机为本虚而标实，本虚以心、肾、肝、脾亏损为主，标实即内在痰湿、血瘀、气滞及邪热等。针对此病机，治则必须兼顾补肾清肝，活血通络，化瘀消积，化浊降脂。

依据上述原则，经过长期临床实践，我们筛选了淫羊藿等数味中药，经西安自立药厂制成冲剂。因其有降低血脂、柔润血脉之功，故名曰"柔脉冲剂"。

方中淫羊藿为主药，其性味辛甘而温，能温肾壮阳、补益精气，兼通行气血、祛湿化痰，补而不滞，温而不燥。其余药为辅佐：生山楂酸甘微温，长于化瘀，同时还能消油垢之积及痰饮而悦脾气；川芎味辛微甘而气温，可行血中之气滞，畅血中生发之机，而使血能自生，消中寓有补意；泽泻甘寒，渗湿通络，祛邪不损正；决明子、陕青茶均苦甘而凉，功能清肝泻热，补益肝肾，悦志爽神，且有清头目、消积滞之效。数药相配，共奏补肾壮阳、益阴悦脾、利湿化痰、活血行气、清肝泻热之功，可使真阳充，元气振，痰湿、瘀血、气滞及邪热得除，血行流畅，脉络濡润。

该药通过鉴定，确证其有明显的改善症状、增强体质、降低血脂作用，现已投放市场。该药与西药安妥明相比，降脂效果相似，而不良反应小；其改善症状之快，也是安妥明所不及的。

肝脾失调与动脉硬化　|吕同杰|

脾在五脏六腑之中有着非常重要的位置，具有主运化，统血等主要生理功能，是气血生化之源，生命活动的基础，故有"脾为后天之本"之说。若脾失健运，运化水谷和水湿的功能失常，不但不能运化水谷、化生精微、充养五脏、洒陈六腑，而且还会造成水湿痰浊的停聚，造成脂质的代谢紊乱，使痰浊脂质等物瘀积于脉络，沉积于管壁致成管壁变厚，管腔狭窄，便成动脉硬化。

另外，情绪不佳、精神紧张、喜静恶动等，与动脉硬化的形成都有一定的关系。七情太过，会引起相应脏器的变动与损害，一旦一脏受害，还可以影响其他脏器，特别是肝与脾的关系尤为密切。肝为风木之脏，体阴而用阳，具有主疏泄、藏血、主筋等功能，性喜条达。如肝气郁结，可以横克脾土，直接影响到脾气的运化、气机升降和传化功能。疏泄失常则气滞土壅，代谢紊乱，亦可导致痰浊、脂质痰积脉络，引起动脉硬化。多年来，余以上述理论为指导，验证于临床，以逍遥散加荷叶等治疗高脂血症，以温胆汤加白芥子、夏枯草、黑芝麻、桑叶等治疗动脉硬化，对降低血脂、延缓动脉硬化的形成，确有一定的作用。

无 脉 症　|陈远鸣|

有李氏女者，婚前身体颇健。婚后经2次分娩，即感身体日差。1年前，偶然发现左手寸口无脉，且觉心悸善太息。经月余，右手寸口部脉跳亦消失。延医诊治罔效，且心悸诸症更增重。是年仲秋，余回原籍省亲，经友人相邀，前往诊视。综合四诊所得，辨为心血不足，心气亏损、无力鼓动血行而致，拟炙甘草汤合生脉散治之（处方：红参、阿胶、麦冬、五味子、生地黄、桂枝、炙甘草、山茱萸、炙黄芪、炒酸枣仁、大枣），连服十余剂，诸症依然，两手仍无脉至。因思心气无力行血，血脉势必瘀阻。前方偏重滋心血、益心气，而忽略于疏通血脉。此犹只添池水，而不通渠道，又岂能取效哉！遂再与原方加桃仁、西红花，仅6剂，就得两手脉跳应指。再以前方加石菖蒲，又服6剂，两手脉跳而有力，诸症亦平，是疾告愈。

可见为医贵在明察秋毫，立法遣方自不难中鹄。

黄连苏叶汤治呕吐　|陈庚吉|

几年来，笔者用黄连苏叶汤治疗呕吐，取得较好效果，感到小方可贵，不可轻视。

黄连苏叶汤出自薛雪《湿热病篇》。湿热证，呕恶不止，用黄连0.9~1.2g、苏叶0.6~0.9g，两味煎汤，呷下即止。

黄连不但苦寒治湿热，且能降胃火之上冲。苏叶味甘辛而气芳香，通降顺气化浊独擅其长，然性温散，与黄连配伍有辛开苦降之功。胃气以降为顺，湿热蕴阻于胃，而致胃气上逆，故呕恶昼夜不止。《内经》病机十九条谓："诸逆冲上皆属于火，"故用黄连、苏叶清化湿热，降逆上之火。此方药简，量轻不及钱，但止呕之力强。对呕恶不止的患者，以此方煎之少量频服，屡试屡验。

如症状偏寒者，本方加生姜3片，伏龙肝泡水煎药服之。

呕 吐 治 验 |陆大戌|

李某，患呕吐半年余，每食后半日许呕吐，为未消化之物，无腐秽气味，胃不痛，腹不胀，大便三四日一行，不燥结，渴不喜饮，小便清多黄少。曾经某医院化验血、尿，钡餐透视，均无异常，治疗无效，转服中药。屡用香砂六君子、附子理中、藿香正气，生姜半夏汤等皆罔效，后邀余诊治。视之，久病面容，精神倦怠，舌苔淡红，诊得两关尺脉沉而弦细，两寸脉皆涩而大，辨为命火虚衰，不能温养脾土，脾胃运化无力，故原物吐出。遂以崔氏八味丸，改用汤剂加味：熟地黄30g、山药24g、山茱萸24g、泽泻10g、牡丹皮10g、茯苓10g、熟附片9g、肉桂6g、砂仁12g、赭石15g，水煎服。其戚某略知医，恐方滋腻，有碍病情，余谓不然，此证本属肾虚，应拟八味丸，补肾之阴阳。命门火衰，必于水中补火，佐以砂仁、赭石，寓有防腻止吐之意。药后，3剂病轻，十余剂而愈。

昏迷、呃逆 |王立华|

呃逆一证，诸医多以丁香柿蒂汤、旋覆代赭汤、橘皮竹茹汤等治之，然其只适用于胃寒气逆、痰热阻隔者，若胃阴不足者用之非但无益，反见加剧之势，而养阴清热之剂常效如桴鼓。如某患者，男，58岁，曾以肺炎住院。经住院治疗后近愈。但突发呃逆不止、发热、昏迷、二便失禁等症，医以四七汤、旋覆代赭汤等治之无效。余审视之，除昏迷不醒，闭目似睡之外，并见呃逆连连，脘腹随之起伏。视其舌，质干而红，苔燥而有刺，断为胃阴涸竭，膈间之气不利上逆所致。予以养阴清热之剂治之：生地黄12g、玄参12g、沙参12g、天冬12g、麦冬12g、玉竹10g、石斛15g、西洋参6g、连翘10g、莲子心3g、白芍10g、甘草6g。1剂呃止神清。饮食调理以善其后。

呃 逆 小 治 |王三山|

呃逆一症，实者多见，虚者少见；病程长者少见，病程短者多见；责于脾胃者多见，涉及肾阳者少见。笔者曾治李某，老年女性，呃逆数月，久治不愈。呃声低弱，终日不止，面色萎黄，纳少，腹胀，畏寒，腰酸，大便时稀，小便清长，动则气喘。舌质淡，苔薄白，脉沉细无力。

此为脾肾阳虚。肾火不温，则脾气不升；脾气不升，则胃气不降，故而久病呃逆。法当温补脾肾：煨生姜 30g、煨胡桃 10 枚。用法：煨生姜切末开水浸冲服，煨胡桃剥硬皮吃仁，1 日 2 次分服。服 3 日后呃逆、腹胀逐渐减轻，饮食略增，再继服 5 日诸症皆愈。

生姜味辛微温，煨生姜辛散之功减弱而温中散寒之力大增。"姜为呕家圣药"，温中散寒降逆，配伍煨胡桃，甘温入肾，温补肾阳，肾阳得助，纳气正常，中焦气机升降亦复正常，呃逆自止。

大黄甘草汤治呃逆 | 齐椿挺 |

周某老叟，1983 年因患眼疾，双目失明，住五官科病房。住院后，因盼儿回家心切，而致肝火郁蒸，邪热犯胃。再加神思忧患，使火犯上膈，呃逆突作，邀余会诊。诊其脉弦实洪大，呃逆昼夜不停。处方：大黄 15g、甘草 15g。白开水泡于壶内，代茶多饮，1 日 2 次。3 剂后，其病顿除，病人大喜。

温中止痉汤治呃逆 | 王怀义 |

呃逆与肺、胃相关，总由气逆上冲咽喉所致，病因有寒、火、虚、瘀、食滞之别，治有温胃降逆、清中和胃、消食导滞、理气化瘀等不同。而逐寒止痉治法，鲜有所论。

患者孟某，男，26 岁，先因寒温不适、饥饱不节而致胃脘疼痛，又因治疗过用壅补，致气逆作呃之病。曾用中药、西药、针灸、封闭等法治疗无效。西医诊断为膈肌痉挛。秋凉病重就诊，其呃声洪亮，除夜寐暂安，它无宁时，并有胃脘疼痛、喜按喜温、大便不实等症。查其苔白而润，脉缓而虚。细思久呃不除，其症顽固，若重蹈前辙，不能为效。忽悟手足痉挛可从风治，膈肌痉挛，何不也从风治？病由中寒而生，何不用温中止痉法以治之？于是拟方温中止痉汤。方用：附子 6g、干姜 6g、党参 15g、茯苓 12g、赤芍 12g、丁香 10g、柿蒂

30g、赭石15g、地龙15g、全蝎10g、蜈蚣4条、甘草10g、木瓜30g、石斛30g。2剂后呃已大减，或呃而无声，但反觉饭后腹痛、腹胀。原方去丁香加沉香6g，又2剂，呃止不复再作，腹痛、腹胀均大减。15剂后，诸症消失，患者欣然而止。

脾阳虚兼胃阴不足之治 |郭永惠|

余在临床实践中，常见脾阳胃阴俱病者，证显复杂，治颇棘手。要取得疗效，必先明了脾胃的特性。脾喜甘温刚燥，最恶滋腻；胃喜甘凉柔润，最恶燥劫。治脾多宜升发，以运为健；治胃宜消降，以通为补。若遇脾阳偏盛、胃阴素亏者，则黄芪、白术、升麻、柴胡不可轻投。当以沙参、麦冬、玉竹、石斛之类甘寒养阴。若遇脾阳虚和胃阴虚并存的病证，应温脾阳和养胃阴两法兼顾，庶无偏胜之弊。余曾治疗慢性萎缩性胃炎的成年女性患者，胃脘灼痛七八年之久，形瘦枯槁，不饥少纳，咽干口燥，五心烦热，大便溏泻，甚至五更登厕，舌光红无苔，脉象沉细兼数。先辨证为胃阴不足证，投以沙参、麦冬、石斛之类，胃中灼痛减，而溏泄更重。后通观全局，详加分析，乃胃阴脾阳俱虚之胃脘痛；方中增添健脾温运药，如党参、白术、吴茱萸等，2剂后胃痛和溏泻均获减轻。

扶脾阳兼养胃阴是针对脾胃生理、病理特性而制定的治疗法则，二者相辅相成，确是治疗脾阳胃阴俱病者的良法。

萎缩性胃炎不可乱投补阴药 |常　清|

5年前治一农妇，胃脘胀闷疼痛，食欲不振，恶心，嗳气，口干苦，大便干，经胃镜检查，诊断为"萎缩性胃炎"。医以"胃阴不足"治疗，服药一个半月，症情非但未减，反而加重，致使食欲全无，体力不支，不能劳动。视其舌苔黄而厚腻，脉象濡细，病非胃阴不足，而是湿热阻于中焦，治宜燥湿清热和胃。处方：苍术10g、厚朴10g、陈皮10g、半夏10g、茯苓15g、枳壳10g、竹茹10g、香附10g、木香10g、藿香10g、黄芩10g、延胡索10g、焦三仙各10g、甘草7g。

上方加减，服药 2 个月，舌苔转薄，胃胀痛、恶心、嗳气、口干苦均除，大便亦调，尚感饮食欠佳，乏力，脉细。此乃温热已去，中虚未复，拟香砂六君子汤加减，服药一个半月，食欲增加，精神好转。胃镜复查，萎缩性胃炎消失，报告为"浅表性胃炎"。

西医所称"萎缩性胃炎"，见胃酸缺乏或全无，近年来以中医的胃阴不足论治者众。余曾治萎缩性胃炎数十人，其中湿热中阻者居多，中虚气滞者次之，肝胃不和者又次之，胃阴不足者最少。若医者一见"萎缩性胃炎"，便以胃阴不足论治，其中有湿热中阻者，乱投沙参、麦冬、石斛、生地黄、天花粉等药，助湿恋邪，常使病情缠绵不愈或加重。诊治"萎缩性胃炎"，中西医理论不可生搬硬套，胃阴不虚者，不可乱投补阴药，定要辨证施治才能收到满意效果。

舒胃汤治胃脘痛　|王有奎|

十二指肠球部溃疡及慢性胃炎是以胃脘痛为主症的疾病。一般多表现为胃寒，每因恣食生冷而导致疼痛发作或疼痛加剧，故多以健脾温中法治之。然久病不解，由气及血，寒热并见，木邪犯土者尤多，宜采用舒肝和胃，温中散寒，养阴和血，寒热并用方法。本人多年来常以舒胃汤（自拟）治疗本病，多见显效；且往往一二剂疼痛即止。其组成为川楝子、白芍、高良姜、香附、延胡索、甘草。胀痛者加木香，泛酸者加乌贼骨或瓦楞子，烧心加生石膏。

当疼痛缓解后，当以黄芪建中汤温中健脾，以善其后。

胃痛用药一得　|王凤山|

胃脘痛之属脾胃虚寒者，临床屡见不鲜。一般多以温中健脾、芳香化浊之品组方治之，药后多能生效。但连服数剂，患者有诉药后口鼻干燥或有大便干结等不良反应者。余曾于方中加黄芩、栀子等苦寒药佐之，经观察不仅不能消除其不良反应，反使该方之药效降低。经多方思索验证，终未找到恰当的佐使药。后来偶于几例患者的主方中加用沙参、杭白芍，连用十数剂，患者并未出现上述不良反应。余自度其因，盖以往临证只顾其病因病机，而很少虑及胃喜润恶燥、脾喜燥恶湿的正常生理功能，方中大队芳香、温中之品，益于脾阳而伤于胃阴，才会出现上述不良反应。此后，余每于胃脘痛用芳香、温中之药时，必以沙参、杭白芍佐之。前者养胃阴，有润燥作用；后者有敛阴柔肝之功，可防止香燥、温热伤阴之弊。个人体会，不论其舌苔厚腻与否，都可起到理想的作用。

积饮胃脘痛小议　　|钟孟良|

积饮胃脘痛一证，临床表现颇为特殊，现介绍2例如下。

梁君，退休工人。自1965年以来胃脘胀痛，时发时止，曾用金铃子散、平胃散、香砂六君子汤等多方治之乏效。十几年来，发作时胀痛，呕痰水状物，历1周左右，始得松宽。恶饮，大便数日一行。发作过后，胃脘仍呈隐隐胀痛，食少，形瘦。迁延缠绵，颇以为苦。自述病前素嗜茶水，行走快时觉脘部有水声震荡。钡餐透视胃内有大量潴留液，怀疑十二指肠球部溃疡。经西医反复动员，本人亦苦于服药无功，于1973年秋入院准备手术。术前抽出大约3000ml痰水状胃液，顿觉胸次开朗，脘部憋胀疼痛重坠诸象若失，遂拒绝手术，自动出院。数月后见面询其症状，云自抽胃液后，未服任何药物，病未再作，饮食倍增，精神体力转佳。其时距今12年，疗效巩固。

张氏，司机。素嗜茶水，野外作业，饥饱失常。患胃脘痛3年，每发则数月不能工作，脘部憋闷胀坠且痛，恶饮恶食，逐渐消瘦。1983年夏求治于余，见舌质偏红，苔垢腻而燥，脉沉弦，右三部显著。问其夜间平卧翻身时可闻胃部水响声否？颔之；行走快时胃有水声否？又颔之。钡餐透视亦见多量胃潴留液。嘱平卧检查，胃脘部饱满，以耳贴近脘部，同时摇动其身体，有明显振水声。不摇不响，一摇即响，乃断为积饮胃痛，投以逐饮之剂。药用：白芥子、紫苏子、莱菔子、法半夏、茯苓，煎汤送下，甘遂煨研末1.5g，分2次服。2剂，得泻痰水状物五六次。留饮去后，脘部转为平软，振水声消失，胀痛得止，嘱以粥汤调养三五日，戒嗜茶习惯。尔后年余又小发作1次，仍如前法，一投即应。如今已数月未发矣。

积饮胃痛，古人历验颇多，近时似为罕见案例。试述其要点如下：

（1）嗜饮茶水，素盛今瘦，是其病史特点。

（2）胀坠痛呕，恶饮恶食，时轻时重，常药难效，是其病状特殊之处。

（3）苔多垢腻，或黄或白，右脉沉弦，是舌脉特征。

（4）胃脘部有振水征，X线钡餐透视有多量潴留液。

（5）治疗宜逐饮，用二陈汤合三子养亲汤加甘遂末冲服，有效。

胃扭转合并脾曲综合征治验   顾兆农

余年八十有七，行医六十余载。临床治胃扭转多例，每应手即愈。

如赵姓青年，患胃脘隐痛及大便有赤白黏液达4～5年之久，近2个月脘痛剧烈，气上冲胸，腹胀难忍，心下痞满不能进食。经X线胃肠检查：空腹可见左侧膈下脾曲肠管有大量积气，升横结肠管积气，服钡剂后发现胃向右移位，胃底部抬高，胃黏膜肥厚，蠕动缓慢。西医诊为胃器官轴型扭转、慢性胃炎合并脾曲综合征。患者形体消瘦，小便赤黄，舌苔白而中部腻，脉沉弦。此属中医"胃脘痛""腹胀""腹痛"范畴，为肝胃气机失和，中焦升降失常之候。予舒肝和胃、升清降浊、理气通腑法。方用：川桂枝12g、白芍15g、柴胡9g、法半夏9g、青皮9g、陈皮9g、枳壳9g、川厚朴9g、黄连6g、淡吴茱萸9g、广木香4.5g、制大黄9g、生姜2片。服6剂，脘胀及疼痛明显减轻，纳食稍进。继用前方，三十余剂后，胃脘疼痛胀满均消失，大便正常，食欲增加。X线复查：肠管积气消失，胃器官扭转恢复，病已痊愈。

胃扭转合并脾曲综合征一般临床较少见。本病由饮食不节、寒邪入侵、情志不舒等原因所致。既有肝胃失和，气机郁阻之证；又有肠胃失调，升降失常之候。前人有云："久痛非寒，暴病非热。"寒邪侵犯胃肠，日久必郁而化热，而成寒热错杂之证。故治疗必详析其证。今用舒肝理气、调和肠胃、寒热并用、燮理升降之剂，使药证合拍，丝丝入扣，而取此捷效。

胃柿石治验   李艳冬

柿类胃石属中医食积、果积范畴，本文2例类型各异。当视气、血、寒、湿热之偏重，辨证施治。胃脘食积形成多与肝脾气机有关，气机通畅，气行则血行，气畅则血、食、痰、火、湿诸郁自解，因此除加用消食化滞之品，还要加入调气药物，方能提高疗效。

柿类含有胶酚、树脂、红鞣质等成分，遇胃酸凝结而成柿石。结石形成与胃中痼疾及胃酸过多有关。为了防止此病，于空腹或饥饿时最好不吃或少吃柿子。

　　如李某，男，69岁，自进食冰冻大柿子2个以后经常脘腹满痛，近2个月脘痛腹满加重，时吐清水，不敢食多，肢冷畏寒，二便可，过去40年有胃痛史，与饮食无关。查剑下压痛，上腹略硬满，胃肠钡剂造影于胃底见密度不大的网状胃石影6cm×8cm，诊断为胃柿石。舌质润、苔白、脉沉弦有力。中医属寒实积聚。患者年老，素有脾胃阳虚，误食寒涩，内结成积，治宜温通寒积以开闭结，用大黄附子汤加减。拟方：大黄9g、熟附子9g、干姜6g、枳实9g、白术6g、玄明粉12g、甘草6g。每日1剂，服药15剂，胃肠钡剂造影胃石消失。以附子、干姜温经散寒；大黄、枳实泻下通便；玄明粉软坚润燥；白术、甘草调补脾胃。附子配大黄虽性味相反，以附子之辛热制大黄之苦寒，以热药去其寒性而存其走泄之性；寒实内积非温不能散其寒；非下不能祛其结，故本方寒热并用而奏消阴寒、下积滞之功。

　　又如陈某，男，37岁，食硬柿子十余个，十余日来胃痛渐剧，口干喜甜不欲饮，大便干，三四天1次，上腹偏左有压痛，未及包块。胃肠钡剂造影：胃内见一核桃大小充盈缺损阴影，能活动，表面不规则，并可见胃小弯溃疡。舌质淡红、苔黄腻，诊为胃柿石，胃溃疡。素有木旺脾虚之证，加之食饮积滞、血瘀气滞。方拟丹参饮加减：丹参30g、炒五灵脂9g、醋香附9g、檀香3g、鸡内金9g、川厚朴6g、陈皮9g、炒神曲15g、炒川楝子9g、乌贼骨30g、制乳香15g、制没药15g（或与醋三棱9g、醋莪术9g）。每日1剂，服药15剂，胃肠钡剂造影显示胃石已消失，胃小弯溃疡。方用丹参活血化瘀为主，加用五灵脂、延胡索、乳香、没药、三棱、莪术活血破血；檀香、香附、川厚朴、陈皮、炒川楝温中行气化郁；鸡内金、神曲消食滞；乌贼骨制酸生肌收敛溃疡；诸药合用瘀血得解、气滞得消，病症渐愈。

胃 柿 石　|姚子扬|

　　费县、平邑两山区盛产柿子，每到晚秋，柿果上市，物美价廉，人多喜啖。本草言其甘润清凉，能健脾开胃，生津止渴，化痰宁嗽，上清心肺之热，下除二肠之火，真良品也。然事物都是一分为二的，柿果质黏而腻，不易消化，常凝结不散，滞于胃中，形成"胃柿石"。余在门诊，遇一王姓女青年，患胃脘痛，询问病史，知其回临沂探亲，晚食柿子2枚，次日即患胃脘痛。医以一般胃痛药不效，后到医院作钡餐透视后，确诊为"胃柿石"，拟做手术治疗。因惧怕手术，找中医施治。本病之发，缘于柿质之难以消化，以致成积，其治应从消导入手，佐以行气，解决"消"与"行"的问题。遂拟方如下：神曲30g、生麦芽30g、川木香10g、草豆蔻10g。取药6剂而去。相隔月余，女来告知，服上药2剂痛减，又3剂后有黏滞稀便，胃痛已除。相隔3午，又遇1例食柿饼致胃柿石者，亦以前法治愈。

治疗胃下垂之我见 ｜夏友岳｜

胃下垂，在祖国医学中称"中气下陷"证。其发病机制主要由于脾虚胃弱，运化失司所致。病理变化有两种不同转归，一是清阳不升，脾虚气滞，动则气短，有时嗳气；二是浊阴不降，水湿停滞中焦，动则有振水音，有时呕吐清水。两者均有脘腹胀满，食少纳差，胃口隐痛不适，饭后有压迫感，甚则疼痛，身体消瘦，四肢无力。总的治疗原则是升清降浊，调补脾胃。常用的主要方剂补中益气汤医者皆知，但必须灵活掌握，不可拘泥固执。我根据前述两种不同病理变化情况，采取两种治疗方法。对第1种情况用标本兼治法，以补中益气汤升清降浊，调补脾胃，以治其本；加枳壳20～30g消胀除满，以治其标。对第2种情况用急则治标和标本兼治交替使用之法。先用生甘遂末3～5g，温开水1次调服或送服，攻下胃内水气，以治其标，待水去病缓，再用补中益气汤加茯苓15～20g，补中益气兼利水渗湿，标本同治。2～3周后，可酌情再服1次生甘遂末3～5g，攻尽胃内水气，后用补中益气汤加茯苓10g煎汤服。通过长期实践和临床观察，这两种治疗方法效果均好。

温补脾肾法治胃下垂 ｜郭永惠｜

胃下垂以中气下陷者为多，故诸医多以补气升阳的补中益气汤治之。如脾虚日久，致成虚寒，水饮阻滞者，若予补气升阳，非但脾胃升降之序不得复，而且升之不升，降之不降，病难得解，法宜温补脾肾之阳，化水饮以治。余常用淡附片9～30g、炒白术9～15g、焦艾叶12～30g、小茴香9～12g，水煎服，屡见效应。

如患者阎某某，男，35岁，胃下垂，胃大弯低于髂棘连线12cm，胃张力及蠕动显著减弱，胃镜下示慢性肥厚性胃炎。几年前医以补中益气汤治之，不效。

察审其证，饭后脘痛腹胀，疲乏无力，四末欠温，纳谷不香，大便溏泄，腰膝酸软，气短心悸，舌质淡白，舌苔白腻，此乃脾肾阳虚、水饮不化所致，若按补中益气以扶阳升陷何能取效。法宜温补脾肾之阳，以化水饮，数剂症减，50剂后诸症消失，X线复查，胃位置正常，胃张力及蠕动良好。

常法能治怪病　　|刘仁庆|

时在1984年早春，遇一女性患者，姓张，68岁，腹内胀痛有块已2个月，近日频频呕吐，大便由腹泻转为数日不行，类似关格，而小便艰涩。经X线检查，诊断为"节段性肠炎"，建议手术治疗。病人因年老体弱，拒绝手术。脘腹痛起于2个月前进食冷羊肉之后，至今时觉腹中冷痛，且觉积块逐渐增大，肢冷畏寒，喜热敷，热敷少时又感烦热恶热；察其舌质淡，舌苔白厚而腻；诊其脉沉细无力。审因辨证为：素体虚弱，命门火衰，不能温煦脾胃，在过食寒凉油腻之后，胃气大伤，水谷不化，中枢不运，阴阳不能相荣，乃发为类似下关上格之病。

余用温补脾肾、行气消积、转枢通阳之法，以期阴阳相交，气机通畅。方用右归饮加减：山茱萸15g、茯苓10g、焦白术15g、山药12g、干姜6g、杭白芍12g、附子10g、党参15g、肉桂7g、川花椒7g、木香10g、莱菔子10g。前方服3剂后，腹胀痛明显减轻，呕吐停止，且能稍进饮食，大便已行。察其苔仍然白厚而腻，可知中阳不振，寒湿凝滞较重，上方去木香、莱菔子，加苍术15g、厚朴10g，以加强燥湿健脾之功，又进6剂，诸症明显减轻，饮食稍增，精神明显好转，可自己扶杖行走，但苔仍白厚而腻，脉沉缓无力，故仍用上方加白豆蔻10g、薏苡仁30g，以加强化湿之力。连进15剂，舌苔始化，患者体温、大便已恢复正常，自觉痛苦消失，行动自如，后以上方化裁又进10剂，诸症悉除，能胜任一般家务工作。是病"节段性肠炎"，余按中医辨证施治的常法，始终抓住脾肾阳虚、寒湿凝滞、中枢不运这一病机立法处方，只服中药三十余剂，顽疾告痊愈，且随访至今，未见复发。

持内痛说治疗溃疡性结肠炎　　|朱文虎|

慢性非特异性溃疡性结肠炎以腹痛、腹泻、脓血便、里急后重为主要临床表现，酷似中医所称肠澼、痢疾，其迁延不愈和反复发作的特点，又极似休息痢、瘀血痢。但按一般治痢方法治疗本病，很难取效。读《诸病源候论》："大便脓血，似赤白下利而实非者，是肠痈也。卒得肠痈不晓，治之错在杀人。"豁然顿悟，遂持内痈说为指导治疗本病。考陈实功《外科正宗》有"已溃时时下脓，腹痛不止，饮食无味，宜托而补之"。故用治痈方药作为借鉴以治疗本病，众所周知的锡类散治溃疡性结肠炎，实也属于这种借鉴。余在辨证论治理论指导下，运用疏托、补托、敛托3法治疗本病，取得了较好的效果。

本病患者常多愁善感，气郁化火；恣食黏滑，损伤中宫；湿热内生，蕴结肠道；久则血涩脉瘀，肠膏脂膜为瘀热所蒸腐，倾括而出，溻水流脓，溃而不收，元气大败。往往均有久病入络，久病必虚的特点。丹溪言：痈疽未溃，以疏解托毒为主，痈疽已溃以补托元气为主。二语为外科扼要。由于溃疡性结肠炎的病灶已溃未溃同时并存，反复发作，故疏托、补托两法不可偏废。又因病程迁延，溃而难收，生肌敛溃亦不可少。

如治任姓患者，男，50岁。脓血便1年，身体日见消瘦。西医诊断为溃疡性结肠炎。当时患者脓血便日十余次，有时纯血无便，腹痛窘迫，不可忍止，伴口渴，烦躁，舌苔黄腻，舌质红，脉弦细而数。拟清化湿热，排脓托毒，活血消肿法。药用：金银花、天花粉、皂角刺、乳香、没药、当归、防风、白芷、陈皮、前胡、浙贝母、刘寄奴、仙鹤草、白矾。10剂后，纯血便停止，转为黏液脓便，如涕如冻，腹痛即便，便后痛减。舌苔薄黄，脉细弦。上方已合病机，再拟扶正托里，排脓托毒法。药用：黄芪、当归、党参、木香、黄连、乳香、没药、天花粉、薏苡仁、合欢皮、桔梗、白芷。选用上方20剂，病情日见减轻，脓血便时有时无，腹痛隐隐，肛门常有下坠感。又拟行瘀托毒、生肌敛溃法：赤石脂、黄芪、桃仁、白蔹、五倍子、仙鹤草、白芍、石榴皮、木蝴蝶、黑木耳、马勃、冬瓜子、甘草。上方出入共二十余剂，沉疴顽疾，基本痊愈。随访年余，至今未见复发。

久　泻　|赵尚华|

久泻属脾虚、肾虚者为多，故培补脾肾，尤为常用。然若虚中挟实、寒中挟热者又当补消兼施，寒热并用。患者赵某，年20岁左右，泄泻3年，先为晨起即泄，后为进食则泄，腹内隐痛，消瘦，乏力，面黄，脉沉缓，舌淡苔白。余综观其脉症，诊为脾肾虚寒。再视前医之方，多为温补脾肾之品，然用之无功。自忖进食则泄，大便溏薄，乃湿邪过胜，胃肠积滞，郁而化热，寒热交结之证。治以温补脾肾，消导化湿，佐以苦辛。用四神丸加味：补骨脂10g、五味子10g、肉豆蔻10g、吴茱萸6g、川厚朴12g、半夏10g、白术10g、黄连6g、鸡内金6g、甘草6g，水煎服。3剂后大便即恢复正常。

其后又治数例慢性泄泻者，均以本方加减而获效。以其屡用屡效，定名为连神止泄汤。

治久泻健脾肾莫忘利水　　|张鹏举|

泄泻一证，以病因而言，有湿热、暑湿、寒湿、食滞挟湿等，可用湿、暑、寒、热、食5字概言，但其中均离不开一个湿字，所谓："无湿不成泄"。然"泄泻之本，无不由于脾胃"。且久泻者多伤及肾阳，脾失温煦，致成脾肾阳虚，其治疗常法为温肾健脾止泄。但当肾阳不足，脾失健运，水湿内停，注入大肠，发为肠鸣泄泻，其治疗首当去湿利水，若以固涩止泄，水湿之邪无路可走，犹如筑坝聚水，反使病情缠绵不愈。如1985年曾接诊一患者，蔡某，男，28岁，腹泄3年，日行四五次，质淡稀，无脓血，便后有下坠感，肠鸣腹胀，脐周隐痛，食油腻之物更甚，纳谷尚可，口干不渴，舌红，苔有裂纹，脉沉滑。证属脾肾阳虚。理当固涩，但惟恐聚水为患更甚，故用补益脾肾、淡渗分利之法，用胃苓汤加党参、益智仁加减进退。服药26剂，病情虽有缓解，但不能获愈。反复斟酌，此乃利水燥湿之力弱，药不胜邪。改用四苓汤加益智、椒目、川厚朴、陈皮，重用茯苓至50g。水湿久停，仍以治标为先，当决堤开河。方中四苓汤利水去湿，加川厚朴、陈皮化气利水；益智暖脾肾且有固摄之效。椒目善导水邪下降，分利小便；茯苓益脾利水；益智与椒目，茯苓相伍，利中有固，摄中有行，相反相成，并行不悖，给水湿以出路，但不致利水伤脾。服药10剂，病情向愈。后以红参50g、益智50g、桂枝50g、陈皮30g、防己50g、川厚朴30g、茯苓50g、白术50g、泽泻50g、神曲50g、黄连10g、木香10g。为蜜丸10g重，早晚各1丸，调理2个月后病愈。

晨　　泄　　|王子俊|

王某，久患晨泄，消瘦乏力，饮食稍不慎，或遇气候骤变即发。余初以助阳止泻之四神丸或真人养脏汤每一二剂即可改善，但终不得痊愈，至今已历 10 年。近期晨泄频作，施原法治 2 个月罔效，余技穷。忽忆《医学从众录》所载"正元丹"似适其证，遂如法炮制，服一料泻止，继用一料痊愈。再未发，现饮食如故，形神俱复。

四神丸、养脏汤、正元丹皆温补脾肾之方，而后者为治命门火衰之秘方，原为眩晕而设，而晨泄病机与其相同，故借用之。但其丹制作不易，因此临床罕用，后余每以此"丹"治疗"命门火衰"之"慢性肠炎""肠结核""胃肠神经功能紊乱""结肠炎"等腹泻患者多人，均获良效。请君不妨如法制丹，临床一试。

晨泄不可概以四神丸治之 | 关思友 |

肾阳虚衰可致晨泄，然晨泄并非都是由肾阳虚衰引起。湿热下注、木旺乘脾、伤食宿积等皆能致之，切不可概以四神丸施治。有一马姓患者患晨泄，服四神丸 7 日罔效。患者每日子时以后至黎明大便 2 次。除其自述症状外，望其舌质暗红，舌体略胖，边有齿痕，苔黄腻，切脉濡数。余认为此系伤食宿积，化湿生热，下注大肠，传导失司，治宜消食导滞，清热利湿。遂疏方：葛根 20g、黄芩 12g、黄连 10g、焦三仙各 12g、陈皮 12g、甘草 6g。服药 2 剂夜泄停止，转为日便 1 次。继服 2 剂痊愈。

本例用药与一般常规大相径庭，其依据有三：其一，大便稀薄，内有黏液，腹痛下坠，肛门灼热，小便色黄，舌红苔黄腻，脉濡数，此为湿热下注，大肠传导功能失司所致；其二，纳呆，胃脘胀痛，恶心欲吐，口苦口臭，提示食滞胃脘，宿积不化；其三，每日子时以后至黎明泄泻，虽符合晨泄之义，然无肾阳虚衰的主要脉症，故非肾阳虚衰之晨泄。余取葛根升发脾胃清阳之气，选黄芩、黄连以清胃肠之湿热，择焦三仙以消食导滞，用陈皮以理气化湿，药证相合，故能清热、除湿、消食而止泄。

鸡鸣泄并非晨泄 | 关思友 |

一般文献认为，鸡鸣泄、五更泄、晨泄，名异实同，皆指黎明泄泻。《中医内科学》(全国高等医药院校试用教材)则别具一格，不言病名，而以肾阳虚衰标题。细观之，亦未越雷池，其实仍是指五更泄。顾名思义，鸡鸣泄即鸡叫时泄泻；五更泄即五更天泄泻；晨泄即早晨泄泻；而肾阳虚衰亦就是五更泄了。乍看起来，无可非议，然统与四神丸治之，却效失互见。回首品味，琢磨推敲，便觉此说似是而非，殊欠精当。

作为病名来讲，"鸡鸣"指的是时段。如《素问·金匮真言论篇》有"合夜至鸡鸣""鸡鸣至平旦"之说，文中平旦、合夜、鸡鸣很明显是代表时段的。再者《左传》杜预注，十二分记时法亦谓"鸡鸣"是时段。其排列顺序是：夜半、鸡鸣、平旦、日出、食时、隅中、日中、日昳、晡时、日入、黄昏、人定。既然鸡鸣作为时段的标志，那么和泄泻是什么关系？为说明这个问题，首先需要将十二分记时法、十二地支记时法（子时、丑时、寅时、卯时、辰时、巳时、午时、未时、申时、酉时、戌时、亥时）、五分更点记时法（一更、二更、三更、四更、五更）、现今二十四时记时法，这几种记时法的相应关系以及它们和脏腑的相互关系搞清楚。大要说来，它们之间的相应关系是：夜半称子时，相当于 23～1 点，相当于四更，在脏腑属肝。根据时辰的归属，若鸡鸣（1～3点）这个时段泄泻，辨证论治时应当突出肝。清代名医张聿青曾说："肾泄又名晨泄，每至黎明辄暴迫而注下是也。然肝病亦有至晨而泄，以寅卯属木，木气旺时，辄乘土位也。"张氏所云"肾泄又名晨泄"，虽有待商榷，然提出肝病可至晨而泄则颇有见地。木旺乘脾之泄泻，病理是土虚木贼，肝脾失调，湿热内蕴肠腑，治宜疏肝运脾。若不辨证，一见晨泄，既不顾时段，又不详审大便情形，概以肾虚论治，径投温涩，岂能取效乎？

五更相当于寅时，相当于 3～5 点，在脏腑属肺。若此时段泄泻，辨证论治当突出肺。肺与大肠相表里，肺气不固，致使大肠传导失司，治宜益气补肺，固涩肠道。余尝以黄芪、诃子为主加减治之，恒多收效。

晨泄之晨，是指从天亮到 7、8、9 点钟的一段时间；有时也泛指从午夜 12点以后到中午 12 点以前的一段时间。7～9 点相当于辰时，在脏腑属胃，若此时段泄泻，辨证论治当突出脾胃。脾胃虚弱，腐熟不力，运化无权，食湿互结，下注大肠，或脾阳不振，中气下陷，兼饮食停滞，皆可致泄，治宜健脾益气，和胃导滞，升提止泻，参苓白术散、理中汤、附子理中汤或补中益气汤，用之多验。

至于肾阳虚衰泄泻，余以为当重视时辰，但又不必拘于时辰，关键是要看临床症状。若泄泻，腹部作痛，肠鸣即泻，泻后则安，形寒肢冷，腰膝酸软，舌淡苔白，脉沉细，一派肾命火衰症状悉具，即令泄泻不是在早晨或半夜，而是在中午或下午，治法亦应温肾健脾，固涩止泻，首选方药当推四神丸。由是观之，鸡鸣泄、五更泄、晨泄、肾阳虚衰泄泻，不可混为一谈。临床之际，贵在辨证，有是证用是药，既要重视时辰，又不可拘于时辰，要在知常达变，谨守病机，方不致贻误病情。

治疗泄泻一得　｜贾　斌｜

湿胜则濡泻，泄泻是因脾失健运，升降失职而致。脾虚泄泻以健脾化湿或温中健脾为治，外湿困脾引起泄泻，则以芳香化湿为治。这是治泄常法，但于临床则不尽然。

如 1974 年夏季，我院传染科收住一痢疾病人，杨某某，男，38 岁，干部。就诊时，便脓血已除，仍有腹泻，便初为水样便，后为软便，日三四次，便前腹痛、肠鸣，便后减轻，病已月余不瘥。经乙状结肠镜检查：直肠黏膜水肿、充血。给以中药：桑白皮 60g、槐角 15g、大枣 10 枚。药进 3 剂，水样便已止，大便成形色黄。痊愈出院。

本例是因感受暑湿时疫之邪。患者经服西药后，脓血便已除，而水样便月余未瘥，我依据现代医学检查的结果，结合祖国医学理论，未用健脾化湿和芳香化湿之剂，而用肺与大肠相表里的理论，泻大肠能治肺热喘咳，而大肠病变亦可以用泻肺的方法治疗，故取桑白皮泻肺利水之功，以消大肠水肿。槐角入大肠经，具有凉血止血之效，以治大肠黏膜充血，并且还能减少炎性渗出，且助桑白皮的利水消肿作用。大枣补脾和中。三药合用，共奏泻肺利水之效。

此例证实，用现代医学的检查手段，结合中医理论进行辨证论治，是提高祖国医学理论的很好途径。

疫　痢　｜李加璞｜

"疫痢"又名"疫毒痢"。《丹溪心法》称"时疫痢"。

《史载之方》曰："疫毒痢者，毒气所传，一坊一境，家家户户，更相染易，无有不病。"并指出："缘疫痢之状，变证多端……"，其证候表现为："凡下痢之时，忽发寒热，忽先转数行，忽生冷所伤，因而下痢……浑是赤色，浓如脓涕，忽时半盏，下脓血，腹中刺痛，忽心中烦躁……全不思食，此名疫毒痢也。"上述症状与现代医学的细菌性痢疾的临床表现颇相类似。

古往今来，治痢方法很多。余常以白头翁汤合地榆甘草汤（白头翁15g、黄连9g、黄柏9g、秦皮9g、地榆15~30g、木香9g、肉桂3~6g、甘草3g，水煎服）治疫痢每获良效。若发病即出现高热、神昏、惊厥等症状，为中毒性细菌性痢疾（其诊断当靠肛拭、粪便镜检，有大量脓细胞，吞噬细胞），病情危急，宜中西医结合治疗，中药可用上方鼻饲或灌肠，以清泄疫毒，效果比单纯用西药显著。

吊　脚　痧　|王子俊|

早年，余行医于陕南农村，急危重症，尝用中药施治，多获良效。

1929年，天大旱，民饥。迨秋初，吊脚痧流行，本病称麻脚温病，临床表现与霍乱转筋相似。邻人张某患此疾，初起剧烈吐泻，随即狂叫，自觉足趾麻木上窜，不能行走，继而麻木上窜入腹，失去知觉，未及就医而殂。凶耗不断传来，远近各村均有染本病暴亡者。余闻之甚为痛惜，且自愧无技救人。面对死耗，忆及《急救奇痧方》所载"雷击散"或可取效。便依法配制应用，佐以民间推拿法（用鲜青蒿500g，大蒜半把去皮，共捣为泥。令患者俯卧，将药泥涂抹下肢腓肠肌处，再用双手由委中穴始，从上而下到足跟使劲推，至皮肤发热，恢复知觉，然后停止。切忌逆行推按）。这样内服雷击散，外用敷药推拿，内外同治，活人无数。

瘀　黄　治　验　|刘镜如|

1970年夏，气候炎热，经常下雨。有患者赵某，病已半年，久黄不退而来就诊。据称病初经西医医院诊断为阻塞性黄疸，疑为胰头癌引起，经剖腹探查，未发现肿瘤。近日精神萎靡，体重减轻，全身黄疸色黯，倦怠乏力，胃呆纳少，溺黄便溏，肝肿大平脐，质硬而触痛，脾亦肿大，舌绛，苔黄白兼见，脉弦。服西药及中药茵陈蒿汤、茵陈五苓散、茵陈术附汤、硝石矾石散等，均无效果。分析其证候乃属湿热发黄，由于湿热滞留日久，侵及血分而致血瘀。若清湿热，血分瘀滞不化，则黄疸不愈；只化瘀滞，肝胆湿热不清，则黄疸亦不能除。治疗应化瘀滞，清湿热，两相兼顾，予丹栀逍遥散加三七、茵陈治之。方用：三七6g（冲）、茵陈30g、牡丹皮10g、栀子10g、柴胡10g、当归10g、赤芍10g、茯苓10g、白术10g、甘草3g。水煎，日1剂，煎2次分服。服药2个月，黄疸消退，肝脾肿大恢复正常，病愈恢复工作。

或谓：久病必虚，且此病黄疸色黯，何不采用补养药和温化寒湿之剂？殊不知久病未必虚，黄疸色黯亦非尽属寒湿。症由时邪外袭，郁而不达，湿热挟瘀蕴阻肝胆，胆液外溢肌肤而发黄，故黄色晦暗。丹栀逍遥散能疏肝清热，健脾和营，但化瘀之功较逊，病重药轻，故难奏效。因此加入三七、茵陈以祛瘀退黄。余用此法治瘀黄多例，疗效颇为满意。

祛邪扶正治"乙肝" 杨　震

乙型病毒性肝炎（以下简称"乙肝"）是临床常见病。从中医辨证，多属湿热疫毒蕴结肝经所致。它相当于中医的"黄疸""疫疠""胁痛""湿温"等病症。

该病临床多见烦躁易怒，胁肋胀痛，纳差厌油，疲乏无力等症。此乃湿热疫毒蕴结肝经、气滞血瘀、久郁化热所致，若热耗营血，则可进而导致阴虚血瘀，甚至成"癥"。

因此宗清热解毒、凉血祛湿、理气化瘀、扶正养阴之法。选用白花蛇舌草、茜草、青黛、土茯苓、丹参、佛手、山楂、麦冬、灵芝、蚕沙等19味药物，与西安国药厂合作研制成"碧云砂乙肝灵冲剂"防治本病。"碧云砂"者，乃主药青黛、灵芝、蚕沙之简称。

方中白花蛇舌草、茜草、青黛、土茯苓以清热解毒，凉血祛湿；佛手、蚕沙、丹参、山楂以疏肝理气，活血化瘀，消食健脾；灵芝、麦冬以扶正固本，益气养阴。全方寓攻于补，攻补兼施，去邪而不伤正，扶正而不留邪。故可改善肝功能，使表面抗原转阴，症状好转。临床观察341例，有效率达84.75%。

藏药治重型急性黄疸型肝炎 马子琪

陈左，24岁，右上腹阵发性疼痛拒按伴全身黄染月余，痛如针刺，皮肤黄如橘子色，纳差，腹胀，乏力，小便色黄，大便干结。舌质淡，苔薄白，脉缓稍弦。肝于右锁骨中线肋下 10cm，质硬，有触痛。肝功能异常。住院行剖腹探查。病理诊断：重型急性黄疸型肝炎。遂用藏医退黄方八味茵陈散、消肿方九味牛黄散治之。八味茵陈散：藏茵陈 30g、木鳖子 15g、唐古特草乌 15g、广木香 15g、苦菜 15g、短管兔耳草 15g、细果角茴香 10g、黄柏 4g。共研细末。每次服 1.5g，8 小时 1 次。九味牛黄散：牛黄 3g、藏红花 3g、五脉绿绒蒿 15g、藏茵陈 15g、五灵脂 15g、青木香 1g、纤毛婆婆纳 1g、木鳖子 15g、木通 3g，共研细末。每次服 1.5g，8 小时 1 次。两方每日交替服用。28 天为 1 个疗程。第 1 疗程后，皮肤、巩膜黄染明显消退。右上腹痛减轻，肝缩小至右锁骨中线肋下 7cm，质硬，光滑，有压痛。第 2 疗程：八味茵陈散及九味牛黄散每次 1.5 克，减为 1 日 2 次。两方仍交替服用。服后除巩膜略黄外，皮肤黄染消失。右上腹稍有痛感，纳佳。肝缩小至右锁骨中线肋下 3cm，质软，表面光滑，稍有压痛。第 3 疗程与第 2 疗程间隔 7 天，其用药、服法、疗程时间均相同。巩膜黄染消退，右上腹疼痛消失。精神、食欲均佳。肝缩小至右锁骨中线肋下 1cm，质软，光滑，无压痛。病愈出院。

藏药治疗重症肝炎确有良效。退黄方八味茵陈散用藏茵陈、苦菜、黄柏利湿退黄；细果角茴香、短管兔耳草、唐古特草乌、木鳖子清热解毒消肿；广木香行气止痛。消肿方九味牛黄散用牛黄、五脉绿绒蒿、纤毛婆婆纳、藏茵陈、木通清热解毒，利湿退黄；藏红花、五灵脂、木鳖子、青木香活血化瘀，行气消肿。两方交替服用。八味茵陈散退黄以治其标，九味牛黄散消瘀以治其本，标本兼顾，故获良效。

便血非热证 ｜唐康宁｜

张君一生业商，天命之年病大便下血频繁。腹痛，痛则便下如脓血。面色无华，指甲苍白，虚汗出，心悸、气短，无热恶寒，甚则四肢抽搐，不欲饮食，小溲清长，舌质淡，苔薄白而润，脉沉细而弱。此乃积年筹谋过虑伤心脾。脾主统血，脾虚统摄无能，故下血。心血不足，阳虚，营血不荣四末，经脉收引，故见手足抽搐。论病因属虚寒证，辨病位在心脾。《伤寒论》第 275 条："身热不渴者属太阴，以其藏有寒故也，当温之"。其舌润而苔薄白，脉见细弱，与热证之口干欲饮、手足发热、血色鲜红等症可资区别。治疗宜用归脾汤，以健脾养营、宁心安神，以附子理中汤温中摄血，复配桃花汤坚秘肾脏。药进病愈。

下血一证，当明辨寒热虚实，若误为见血必热，治血必清，其不贻误者鲜矣。

治疗急症有感 |高冬来|

癸亥元宵。我邑候某之妻，年约30岁，突然右胁下疼痛难忍，越一昼夜，痛不稍减，适余返乡，应邀赴诊。入户即闻患者呼喊之声。察其病状，断为肝胆湿热蕴结所致（胆石症胆绞痛）。急投清肝利胆、理气止痛之方。药后40分钟，剧痛即得缓解；继进二煎，约1小时余，疼痛基本停止，渐渐入睡。调治数日而瘥。数日后，我村候某亦骤发病，症见右上腹急痛，犹如刀割，彻及右肩，手不可近，面色苍白，冷汗淋漓，时有恶心，舌苔黄腻，脉象弦数。仍断为肝胆湿热蕴结之证（胆石症胆绞痛）。即以小陷胸汤合大柴胡汤加减治疗，40分钟后剧痛缓解，2小时后痛止，第2天大便中排出黄豆大椭圆形结石3粒，病遂痊愈。

实践体会，胆绞痛，木香、大黄为必用之品，二药之剂量均以15g为宜，然木香属辛香燥烈之品，大剂久服必有伤阴之弊，故在痛止之后，即应减量乃至停服，以免用药过度，造成不良后果。医疗急性病症，还必须改变常规煎药方法。近代名医张锡纯凡遇重症险症，必将药煎一大剂，分多次频频送服，其目的在于使药力接续，一鼓作气，逐邪外出，又无偏颇之弊。这种服药方法，亦可在治疗胆绞痛等急重症时参照使用。前述两案所以取得满意疗效者，除辨证准确、用药得当外，改早晚各一服的服药法为两煎连服法，亦是一个不可忽视的因素。

中医治疗急重症，良法颇多，治验案例，不胜枚举，文中所志，仅沧海之一粟，即此亦可见其一斑。病人中慢性病多而急重症少，然急重症性命攸关，生死反掌，业中医者，若能研究急重症辨治之法于平日，则中医之振兴，指日可待矣。

胆道排石一得 |张 翼|

胆道结石为临床常见疾病，应用排石汤使许多患者通过非手术治疗使结石排出。临床掌握排石之适应证非常重要。凡总胆管、肝管、手术后胆道残余结石，直径小于 1~2cm 者，常能采用排石汤而奏效。

实践体会排石汤之适应指征，①既往有胆石症病史。②突发的上腹疼痛或伴有黄疸。③疼痛局限于剑突下，腹肌不紧张。痛在剑突下，提示胆石已至胆道，而且直径较小；腹肌不紧张，表明未引起腹膜炎。此种胆石，采用排石汤最为灵验，一般二三剂结石即会排出，3~5 剂症状完全缓解。

如属肝郁气滞之证，应以大排石汤（上海中医学院编，《方剂学》，219 页，上海人民出版社，1974 年）为基础方。本方乃大柴胡汤合左金丸加味组成，具疏肝理气、清热排石之功，湿热交阻者，尚需酌加茵陈、郁金、金钱草。

急病之汤药，服法颇有讲究，宜 1 日 2 剂，分 4 次服，轻症亦可 2 日服 3 剂。

治疗胆道蛔虫三法 　|李玉香|

胆道蛔虫病是蛔虫钻入胆道所形成的急腹症，其主要症状是剑突下阵发性剧烈绞痛，或有顶、撞、钻、撕裂样疼痛（但按之并无明显腹肌紧张），其痛可放射至右肩和背部（肝、胆俞穴处常有明显压痛）。甚者坐卧不安，满床翻滚，捧腹叫喊，冷汗淋漓，并有恶心呕吐，频吐清水（可吐出胆汁或蛔虫）等。一旦蛔虫退出胆道，则疼痛突然缓解。所以发作时痛苦万状，缓解时一如常人。对其治疗可归纳为三法，①电针止痛；②中药安蛔；③西药驱虫。

电针止痛：病人取右侧卧位，一般选 4 穴即可。①针右侧肝俞和胆俞，直刺、微斜向脊柱 0.5~1 寸。②针腹部中脘和下脘，直刺 1~1.5 寸。③将脉冲电针器的负极与胆俞相接，正极与中脘相联，用高频率、强刺激，其痛立止。因蛔动则痛，蛔静则痛止，今蛔虫在电针之强大刺激下，一时丧失活动能力，被迫处于静止状态，故痛止。其优点是止痛效果确切、迅速。但缺点是疗效不易巩固，每多复发。

中药安蛔：为进一步巩固止痛效果，应急服"安蛔止痛汤"：乌梅 10 个、细辛 3g、广木香 15g、陈皮 12g、枳壳 12g、川楝子 10g、延胡索 10g、槟榔 10g、白芍 15g，水煎服（以上为成人用量，小儿酌减）。本方辛苦酸合用，辛开苦降，酸以安蛔，并有疏肝理气止痛之功，乃安蛔止痛之妙方。若病者痛势较缓，亦可不用电针，首选此方，取效亦佳。

西药驱虫：待疼痛缓解后，即可驱除蛔虫，以绝病根。目前中药驱虫不如西药简便，故可首选驱虫净，成人每次 0.2g，儿童按 4mg/kg 计算，睡前 1 次服下。本品较其他驱虫药作用强，不良反应小，疗效满意。若无上药，用驱蛔灵、灭虫宁亦可。成人每次 3～4g，儿童按每岁 0.2～0.3g 计算（但不得超过 2.4g）。早晨空腹或睡前 1 次服下，均有驱虫效果。

曾治疗母女 2 人。其父代述：女儿因腹痛住院，诊为胆道蛔虫病，经注射针剂及服药均不效，医生动员手术治疗。其母素有腹痛旧恙，闻之万分焦急，旋即发病。经检查结合化验，诊断母亦为胆道蛔虫病，母女均依前法治疗。次日家属告知，其母服药后便出蛔虫 9 条，女儿便蛔 5 条，最小的一条半截红色，半截黄色，此乃虫体钻入胆道一半又退出之明证也。

浅谈肠痈之治法　　|李振华|

肠痈是肠内产生痈肿而出现少腹疼痛之证候。其发病部位在右侧天枢穴右下方。属现代医学所称之阑尾炎。

余行医近四十载，临证中常遇此病，按急慢性分治，屡获良效。

急性肠痈，治以清热解毒、行气活血。方用自拟二花汤：连翘、金银花、蒲公英、枳壳、青皮、牡丹皮、制乳香、制没药、赤芍、甘草。每剂水煎 2 次，相隔 3 小时服 1 次，一昼夜可服 2 或 3 剂。

如大便秘结，加大黄、桃仁、冬瓜子；如恶心呕吐，加藿香、竹茹；如局部发生脓肿（或肿块），腹痛剧烈，四肢欠温、便溏、苔腻、脉濡缓或滑，当用薏苡败酱汤。

发病初期，在内服药同时，尚可配合外敷法：采用食盐 1500g（大青盐较好），分成 2 份，每份 750g，放铁锅内炒极热，装入布袋，外用毛巾或布包垫，热度以能忍受为限，轮流热敷。大都在热敷后 2～3 小时可达止痛目的。1956 年我和洛阳专区人民医院陆介甫副院长曾用热水袋和食盐外敷作了比较，热水袋外敷未能取效，而用食盐则疗效显著。究其原因，食盐热度大，渗透作用强，能较快改善局部血液循环，故通则不痛。由于局部热敷和内服药相配合，既能清热又能活血理气，局部炎症吸收较好。此外，尚可结合针灸疗法，针刺足三里或阑尾穴。

慢性肠痈，常由急性期未彻底治愈转化而成，或因脾胃虚弱，湿阻气机，血行不畅，一开始即属于慢性者。治宜健脾和胃，温通气血。方宗香砂六君子汤加味，药用党参、白术、茯苓、陈皮、半夏、香附、砂仁、茴香、乌药、丁香、广木香、延胡索、甘草、白芍。

如舌苔白腻，喜热恶寒，寒湿明显者，可酌加干姜或附子。

肠痈一证，除积极治疗外，还需注意饮食调理，防止食复，巩固疗效。

猪胆白酒汤治疗急性肠梗阻 ｜刘长天｜

近几年来，笔者用自拟之猪胆白酒汤治疗急性肠梗阻（属实滞者）21 例，均获治愈。

处方及用药：取猪胆1个、白酒30g（视病人酒量大小，亦可略多或略少于此量）。将其混和于碗中置小锅内炖热，1次服下。若无新鲜猪胆，亦可用干品（其效稍缓），但1次需用2个，先将胆囊壁剪开，用热酒将里面的胆汁浇在碗中，按上法炖热后即可化开。

服药后不久，即可见肠蠕动加快，腹内气响，2～4小时许即得矢气而通下。

曾治一农民，因怒后饱食，当即腹痛、腹胀、呕逆。翌日就诊时，患者腹胀如鼓，痛处拒按，呻吟不已，不大便，无矢气，苔微黄，脉沉涩。诊为急性肠梗阻，急服猪胆白酒汤1次，4小时许，诸症皆消而愈。

肠梗阻一病，中医谓之肠结，以腹痛、腹胀、呕吐、便结为主要证候。治当从通入手，以理气导滞、通里攻下、和胃降逆为其治疗原则。猪胆白酒汤药虽两味，实兼具数功。猪胆汁味苦性寒无毒，善润肠通便，而软化燥粪。从《伤寒论》猪胆汁导法、白通加猪胆汁汤、通脉四逆加猪胆汁汤等，得到启发。因猪胆味苦性寒，故加白酒之辛热以制其寒而助其行，肠梗阻凡属燥屎内结所致者，或腹内有燥粪而便结者，均可选用本方治之。一般服后2～4小时即通下，且便下之粪均被软化散结而无硬块。其方安全简便、效验确切，名之为猪胆白酒汤。

肠梗阻有虚有实 ｜朱宗元｜

肠梗阻治宜攻下，这只是针对实证。至于虚证，则当以补为主，从补中求通。

一般而言，凡是急性肠梗阻，起病急剧，进展迅速，闭、满、痛、呕症状严重者，多属实证，治疗以攻为急；凡是起病较缓，表现为不全性肠梗阻，则以虚证为多。如粘连性肠梗阻，常反复发作，闭、满、痛、呕症状不甚急剧，尤其是肠粘连而手术者，虽经肠排队手术，手术之后梗阻常不能缓解，亦有于手术后即梗阻发作不断，以致不能出院，此则属虚证。由于中阳不足，寒自内生，厥气上逆，致胃肠之气不能下降；若因手术更伤中阳，则厥气更为猖狂，胃肠之气更不能降，故致腑气不通而成梗阻。此时治以温补中阳为主，可用黄芪建中汤加吴茱萸、荜茇之类，中阳健运，浊阴自降，则腑气得通。

粘连性肠梗阻或手术后肠梗阻，如出现闭、满、痛、呕症状急剧者，病情可由虚转实，而成寒实之证，则又当温下，可用温脾汤为主加味，温通攻下并用。如病情稍长，脱水明显，病从热化、燥化，又可转化为阳明腑实证，则又当以承气攻下。病情变化万千，不可拘守于一方一法。

另有高龄患者，则可因元气大虚，已无鼓舞激发之力，脾气大虚，致气血生化乏源；终致大肠气虚，无力传导，而发生肠梗阻者。对这类病人治不宜攻，而当从脾胃着手，复其先后天之本，可用补中益气汤升提清阳，加用温补肾阳之品，以补其先天，稍佐温润之品，以通其肠即可。如用攻下之品，一则攻之不应，再则攻之虽应，而气变随攻而脱，故当谨慎对待。

治痢不囿于成法 　|王懋如|

或曰，前人者，后人之师也，然余以为，后人者，必当发前人之未发，补前人之未备；业精于勤，不囿成法，才能有利于医道之阐发。

如痢疾一病，种类繁多。其顽固者无过休息痢。尤怡曰："痢疾见补，休息不治"。细审此病之由来，大抵多属泄泻之湿热重者，始因参、术补涩太早，固邪不出，于是止而复作，长期不愈。惟有谨守病机，辨证论治，方能收效。1951年曾治一陈姓男患者，三十余岁，患休息痢半年，不思饮食，嘈杂，胸脘痞满，唇红口糜，脉细稍数，舌质红燥而有裂纹。证系久痢伤阴，乃宗甘露饮、三甲复脉汤加减，竟获痊愈。又张某，女，41岁，罹休息痢8个月余，症见神疲乏力，腹中雷鸣，膜胀不舒，舌苔白滑，右关脉虚，尺部沉伏，证系久痢伤阳，脾肾阳虚不运，以香砂六君子汤合六神汤（人参、白术、薏苡仁、山药、茯苓、白扁豆）化裁遂得平复。两证均迁延日久，需注重辨证，不应拘泥于原发之证因。

尚有妇人胎前、产后之痢疾，《张氏医通》曰："胎前痢疾，产后不治"。

指孕妇患痢延至产后则难治，盖产后阴血多虚，虚中夹滞，投以甘温补涩之品，必滞其邪，犹如闭门留寇；若予淡渗利湿，复伤其阴，尤为所忌。证情危重棘手，然从甘苦咸寒介类潜阳法，以滋肾胃阴液，常可济困扶危。1950年初，余尝治丁氏，31岁，妊娠2个月患痢，延至产后，病势加剧，头昏目眩，身热汗出，胸痞腹满，恶心呕吐，下痢不止，神疲倦怠，不能转侧，舌心燥红，口中糜烂，脉洪数疾，盖胎前下痢，营阴亏损，产后更耗阴液所致，方用生玉竹4g、麦冬9g、炒白芍12g、川石斛9g、炙龟版15g、盐水炒黄柏7g、肥知母7g、北沙参9g、全当归9g、生牡蛎15g、生扁豆12g、炒山药12g、乌梅肉6g、荆芥穗炭5g。连服3剂，诸症轻减，惟口中糜烂依然，胃阴尚未复也，上方加枇杷叶9g、熟地黄9g，续进5剂而愈。

治疗妊娠痢疾，应当机立断，切勿徘徊于禁忌之间。《张氏医通》虽有三禁五审之论，一禁涤荡肠胃；二禁渗利膀胱；三禁兜塞滞气。但若临证需要，大黄、薏苡仁在所不忌，是即"有故无殒"之义。余每于方中加阿胶以护胎，为有备无患之用。如柯某某，女，24岁，孕5个月患痢，里急后重，痢下赤白，腹痛难忍，舌苔淡白，右脉浮弦细数，左脉沉濡小数，拟清湿热，调气血，方用黄芩（酒炒）7g、姜黄连4g、生薏苡仁12g、大黄6g、槟榔7g、青木香3g、茯苓9g、乌梅肉5g、真阿胶9g、全当归9g、炒白芍12g。连服3剂而瘳。

痢疾中最凶险者为疫毒痢，感伤暑邪挟秽浊之气，邪从热化，劫夺胃液，阴愈耗则阳愈炽，引起肝风内动，故症见身热盛，呕恶腹痛，下血不止，甚至神昏痉厥。治宜清热解毒逐秽，兼佐益胃和肝，方用当归黄芩芍药汤（黄芩、连翘、当归、白芍、乌梅肉、槟榔、青木香、茯苓、生薏苡仁、甘草）去茯苓，薏苡仁加莲子肉、生白扁豆。呕恶者加淡豆豉、焦栀子、藿梗以疏胸膈之邪；下血者，加炒槐花、炒甘菊花以凉血平肝；高热神昏者，加莲子心、炒金银花、乌犀角以清心泄热；若上症已去，惟不食下痢者，加生牡蛎、生玉竹、生龟版以复阴液；若热去湿留，症见舌苔白、身重发黄、饮食稍增者，可继服当归黄芩芍药汤。本方对疫毒痢危证确有较好疗效。

（王玉琴 整理）

大便燥结从三焦论治　　|白于民|

1944年，余治某六旬老翁，患大便燥结十余日不通，口苦、咽干、胸满、呕吐、胃痛，别无他症，曾服大承气汤及调胃承气汤，并用猪胆汁灌肠均无效，即从三信论治，予小柴胡汤，服之便通，诸证皆除。

中医学认为，三焦者，"中渎之官，水道出焉"。盖三焦总领五脏六腑，营卫经络，内外左右上下之气。三焦通，则内外左右上下皆通，津液得以周身灌体，和内调外，营左养右，宣上导下。纪天锡说："三焦者，禀原气以资始，合胃气以资生，上达胸中而为用，往来通贯，宣布无穷，造化出纳，作水谷之道路，为气之所终始也"。

余意小柴胡汤所治往来寒热，口苦咽干，胸胁胀满，默默不欲饮食，心烦喜呕之证，乃少阳胆与三焦为病。少阳之病虽有各种表现，但总以表里、上下枢转不通为机，故小柴胡汤用于三焦不通之证，理宜合拍。对大便日久不通者，亦有明显的作用。君药柴胡疏肝解郁，清肝退热，和解表里，去胃肠中结气，通利三焦，推陈致新，祛瘀调经，是一味和平而应用极广的药物。除用于上述疾病外，尚可用于肺炎、胸膜炎、肠炎等，疗效颇佳。

（魏敦政　整理）

平肝和胃治便秘　　|马　山|

习惯性便秘是常见病，治疗方法众多。多年来，余按著名中医儿科专家王鹏飞老师平肝和胃法治疗老人、小儿及体弱之人长期便秘，有其特殊的功效。方用：茯苓10g、化橘红10g、钩藤10～15g、伏龙肝10～15g、炙甘草6～10g。实热重者，加青黛3～5g，瓜蒌15g；气积壅滞者，加丁香5g、藿香10g；脾虚胃弱者，加神曲10g、焦山楂10g；肝郁气滞者，加草豆蔻6～9g、丁香1.5～3g、乌药10g；便秘日久不愈、伴有阴虚者，加麦冬10g、白茅根10g；再不通者，加赤石脂10～15g。此即"塞因塞用"之法。

平肝和胃法治疗习惯性便秘，乃王老家传秘方，还可用以治疗小儿肠梗阻。方中钩藤、伏龙肝为主药。钩藤有清热平肝、镇惊定搐、通经止痛、滑肠通便作用。伏龙肝和血止呕，配钩藤有泻下通便，软化粪块作用。茯苓、化橘红、甘草有加强脾胃运化作用。诸药配合具平肝和胃，润肠通便之功。适应各种便秘。

曾治王某，女，69岁，发热不退，朝轻暮盛已经月余。平素大便干结，近10天大便不通。前医投大量滋阴润肠药不效。处方：茯苓10g、化橘红10g、钩藤15g、伏龙肝10g、炙甘草6g、地骨皮10g，2剂。第3天家属来告知，服药3小时，大便1次，当天共排大便8次。患者热退身安。

治疗老年便秘之经验 |许玉山|

老年便秘，多因血虚肠燥、津血枯涸、气虚失运，命火衰微等形成，多属虚证。年高之人，正气已衰，脏腑脆弱，多不任攻伐，治疗必审其证而后用药，切不可鲁莽从事，滥用峻药。

余临证数十余年，治疗本病略有心得。属血虚肠燥者，其症见大便努责难下，腹部按之不痛，面白少华，时感心悸头晕，脉细弦等，治宜滋阴养血润燥。常用当归15g、川芎8g、白芍10g、熟地黄10g、炒桃仁8g、炒紫苏子5g、升麻3g、清宁片6g。加减治之。

津血干枯，燥屎难下者，治用当归15~20g、肉苁蓉20g、火麻仁30g、郁李仁12g。煎汤常服，多获良效。

命门火衰，脾肾阳虚，寒从内生，大便艰涩者，症见唇淡口和，四肢不温，小便清长，腹胀或疼痛，脉沉迟或弦紧无力者，常用：炮附子6~9g、肉桂6g、干姜6g、肉苁蓉30g、火麻仁30g。以温阳散寒，俾日照当空，阴霾自散，大便遂通。

属脾肺气虚者，余恒以补中益气汤治之，脾肺之气得充，则能升清而降浊，便秘自解。

心肺阴津亏虚，症见心神不宁，头晕失眠，干咳少痰，舌赤口干，尿涩便秘者，常用麦冬100g，煎水频服，大便自能解下。余以此法授人，亦多获奇效。

此外，治疗老年便秘尚可用食物疗法。余常用大秋梨1个切片，加麦冬15g、天冬12g，用水500ml，微火炖，去渣取汁，约300ml，加蜂蜜25g，1日服2或3次。此法对大便燥结者，见效亦佳。

若大便下近魄门，数至圊而不下，古有蜜煎导法可用，亦可用皂荚煎汤，待温灌入肛门，因其有滑肠的作用，故可取效一时。余还仿古法，自制灌肠剂，方用香油、蜂蜜、陈醋各30g，大猪胆汁1个，搅匀后稍稍加温，注入猪尿泡或灌肠器中灌肠。此方治疗肠燥津枯、大便干结不下具有特效。其中香油、蜂蜜、胆汁清热润肠通便自不待言。陈醋一味，则能够使粪便易于排出，可免除患者痛苦，医者不妨一试。

阳明腑实谵语证　　|苗润田|

神昏谵语，多由温病热入心包引起，临床习用牛黄丸、至宝丹以清心开窍，但阳明腑实，燥屎内结，腑热浊气上熏，神明被扰亦常见是证。

1974年夏尝治一杨姓患者，男，20岁。高热、头痛剧烈，经服用阿司匹林等退热药，周身汗出，热势不退。一日许，逐渐神识昏糊，对答迟钝，继则昏睡，呼之不应，时有狂躁谵语，急诊入院。西医检查，有脑膜刺激征，外周血象正常，脑脊液仅有轻度细胞增加，怀疑为"流行性乙型脑炎"，采用支持疗法，请中医会诊。依发热神昏，舌红苔黄，口渴饮冷等症，而从热入心包论治，采用清心开窍法，方用化斑汤冲服安宫牛黄丸，1日内服汤药2剂，安宫牛黄丸3粒。无效。次日，又请外院西医会诊，认为本病乃肠道病毒引起之无菌性脑膜炎，可排除流行性乙型脑炎。因思患者虽无明显腹部症状，但已3日不大便。壮热，手足汗出，苔黄燥，脉沉实有力，明系阳明腑实之证，急用大承气汤。处方：大黄15g、厚朴9g、枳实9g、芒硝9g、玄参12g、生甘草9g。先煎枳实、厚朴，后下大黄，芒硝冲服。服后约1小时，大便通，先排出干结屎块数枚，继下大量恶臭黑色稀屎。便后患者熟睡，热度渐退。次晨神志清醒，并感饥饿欲食，令进清淡之品调养而愈。

《伤寒论》第218条："……胃中燥，大便必硬，硬则谵语……"。后人指出"便硬是微烦、谵语之根"，说明轻则微烦，重则躁烦，甚至神昏谵语等神志病变，均可由阳明腑实所形成。过去对此证重视不足，片面认为腑实之证当有腹满痛、绕脐痛等临床表现，而应用大承气汤尤需"痞满燥实俱全"。本例神昏谵语未见腹部症状，是因燥屎较少，但腑气不通，浊热上攻，灼扰神明所致，若不细辨，必然误诊。

瘀血内热证　　|徐庆云|

20年前，余治王某，男，年近40岁，在生产队驭马车。就医时，自诉罹病2年有余，胸烧似火，胃热如焚，常露胸袒腹，不分冬夏，得凉风则感舒适，虽严寒夜眠，胸膺亦不欲盖被覆衣。曾服中药二百余剂未效。患者抑郁寡言，自诉口干咽燥，不欲饮水，每于黄昏时微热，烦躁，余无异常。阅前医处方数十张，多以肝胃郁热论治，亦有按阴虚内热或气虚血亏施治者，均未获效。忽忆王清任云："身外凉，心里热，故名灯笼病，内有血瘀。认为虚热，愈补愈瘀，认为实火，愈凉愈凝。"恍悟前医诸方未效之由。诊之脉见细涩，望之舌质黯红，面色黄黑。断为病在血分，血瘀化热。寐不欲覆被，夜眠不安，口干咽燥，乃血分之热上扰所致；热郁于营中，故饮水不多；郁热阻于胸膈，故喜露胸袒腹，遇凉则适。脉证合参，均属瘀血内着，郁热不宣之征。遂试投血府逐瘀汤2剂，服后几无变化，想系药量过轻，遂按原方加重赤芍、川芎，倍柴胡、桔梗用量，症状略获减轻。再诊时复加牡丹皮、焦栀子，嘱连服数剂。时隔数日而来，病情顿减，十去七八。其后续进原方约二十余剂，抑郁已解，胸热尽除，夜寐安适，精神情绪正常，诸症悉除，停药后，病未复发。

漫话臌胀治疗三原则　　│刘学勤│

臌胀，多由气、血、水三者相互影响而成。一般病情重，疗效慢，预后差，临证施治，颇感棘手。若能及早治疗，辨证明，投药准，正确运用"补""准""猛"三原则，往往能获较好疗效，或带病延年。

一曰"补"：臌胀多以正虚为特点，虽腹围特大，乍看属实，亦多因虚而致。遣方用药，始终当顾及正气。用补法，可小补，亦可连补，可单独补气、补血、健脾、补肾，也可配合使用。可一补到底，亦可寓攻于补，可多补一攻，或先补后攻，总需因病制宜，灵活运用，以适为度。此为治疗臌胀的关键。数年前，曾治臌胀患者周某，大腹臌胀，青筋暴露，鼓之如鼓，腹围110cm，便溏溺短，舌淡苔白，脉弦缓。证属正气虚衰，气血瘀阻，阳气失运，阴霾四布，清浊混淆所致。治当补中土以消阴翳，开太阴以走水邪，方用野党参20g、苍术、白术、猪苓、茯苓、大腹皮、川牛膝、汉防己各30g，葶苈子（布包）20g，上肉桂（后下）2g，次沉香（后下）7g，路路通12g，浓煎分服。连进9剂，臌胀渐消，腹围92cm。虽获初捷，未足全恃，更加生黄芪15g，5剂后，臌胀已消，腹围82cm，再服5剂，藉资巩固。方中选党参、苍术、白术、黄芪、猪苓、茯苓斡旋中枢，鼓舞清阳以御水之本；更投肉桂、沉香助肾气化，俾离火高照，阴霾自散；葶苈子泻肺行水，以期水行则气行，气化则水化。拟方寓攻于补，寄导于制，药中肯綮，沉疴遂得痊愈。

二曰"准"：攻补宜掌握时机，临床需明辨邪正虚实，既要防止因补滞邪，又要避免因攻致虚。如张某患臌胀，腹大坚硬，腹围102cm，步履艰难，下肢浮肿，舌淡质胖，边有齿痕，脉弦细无力。为虚实兼备之候，治疗当顾护其虚，配合攻邪祛实。遂用攻补两方。补方：苍术、白术、川牛膝、怀牛膝各45g，野党参、汉防己、生麦芽、猪苓、茯苓各30g，洗大腹皮、草河车各24g，广郁金、炒枳壳、制香附各12g。攻方：广陈皮、焦白术各9g，云茯苓24g，葶苈子、生桑白皮、牵牛子各12g，洗大腹皮18g，川椒目3g，煨甘遂6g，生大黄（后下）15g。服用2剂补方，1剂攻方，共服6剂，腹软食增。又服补方17剂，臌胀逐渐消退，腹围97cm，药证虽应，未入坦途，复进补方40剂，攻方2剂，臌胀全消，腹围78cm，遂用补气健脾助肾方药20剂以善其后。随访10年，一直身体健康。

三曰"猛"：攻逐要猛。看准时机，必要时可逐水、利尿、宣肺三法同用。至于理气、祛痰等法，亦可斟酌参用。猛攻之前，应注意防止因腹水猛降，腹围猛减而诱发昏迷及出血。15年前遇一韩姓臌胀患者，伴有发热，临床表现为腹部胀大，腹围89cm，肢肿咳喘，溺少热痛，腰部沉重酸痛，脉弦细，舌嫩红，辨证系肝肾俱病，胸腹积水，虚实挟杂，正邪交错，曾先后使用清热解毒、宣肺利水、补肾健脾、通泄逐水等法，症情迁延，时轻时重。是夜，伏案深思，韩某正值盛年，体质尚可，参其四诊，决意先调补肺、脾、肝、肾以扶其正，候条件成熟，突予猛攻，方用生薏苡仁、葶苈子各60g，猪苓、茯苓、生大黄（后下）、全瓜蒌、冬瓜子各30g，炒二丑45g，建泽泻18g，生麻黄、煨甘遂、制大戟各9g，生百部15g，川椒目6g。浓煎，空腹温服，3剂症轻，20剂后诸症缓解，臌胀亦消，腹围75cm。续投补益肝肾，健脾和胃之剂调治4个月，体重增加，至今未曾复发。

上述"补""准""猛"三原则应有机结合，不能偏废，以避免孟浪投峻药，急求速效，或轻描淡写，贻误病机。必须掌握得当，才能得心应手，取得好的疗效。

（姚冬梅　刘静宇　整理）

癥瘕之治非徒攻消散所能奏效 ｜朱进忠｜

古医籍以攻、消、散为主治疗癥瘕痞块之记载甚多。吾师李翰卿先生以活络效灵丹加减治包块型宫外孕取得良效。然中医药能否治疗其他腹部肿块仍多持怀疑态度。或以攻、消、散法不效，即怨及古人。张景岳说："治积之要，在知攻补之宜，而攻补之宜，当于孰缓孰急中辨之。凡积聚未久而元气未损者，治不宜缓，盖缓之则养成其势反以难制，此其所急在积，速攻可也。若积聚渐久，元气日虚，此而攻之，则积气本远，攻不易及，胃气切近，先受其伤，愈攻愈虚，则不死于积，而死于攻矣。"所以虞抟强调说："积块不可专用下药，徒损其气，病亦不去，当消导使之镕化，其死血块去，须大补。"曾治一老妪，其胃脘胀痛，食欲不振，消瘦乏力，经查腹部有鸭蛋大肿物1个，超声波探查为7cm×6cm之胰腺囊肿。因其年高体衰，恐手术发生意外，转中医诊治。审其面色萎黄消瘦，神疲气短，胃脘压痛，便溏溲清，苔白润，脉虚而大。予补中益气汤合小承气汤加味：黄芪15g、白术9g、党参9g、陈皮9g、当归9g、枳实9g、厚朴9g、干姜4.5g、升麻6g、柴胡6g、生姜3片、甘草6g、大黄3g。前后服用五十余剂，肿块消失而愈。可见补中兼消乃治虚证癥瘕痞块之妙法。

单腹胀正虚邪实证治略说　|张海岑|

　　单腹胀是"风、痨、臌、隔"四大疑难重症之一，肝硬化腹水即属单腹胀。历代医家对其病机、病因、证治等论述甚多，经验丰富，散见于"单腹胀""臌胀""蜘蛛臌"等篇章。余从事临床五十余年，在实践中认识到本病之发病原因不外素体虚弱，外感毒邪，或嗜酒无度，健运失司，湿热内蕴，郁而化热，阴液耗伤，气滞血瘀而成。基本治则是扶正祛邪。诸如疏肝健脾、清热利湿、理气解郁、活血化瘀、软坚消癥等法，随证而施，辄获良效；但遇阴虚化燥、水湿内停、虚实夹杂之危笃证候，治疗则颇为棘手。

　　单腹胀临床表现之腹水，既属水湿之邪，又有津液渗漏于腹腔的成分。乃肺、脾、肝、肾四脏功能失调和实质损伤之病变。肝实质损伤，导致血瘀气滞，木郁克土，太阴虚弱，难以运化布津；上侮肺金，清肃失令，则不能通调水道；下汲肾水，则开合乖常，膀胱决渎无权，终使水液代谢紊乱，聚堵中州，旁溢四肢，于是臌胀之病作矣。

　　腹水初起尚可调理，久则往往由于失治误治，反复峻攻，克伐脾胃，耗伤阴液，燥热内生，正虚邪实，则症见口干咽燥，心烦舌绛，齿鼻衄血，甚至呕血黑便，神昏谵语（肝昏迷）。此际病机复杂，处理稍有偏差，则逆症丛生，祸不旋踵。若单纯渗利，或峻攻逐水，必然会进一步耗伤阴津，苦寒燥烈之品均在禁例；若一味滋腻，顾护阴液，又将妨碍脾机输转，助长水湿之邪，腹水益增。在辨证治疗中，首先要滋阴降火，时时注意生津保液，不求急功，但求缓效，切勿峻攻逐水，图一时之快。临床惟宜攻补兼施，利水不伤阴，滋阴不助湿。滋阴降火可选用：北沙参、麦冬、乌犀角、蒸玄参、莲子心等；若见脾功能亢进、血小板减少、鼻齿衄血、口臭、舌绛、脉细数等郁热化火，入营动血者，应加生地黄、粉牡丹皮、白薇、旱莲草、清阿胶等清营凉血散血之品。绝不能攻下利水，以免诱发肝昏迷。待阴津来复，在不违扶正保津的前提下，酌加甘淡渗利之品，如茯苓、猪苓、泽泻、赤小豆、半边莲、玉米须等。针对低蛋白血症，余常配合饮食疗法，用鲜鲫鱼①（去鳞及内脏）煮淡鱼汤内服，对扶正祛邪、纠正蛋白倒置，有明显作用。若阴液恢复而腹水不消者，可宗益气健脾、理气活血之法，选用生黄芪、党参、白术、茯苓、泽泻、益母草、王不留行、当归、白芍、萝卜子等。如腹水尚不消者，酌用蝼蛄1～2个研末冲服，或外敷神阙穴，加强利水之力。但此法宜暂用，中病即止。待阴复水去，仍需益气养血、滋肾柔肝、化瘀软坚，以收全功。可选用：黄芪、当归、白术、茯苓、鳖甲、龟版、枸杞子、山茱萸、何首乌、穿山甲、王不留行、白芍、山药、焦栀子、炒酸枣仁等。余常用全鳖丸②治疗单腹胀恢复期，取得较满意效果。

注：

①鲫鱼，味甘性平，入脾、大肠经。功能健脾利湿、利尿消肿、退黄疸、强脾胃、补肾气。

②全鳖丸，系经验方。药物：活甲鱼2个（每个500g左右），生蜂蜜1000g。制法：将活甲鱼置清水中禁食7天，每天更换新水，以洁肠胃。然后置暗火上焙干，随后涂蜂蜜再焙，令甲鱼内外皆黄焦，再加炮穿山甲100g、鸡内金100g，共研细末，炼蜜为丸，每丸10g，1日3次，每次1丸，温开水送服。

增损旋覆代赭汤治狂证 |武九思|

狂证是一种常见的精神失常疾患。其属于痰火上扰者，临床多表现为起病急，突然狂乱失智，骂詈叫号，不避亲疏，气力逾常，不食不眠等。治当镇心涤痰，泻肝清火。临床上余每见此证，均投以自拟增损旋覆代赭汤，收效甚捷。方药组成：旋覆花10g（包）、赭石15g、半夏10g、陈皮10g、茯苓10g、香附10g、沉香末3g、川黄连9g。方中以旋覆花化痰通结；赭石降气镇逆；半夏配川黄连，苦辛通降，清肝和胃；香附配沉香，疏肝利气，降气平逆；茯苓健脾宁心；陈皮理气除痰。

例如：吕姓女，21岁，因父母反对婚事，心情惆怅多日，于结婚次晨突然狂躁不安，胡言乱语，不吃不喝。经当地医生治疗月余无效，特来求治。症见烦躁不安，语无伦次，胸胁憋胀，呃逆频作，口干口苦，便结溲黄等。舌红苔黄，脉象弦数。此为痰火气结所致，予增损旋覆代赭汤加郁金、川厚朴各 10g，瓜蒌 25g，炒酸枣仁、远志、栀子、黄芩各 10g，朱砂 3g（另包冲服）。2 剂后，诸症明显减轻。原方酌加沙参、麦冬，连服 4 剂，一如常人。随访数年，未再复发。

化痰解郁治喜笑无常 　|樊文有|

　　1975 年 5 月，在禹县顺店曾治一壮年男性，患笑证五载。病起于情志不遂，忧思交加。症见时悲时笑，不欲食，心烦意乱，胸中闷，笑则舒，不笑则窒，因而时自发笑，日达二十余次，舌苔白腻，脉弦滑。前医有用镇静安神者，有用疏肝解郁者，均罔效。余据脉证分析，属痰郁为害，故以导痰汤治之。处方：半夏 10g、陈皮 9g、茯苓 15g、枳实 12g、胆南星 9g、甘草 6g，2 剂。3 日后再诊，谓药尽即感欲笑不笑。药已中病，证明病属痰浊为害无疑。本方连服 9 剂而病愈，现已 10 年未作。

　　痰何以致笑？《内经》云："心主舌……在声为笑。"本证多由情志所伤，气机不畅，而致肝郁，肝郁不能疏土则脾失健运，湿浊内生，凝聚成痰，痰蒙心包，心气实，以笑为快，故笑则舒，不笑则窒。导痰汤具有化痰行气之功，痰化则气行，气行则郁解，气行郁解，心气明曜，故笑止。

治癫痫当辨虚实 　|全国梁|

　　癫痫属中医痫证范畴，病因不同，有虚有实，或在气，或在血，证各有异。余通过临床悉心观察，深感治疗本病当详辨虚实。

　　有一牛姓癫痫患者，反复发作，病情渐重，发作时突然跌倒，不省人事，四肢抽搐，甚至尿失禁。发作后面色苍白，精神萎靡，嗜睡。舌淡苔薄，脉弦细。辨为心肝血虚，引动内风，挟痰上蔽清窍。治以养血熄风，化痰定痫，方以四物汤为基础，加郁金、生铁落、石决明、柏子仁、僵蚕、石菖蒲、远志之属，并配合四君子汤益气扶正。间断服药。前后调治 8 个月，癫痫获得控制，随访至今未发。

又有一徐姓患者，癫痫常半月一发，病已年余。自述两胁及胸部憋闷，烦躁易怒，夜寐梦多。舌红苔黄，脉弦紧。辨为肝郁化火，肝风内动之候。治应舒肝镇痉熄风，方用自拟舒肝熄风汤：柴胡9g、白芍10g、郁金10g、黄芩10g、石菖蒲10g、远志10g、菊花10g、钩藤20g、磁石30g、生铁落30g。连续服药3个月，症情平复，乃以原方制成散剂，每服6g，日服2次。间断治疗年余，其病得以控制。

以上2例虽均治愈，但细加分析，一气一血，一虚一实，病机不同，治法各异。故癫痫一病辨治，宜分标本虚实，实者当选用豁痰清火、舒肝调气、镇痉熄风诸法；虚者则宜选用益气补血、养心健脾、化痰定痫诸法，亦可虚实兼顾，标本并治。

腹 型 癫 痫　　｜王彩云｜

癫痫之病，以突然仆倒、昏不知人、口吐涎沫、两目直视、四肢抽搐、发过即苏、醒后一如常人为主症者较多，而腹型癫痫在临床则极罕见。十余年前，尝治一患儿，3岁时，于某雨夜，不慎从窗内摔出，惊哭不已。嗣后每日频发腹中剧痛，三载不愈，多处就医罔效。某医学院附属医院脑电图检查，诊断为腹型癫痫，给予苯妥英钠等治疗仍无效，病情日渐加重，腹痛少则日发5～8次，多则日发10～20次。发作时两目呆滞，神态异常，面青握拳，紧贴母怀，惊呼腹痛，历时3～5分钟，待痛止气缓，则神色恢复。

望其面色萎黄，精神不振，印堂青，指纹淡紫，形体偏瘦，脉象不发时沉弦，发作时弦数，舌质淡，苔润白。前医有谓虫积，有谓食积，有谓气积，有谓寒积等等，所论不一。

余忖小儿五脏六腑娇嫩，形气未充，神气怯弱，外触惊恐，因惊动风，阴阳错乱，气机失调，导致挛急腹痛，必用调理气机，平肝熄风，缓急止痛之剂。遂拟芍药甘草汤加味。方用：白芍15g、甘草6g、蝉蜕6g、全蝎6g、地龙6g、灯心草3g、白芷6g、五味子8g、黄芩9g，水煎服。3剂后，其母代诉，腹痛减至日发3或4次，痛势较缓，精神尚可，印堂青色变淡，指纹微显红色，脉来沉缓。继用前方治疗。4剂后，患儿腹痛未再发作，精神好转，饮食始进，指纹红色隐隐，目渐有神，腹部扪之柔软，脉较和缓，但夜寐不安，乃病久耗神伤血，心失所养而致。仍从原方佐以养心安神之品（原方加党参30g、当归

10g、大枣30g)。再服3剂，诸症消失。随访至今，未再发作。

本例病延3年，日趋严重，多治不效，经辨证与辨病相结合，始得奏效。可见辨病若能结合辨证，则针对性更强，有的放矢，可进一步提高疗效。

中 风 辨 治　|王伯武|

近年群众每以西医善治急症、中医善治慢病为说。余颇不以为然，试观中医前辈之享有声誉者，无不以治疗急症为能，而急症之治端赖不失病机，首剂力挽危局，故选方遣药必求精纯有力，庶可一战而胜，不若慢病之治可假以时日，守方缓图也。

1950年冬，舍亲董林哲之母，素体丰腴，年逾古稀，突患中风，傍晚邀诊。视之，昏睡，鼻鼾，呼之尚可应声，面色殷红，肌肤灼热，体温39℃，脉弦浮而数，撬口望舌，质红，苔黄燥。家属代诉，前日老人自感头痛，怕冷，登厕归来，突然昏仆，干呕欲吐，遂扶卧床，神志不清，急延医诊治，查血压高，云是中风，处方服药，症未见减，反增高热。大便3日未解。索观前医方药，乃滋阴潜阳、镇肝熄风之品。按中医论中风有真中风、类中风之分，所谓真中风者必兼六经形证。滋水涵木、熄风潜阳系治类中之法，非此证所宜。为拟大柴胡汤加石决明、钩藤、菊花、生地黄、牛膝。一服而便溺通，热退神清。后以平肝潜阳益阴之剂调理，逐渐平复。

（王平妹　整理）

抢救中风重症的体会　|董 平|

中风（指内风）重症，指一发病即昏仆不语，半身瘫痪，并伴口眼㖞斜，一侧眼睑不能闭合，口角流涎。该病的发作，多于情志过度刺激、五志化火之时，或在过度烦劳、阳气非常亢盛之时，或在气温过高的环境当中，所以起病就出现肝木气火亢上的征象，如面赤唇干，扬手掷足，躁动不安，脉弦紧而大。加以气挟痰升，故气粗息高，发出鼾声。治疗时要综合应用镇肝熄风、顺气降火、涤痰开窍各种治法。我常用羚羊钩藤汤、镇肝熄风汤里面镇肝熄风的药味，以及珍珠母、紫贝齿、磁石、生石决明、竹沥、天竺黄、至宝丹或安宫牛黄丸等潜阳、涤痰、开窍之品，随症加减。便闭者加熟大黄通便，引气火下行，常可获效。

中风昏迷之际，还要严格区别闭证与脱证。上述治法，只宜于闭证，不可施于脱证。大凡中风昏迷初起多为闭证，进一步恶化，则转为脱证。闭脱之辨在于：闭者目张口噤，两手握拳，痰涌息粗；脱者目合口开，手撒鼾作，色暗息微。审是闭证才可用上法。然而闭证还有阴阳之分，上法宜于阳闭，不宜于阴闭。阳闭之证因风阳鼓动，气血痰火并升而闭塞清窍，故脉必滑大弦劲而数，苔必黄腻，面赤唇红，气粗息高，躁动不安。阴闭之证因痰涎偏盛，阳气不能运行而清窍闭塞，故脉必滑大沉缓，面白唇紫，四肢不温，静而不烦。阴闭者宜苏合香丸温开，此与阳闭宜用至宝丹、安宫牛黄丸等药凉开者有别。无论阴闭、阳闭，闭之甚者，牙关紧闭，药不能进，古法先用通关散吹鼻取嚏，再用开关散（验方，用乌梅肉、冰片、生天南星为末）擦牙开噤。我用此法有效、有不效的，后来都下胃管鼻饲汤药。若用散剂，须化在温开水或蜜糖水中鼻饲。只要病情好转，就撤掉胃管，改用口服法。脱证多为阴虚已甚，元气外泄，故脉虚大或细弱，面淡无华或作青暗色，口开，手撒，鼻鼾而息微。脱者宜固，急当摄纳真阴，固护元气，可用大剂参附汤（人参倍于附子）。我用此方更辅以山茱萸、五味子并加磁石、龙骨、牡蛎与附子为配伍，以摄浮阳，确能提高疗效。有阴竭阳越险兆者，必足冷，面赤，痰涌，大法当急煎石菖蒲根，以其汤送服真猴枣末，先行开痰平逆，同时投以地黄饮子加减的汤方，立即配药煎服，用以壮水制火。若有迟延，错过抢救时机，再进一步就会四肢厥逆，面赤如妆，汗出如珠，脉来无根，到了真阴竭于下、孤阳越于上的最后关头，煎药抢救的时间就没有了。根据师传的经验，要赶紧用姜盐汤送下黑锡丹（须用12味组成的局方黑锡丹，不用二味黑锡丹）40~50粒，以此坠痰定逆，镇纳浮阳，温固下元，每可挽澜救危，获长济缓图之机。

代赭石配三七治卒中风 谢立业

患者刘某年逾四十，素体瘦弱，因受严重精神刺激，遂昏仆不醒人事，两目紧闭，面赤气粗，喉间痰鸣如拽锯，众医议其凶多吉少，并嘱准备后事。诊之脉洪大而滑，《内经》云："血之与气，并走于上，则为大厥。"既属此证，遂参张锡纯之法，用生赭石30g（轧细）、煅礞石30g（碎），煎汤冲服西洋参6g，汉三七3g。次日目即能开，痰声已减，但欲言而不能，复以导痰汤加大剂石菖蒲、天竺黄与服，3 剂后即能言语，后以舒肝健脾法调理而瘥。盖气血并走于上，乃血随气升，当先降其气，气降则血降，故经云气返则生，不返则死，即此意也。然患者体质素虚，故用西洋参扶正以防降之太过；兼用三七止血而不留瘀，且可化瘀，与赭石相伍，则具重镇止血化瘀之效。此法施诸临床，屡获效验。

涤栓散治疗偏瘫　　|姜德喜|

偏瘫，属中风范畴，为临床常见病、多发病。多由脑血管意外引起。余于近年研制成一种涤栓散，经临床观察 40 例，效果满意。40 例偏瘫患者中，男27 例，女13 例；以 51～60 岁发病率最高，约占总病例数的 1/2。经治疗，22例脑血栓形成病人治愈 11 例，明显好转 7 例，有效 4 例。14 例脑栓塞病人治愈6 例，明显好转 3 例，有效 5 例。4 例脑溢血病人治愈 1 例，有效 2 例，无效1 例。

涤栓散的药物组成：广地龙 30g、蜈蚣 1 条、白芷 10g。共研细末，每次服8g，日服 3 次，10 天为 1 个疗程。2 个疗程间停药 2 天，一般服 1～3 个疗程可见疗效。

例如：李某某，男，55 岁，工人。前晚 7 时突感左侧肢体麻木无力，继则偏瘫，口眼㖞斜，语言謇涩不利。体检：血压 14.7/10.7kPa，神志清楚，患侧腱反射亢进，肌张力降低。察其舌质淡红而有瘀点，苔薄白，诊其脉弦细。诊为中风（脑血栓形成），入院后当即口服涤栓散，每次 8g，每日 3 次。服药 3 天后，上下肢可伸屈抬动。住院 8 天后，肢体功能基本正常，神经系统症状消失而出院。5 个月后随访，情况良好，恢复工作。

本散寒热并用，有升有降，各取所长，地龙、蜈蚣通络化瘀，白芷上行头面。三药配伍具有镇惊熄风、祛瘀通络之效。

扶阳抑阴治偏瘫　　|樊文有|

偏瘫一证，一般多从益气活血、平肝通络、搜风化痰等法论治。然余认为调治此疾，总应详辨其证。当通则通，当补则补，当温则温，不可拘于前人定法。

忆 10 年前，在禹县曾治一妇，年逾古稀，左半身偏瘫，不知痛痒，下肢不温，左侧尤甚，面呈浅粉红色，形体丰腴，舌质嫩红，苔薄黄，口不渴，小便色白，大便溏，脉沉微。曾经他医诊治有谓气虚血瘀，方用补阳还五汤；有谓痰浊中阻，方用半夏白术天麻汤。余据脉症，断为阳虚阴盛，遂书大剂温阳散寒、扶阳抑阴之方。药用：附子 12g、干姜 9g、桂枝 15g、炙甘草 6g、葱白 7茎。3 剂，水煎服。

6 日后，患者来诊，据其女告余，余方未敢服用，而服用补阳还五汤方，服药后腹泻；又改服半夏白术天麻汤方，服药后出现患侧手肿，故服余方，服后大便成形，手肿消退，食欲增加，精神好转。原方续进 3 剂，肢温能动。即从此方增损，共服四十余剂，而起居步履如常。

补阳还五汤与半夏白术天麻汤均系治半身不遂之常用方，何以服后会导致腹泻、手肿？盖本证为阳虚阴盛，阳虚宜温阳散寒，不宜活血化瘀；阳虚活血则伤气，中气不足，则脾阳重虚，故服桃仁、当归而腹泻。阴盛宜扶阳抑阴，不宜单纯熄风，天麻熄风而抑阳，阳被抑，阴寒更盛，络脉失宣，故手肿。

察其脉沉微，为里阳虚；小便色白，大便溏泄，为阴寒内盛；下肢不温，为阴盛于下；面呈浅粉红色，舌质嫩红，苔薄黄，为虚阳浮于上。虽未见下利清谷、身热肢厥之真寒假热证，但阴盛阳浮之象已露。故用通脉四逆汤扶阳抑阴，用桂枝甘草汤温通心阳，用葱白宣通上下。阳通则阴散，阴散则气血和；气血既和，偏瘫岂有不愈者乎！

通常达变治眩晕　　李生安

忆昔于某年中秋节之际，蒲辅周老先生说过，业医者必须知常达变，常即是一般规律，变即是特殊情况，意在治病不可泥于成法也。

尝治一赵姓老妪，患头晕已久，自述往日以头痛为甚，近来晕痛交作，常服止痛片止痛。某晚入睡中，突发头痛恶心，难于忍受，症见头痛、头晕，口吐涎沫、唇青肢冷，便溏（日 3 或 4 次），苔白腻，血压 29.3/14.7kPa，脉沉弦兼紧滑。询问病史得知前医曾用龟甲、生地黄、熟地黄、龙骨、牡蛎、黄芩、黄连之辈，致食欲锐减，频频登厕。症脉合参，此乃肝病及脾、阴损及阳之重证。

究其病因，患者年逾花甲，气血衰微，时值长夏之际，饮食失节，寒温不适，加之前医过用滋腻及重镇苦降之品，戕伤脾胃，于是内外之邪交困而致本病。

其病机则为肝失疏泄，脾失健运，脾胃虚寒，中阳不振，阴寒上逆，清阳被扰，升降失序。故治疗宜予通调气机，调和肝胆以济中州，仿仲圣之吴茱萸汤化裁。方用：吴茱萸12g、炒党参10g、煨大枣15g、干姜3g、沉香3g（后下）、牛膝10g、伏龙肝30g，水煎温服，日2次。

服上方10剂，诸症均减，血压已降至24.0/12.0kPa。复据前方增减，改成丸剂，调理四十余天，病家函告血压基本稳定，精神亦佳，现尚健在。

回顾此例治疗过程，其取效之关键在于紧紧抓住温运肝脾，畅达气机，俾下稳则上安，斡旋中焦，调整全身营卫气血之运行。

以往对高血压病之治疗，用清降法居多，用温降法甚少，尤以吴茱萸、干姜之属更为少用。此例则赖此二药建功。

实践体会，临证时要坚持有是证则用是药（方）的原则，切勿固执一病一方，应确实做到病有万变，方有加减，运用之妙，存乎一心。

高血压病及其辨证施治漫谈 |张海岑|

高血压病源出多端，病机万变，非一证能盖全，非一方能竟病。余从纷乱之中理出以风、痰、火三者为其祸根。三者之中，或由一者致病，或二者合而为患，亦或三者杂至酿成。本此三者辨证施治，莫不奏效。

本病与"风"之关系甚为密切。高血压病之风，系指内风。内风之产生与肝有直接关系，由于种种原因致肝阳偏旺，常会引起肝风内动。"诸风掉眩，皆属于肝"，指出风与肝的关系，说明风证所出现的眩晕、肢体震颤、麻木等临床表现属于肝经病证范畴。内风之证，是高血压病的常见证候。至于高血压病合并心、脑、肾之病理改变，酿成肝风内动，而见昏厥、抽搐、口眼㖞斜等症，则是内风进一步发展的结果，正合《素问·至真要大论篇》"诸暴强直，皆属于风"之意。

"痰"既是高血压病的病因，亦是其病理产物。本病之痰非单指狭义之痰，而包括因痰为患之眩晕、心悸、气短、神昏、偏瘫等症。本病因于痰饮者，与脾肾关系尤为密切。大凡脾肾不足，水湿不化，痰浊壅滞则形成高血压。痰浊上冒则头晕、心悸；痰迷心窍则神昏；痰阻经络则半身不遂。故《丹溪心法》有"无痰不眩"的记载。

"火"为五志过极所生。朱丹溪谓"气有余便是火",即是指脏腑功能失调,阳气郁结化火的病机。本病之火多与肝肾有直接关系。若素体阴虚,肝阳上亢,或忧郁恼怒、气郁化火,上扰清空而眩晕;又有肾水不足,无以涵木导致肝火上炎,进而火极生风,出现火与风的证候。故朱丹溪又有"无火不晕"之说。

临床所见风、痰、火三者每每相互影响,且又易于转化。风善行而数变,尤其是在风火相煽、火借风势、风助火威的情况下,预示本病来势凶猛,变化急剧;痰郁化火,火灼津液为痰,痰火互结,蒙蔽清窍,以致昏迷抽搐,此等症状在高血压脑病和脑卒中时是较为多见的。

余经数十年临床实践,体会到对高血压病之治疗可划分为肝阳上亢、肝肾阴虚、阴阳两虚、风痰湿阻 4 个类型予以辨证施治。基本治法是:滋肾平肝,育阴潜阳,镇肝熄风,利湿化痰,开窍醒脑,回阳固脱,活血通络等。宗急则治标,缓则治本原则,治标可用泻火、熄风、平肝、潜阳、豁痰开窍等法,治本则多以滋肾、柔肝、育阴、益气等为法,具体当辨证施治,灵活运用。

如患者头痛头晕,面红目赤,且烦躁易怒,口干口苦,多系肾阴亏于下,肝阳亢于上之征,属肝阳上亢型,当滋水涵木,育阴潜阳为治,用建瓴汤加减。其中头晕头痛、脑胀较甚者可加双钩藤、白菊花、夏枯草、草决明等以清肝火。本型常见耳鸣、心悸,可加用柏子仁、女贞子、龟版、杜仲以补肾强心宁志。如面红目赤、便秘者,辅以黄芩、麦冬、大黄、火麻仁清热通便,或以龙胆泻肝汤平肝泻火亦可奏效。

肝肾阴虚型高血压,除头晕头痛、耳鸣眼昏外,常表现心悸失眠,烦热善怒,腰酸乏力。证属阴虚阳亢,心肾不交。自拟育阴平肝汤治疗,每获良效。药用生地黄、玄参、麦冬、女贞子、白芍、黄精、夏枯草、石决明、酸枣仁、柏子仁、五味子、夜交藤、甘草。治以滋肾柔肝,育阴潜阳,交通心肾之法。此类高血压较其他几型难愈,因阴虚燥热,心烦失眠者居多,疗效不易巩固。现代医学中,部分高血压并伴有神经衰弱者多见此型。故治疗时应考虑患者之情志因素,予以调节,务求保持乐观情绪,以配合药物治疗则病可向愈。曾诊治患者王某某,女,48 岁,自述头晕、头痛、耳鸣、视物昏花、心烦失眠 2 年有余,近 2 个月加重,并感烦热,腰膝酸软,诊前曾突然昏仆,醒后来诊。查血压为 22.9/14.4kPa,舌质淡红,苔薄白,脉细缓。辨证为肝肾阴虚,投以育阴平肝汤。5 剂后头痛、头晕大减,诊脉较前略大,察舌正常,血压 20.0/12.0kPa。同法又进 10 剂,诸症悉退,眠安食增。故按上方加减改为丸剂,2 个月后,脉和缓有力,血压 16.5/10.9kPa。1 年后随访,血压正常。

至于阴阳两虚型,见症颇多。常表现为头晕眼花、头重脚轻、步态不稳、心慌气短、五心烦热、口燥咽干、畏寒肢冷、或夜尿增多、阳痿滑精等，可用安神定志汤加减。如中年妇女冲任失调者，应合二仙汤以调冲任。

另有患者除头痛、头晕、目眩，又见四肢麻木拘急，或痰多身重，或胸闷食少，甚则昏厥、偏瘫、口眼㖞斜等。首当平肝熄风，豁痰开窍，以防发生脑卒中；如邪已犯脑，则立当佐以醒脑开窍之法。可用羚羊钩藤汤加减，语言不利者，兼服资寿解语丸；痰湿盛者，兼服苏合香丸；热重神昏者，兼服安宫牛黄丸或至宝丹等，亦可奏效。此类病人，在现代医学检查中大多血脂较高，治疗时应嘱其饮食清淡，少进油腻，忌烟酒，注意活动锻炼。

余以为高血压病在早期仅是肝肾阴阳失调，中后期则涉及心、肾、脑等主要脏器实质损害，呈病理性改变。故在辨证分型治疗时，首当抓住主要矛盾，以滋肾平肝，育阴潜阳，尽快恢复肝肾阴阳动态平衡，防止病情发展，即所谓上工治未病之意。所以高血压病之早期，若能合理治疗，大多可愈。一旦病情进一步发展，肝阳暴亢，化风化火，风火相煽，挟火挟痰，痰阻脉络，侵脑闭窍，就会出现剧烈头痛、肢体麻木、甚至中风昏厥、㖞僻不遂等高血压脑病和脑卒中的证候，治疗急当平肝熄风，豁然开窍，以挽危局。此时已是被动治疗，失去早期治疗良机，故早期防治具有非常重要意义。

脑震荡后遗症治疗心得 ｜毛有丰｜

脑为髓海，属清灵之府，位居至上，司精神、意识、思维活动。若不幸被暴力冲击，意外碰伤，轻则神智不清，意识障碍，重则昏迷致死。即使幸免于难，得以复苏，每遗有头晕头痛，健忘失眠，或脑胀眩晕，恶心呕吐；或精神异常，思维混乱，意识障碍，情绪烦躁；或抽搐痉挛、状如癫痫；或呆若木鸡，少言寡欢，病势缠绵，不易速愈。就其病情而言，冲击有轻重，伤势有深浅，大抵昏迷时间越长，其伤势必重；昏迷时间较短，则其伤势亦轻，此实践所体验。中医认为脑为髓海，颅脑受伤，无论伤势轻重，均损伤脑络。肾藏精、主骨生髓，髓生脑，故脑络受损，血脉瘀阻，必使气机逆乱，影响思维。有一建筑工人吴姓，男，51岁，在高空作业，不慎由5m高架上坠下，昏迷半日，经抢救后复苏。此后即感头痛头胀，少眠多梦，心绪烦乱，常不安卧，往往自行外出，家人只得伴随，以防意外。有时打人毁物，形似狂躁。服大量镇静剂后又嗜睡不醒，醒后精神痴呆，生活不能自理。经治5年，终未获愈。1982年就诊于余。望之抑郁寡欢，精神呆滞，舌质暗红；问之头晕脑胀，睡眠多梦，记忆力差，偶有幻觉；切之脉沉弦有力。症脉合参，乃脑络损伤，血脉阻滞，髓海失荣，气机不畅之象。宜养肝益肾，活血通络。方用：生石决明、菊花、白蒺藜清肝醒脑，平其头晕头胀；丹参、远志、炒酸枣仁养心安神，治其少眠多梦；山茱萸、地黄、茯苓、泽泻育阴补肾，滋养督脉；当归尾、桃仁、川芎、地龙活血化瘀，通其络之瘀；生龙骨、生牡蛎镇肝熄风，助石决明之平肝潜阳，除其幻觉。服 5 剂后，神志逐渐好转，头痛睡眠亦佳；15 剂后，精神大振，言谈如常，生活自理，不需家人扶持，与初诊判若 2 人。

脑震荡后遗症，若仅用活血祛瘀法而不用补肾法，虽能起到去痛作用，但对意识思维活动的恢复效果不显。考虑到脑为髓海，补肾可收补脑之效，脑充则意识思维障碍始能恢复。因遇此症，必于活血化瘀之同时，加入补肾之品，皆收到满意之效果。

脑震荡后遗症从肝从瘀论治　　|翁振天|

1965 年，我从师于承德名老中医赵子玉时，亲睹赵老治疗脑震荡后遗症从"肝"、从"瘀"论治，疗效卓著。赵老曰："此乃以瘀为因，以肝为本，因瘀而累及肝病，由肝而加重瘀滞，治疗当从'肝'、'瘀'入手"。言简意深，别有见地。我在临证时遵赵老之意，遣方用药，每多获效，深感吾师所言之确也。

脑震荡后遗症为脑部突受外力损伤所致。脑部震荡，脉络受伤，气血逆乱，运行不畅，肝木失于条达，导致肝郁不疏，清阳不升，浊阴不降，清灵失养，于是诸症接踵而起。故病之初起，当柔肝疏肝，活血通络。用逍遥散加桃仁、红花、川芎之类。肝得疏泄，清阳获升，浊阴获降，升降自如，既可使诸阳之会清宁无恙，又可防阳化风之变；用活血通络药，以通头部脉络之瘀、活气血运行之滞、助清升浊降之力。若脑震荡后遗症症情尚轻，且能及时治疗者，用此方则见效尤捷。临证时，如见烦躁失眠，可加龙骨、牡蛎、珍珠母、酸枣仁、远志等。酸枣仁略打，渍于黄酒内，睡前温饮，比入煎剂有效。

脑部受伤越重，本病症情越甚。多见头晕目眩、头痛且胀、烦躁易怒、恍惚不安、失眠健忘、肢体麻木，甚至抽搐，乃肝阳化风之变，此时当镇肝熄风为主，佐以活血通络，方用羚羊钩藤汤合血府逐瘀汤化裁。羚羊角为必用之品，常用量为 0.3g，粉剂吞服，以熄肝风之扰，保清府之宁。若加麝香少许，通窍活血更能奏效。

本病为慢性病，病程缠绵，久必致虚，造成髓海虚损，则当以补肝论治。

肝脉上行与督脉会于巅。本病以肝为本，肝脏受戕，藏血受损。肝血不足，血海空虚，脑失荣养，髓海不足。肝肾同源，补肝之所以补肾者也。可用左归丸加石斛夜光丸图治。石斛夜光丸本疗目疾，现用以治疗本病，取其滋阴养肝，抑木宁脑之功。

医治本病正气不虚、实多虚少之时，从"肝"、从"瘀"入手，可收事半功倍之效。若迁延日久，待肝肾不足、髓海空虚、有虚无实之时，即使投以补肾健脑之方、血肉有情之品，亦将事倍功半。

土虚则木摇 |王成德|

夫木能克土，然木又赖土养。故土虚则木摇，亦可引起震颤搐搦等病变。

景某，女性，36岁，因腹泻失治，渐致两手搐搦，角弓反张。医者多从肝风论治，止痉无效，卧床2年。邀余一诊，观其形体消瘦，四肢抽动无力，舌淡，苔薄白，脉象细弦无力。详询病史，再参脉证，此乃土虚木摇之证也。方用香砂六君子汤加僵蚕、全蝎、天麻等味出入加减，调治而愈。

盖久泻脾土虚弱，土虚而津血化源不足，无以濡养肝木，故动摇不安而筋脉挛急。加味香砂六君子汤正合培土植木之义；土墩木安，肝脾调协，症情自宁。

舞 蹈 病 |朱进忠|

舞蹈病，大致包括在广义的痉病之中。薛立斋有言："若一边牵搐、一眼㖞斜者，属少阳，及汗后不解，乍静乍乱，直视口噤，往来寒热，小柴胡加桂枝、白芍。"余宗其意，采用仲景柴胡加龙骨牡蛎汤加减。柴胡配桂枝使内陷之邪从外而解；大黄通腑气，止谵语，从下而解；茯苓利小便，安神志而除湿邪；龙骨、牡蛎镇静而止烦惊，减铅丹以防重镇太过而表邪不除，加甘草以使药力缓而除湿，治舞蹈病之见少阳证者常常获效。例如：张某，女，12岁。手舞足蹈，挤眉弄眼，行路不稳。某院诊为舞蹈病。经用西药、针灸、中药平肝熄风、养血化痰等法5个多月不见好转。审其神志正常，喜叹气，舌苔白，脉弦细，予柴胡加龙骨牡蛎汤。方用：柴胡3g、桂枝6g、白芍6g、黄芩6g、半夏6g、党参 6g、茯苓 6g、生龙骨 6g、生牡蛎 6g、甘草 6g、生姜 3 片、大枣 2 枚。3 剂知，30 剂愈。又索某，女，55 岁。2 个月前突觉左半身不灵活，继而挤眉弄眼，某院诊为动脉硬化、舞蹈病。先用西药治疗无效，继用中药平肝熄风，益气活血亦不应。审其除挤眉弄眼、手舞足蹈外，并见头晕头痛，心烦易怒，失眠心悸，耳鸣耳聋，口苦咽干，舌苔黄白，脉弦。诊为肝郁气滞，痰湿不化，郁而化风。治以柴胡加龙骨牡蛎汤，方用：柴胡 9g、半夏 9g、黄芩 9g、党参 9g、桂枝 9g、茯苓 9g、酒大黄 4g、甘草 6g、生姜 3 片、生龙骨 15g、生牡蛎 15g。7 剂后诸症大减，14 剂后手舞足蹈消失，再进服 16 剂而愈。

鸡爪风治验 　|王俊奇|

　　鸡爪风是以筋脉挛急、手指抽掣强直犹如鸡爪、不能持物，重则手抖身摇、举动艰难为特征之疾患。余常以当归四逆汤加减而获效。如农妇梁姓，手指抽掣强直如鸡爪，时发时止，已逾 3 年，每年发作数次，四肢发凉。曾用钙剂，仍反复发作。继服中药数剂，病亦不愈。故来求诊。余即投以当归四逆汤加减（当归、白芍、桂枝、防风、秦艽、白芷、细辛、龙骨、牡蛎、木通、钩藤、僵蚕、全蝎、黄芪、甘草）。服药 4 剂，手足转温，又进 10 剂，其病痊愈。1 年后随访其病未再复发。

　　鸡爪风，顾名思义其病因与风有关。妇女患者多因临产时室内寒温失宜，如室温过热，汗出腠理，毛孔开放，风邪乘虚而入，或室温偏于寒凉，感受风寒之邪，均能罹患本病，当归四逆汤温经驱风，风去则恙自平。

肥胖症从肾论治 　|张　炬|

　　一般认为，体重超过标准体重 20%，伴有易饥善食或头晕乏力等症者，称肥胖症。近年来患此症者，日益增多，已引起国内外医学界重视。

　　关于肥胖症之成因，《素问·通评虚实论篇》指出："肥贵人，则膏粱之疾也。"《灵枢·逆顺肥瘦》篇说："肥人也……其为人也，贪于取与。"确实如此。患肥胖症者，特别是青少年，多有易饥善食之表现。从中医辨证分析，恣食膏粱厚味，则痰湿内生，诚如汪昂所说："肥人多痰。"陈修园亦说："大抵素禀之盛，从无所苦，惟是痰湿颇多。"临床体会，肥胖症属脾肾阳虚，或肾实胃热者多。脾肾阳虚者症见面色萎白，头晕气短，自汗乏力，食少便溏，脉濡缓无力；肾实胃热者，青少年居多，症见面色红润，唇红口渴，易饥善食，大便秘结，小便短少，舌红，脉弦滑，或弦缓，二者鉴别不难。

余曾治一年仅14岁患者，身长148cm，体重60kg。易饥善食，嗜食肥甘，每日饭量在750g左右，着床即酣然入睡。面赤畏热，易出汗，口渴而不欲饮，胸膈满闷，大便干，三四日一行，小便短少色黄。舌质红，舌根部微黄稍腻，脉弦滑。辨证并无肺失宣降、脾失运化及肾虚之征。根据其大便不通、小便不利，畏热、易出汗等症，应属热结于肾，即肾实证。《灵枢·本神》篇记载："肾藏精，精舍志。肾气虚则厥；实则胀，五脏不安。"肾是有实证的。张志聪说："肾开窍于二阴，前后不通，肾气实也……泄利前后，肾气虚也。"显然，肾不仅有虚证，亦有实证。本例患者，便结、溲短，即张氏所谓前后不通之肾实证候，易饥善食，和《灵枢·逆顺肥瘦》篇所谓"贪于取与"之胃热证候正相符。肾为胃之关，肾有热，势必炎上及胃，引起胃热而易饥善食。余遵此理论，治法宗清泻肾热，化痰利湿。方药：生地黄30g、知母15g、汉防己12g、瓜蒌仁20g、牛蒡子12g、泽泻15g、猪苓15g、茯苓15g、生大黄10g、荷叶15g。服药7剂，体重减至58kg，食量明显减少，大便正常，小便增多。连服49剂，体重减至49.5kg，症状基本消失。

治消渴不拘成规常法　　|李雪岩|

肺、胃、肾三脏阴伤为消渴发病的基本特点，而燥热为其主要病理因素。故历代医家皆以清热、生津液为消渴的主要治则。又从临床特征分为上、中、下三消，相应地运用清热润肺、生津止渴、清胃养阴、滋补肾阴等法施治。这些成规常法，广为临床所采用。但亦有不少消渴患者属"湿浊中阻"，若囿于"燥热易伤阴"之说，则难奏效。忆1975年治一薛某，男性，48岁。主诉近来饮水增加，每日达4000ml左右。尿量增多，每日达3000ml左右。食量增加，每日750g左右，伴有饥饿感。体重由2个月前约95.5kg下降至入院时77.5kg。经检查，空腹血糖14.37mmol/L，尿糖（＋＋＋＋）。

患者素体肥胖、舌质胖大，苔厚而黏腻，脉象濡数。询知平时嗜食肥甘，若吃肥肉一碗亦不觉油腻。显系湿浊内聚，妨碍脾气散精之功能，致津液无以输布上承于肺，而成消渴。

初治宗芳香化浊祛湿之法，方用：藿梗 10g、苍术 10g、佩兰 10g、紫苏梗 10g、薏苡仁 25g、半夏曲 10g、菖蒲 10g、郁金 10g、陈皮 6g、茯苓 15g。连服 20 剂，湿邪消除大半，伤阴症状显露，继用荷叶 20g、茯苓 10g、石菖蒲 10g、天花粉 15g、玉竹 15g、沙参 10g、玄参 10g、麦冬 10g、石斛 12g，以复其阴。后则宗益气健脾法，方用：炙黄芪 20g、党参 20g、茯苓 10g、补骨脂 10g、生地黄 10g、半夏曲 6g、陈皮 3g，治疗 2 个月，诸症消失，尿糖（－），血糖 6.1mmol/L。出院调养，随访 10 年未再复发。

脾胃阴伤可致消渴，而脾胃之气为湿浊之邪所阻，不能转输水谷精微以濡养肺肾，亦是消渴发病的一个重要机制。临证宜予注意。

顽症治疗当重痰瘀 ┃张鹏举┃

古人云："怪病多痰"。据余体会顽固难愈之病症，不仅多责于痰，且往往由于久病入络，引起血瘀气滞，甚或痰瘀交阻，使气机郁滞，病邪留恋，尤难速愈，治疗大法当重豁痰、行瘀，方能起沉疴而除痼疾。一顽症患者张某，男，44 岁，自述从 9 年前开始晨起面浮目胀，午后缓解，久之颈部筋脉怒张，右侧肿起如拳，按之柔软。低头时眼球胀痛，面热，常有痰壅气促，胸痛彻背。西医诊断："上腔静脉阻塞综合征"，经多方治疗无效，故来就诊。观其面浮目肿，颈部青筋显露，肿胀处散漫凸起，皮色发青，舌质略暗，诊脉弦细涩，辨证为痰滞经脉，痰瘀交阻，脉络不畅所致。法宜活血豁痰，疏通脉络。方用桃红四物汤加减：川芎 10g、当归 10g、赤芍 8g、桃仁 6g、红花 10g、老葱 10g、干姜 6g、大枣 3 枚、琥珀 5g、白芥子 5g、黄酒 250g。用黄酒加水煎 2 次，取汁 200ml，分 2 次温服。上方先后服用月余，胸背痛减，痰稀易咳，面目浮肿略减，诊脉细涩，遂带回处方及丸药 1 料。丸药方如下：

川芎 20g、当归 50g、西红花 10g、赤芍 30g、没药 30g、桃仁 20g、血竭 30g、滑石 50g、牡丹皮 50g、干姜 20g、白芥子 30g、地龙 30g。蜜丸梧桐子大，黄酒送下，1 个月内服完，有小效，仍守上方，并配服通窍活血汤，每日 1 剂，连服 3 个月后，诸症消失。但停药 1 个月，病情又有波动，又配丸药 1 料，服后病愈。随访至今，未再复发。

患者既往亦曾屡用活血化瘀之法而乏效，究其因乃未重视祛痰之故。余方增入白芥子、干姜意在豁痰，复配合地龙通络，使瘀祛痰除，脉络得通，气血畅达周流，积年顽症得以平复。

蟾附散治水肿 |王化文|

水肿病后期，其主要病机为阳虚阴盛，因而造成三焦水道闭塞不得宣通。因此，治疗水肿不仅应温肾健脾，并要宣窍启闭。

蟾附散是流传在民间治疗后期水肿病的经验方。用制附子粉从蟾蜍口内填入，填至蟾蜍之腹结实鼓起为度。外面裹上一层黄泥，文火焙干，将泥去掉，再把药蟾研成细末，分作7包，每天1包，开水送服。服完后如病情不瘥，可继续配制，服至痊愈而止。此方对高度水肿才能显效。方内附子辛热，温阳消阴；蟾蜍含有蟾酥，性味辛温，能开窍启闭，通调水道。阳复阴消，决渎畅利，水肿自然消退。

曾治一周姓中年农妇，小便不利，全身浮肿，经县医院检查诊断为肾炎。住院108天肿消出院。2个月后症情复发。尿常规检查：蛋白（＋＋＋）、红细胞（＋）。多方治疗，肿势不减，且日趋严重，竟致全身浮肿。乃用蟾附散，每日1次，每次1包。服药10天后，小便增多，浮肿开始减轻，逐渐痊愈，尿常规：蛋白（－）、红细胞（－）。随访观察，至今未见反复。

"提壶揭盖"法治疗水肿病 |王学美|

"提壶揭盖"法即宣肺利水，亦即利用开肺气以通利三焦，达到利尿消肿之目的。

水肿病多因肺、脾、肾三脏功能失调所致，治法甚多。余在临床上使用"提壶揭盖"法，颇获效验。如王全任，男，46岁，感冒1周后，症见头面及四肢浮肿，膝以下尤甚，尿少，干呕腹胀，水入即吐，饮食不下，大便质稀量少，舌暗淡，苔腻脉缓，体重78kg。尿常规检查：蛋白（＋＋＋），脓细胞少许，颗粒管型（＋＋）。析其脉证，当从水肿论治，方用炙麻黄8g、杏仁12g、细辛8g、泽泻20g、茯苓20g、陈皮12g、五味子15g、半夏10g、厚朴10g、藿香10g、紫苏梗10g。日1剂，水煎服。

上方加减，连服二十余剂，病告痊愈，随访2年无恙。

本证病机，乃因肺气阻遏郁闭，三焦不利，水液不能下达而致。故方用麻黄、细辛宣散肺气；以杏仁、厚朴肃肺降气，佐藿香、半夏、厚朴、陈皮燥湿化痰，和中止呕，使中焦和顺；再用茯苓、泽泻利水渗湿，泻膀胱之水，通利下焦。三焦气化调畅，从而可起到利尿消肿之效用。

数年来，临床治疗水肿病人，凡遇肺失宣降所致者，皆用本法治之，屡试屡验。

治水肿偶得 | 张荣仙 |

在临床实践中，水肿比较多见，往往在水肿消退之时，并不见得小便显著增多，因而悟得一理：水肿之病，重在于气，气行则水亦化。尝见患者小便频数，而肿势不退，知为阳虚，酌加温阳补气之品，即收到满意效果。

中年妇女程某曾于1982年2月来诊，主诉突然头面四肢一身尽肿，3日来双下肢踝关节处浮肿尤甚，按之没指，感全身疲乏，微恶风寒，小便量少。望其肿处肤色鲜明，察其舌苔白而兼黄，诊其脉象细而无力。追查病史，以往未曾有过浮肿现象，此次病势迅速，又恶风寒，说明邪在肌表，肺气不宣，水道不通，治当宣肺利水、通调水道，以越婢汤合五皮饮加减。处方用炙麻黄、生石膏、茯苓皮、生姜、赤小豆、车前子、桑白皮、陈皮、大腹皮、白术、生甘草。一诊后，水肿明显消退，但感倦怠，欲睡，懒言，乃气虚不能行水、内湿未尽之故，应助阳气，以增行水之力。即加黄芪、防己，而去车前子、大腹皮，续服3剂而愈。

由此可见，调气一法，在水肿病的治疗中，不容忽视。

水肿病宜按"五脏水"辨证论治 | 胡志坚 |

治疗水肿多以阴水、阳水论治，其法可师，但未必完善。《金匮要略》治水肿按"五脏水"（心水、肺水、肝水、脾水、肾水）辨证论治，至今仍有实用价值。

五脏病变皆可引起水肿，是为"五脏水"病名之来由。由于五脏的功能不同，形成水肿的病机亦有所异，因此，对水肿病以"五脏水"进行辨证应予重视。辨"五脏水"要抓住两大要点，一是具有该脏病理特点之症状。如心水，在未形成水肿前，先有心悸、怔忡逐渐加重，出现唇舌青紫，四肢逆冷，水肿，尿少，脉沉细或结或促，从而形成心水。二是以本脏病变为主，同时影响他脏。如心水严重时，常常引起肝血瘀阻、脾气失运、肺气郁滞或肾阳不振等，但仍以心之本脏病变为主。

治疗水肿以"五脏水"进行辨证论治有 3 条优点：①找出病源，明确病机，进行针对性治疗，提高疗效。笔者曾治一肺水（肺源性心脏病）患者，咳嗽长达 20 年，气急，声微，自汗，四肢肿甚，唇、指发绀，脉细数，舌质紫，苔腻，属气阴两亏，肺气失宣，故以党参、麦冬、五味子、杏仁、桑白皮、冬瓜皮、车前子、泽泻、茯苓皮等宣肺利湿，益气养阴。虽有Ⅲ度心功能不全，但始终不离治肺，终使浮肿及心功能不全基本控制。②根据五脏生理与病理间之联系，可以确定水肿在各阶段中五脏失调情况。笔者曾治一肺水（肺源性心脏病）病人，肢体高度浮肿，腹大尿少，气短自汗，微咳无痰，面黄唇紫，指冷胫凉，脉细数，舌体胖质淡。主病在肺，累及心、脾、肾，故以黄芪、党参补益肺气为君，佐以麻黄、桔梗、瓜蒌、泽泻、防己、白茅根、车前子宣肺利水，又以附子、肉桂、胡芦巴、补骨脂兼温心肾，白术、干姜温脾，3 剂浮肿减退，咳喘得平，肢温纳增，各脏功能逐步恢复。③可以和五水（风水、皮水、正水、石水及黄汗）及阴水、阳水辨证联系起来，提高水肿的辨证论治水平。笔者多年临床对水肿病按"五脏水"进行辨证论治，取得较好疗效。

脏器疗法治疗蛋白尿 | 许玉山 |

慢性肾炎、肾病综合征之蛋白尿，迁延难愈，极难解决。近代医家多以激素治之。然多暂时控制而不能根除。余研究慢性肾炎、肾病综合征三十余年，疗效尚佳，处方有三：

1. 猪肾汤：猪肾（即猪腰子）2 个、当归 6g、砂仁 5g、陈皮 6g、紫肉桂 3g、生姜 3 片。煎法：猪肾用刀剖开数瓣，与上药同入砂锅内，以文火炖熟，临服将药渣去净，吃肾喝汤。适用于腰困腰痛，肾功能低下，大量蛋白尿者。

2. 三肾保元丸：熟地黄 30g（砂仁水炒）、山茱萸 30g、鹿肾 30g、驴肾 90g、海狗肾 10 条、核桃仁 60g、枸杞子 60g、山药 30g、茯苓 24g。共为细末，炼蜜为丸，如绿豆大，每服 9g，日服 3 次。适用于尿毒症危险期已过，病情稳定后，体质虚弱，肾功能低下者。

3. 健脾祛白汤：山药 12g、白扁豆 9g、莲子 12g、薏苡仁 12g、芡实 12g、黄精 9g、黑豆 9g、龙眼肉 9g、炙黄芪 12g、白术 12g。水煎服。紫河车粉 0.6g，装入胶囊，分 2 次冲服。适用于小儿水肿已消，大量蛋白尿者。

中药、藏药治疗慢性肾炎的体会 | 马子琪 |

慢性肾炎为常见病，多为脾肾阳虚。我在临床上运用中药、藏药扶正培本，佐以活血化瘀、清热利湿之剂治疗本病，取得一定疗效。药用：细果角茴香 10g、藏茵陈 10g、连翘 10g、茯苓 10g、赤芍 10g、川芎 10g、党参 16g、炙黄芪 16g、制附片 10g。共研细末，每服 10g，1 日 3 次；或汤剂每日 1 剂，分 2 次服。随症加减；如无肢冷便溏者，可去制附片加白术；纳差者加炒麦芽、神曲；尿中红细胞多者加小蓟、茜草根；腰痛甚者加杜仲、川续断。

藏药细果角茴香清热解毒，藏茵陈清热利湿，连翘清热凉血，赤芍、川芎活血化瘀，党参、炙黄芪同用益气固摄；制附片、茯苓温肾、健脾、利湿。全方共奏益气温阳、活血利水、清热解毒之效。

余用此方，共治疗慢性肾炎 11 例。1 个疗程为 30 天。经过 1~2 个疗程的治疗，有 8 例临床治愈，3 例基本缓解。一般用药至 2~4 周时，除个别患者仍有轻度的腰酸痛外，其他自觉症状如头晕、耳鸣、纳差、恶心、乏力、浮肿等均已消失。尿常规检查：尿蛋白定性治疗前（＋＋）~（＋＋＋）者 10 例，（＋）者 1 例。治疗后由（＋＋＋）降至（＋）者 2 例，（＋＋）降至（＋）者 1 例，其余均消失。红细胞、白细胞及颗粒管型完全消失。

中药、藏药治疗慢性肾炎疗效满意，其对蛋白尿的消除或减少作用尤为显著。

肾盂肾炎治疗体会 | 李振华 |

急性肾盂肾炎临床见突然寒战、高热（体温多在 38.5℃以上，有的可高达 40℃），口渴，汗出而热退，发热时伴有头痛、周身不适、恶心呕吐等全身症状，1 日之内可以如此发作 2 或 3 次，状似疟疾。继而出现尿热、尿痛、尿频、尿急、少腹下坠、腰痛，甚则出现血尿，脉滑数，舌后部有黄腻苔等主要症状。

尿培养多见大肠杆菌，少数也有葡萄球菌等生长。尿常规检查发现脓细胞、红细胞、白细胞及少量蛋白。由于急性期的主要病机为湿热下注、热重于湿，膀胱气化不利，其证属实、属热，故治疗上以清热解毒，利湿凉血为主。多年来，我在临床上自拟处方"清热除湿汤"。药物：茯苓、泽泻、白茅根、石韦、黄柏、黄连、牡丹皮、滑石、柴胡、黄芩、地榆炭、甘草。方中茯苓、泽泻渗湿利水，白茅根、石韦清热利湿，又可凉血止血，可重用。滑石、甘草清热通淋；牡丹皮、地榆炭凉血止血不留瘀；柴胡、黄芩祛寒退烧；黄柏、黄连燥湿清热，泻火解毒。由于本方有清利湿热、解毒、凉血止血之功，故适用于急性期湿热下注之病理。临床实践如血尿明显者，除用地榆炭外，可加侧柏叶炭、大蓟、小蓟等凉血止血药；若脓细胞多，可加蒲公英、金银花以增清热解毒之力；尿中白细胞多者，用黄连、黄柏；尿中有蛋白者，可加生薏苡仁、生山药，以渗湿健脾；少腹坠痛者，可加乌药以行气止痛；若发热不甚、有脾虚见症者，应加白术以健脾燥湿。经治疗急性症状消失之后，即应去清热药，如黄连、黄柏、黄芩等苦寒伤脾胃之品，适加薏苡仁、白术等健脾利湿之药以补益脾气。急性期及时用中药治疗，临床体会具有疗效高、疗程短、且一般不易转成慢性之优点。

慢性肾盂肾炎多由急性期失治，病程拖延、误治，或过用苦寒药物损伤正气，或素体脾虚阳弱，外邪侵入化热不甚，故起病即为慢性。临床常因劳累而诱发。其症状表现为尿频、尿急为主，热重者尿热、尿痛，并兼有少腹下坠、腰痛、眼睑或下肢轻度浮肿等症状。多无血尿，化验检查尿中可见红细胞、白细胞及少量蛋白或脓细胞，舌多胖大有齿痕，舌后部苔可见微黄腻，脉象多滑数或濡弱。症状较之急性期轻，但易反复发作。病机属脾肾气虚，湿邪下注，湿郁化热，虚中夹实者多。治疗应健脾固肾，利湿清热。自拟处方"益肾利湿汤"。药用：白术、茯苓、泽泻、白茅根、石韦、黄柏、川续断、桑寄生、乌药、补骨脂、薏苡仁。方中白术、薏苡仁、茯苓健脾利湿，川续断、桑寄生、补骨脂补肾强腰，泽泻、石韦、黄柏清利下焦湿热，乌药行气以止少腹疼痛。本方以补为主，以利为辅，补泻同施，用于慢性肾盂肾炎症。若见尿热、尿痛甚者加滑石、甘草以通淋清热；若见自汗、语低气短，肢体倦怠，易外感风寒，为脾肺气虚，可加黄芪补气。应慎用黄柏、滑石等寒利药物以免伤正。同时可加党参补气。如肝肾阴虚，见腰痛膝软，颧红潮热，耳鸣头晕，舌红苔少，脉细数等阴虚有热者，可选用知柏地黄汤加白茅根、川牛膝、石韦等进行治疗，腰痛者酌加川续断、桑寄生等补肾之品。

治淋话升降　　|吴立文|

　　升降学说是中医理论的重要内容，注重调理气机升降是中医治病之特色，它广泛地运用于多种疾病的治疗过程中，也有效地指导着淋证的治疗。

　　余治湿热淋证，常以八正散等方加减，多可取效，然亦有治而不效者。后从时振声老师学习，见其善用验方"升清降浊汤"治淋，甚有启发。是方由淡豆豉、荷叶、半夏、枳实、没药、通草组成，对于改善尿痛、尿急、尿频等症颇有疗效。方中淡豆豉宣散以畅上焦；半夏、枳实和胃降逆，理气以运中焦；荷叶升清，没药化瘀，通草淡渗以利下焦。该方升清降浊，调理气机，并未伍用大量清热利湿之药，却收治淋之功。临床运用时，可依据病情，酌加二三味清利之品，如滑石、竹叶、土茯苓、黄柏等。患者齐某，女，39岁，淋证反复发作7年，曾用呋喃坦丁、庆大霉素以及中药滋肾、清热利湿之法，症状未能控制，后用清热解毒之法，症状反而加重。其症尿痛频急，尿少，色黄，少腹疼痛，口干但不欲饮，苔白薄腻，舌质偏红，脉弦。因思常法而不效，遂以"升清降浊汤"加淡竹叶、滑石、生蒲黄、生甘草，服3剂后，自觉症状消失。临床上用是方治淋证近30例，证明疗效较好。治一般湿热淋证如此，即使石淋之证，在清利湿热、滑窍消石的基础上，伍以升清之品，有时也可获得意想不到的效果。

　　或问：湿热蕴结膀胱，其病在下，单行通利，因势利导则可，何必再事升清，余谓升与降相辅相成、互为因果，清气升则浊阴降，浊之降又利于清气升，故升降并用，又较单事降浊，更有利于调畅气机，使湿热蕴结之势易解。

　　升清降浊法的运用，有助于提高疗效。尤其经用清利诸法，其症不减，或虽见淋证典型症状，而舌苔黄腻之象不著，运用此法，常可补清利等法之不足。

"冷淋"证治一得　　|马吉林|

　　我少年时期，于一"霜降"节后，涉水而行，冰冷刺骨。当晚尿道内疼痛，小便拘急，尿道有分泌物。旬余，心悸腰酸，肢体沉困，夜不安寐。登厕时，起则头眩眼花。小便滴沥刺痛。必以头抵墙，几经寒战，始得解尿。连更数医，均未奏效。

一日，遇邻家客人，述及病情，随即告诉我一民间验方：高粱花1捧，苦苦菜（即败酱草）拳头大1团，小茴香1盅，红枣20枚，黄藤子（即菟丝子）1把炒炭研粉，锅底灰（百草霜）1撮。

煎服法：先煎前4味2次，合得1碗，再调入后2味，乘热服下，半小时后，卧于热炕覆被，使遍体汗出。

试之，果验。病去可谓如汤泼雪。

医书言淋有石、气、血、膏、劳之分，方则用"五淋散""八正散""萆薢分清饮"等。《丹溪心法》载有"冷淋"云：小便秘涩，数起不通，尿道苦痛，其状先寒战而后小便。盖冷气与正气交争，冷气盛则寒战而成淋；正气盛则寒战解而得便尿。多因饮冷过度，或服寒凉药过多，或淋雨受寒，肾气虚弱，皆致此证，宜生附汤。

药用：附子5钱（去皮脐），滑石5钱，半夏、木通各7钱5分。共研细，每服3钱，水1盏、生姜3片、灯心草20根同煎。兑入白蜜1两，空腹服（引《丹溪心法》生附汤原方）。

温朱丹溪之论，以生附汤旁通其意，即觉此民间验方取物平淡，配合法度谨严，通摄并用，各臻其妙！高粱花禀秋金之气，色红而入心肺，其味淡先升而后降，可宣渗、利水道；败酱草经霜后取者，气感特异，其味辛苦，达胃入肝，具消肿化瘀之力，二物相合，宣解化瘀，是"下病上取"之法。小茴香甘温味厚，入肾达膀胱，能温化下焦。红枣味甘，入心脾，补益心脾。菟丝子炭与百草霜合用，摄敛中有行瘀之能。服药后卧热炕覆被取汗，是以外治法协助药力，共奏温阳散寒之效。

治肾结石要补肾 | 王孝福 |

肾结石属祖国医学的"石淋""砂淋""血淋"等范畴。历代医家多认为"膀胱积热"是形成本病的主要因素，治疗每用清热利湿、消石通淋等法。实践中体会，肾虚是其根本，故治疗中必补肾。

肾藏真阴而寓元阳，乃水火之脏。其经脉络膀胱，且与膀胱互为表里。肾主五液，司开合，有蒸化水液、通利小便的功能，故能维持体内水液的平衡。若肾虚不能蒸化水液以利小便，则体内水液代谢就失其常度，致使膀胱气化失职，水液停聚，郁而化热，湿热蕴结，日久而成石。故肾虚是本，膀胱积热是标。虽然病初多呈实热证，若只一味通利，则可造成邪不去而正先衰之后果。临床体会肾结石若合并肾盂积水者，或术后残余结石者，或反复发作合并感染者，往往单用清利剂越清越重，越利越湿，结石反至难下。应从整体出发，辨证攻石。余曾治1例双肾多发结石，经屡用木通、车前、滑石等清利之品，结石不但未下，反而小便不通，全身浮肿，面色㿠白，腹胀恶心，形寒肢冷，舌质淡胖，苔白滑，脉沉细，一派脾肾阳虚之象。拟温补脾肾之法，选真武汤加参、芪、车前子。服1剂，日排尿约3000ml。再进1剂排出结石数枚。此乃肾气复，脾气健运，水道通利，结石自然而下。

临床有积热日久，熬灼阴液；或房室不节，劳倦过度，真阴被伤，症见头昏耳鸣、少寐健忘、腰膝酸软、舌红少苔、脉细等。此应滋养肾阴，方用六味地黄丸，佐清利之品。若病程日久，或年老体衰，肾阳亏虚；或过用清利克伐阳气，损伤肾阳，症见面色㿠白，腰酸腿软，形寒肢冷，舌淡苔白，脉沉弱。应温补肾阳，药用右归丸加减，以化气强肾，改善肾盂积水，有助于结石排出。张景岳云："善补阳者，必于阴中求阳，则阳得阴助而生化无穷；善补阴者，必于阳中求阴，则阴得阳升而泉源不竭"。

实践体验单独表现肾阳虚或肾阴虚者较为少见，往往二者兼见，或阴多阳少，或阳多阴少，根据临床表现，随证遣方投药，使肾中水火平衡，方可收到预期效果。

补中升提法治泌尿系结石　　|史中经|

泌尿系结石属祖国医学砂淋、石淋之范畴，历代先贤多谓湿热为患，故其治疗多见清泻通利，结合中医临证辨证施治。结石症多缠绵日久，医者用通淋攻下法，日久则伤耗正气，使中气下陷。曾治惠某，经用通淋排石之剂，克伐太过，使气虚下陷，故改用补中益气升提之法，佐以排石，前后服药二十余剂，排0.6cm×1.2cm结石1块，及若干砂石样结石。《内经》指出"中气不足，溲便为之变"。脾居中州，有转枢水液、升清降浊之功，升与降是相辅相成的，不升则难以降，清气不升，则浊阴难降。

古人有淋家忌补之说，是言淋证初起，湿热未清，补必使气胀血涩而邪气留滞，这是治淋之常。如若病久正虚或久服渗泻伤正，就不应拘于此说。另外补、升之中辅以通淋降下之药，亦符合气机升降之理，有利于结石的移动与排出。

小便失禁辨证 　|鲁安养|

邻村某妇，44 岁，因小便失禁，欲求缩泉丸以治。询知 7 年前患癔病，现仍时有幻听、幻视、幻想之症。8 个月前罹患"脑血栓形成"，左半身活动不灵活，身困乏力，频频欠伸，月经色黯量少质稠，平时白带多、腰痛。舌质淡红，苔薄黄水滑而腻，舌下青筋色黯。脉象沉弦缓涩。遂拟补气活血、疏肝利湿之方予之。党参 15g、黄芪 12g、桂枝 7g、赤芍 12g、丹参 15g、川芎 10g、石菖蒲 12g、郁金 10g、香附 9g、白术 12g、茯苓 13g、红花 6g、葛根 12g、山楂 15g。

7 剂后，小便已能控制，白带减，月经来潮、色红。24 剂后，小便完全可以控制，惟左侧肢体活动改善不著，仍时有幻听、幻觉现象。遂以黄芪桂枝五物汤、百合地黄汤、甘麦大枣汤加竹茹、柏子仁、生龙骨、生牡蛎、葛根等药化裁。又 20 剂后，诸症改善，且面唇红润，肌肉丰满，精神基本恢复正常。

本病属气虚血滞血瘀之小便失禁。气虚升提无力，下焦失养、不能自约，故小便失禁，非缩泉丸所可奏效。临床需明辨原委，且不可妄投固摄通利之剂。

八正散合滋肾通关丸治疗癃闭 　|于宝锋|

癃闭病是以排尿困难、甚则小便点滴不通为主症，是临床中常见的、较为难治的、反复性较大的疾患，亦是中医急证之一。癃闭包括现代医学的泌尿系炎症、结石、肿瘤等疾病。余在临证中常以八正散合滋肾通关丸治疗此病，并在辨证与辨病相结合的前提下随症加减用药，每获良效。如泌尿系炎症突出酌加石韦、竹叶；若伴有结石可加石韦、海金沙、金钱草、琥珀等；对原方中的大黄、栀子因非系肾与膀胱之药，一般不用。如曾治一七旬老叟，因前列腺肥大并发尿路感染而致癃闭，入院治疗，经用西药及导尿不效，而邀余诊治。时主症为小便点滴不通、腹满胀痛，舌苔黄腻，脉弦滑。证属湿热蕴结膀胱，灼烁肾阴，肾气开合失职而致癃闭。拟以八正散合滋肾通关丸加减：木通 20g、车前子 30g、萹蓄 25g、瞿麦 25g、滑石 20g、甘草 15g、黄柏 20g、肉桂 10g、石韦 50g、竹叶 15g。3 剂。1 剂后小便得利，腹满胀痛均减。3 剂后小便如常，又服 3 剂诸症悉除，痊愈出院。对于因结石所致之癃闭，用该处方加减，亦每获良效。1978 年曾治一壮年男性患者，患膀胱结石，因畏惧手术治疗转中医科病房。症见小便涩痛，点滴而下，小腹胀满。乃由湿热下注，而成结石。遂用通关排石之法，书以八正散合滋肾通关丸：木通 15g、车前子 30g、萹蓄 25g、瞿麦 25g、滑石 20g、甘草 15g、黄柏 20g、知母 20g、肉桂 10g、石韦 50g、金钱草 50g、海金沙 50g、琥珀 5g。3 剂后小便通利，余症顿除。先后共服药二十余剂，经复查结石消失，遂出院。盖八正散系通利膀胱湿热之专剂，取其木通、车前子、瞿麦、萹蓄清热而利小便，六一散之甘草、滑石以利窍散结止痛，滋肾通关丸为滋肾清热通关的良剂，黄柏、知母苦寒滑润，善泻肾与膀胱之相火，少佐肉桂以通阳化气利水。可见八正散与滋肾通关丸，一个治在膀胱、一个治在肾，一清、一滋；一利，一通。两方合用相得益彰，共奏清热、通关、利尿之效，而小便得通、癃闭乃愈。

补中益气汤治老年癃闭　　｜翟明义｜

　　年老之人脾胃多虚，四肢不温，涕唾、眼泪、便溺不能自控或溺点滴不出者不乏其人，主要病机是肾气衰，肾精不足，肾阳虚于下，脾阳亏于上，太阴不足，中气不运，则便溺不畅。故温补脾胃，升阳益气，以治其本。有一男患者原有消渴症，消瘦溺闭，多日靠导尿度日，由于阴茎肿痛无法再行导尿，邀余诊治。察其小便不通，少腹胀大，板硬如石，胀痛叫苦不迭，面色灰暗，皮肤甲错，畏寒，舌淡，脉细弱，诊为脾虚不运，中气下陷所致，投补中益气汤原方，水煎服。1 剂尿可滴沥排出，2 剂已排出无阻，9 剂而痊愈。又赵某，男，72 岁，小便失控，频有尿意，登厕则滴沥不尽，经某医院诊为前列腺肥大，服药无效，邀余诊治。观其面色萎黄，六脉沉细，口干、舌淡、苔薄白。少腹胀满，排溺滴沥失控。此乃脾虚，中气下陷而小便不畅。治以补中益气汤原方水煎服。2 剂则小便通，6 剂则恢复正常。

　　溺之排出，一靠肺的通调与肃降；二靠脾胃之受纳与运化；三靠肾阳温化与膀胱之排泄。肺为水之上源，乃清肃之脏，真阳化水为气，经肺通调水道，下输膀胱，故阳气不足者，肺的肃降之令不行，不但影响肺的通调，也影响脾的散精。即所谓"阳不胜其阴则五脏气争，九窍不通。"补中升阳益气适应于年老体弱、脾胃阳虚、中气下陷的癃闭证。如果为热证、实证引起的癃闭者，切勿妄投。

阳布阴施治尿崩 | 姚树锦 |

消渴患者某妇，三十余岁，纺织工人。西安几家大医院均诊为重型尿崩症。患者饮一溲一，昼夜出入水量约十数热水瓶。诊见两颧红嫩娇艳，舌质略淡，苔薄白而不润，脉沉细数。诊未毕，病人即感口渴难忍，急切饮水，阅往日所服之方药，均麦冬、地黄类滋阴生津止渴之品。然消渴非但罔效，且增腹胀、纳呆等证。思之，顿感棘手。正踌躇间，忆及家严治一位日饮一担水之患者，药用人参、黄芪，使阳布阴施、故在前医方药中加入人参、黄芪。病人服药后，腹胀轻，食纳有增，药后虽有效，但消渴仍急，故增人参、黄芪量继服，诸恙平复，尿比重亦恢复正常。

由此联想阳布阴施、阴阳互根在多种虚损证时的应用，如糖尿病、肺结核及各种癌肿等，如能注意阴阳互化多获较好的疗效。

自拟固肾汤治尿崩症 | 刘继明 |

尿崩症为西医病名，临床以多尿、烦渴、多饮、尿比重低为特征。与中医消渴有类似症状。多饮多尿，以尿多是本病的主要矛盾，关键是肾的功能不足。肾气不足则下元不固，元阳衰微则蒸化失权，三焦气化无常，膀胱约束失司而致病。故治疗宜温阳化气，固摄下元。自拟固肾汤，药用：菟丝子30g、肉苁蓉20g、巴戟天15g、制附片10g、黄芪30g、怀山药30g、熟地黄20g、台乌药20g、桑螵蛸24g、五味子6g、益智20g、鹿茸粉1.5g（冲服）。水煎服，每日1剂。本方适用于肾虚偏于肾阳虚及阴阳两虚的尿崩证。曾治耿氏老妇，尿频，每30～40分钟小便1次，量多色清，伴头晕心慌、全身乏力，望见面色㿠白，口唇皮肤干燥，舌质淡，苔薄白，脉象沉细无力。多家医院诊为尿崩症。服用上方3剂，小便次数明显减少，12剂后诸症消失而愈。

地榆与尿崩症

张奎选

壬申夏日，探亲欢聚乡里。同乡杨某述及他患尿崩症，经各大医院治疗，花了很多钱，却终未治愈。后偶遇一老妪，授验方。即地榆不拘量，洗净煎水，渴即饮此药水，不拘量。如此经 4 或 5 天，小便次数减少，渴也减轻。继续饮用 5 天，口不渴，小便亦正常。乡间满地地榆，没花 1 分钱病愈。

地榆是一凉血止血药。《雷公炮制药性赋》记载："地榆疗崩漏，止血止痢"，阅各家本草，均未见治消渴、缩尿崩的记载。此实践说明广大群众中有丰富的用药经验，应当发掘。辨证分析此例，也颇有医理。地榆味苦、性微寒，能清热凉血。因此对火热怫郁的尿崩症，用渴而即饮，频频给药的方法，取其力专而持续，不断以解怫郁的火热之邪，药性缓而持久，与仲景大剂量用药浓煎分次服、治重证的方法同理。这种以柔克刚的给药方法，临床多建奇功。

滑　　精

刘选清

滑精者，无梦而精出，用桂枝龙骨牡蛎汤常可获效。但若遇阴阳俱损者则另有奥妙。余曾治一 32 岁男性患者，滑精 3 年不愈。虽累进桂枝龙骨牡蛎汤、金锁固精丸等方，终未获效，且日渐加重。该病始于不知养慎，恣情纵欲，致下元虚惫而滑精频作，并见头晕耳鸣，心悸失眠，自汗盗汗，腰膝酸软，畏寒肢冷，阳事不举，纳呆便溏，面色少华，神疲乏力，舌质红少苔，脉虚数。予桂枝 6g，白芍 18g，甘草 9g，大枣 5 枚，生姜 2 片，龙骨、牡蛎、酸枣仁各 18g，茯神 12g，朱砂 3g，莲子 15g，金樱子 12g。嘱节欲惜身。共服 12 剂后，诸症悉平而病愈。药白芍 3 倍于桂枝，其理何在？少用桂枝而重用白芍，是取小建中汤之意，白芍 3 倍桂枝，使桂枝助阳，而不使精妄泄。加安神宁智、养心固精之品，心君宁静，肾关得固，滑泄自止。重用白芍敛阳而益阴，桂枝龙骨牡蛎汤与小建中龙骨牡蛎汤之别也。余临证化裁随证而异也。

利湿清热治梦遗　　|樊文有|

遗精一病多从肾虚、精关不固论治，然属湿热下注者亦不乏人。

昔年尝治一吕姓学生，患梦遗滑精年余，1 年来多用补益肾精、滋阴清热、镇静安神之剂，症情时轻时重。症见头昏耳鸣，心烦，记忆力减退，梦遗滑精，小便黄，大便不爽，舌质红，苔薄黄，根厚腻，脉沉滑。证属湿热下注，扰动精室，拟清利下焦湿热法。仿猪苓汤化裁。药用：猪苓 12g、茯苓 15g、泽泻 12g、滑石 30g、黄柏 9g、知母 10g、车前子 15g。3 剂，水煎服。服后病减，又 3 剂而愈。

该患者因湿与热合，壅遏下焦，湿热蒸于上而头昏心烦；湿热注于下而肾系不宁，故有梦遗滑泄之症。今用利湿清热之剂，使湿去热除，肾系清宁，其病乃愈。

精 瘀 浅 谈　　|华良才|

笔者近年来用活血通精法治疗精瘀患者 320 例，取得较好效果，其中男性 312 例，女性 8 例，其临床表现归纳有以下几点：①精神疲倦，头昏心悸，健忘失眠，情绪抑郁或烦躁易怒，女性患者还常表现为喜静怕乱，害怕声响。②须发早白、早脱，耳鸣失聪，头皮、眼眉、胡须、阴毛处皮肤瘙痒，甚至刺痛。③两侧肾区、足跟或足掌部、睾丸、两侧少腹部有针刺样疼痛，且每于睡眠或休息后加重，适当活动后缓解，或有全身酸楚，皮下蚁行感及胸闷等。④小便余沥不尽或涩痛不畅，或尿浊。⑤性功能紊乱：阳痿早泄，梦遗滑精，性交时不射精，性交后遗精或滑精（不射精症）；无刺激则阴茎自行勃起，性交时却举而不坚。女子可见梦交、月经紊乱、白带增多等症。严重者影响生育。⑥用补肾填精、涩精法治疗无效。

"精"在生理常态下是可以流动的物质，精滞而不行即是"精瘀"。凡影响精的化生、排泄的因素（如手淫、多种泌尿生殖系统疾病、输精管或输卵管阻塞、精索静脉曲张、长期使用体外排精法避孕、长期大量地滥用补肾填精药品等），皆可导致精瘀。精瘀证酷似肾精虚亏，若不细心分辨，往往造成混淆。因证属瘀而非虚，欲补其虚，反增其瘀。根据"精血互生""精血同源""精瘀血亦瘀""血活精自通"的理论，故拟方"活血通精汤"治疗此类病证。

凡治精瘀之遗精早泄，应以活血疏通为要，不可过用固涩之品，否则事与愿违，对于精瘀兼精虚者，亦应补中有活，涩中寓通，庶可取效。

活血通精汤方剂组成及用法：当归 15～20g、牛膝 10～15g、鸡血藤 15～20g、制首乌 20～30g、益母草 20～30g、黄酒 20～30ml（分 2 次兑入药中），水煎分服。加减法：腰、足刺痛者加续断 20～30g、金毛狗脊 20～30g、血竭 4～6g。遗精、滑精、小便余沥者加芡实 20～30g、莲须 10～15g、盐水炒桑螵蛸 10g。小便混浊者加川萆薢 15g。阳痿、早泄者加枸杞子 15～20g、淫羊藿 10～15g。健忘失眠者加茯神 20g、石菖蒲 10g、五味子 15g。耳鸣、耳聋者加磁石 30g、沙苑子 15g、建神曲 10g。本方可单独使用，也可在辨证施治原则下与其他方剂合用。如精瘀兼精虚者，可配合六味地黄丸同用。妇女妊娠期勿用。

疏肝解郁治愈不射精 　|刘士正|

肝之经络绕阴部过小腹，阴器为宗筋之会；肝喜条达，主疏泄气血，亦主疏泄精液。在妇女则常因肝气郁滞失于疏泄而致月经不调或经闭不行；在男子，精液之射泄亦赖肝气之条达疏泄。所以，男子性交不射精者，应从肝论治。余用此理论，施疏肝解郁法治不射精有良效。

患者刘某，25 岁。婚后性生活正常。因与人口角，恼怒，遂感胸胁满闷，烦躁易怒，小腹作胀。此后，每次性交时阴茎勃起过强，1～2 小时不能射精，仍坚而不衰。阴茎胀痛牵引小腹、睾丸坠胀。舌质红，舌苔薄白而干，脉弦。此证属肝气郁结、疏泄失职。药用逍遥散加味：柴胡 10g、白芍 15g、当归 10g、茯苓 15g、白术 10g、薄荷 5g、川牛膝 10g、车前子 10g（另包）、王不留行 15g。服药 6 剂已能射精，但精出后阴囊、阴茎有疼痛感。上方去车前子加川楝子 10g、延胡索 10g，又服 3 剂病愈。

患者栾某，新婚之夜阴茎强硬久不射精，且有尿意，欲尿不出，小腹拘急，阴囊阴茎自感向小腹上抽，阵阵冷痛。婚后 12 天性交皆然。尿黄，舌质红，苔薄黄。脉沉弦而数。证属肝郁化火，阳热郁闭，疏泄失司。治宜疏肝泄热，开郁通闭。方用四逆散加味：柴胡 15g、白芍 30g、枳实 10g、炙甘草 10g、乌药 10g、槟榔 10g、王不留行 15g、木通 6g、黄芩 10g、附子 3g。服 2 剂，射精正常。

男性不育症 赵国岑

男性不育症临床多见。生育一事是男女双方决定的。然封建世俗将不育一症专责女子是不科学的。男子亦有不育症。男性不育常见的有精子少，精子活动力差、畸形，或无精子，属中医的气血亏虚和肾虚者多。中医用补肾和益气养血和血的方法治疗，常可收效。

余曾治一婚后 10 年不育症患者，查精子少，精子活动力差，精子有畸形。平日肢冷，腰背酸痛，大便溏，夜尿多。诊其脉沉迟，舌苔薄，舌质淡。属肾阳亏虚，精血不足所致之不育。投以温肾壮阳、补益精血之品：党参、山药、附子、肉桂、鹿角胶、仙茅、淫羊藿、山茱萸、菟丝子、肉苁蓉、枸杞子、熟地黄、砂仁、川续断，水煎服。每日 1 剂，并嘱其忌房事。2 周后症状好转，上方去山药、川续断，继服 1 个月，复查精子数和形态，已在正常范围。1 年后，其妻生一女孩。

男性不育症常继发于阳痿、早泄、严重遗精等病。因肾阴不足或肾阳衰微而致者多。临证时，首先应辨别肾阴虚或肾阳虚，随证施治，往往取效。

归脾汤加减治不育 王永清

男性不育症常因肾阳虚衰、阴精亏少之故，亦有因劳伤心脾而致者。一王姓男子，因"慢性前列腺炎"婚后 5 年其妻未孕，曾多服壮阳之剂无效。后就治于先父，诊察其面色萎黄无华，舌淡，脉濡细。失眠多梦，时有遗泄，夜尿频。改投归脾汤化裁，方用党参、黄芪、白术、茯神、当归、龙眼肉、远志、酸枣仁、炙甘草，并以健脾行气的砂仁壳易木香，加柏子仁养心安神。服药 2 个月，后改用右归饮方药为丸服 5 个月，于次年秋月终生一女。

本病缘于长期求嗣心愿不遂。思虑劳倦耗伤心脾，已成营血不足之象，若再施壮阳之味，内无阴血相济，必致阴阳更趋失衡，则欲速而不达。故先宜补益气血，调其志意，俟脾气充旺，心血盈盛之后，再予以温补肾阳，益精填髓，使天癸气充，故能生子。

筋 疝　　|杨考哲|

一位 30 岁男子，少年手淫，婚后房室不节，渐感行房时少腹不适，继而发展到剧烈疼痛，痛不可忍，历 4~5 小时后，其痛自行缓解，平时有白浊流出。余诊为筋疝。病由房劳过度，肾水亏损，不能涵养肝木，肝不养筋，加之劳极伤筋，渐成筋疝。治以养肾柔肝，舒筋活血。用山茱萸、生地黄、当归、杭白芍、枸杞子、金铃子、五味子、菟丝子等。水煎服，胡桃肉为药引嚼服，并嘱忌房事。2 个月后，诸症消失。随访 4 年未复发。

此肝肾阴虚，经脉失养发为筋疝，血不养筋，则筋急而痛。

妙用米醋助摄血　　|李振华|

以前，我治肺脾气虚失于统摄的出血，使用归脾汤合补中益气汤化裁，效果并不理想。偶然从一个患者那里得到施今墨老先生的一张治崩漏处方。观其方，用药属归脾汤合补中益气汤化裁，但其妙处是，柴胡、白芍醋炒，还另加 6 两（300g）米醋为引。一阅此方，心中豁然开朗。细悟之，《内经》谓"木位之主，其泻以酸"。肝木乘脾，脾虚而不统血，用米醋之酸直泻肝邪，以利于脾，醋酸涩能敛，可以止血。余在治疗心脾两虚型崩漏患者时，仿效施老配伍之法，用醋炒柴胡、白芍，以食醋为引，比往日用归脾汤合补中益气汤法建功速佳。

谈"血虚"与"贫血"　　|周次清|

"血虚"与"贫血"，不但在词义上有些相似，而且在临床表现和治疗方法上亦有共同之处，因此，有人常把血虚与贫血当作相同的病证来处理，往往造成不良的医疗后果。如有人认为四物汤是补血的，一遇到贫血的病人就首先考虑用四物汤来治疗；也有的把血虚的证候写成面色、皮肤、唇甲苍白，眩晕，乏力，心悸，舌质淡，脉象细数等慢性贫血的症状。这样一来，治疗贫血使用养血补血的四物汤是理所当然的。

其实，血虚与贫血是中西医学两种截然不同的概念，绝不能混为一谈。中医所说的血虚，是指体内阴血亏虚不能濡养脏腑、肌肉、经脉的一种病理现象。具体来说有心血虚、肝血虚和心脾血虚的不同。心血虚的症状多为心悸、怔忡、健忘、失寐、脉细涩；肝血虚的症状多为眩晕、眼花、目涩、手足发麻、四肢拘挛、皮肤干燥、月经不调、闭经或月经量少；心脾血虚的明显症状为心悸、神疲、食少、乏力，以及月经不调、崩漏失血等症。中医对上述病证的治疗，除了由痰、火、水、气所致之外，主要采用补血养心、养血柔肝、健脾生血等方法。这里所说的血虚，除了心脾两虚有部分贫血者外，单纯的心血虚或肝血虚很少有贫血的存在。

现代医学所说的贫血，是指单位体积血液中红细胞、血红蛋白或红细胞比例低于正常值的一种病理状态。贫血病人在中医辨证中，除有血虚症状外，主要有乏力倦怠，呼吸短促，面色㿠白，畏寒肢冷，浮肿，舌淡，脉虚等气阳不足的现象。也可以说血虚是因阴血的亏耗，贫血是因气阳的不足。

再从四物汤养血补血的功用来看，它的主要适应证是用于肝肾阴血不足所致的冲任虚损、月经不调、胎动不安、血下不止等，实际是用治血虚，不适于治疗贫血。四物汤的性能虽然静中有动，而终属阴胜腻滞之品，用治贫血的病人，不但无益，反而会出现食少、便溏、神疲乏力等阳虚阴盛的现象，以致造成阳无以生，阴无以长，愈补血血愈贫的不良后果。如治疗心血不足、健忘不寐的养血清心汤（《寿世保元》生地黄、当归、芍药、川芎、黄芩、黄连、栀子、酸枣仁、远志、麦冬、甘草）；治疗心血不足、心悸怔忡的四物安神汤（《杂病源流犀烛》当归、白芍、生地黄、熟地黄、人参、白术、茯神、酸枣仁、炒黄连、炒柏子仁、麦冬、竹茹、大枣、乌梅、朱砂）；治疗血虚、五心烦热、昼则明了、夜则发热的四物二连汤（《证治准绳》生地黄、炒白芍、川芎、当归、炒黄连、胡黄连）；血虚肝郁，月经不调的加味四物汤（《傅青主女科》熟地黄、白芍、当归、川芎、白术、牡丹皮、延胡索、柴胡、甘草）；血下不止，胎动不安的芎归胶艾汤（《金匮要略》干地黄、芍药、当归、川芎、阿胶、艾叶、甘草）等。如果认为血虚同于贫血，将此类方剂也用于治疗贫血，只能有害无利，不会收到好的治疗效果。

中医认为贫血的原因是"无阳则阴无以生"。有形之血生于无形之气。所以，治疗慢性贫血需用"扶阳益阴、补气生血"的方法，即使急性失血，也必须遵循"有形之血不能速生，无形之气所当急固"的原则，采用"益气固脱、补气生血"的方法。如贫血表现为气血两虚者，宜用圣愈汤或八珍汤；阴阳两虚明显者，宜用人参养荣汤或十全大补汤；伴有心悸、失眠、食少、便稀者宜用归脾汤；严重的贫血，往往导致肾阳的不足，必须采用补阳益阴、填精益髓、化生精血的方法，才能取得一定效果，常用方剂如薯蓣丸、右归丸之类。

总之，血虚是单纯阴血不足；贫血是气血阴阳两虚。贫血可涵有血虚，而血虚不一定贫血，二者不得混淆。

高原瘀血证 ｜张瑞祥｜

登上海拔3000m的青海高原以后，可见到部分高原居民有目赤、颧红、唇绀、舌紫、肢端色暗、平甲、反甲、肌肤甲错等典型的瘀血征象。我和我的同事曾做过血液流变学检查，表明其血液有浓、黏、聚、凝的特点。经全面检查证明，这些患者大多数并无器质性呼吸、循环系统疾患。它是在高原特定环境下发病的，离开高原后，瘀血征可以消失，故名之曰"高原瘀血证"，即是现代医学的高原红细胞增多症。

高原瘀血证发病的主要原因是：①高原低气压，令人宗气虚弱，无以贯心脉，故心脉瘀阻。②高原多寒邪，寒客经脉，亦令血气凝涩。③高原多风多燥，燥邪伤津，风能胜湿，均令阴液亏损，而致血液流行不畅。因此治疗高原瘀血证的法则，除用活血化瘀之品外，尚应益气养阴，或兼用温阳散寒之品。我们用复方人参高原片（人参须、麦冬、五味子、丹参、川芎、甘草）治疗此证，可改善其症状、体征及血液黏稠度，共治疗66例，均收到了满意的效果。

血小板减少性紫癜证治一得 ｜徐良兴｜

血小板减少性紫癜表现为全身皮肤出现大小不等的紫红色瘀斑，常伴有鼻衄、齿衄和舌衄，舌质赤红或紫绛，尖边有瘀点等，属中医肌衄范畴。张景岳说："衄血虽多由于火，而惟阴虚者为尤"。临证所见此病确以肝肾阴亏，相火升浮为多，是因平素肝火偏盛，肾阴不足，水不涵木，木火刑金而血随火升所致。症见诸窍出血，肌肤瘀斑，伴头昏头痛，口干不欲饮，心烦少寐，舌苔红绛，苔黄少津，脉弦细数。治宜滋阴降火，养血化瘀，余每用犀角地黄汤合二至二甲汤加减。

芦某，男，45 岁，铜川市人。1983 年因鼻衄、肌衄住院。症见鼻衄，周身有大小不等的瘀血点，齿龈渗血，舌边有紫色瘀血斑块，头昏头痛，口渴不欲饮，胸闷纳差，汗出无寒热，五心烦热，少寐，溺黄便干，两下肢出血点尤多，舌红绛，无苔，脉弦细数。化验检查：血小板计数 $30 \times 10^9/L$，出凝血时间延长，大便潜血试验阴性，尿无异常，胸透及心电图检查均正常，肝脾功能正常。按肝肾阴亏，相火浮越，迫血外溢论治，方用犀角地黄汤合二至二甲汤加减：犀角 10g、生地黄 30g、玄参 20g、白芍 20g、赤芍 13g、牡丹皮 13g、川黄连 10g、栀子 10g、女贞子 15g、旱莲草 15g、龟版 15g、鳖甲 15g、阿胶 30g。连服 10 剂，衄止瘀斑见消，血小板为 $52 \times 10^9/L$，精神好转，食欲增加，头昏虚烦渐轻。继用原方去川黄连、栀子、赤芍、犀角，加当归、知母、茜草、丹参，连服 12 剂，血小板上升为 $88 \times 10^9/L$，经服上方 1 个月余，血小板上升至 $102 \times 10^9/L$，基本趋于正常。

益气摄血法治血小板减少性紫癜 | 韩志贞 |

血小板减少性紫癜，属于祖国医学肌衄的范畴，是临床常见病之一。余在临床上采用益气摄血法治疗本病，疗效满意。

常用方药：黄芪 30g、党参 15g、茯苓 30g、山药 30g、炙甘草 10g、当归 15g、白芍 15g、生地榆 15g、旱莲草 15g、血余炭 9g、阿胶珠 9g、藕节 15g、益母草 10g、三七粉 1.5g（冲服）。失眠心悸，血不养心者加龙眼肉 15g；纳差加焦三仙各 10g；腹胀加炒莱菔子 30g；腹痛加白芍至 30g；便血加生地榆 15g。据临床观察，一般服药 6 剂，紫癜基本消退，1 个月左右血小板可升至正常。

尝治李姓女孩，周身皮肤紫癜，下肢紫斑为多，大者如豆，小者如粟。神疲乏力，鼻衄，面色苍白，腹痛，便黑。舌质淡有瘀斑，脉细数无力。血小板 $16 \times 10^9/L$。证属气虚血亏，气不统血。予益气摄血法，用上方治疗月余，血小板升至 $190 \times 10^9/L$。随访 2 年未再复发。

方中党参、黄芪、茯苓、山药、炙甘草，益气健脾以统血；当归，白芍以养血；旱莲草、血余炭、生地榆、阿胶珠、藕节，育阴凉血止血；益母草、三七粉祛瘀生新。诸药合用补气而不伤阴，养血而不滋腻，止血而不留浓滞。使气旺血充，统摄有权，血循经脉，则肌衄可愈。

治血小板增多症　　| 陆永昌 |

血小板增多症为临床少见的出血性疾病，其特征为血小板显著增多。除有出血症状外，尚有血栓形成及脾脏肿大等。我治一例患者，血小板曾多达 $1120 \times 10^9/L$。

患者李某，因产后流血过多而贫血，头晕乏力，全身肌肉疼痛。后两下肢出现散在的紫斑，静脉怒张，月经量减少，时感手足心热。检查血小板 $794 \times 10^9/L$，出血时间 1 分钟，凝血时间 6 分钟，诊断为原发性血小板增多症。拟用马利兰治疗，因白细胞偏低（$3 \times 10^9/L$）而未用，只作支持性治疗，无明显效果。复查血小板达 $1120 \times 10^9/L$。查口唇及睑结膜苍白，双下肢有多片紫斑及毛细血管扩张。腹软，肝不大，脾侧位可触及，质软。舌淡，苔薄白。脉细弱。辨证为虚劳血证。属脾肾不足，气血两虚为病。拟扶正祛邪，补肾健脾，益气养血为主，佐以活血化瘀。用十全大补汤加减化裁。台党参 30g、焦白术 12g、云茯苓 15g、黄芪 24g、当归 12g、赤芍 12g、白芍 12g、生地黄 24g、木香 9g、陈皮 9g、鸡血藤 18g、桑寄生 18g、玫瑰花 9g、红月季花 9g、生龟版 18g、阿胶珠 9g、牡丹皮 12g、甘草 6g。水煎服，每日 1 剂，服 6 剂停药 1 次。服药 19 剂，血小板由 $1120 \times 10^9/L$，逐渐降至 $600 \times 10^9/L$、$318 \times 10^9/L$，疲劳、头晕、全身疼痛等症显著减轻，下肢紫斑及毛细血管扩张消退，月经亦趋正常。嘱继续服前方。随访时，患者已停药，下肢未再出现出血现象。血小板 $180 \times 10^9/L$，体力精神可，恢复正常工作。

镇衄汤治肌衄　　| 李灿辉 |

师授吾镇衄汤方，专治阴虚诸衄，颇有良验。

镇衄汤方由生地黄 30g、桑白皮 30g、白茅根 30g、党参 10g 药组成。本方药味少而量大力专。功能滋阴降火，清热凉血。又加入三七粉、阿胶、牡丹皮、赤芍等药，可加强滋阴凉血之功及活血止血之效，使新衄不起，旧衄得除。故凡鼻衄、齿衄、目衄、耳衄、舌衄、唇衄、肌衄、乳衄、脐衄、腘衄，诸经吐衄等属脏腑阴虚者，用之无不效验。

玉屏风散治肌衄 | 张 立 |

肌衄乃血溢于肌肤而成。现代医学统称为紫癜。其病不外虚实两类。实性肌衄，多为热毒熏蒸，郁于阳明肌肤，迫血妄行所致。多发病急，见身热、溲赤，且斑点色鲜红，按之不退色，或有大便秘结，舌质红，舌苔黄，脉数等。治宜清热凉血止血，余每用清营汤、化斑汤加减，疗效很好。

虚性肌衄，多为脾肺气虚，腠理不固，复受风邪，血络受损所致。其症表现为斑点紫暗，反复发作，脉细无力，舌质淡，舌体胖大，苔薄白，用归脾汤或玉屏风散加味治疗。玉屏风散补益脾肺之气，又有祛除风邪之功。用此方加女贞子、旱莲草治疗原发性血小板减少性紫癜4例、过敏性紫癜2例，均获得较好效果。

如常姓患儿，13岁，肌衄已半年余，时轻时重，曾先后住院3次，服用泼尼松、潘生丁、消炎痛等，紫癜不见消退。紫斑色暗红，舌质亦暗，苔薄白，脉数。予化斑汤加味，服6剂，仍不断有新的紫斑出现。故改用玉屏风散加味，药用：生黄芪30g、炒白术10g、防风10g、浮小麦30g、大枣10g、生甘草10g、女贞子10g、旱莲草15g、丹参10g、川芎12g、赤芍15g、琥珀6g（冲）。药进6剂，紫斑消退，未再复发。

养阴开腠治无汗证 | 张 炬 |

无汗，又名汗闭，有局限性与全身性之区别。无汗证的发病原因，从临床上来看，一是由于寒湿之邪阻滞肌表，汗孔闭塞，多为全身性无汗。此外，外伤斑痕、皮肤甲错，以及痰浊、瘀血阻于肌表，也可引起无汗症，但多为局限性无汗。二是由于液亏血枯，汗液化生无源。古人认为汗液乃津液、营血所化生。因此，如营亏血少，也可引起无汗。笔者曾遇一张姓患者，男，23岁，5年前盖房时不慎从3m高处摔下，未发现明显外伤，是后即半身无汗，继而出现全身无汗，头部闷胀，心中烦热，口渴欲饮，声音嘶哑，纳差食少，疲乏无力，喜凉畏热，全身瘙痒，日渐消瘦，大便干燥，三四日一行，舌红、苔白腻少津，脉弦滑。每年农历四月以后加重，至九月则逐渐减轻，病重时痛苦异常，不能从事体力劳动。在室温 31℃ 条件下，经复方阿司匹林与毛果芸香碱发汗试验，证实头面、躯干、四肢均无排汗。辨证为阴亏液少，毛窍闭阻。给以养阴生津，解肌开腠之剂。药用天花粉 20g、麦冬 15g、玄参 20g、石斛 15g、知母 15g、竹叶 10g、焦槟榔 15g、葛根 15g、柴胡 10g。服药 3 剂，双腋下稍有湿润感，心中烦热等症减轻，药服 10 剂，诸症基本消失。

《内经》云："阳加于阴谓之汗。"即是说汗是阳气蒸化津液外出于肌腠毛孔而形成的。因肌腠毛孔是汗液排泄之门户，所以汗之有无与多少，不仅与人体津液的盛衰有关，而且与肌腠的疏密，毛孔的开闭也有关系。在治疗上不仅应注意增津生液，而且还应配以解肌开腠。本患者一派津亏液少，阳热内盛之象，故治用天花粉、玄参、麦冬、石斛以养阴生津；知母、竹叶以清热泻火，焦槟榔以通降腑气，方中更用柴胡、葛根以解肌开腠，疏通汗液外泄之门户，从而使汗液得以外泄而获效。

阳虚盗汗小议　　|张反修|

患者朱某，男，48 岁，症见胸闷、气短、心悸，动则加重。畏寒肢冷，夜半醒来身汗如洗，舌淡苔白，脉虚数。已服滋阴敛汗剂十余剂，无效。此证为阳气虚弱，表疏不固之证。遂投：人参 10g、黄芪 30g、白术 20g、附子 10g、甘草 6g、桂枝 10g、白芍 10g，水煎服。服药 1 剂盗汗大减，3 剂汗除，余症亦明显好转。

临床实践证明，自汗、盗汗各有阴虚、阳虚之证，甚至亦有因于实者。诊断阴虚、阳虚，单凭自汗或盗汗是不够的，应四诊合参，详细辨证。

阳虚何以盗汗？人寤则气行于阳，寐则气行于阴。表阳虚者，寐时气行于里，则表更失固，可使津液外泄而盗汗。此种盗汗并不少见，多伴畏寒肢冷，脉虚无力，汗出则身滑肤凉，自易与阴虚盗汗的汗出较少而黏腻，心烦、口干，午后或夜间身热、舌红、脉细数等表现相鉴别。

湿郁阳虚盗汗　　|刘选清|

阴虚盗汗，阳虚自汗，乃属常理，但亦有因湿郁困土所致阳虚盗汗者。余治杜某，男性，年36岁，患者一年多来，每夜醒后，身出冷汗，遍及全身，尤以胸部为甚，衬衣、被里水湿如洗。虽迭经扶阳、敛汗、固表等多种药物治疗，均服药汗止，停药复发。细查患者除盗汗外，有头昏、身困、神倦、纳呆，舌胖嫩、舌边有齿痕，苔白腻，脉濡缓等。证属湿困脾阳，湿浊郁阻，湿盛脾衰，卫阳不固，遂更为健脾燥湿、芳香化浊法，佐以淡渗之品。选用白术、苍术、白豆蔻、藿香、佩兰各6g，厚朴、茯苓、杏仁各12g，陈皮9g，薏苡仁24g，通草3g。3剂药尽，盗汗等症显著减轻，将健脾燥湿之苍术、白术用量各加大1倍，守方调治。药尽10剂，诸症悉平而痊愈。

　　盗汗固多阴虚，亦有阳虚者。但本例之阳虚，乃湿郁伤及脾阳所致。病之本在于湿，故虽服扶阳固表之方药，乃无效。此患者虽盗汗年余，但由头昏、体倦、神困、纳呆、舌嫩有齿痕、苔腻、脉濡缓等征象可知乃湿困脾阳之证。湿邪困阻，卫阳不通，至夜阴盛，卫气行里，表卫更虚，湿蒸汗出，而病盗汗。故用大剂健脾燥湿之苍术、白术，芳香化湿之藿香，佩兰叶投用后病能痊愈。

湿 阻 盗 汗　|车振武|

　　阴虚则盗汗，此为临床辨证常规。盗汗一证，虽阴虚者多见，但湿热扰于阴分而致盗汗者，临床亦不鲜见。万不可囿于"盗汗皆属阴虚"之说。曾治一患者，寐则汗出，寤则汗收，躯体肥胖，肢体困倦无力，口苦胸闷，腹胀纳差，午后身热、头重眩晕，时感阴囊潮湿，脉数而右滑左弦，苔厚腻而黄。曾服六味地黄汤合牡蛎散及当归六黄汤之类，罔效。胸闷纳呆反而加重。吾思，此证虽有午后身热、盗汗之症，但非阴虚所致；乃因于湿热郁阻，扰于阴分。治宜清热利湿，健脾和胃。方拟蒿芩清胆汤合三仁汤增损：青蒿12g、生薏苡仁15g、黄芩10g、陈皮10g、半夏10g、茯苓20g、白豆蔻仁10g、竹叶10g、通草10g、滑石15g、糯稻根30g。进12剂而病愈。

　　本证所见午后身热盗汗之症，乃湿阻盗汗。按阴虚盗汗，用柔润药治之，则二阴相合，同气相求，病非但不解，反而加重。方用青蒿、黄芩清透湿热；陈皮、半夏、茯苓、白豆蔻仁、枳实行气健脾祛湿；生薏苡仁、竹叶、通草、滑石淡渗清利湿热。佐糯稻根以止汗，标本同治而收功。

　　吴瑭谓湿热"状若阴虚"，观此例盗汗之症，洵不诬也。

痛 证 约 说　　刘文龙

疼痛是临床最为常见的症状之一,《素问·举痛论篇》是一篇有关痛的专论,研究痛证当从此篇始。今之医人言痛之机制,多以"通则不痛,痛则不通"为论,究此语之所出,实非《素问·举痛论篇》之文,乃首见于元·王好古《此事难知》卷下"痛随利减"条。王氏认为"诸痛为实","利"字当"训作通字,或训作导字",故王氏所言之"通"字,乃指"通导"治法,与今所解使经络气血通达流畅为"通"不尽同。

据之医理,验诸临床,痛证并非皆为实证,亦有虚证。"不通则痛",据今所解,则由外邪侵犯、内伤饮食、痰浊瘀血、虫积及外伤等诸多因素致气血运行不畅,经络闭阻不通,而生诸多痛证,此属实证。然人体精、气、血、津、液等构成人体和维持生命活动的基本物质虚少,脏腑功能减退,亦可致痛,此所谓"失荣亦痛",属虚证。实痛临床固多,而虚痛亦并不少见,故不可囿于"诸痛为实"之说。

辨痛首当据其病史之暂久,痛势之喜按、拒按、急缓等以别虚实;继当据其痛的性质为冷痛、灼痛等以别寒热;三当据痛之所在部位以定其所属脏腑经络。此外,还当结合兼症,疼痛的加剧与缓解因素、时间等,四诊合参方能全面准确地对疼痛作出正确的辨证。

治痛,实痛自以通导为要则,据病情用发汗、通利二便、消食导滞,行气、活血化瘀、杀虫、涤痰逐饮等法皆可治痛,但要分清痛之脏腑所在及痛之寒热,适当选方遣药。简言之,治实痛,有通导之定则,而无死守之定方,总以因证施治为是。治虚痛总以"虚则补之"为原则,视阴阳精气血津液亏虚之别,区别施治,除注意脏腑所在及兼寒兼热之不同外,还要注意到阴阳精气血津液之间的互根互制关系,施以相应治疗,尤应注意到"因虚致实"这一病理变化,在补虚治痛中,酌配相宜的通导之品。脾胃为"后天之本""气血之化源",故治疗虚痛,在补虚之中,酌配健脾开胃畅中之品,亦不可忽视。

头痛寻因记　　孙继芬

1965年秋,门诊来一女性头痛患者,自述半年来每日下午3~5时剧烈头痛，每撞墙以求缓解。头痛过后极度疲倦，生活不能自理。虽经多方治疗，遍服中西药仍无效。医生疑有占位性病变，预约将在某医院开颅探查。余视其所服百余张处方，以驱风养血、燥湿化痰、活血化瘀为多。细审病史病因，均无可得，除头痛外别无他苦。因其头痛苦极，则小恙不显，故难得真情。经反复询问，得知月经期常常胃痛并伴有头痛，头痛病未发作时先有胃痛。查其脉细缓无力，面色少华，肢体倦怠。其头痛剧烈，非风、非瘀，当与脾胃有关。根据吾师赵锡武之教诲，对顽疾错杂无从入手者，如从先后二天求本，常可绝处逢生。本例病人素来中土不健，又久痛伤气，使气虚不行于上。头为诸阳之会，气不行于上，则阴寒乘居阳位故头痛。证属阳明气衰，故可用吴茱萸汤，以吴茱萸大辛大温救已衰之阳，可解头部剧痛之苦。人参、生姜、大枣和胃补中而温阳，中土健运，气得上行，头痛可愈。《伤寒论》记载吴茱萸汤适应证有下列几种情况："厥阴干呕吐涎沫头痛""少阴病吐利手足厥冷烦躁欲死"；"阳明食谷欲呕"。由此可知吴茱萸汤不独为厥阴方，也为阳明、少阴方。故凡阳气虚衰失其温煦之能，阴寒独盛，浊阴上乘阳位者均可用之，有降散浊阴、升阳救逆之功。吾从该方能治"厥阴干呕吐涎沫""少阴病吐利手足厥冷烦躁欲死"，悟出治头痛欲死之理。经过周密思考之后，决定采用本方治疗。方进 6 剂，其痛已可忍，续进 20 剂痛已微，遂改原方生姜 10g 为干姜 10g，意在变辛散为温阳，以扶正气。又进 10 剂而痊愈。半年后追访，其病未发。

气 郁 身 痛　　|白兆芝|

　　身痛一证，临床颇为多见。周身窜痛者，医多以为风邪所致，治以祛风通络，已成常法。吾以为当详审其因而后论治。本证除外邪所致外，尚有因气郁而致者。其临床表现亦为周身窜痛，多见于中老年妇女，素体阴血亏虚，复因精神刺激，肝气怫郁，气滞络脉所致。一般施以祛风之剂不效，而改易养阴（血）疏肝，活血通络法，每可收功。

　　3 年前尝治一妇，周身窜痛月余，前医或予祛风通络，或予养血祛风，其症益甚。询之，知病始于与其子反目后，伴左侧头痛、头中发热、周身乏力、五心烦热、夜不能寐、口干苦等症。舌质红，苔少，脉沉弦细。细思本证既以祛风通络不效，则非单纯风邪所致可知。据其脉症舌象及发病因素推求，当属肝郁化火伤阴，气阻络道无误。乃治以养阴疏肝、活血通络，予一贯煎加赤芍、白芍、郁金、片姜黄、鸡血藤、秦艽、桑枝、地龙，原方中枸杞子改用夜交藤，服药 6 剂，诸症消失。

可见临床治病，"辨证论治"，至为重要。东垣老人云："审其病而后用药"，既要详审其病证，又要了解其病因，证因明确，用药方可有的放矢。切不可按图索骥，刻舟求剑。

胁　痛　|秦修成|

胁痛一证，临床多见之。医者多宗《内经》之旨："邪在肝，则两胁中痛"，而责之于肝气郁结，久痛入络，瘀血停着，肝阴不足等几方面，常拟疏肝理气，活血通络及养阴柔肝之法，每多建功。然余曾遇朱姓患者，患右胁痛已8 年，日作数次，上下攻窜，剧痛难忍，必由人双足踩压胁部，其痛可缓，待右胁下漉漉有声，疼痛遂止，而如常人。虽经多方医治，均未收效。

余初疑为木失曲直，遵张锡纯法拟金铃子泻肝汤，不应。详询病史，患者素喜干食，不欲饮水，心下痞，长期便燥，此乃水饮偏渗，痰湿结聚胸胁所致。遂宗仲景之旨，用蠲饮法，拟十枣汤治之。药用：肥大枣 15 枚，甘遂、大戟、芫花各 3g。将后 3 味共研细末，分 2 包。先煎大枣取汤，晨起送服药面 1 包，得快利，停后服，若利微，次晨可继服，如前法。药进倾刻，觉腹中雷鸣，遂泻下水饮胶痰无数，胁痛证霍然而愈，继以调养诸法善后，未再复发。

8 年之胁痛，竟是痰水为患，可知胁痛不必皆凿责于肝也，治当辨证求本。

行痹血瘀证　|徐庆云|

蔬菜公司技术员王某，病左臂疼痛，似虫钻行，由上往下疾驰，所止之处憋胀剧痛。捏其痛点，必喉鸣如鸡啼，捏他处则无喉鸣。曾医治年余，用疏风燥湿散寒之药百余剂无效。惟针刺可缓解一时。乃自备毫针，痛时即刺。余视其针痕颇合手三阴经走向，且有青筋隐现于皮肤之间。脉象弦涩。证属风痹循经兼有血瘀之候。方用通窍活血汤合身痛逐瘀汤化裁治之（当归、赤芍、川芎、桃仁、红花、秦艽、羌活、没药、五灵脂、地龙、香附、老葱、鲜生姜、麝香、黄酒为引）。令服 2 剂，病已减半，又服 2 剂，仅有微痛，捏其痛点已不作喉鸣声。脉象涩象已减，继用前方，去麝香连服数剂病愈。随访数年未复发。其后又有数例行痹患者，用此方施治，均获良效。

行痹入脏 |赵贵春|

一天傍晚，出诊一女性，20岁患者。8个月前因手足痛无定处，不能伸屈，以急性风湿病住院治疗。今病危出院，诊断为风湿性心脏病。见病人蜷曲卧床，形体消瘦，面色憔悴无光泽，表情淡漠，语音低微。口唇干而焦、色黑紫，舌质干，舌苔黑有芒刺，脉象沉微。此乃行痹传变入脏，已到阴将涸、阳将绝之危时，急予益气养阴，使阴复阳生，以期后效。投以生脉散，用：人参9g、麦冬6g、五味子10g。嘱将人参捣碎浓煎频服。

翌日其脉由沉微转为沉细，舌质由干转润，舌芒刺大减，阴气得复，病有转机。治以上方加当归15g、玉竹10g。水煎连服2剂，药后病人能扶起小坐，稍能进食，遂改投滋肾补血剂之四物汤加丹参补血活血，合六味地黄汤滋肾益肝，加黄芪益气。上药连服10剂，病人能下地行走，面色有光泽，舌质红润，黑苔已退，食纳有增，胃气已复，时心悸失眠。脉虚而数，阴仍不足以养阳，故脉虚数，宜健脾养营生阳，投以归脾汤加丹参30g、女贞子10g、旱莲草10g，并加附子10g以助阳。连服10剂，病后停经8个月，现已来潮，出现手足关节痛。阴血已复病由里达表，此关节痛，非风寒表证，乃血虚不能濡养，不能擅用发散风寒药。必遵"治风先治血"之旨，在养血行血方中加用细辛1g，以温经散寒止痛。服10剂后痛减，行动自如。又以上方倍量，加用胎盘一具，碾末蜜丸，每丸重10g，早晚各服2粒，药服完，病痊愈，随访10年，未复发。

四妙散治湿热痹 |李达祥|

四妙散系《丹溪心法》二妙散（苍术、黄柏）加牛膝、薏苡仁组成。全方有清（热）、燥（湿）、利（湿）、行（经络）的功能，辨证加味治疗湿热痹（包括着、皮、脉痹），每获卓效。

1. 湿热着痹　多因湿热下注或外湿从足三阴乘袭经脉遏郁化热所致，故以踝膝关节肿痛为主症。一般湿重于热，肿重于痛。四妙散若加防己、络石藤、钻地风、海桐皮、木瓜，则作用更强。余曾治刘姓青年患者，其右踝关节肿痛

3个月，左足后跟痛，手足心发热，脉细数，苔黄腻。证属湿热着痹兼有阴虚，药用苍术、黄柏、薏苡仁、牛膝、熟地黄、防己、钻地风、络石藤、海桐皮、土茯苓、秦艽、甘草。服3剂，诸症悉平，继服20剂，关节肿痛完全消失。

2. 湿热皮痹　论治皮痹，多偏重风、寒二气，忽视湿热。其实湿热皮痹并非罕见，且病状怪异，常觉下肢麻木、灼热、沉重；如翟某，因涉水淋雨，周身乍麻、乍木、乍痒、乍痛、乍寒、乍热，搔破淌血水，全身酸懒沉重，左脉细无力，右脉弦缓，苔薄黄腻，久治无效。此为湿热挟风皮痹，药用四妙散加荆芥、白鲜皮、地肤子、徐长卿、土茯苓、川芎、甘草。服5剂，皮肤麻木痒痛均减轻。

3. 湿热脉痹　以壮热、关节肿痛、心悸为主症，相当于西医之风湿热症。笔者同事沈医师患风湿热，发热，膝、肘、指关节肿痛，六脉弦滑，舌苔黄腻，证属湿热挟风蕴于肌表经络与阳明气分，药用白虎汤、四妙散加薄荷、杏仁、防己、桑枝、晚蚕沙。服3剂热退，6剂关节痛消失。

笔者根据四妙散之清、燥、利、行的功能，抓住湿热痹证之湿与热的病机，分别结合着、皮、脉痹的各自特征而辨证用药，二十多年中，诊治三十余例，均获痊愈。

治热痹一得　|白兆芝|

今人治痹证，但以临床见症区分证型。属热痹者，治以白虎加桂枝汤；湿热下注者，治以二妙丸加减，已成定法。然就临床所见，尚有部分痹证，虽有热痹见症，但以治热痹之常法不效者。盖此等证，初感风寒湿邪，留而不去，久而化热，即《类证治裁》所谓"寒湿风郁痹阴分，久则化热攻痛。"其标为热，其本为风寒湿邪。徒清其标热，则本邪不解；徒祛其本邪，则又虑加重标热，实属难治。

昔年治一房姓妇人，因小产后受凉，出现四肢关节疼痛，曾以"急性风湿性关节炎"在当地住院治疗，先用西药不效，又由某医以养血祛风中药治之仍无好转，遂由家人扶持来诊。但见其双下肢关节疼痛难忍，不能步履，入夜难眠，膝踝关节局部明显红肿灼热，小腿浮肿，周身恶风，汗出不多，午后低热，头晕恶心，纳差口渴，便干溲黄，舌红苔黄厚，脉滑数等。时有两位实习医师在侧，一云证属血虚风胜，当以独活寄生汤为主；一云湿热偏胜，当以三妙散加味为主。余以为证由产后气血亏虚，外感风寒湿邪，杂合致病。邪气深入，郁阻络脉，气血运行受阻，久而化热。此等顽证，用药已多，非用祛风散寒，除湿消肿，兼以清热通络、养血益气之重剂不能奏效。遂拟桂枝芍药知母汤加味：桂枝 10g、白芍 30g、知母 15g、麻黄 9g、苍术 15g、防风 10g、熟附片 20g（先煎）、防己 15g、生薏苡仁 30g、当归 15g、黄芪 30g、生石膏 30g、川牛膝 15g、赤小豆 30g、甘草 6g。服 3 剂，关节疼痛明显减轻，肿胀减半。因虑其病得自产后，体质偏虚，且有明显湿热之象，犹豫再三，乃去温阳散寒之品，改用三妙散加养血祛风剂，然服 3 剂，疼痛反加重，肿胀如初。至此恍然而悟，本证风寒湿邪为本，本邪不解，病难速瘳。仍改用首方，再服 6 剂，患者竟自己步行来诊，关节疼痛基本消失，肿胀消退，苔白脉沉缓。去石膏再服十余剂，诸症消失。红细胞沉降率由原来 82mm/h 降至 10mm/h。

由是观之，痹证化热，固要清其已化之热，更要顾及风寒湿之本邪。于本证治疗过程中，初以温散风寒合清热除湿、益气养血显效；继因虑其热药过重，恐复耗其阴血，改用清热化湿、养血祛风而病情反复；后再用原方，则终获痊愈。可见此等病证，温阳散寒之品必不可少。倘若为其标热所惑，径投苦寒清热，必至寒凝血滞，邪阻冰伏，变证蜂起，不可收拾。

气 痹 简 论　　|孟琳升|

临床实践中，有相当多一部分痹证患者，除具有肢体、皮肉、筋骨、关节等病变外，同时兼有肝气郁滞表现。这类患者，用治疗风、寒、湿、热等痹的方法都不能缓解。特别是这类患者的痛、麻、酸呈流窜样，似属"游走性"的"行痹"范畴，但病者"风"的表现缺如，而肝气的症状却既典型又完备，并且用防风汤等治疗后，不仅症状无改善，反会增加汗出增多，体质日衰的不良后果。此类患者更有一个共同表现，即每因情志加重时，痹痛也随之加剧。当投疏肝气、通经络之品后，自觉症状明显改善。笔者经反复实践发现，此类疾患是一种独立的证候类型，故拟名为"气痹"。

气痹的发生机制在于气机逆乱，经络失宣，肝气郁结。肝主疏泄，人体气机的升降出入、"经气"的舒展、调畅均与肝的疏泄功能有关。若肝气横逆，气机不畅，气滞则血也滞，"不通则痛"，因而除见肝气不疏诸证外，其痛多呈走窜，即时上时下、时左时右，上至巅顶、下至指趾；肝主筋，为罢极之本，《素问·痿论篇》谓"肝主身之筋膜"，实际是指肝有联络关节、肌肉和主司运动的作用。若肝气横窜于经隧络道之间，则成为致病之"邪"，直接侵扰经络的正常活动功能乃为痹痛。为此余称肝气胜者为"气痹"。在治疗方面，创用流气止痛汤，疗效颇佳。方用木香、乌药、陈皮、香附、柴胡、郁金疏肝理气，使三焦气机不壅，经络通利，使"气行则血行"；用鸡血藤、丝瓜络、钩藤、川芎活血通络，俾血行则络道通而气亦自行，使"通则不痛"；用木瓜、乳香、没药既能通络活血又能定痛，佐以蜂房搜剔、白芷香开，使经络宣畅，纵有余邪，亦有外达之枢，从而共奏理肝气、通络道、止痹痛之功。

谈治疗风寒湿痹 | 张松英 |

风寒湿痹证，是痹证的一种，病程长，痼寒深，治疗颇为棘手。临床分虚实两种，以外寒为主的为寒痹实证；以阳虚为主的为寒痹虚证。由于寒为阴邪，其性收引凝聚，故凡寒痹之证，无论虚实，临床均表现出关节疼痛，得热则缓、遇冷则剧的特点。寒痹实证关节剧痛显著，痛处固定发凉，屈伸不利，重则强直拘急等，寒痹虚证由于机体阴盛阳衰，阳虚寒凝，故多见形冷畏寒，四肢不温，关节冷痛沉重等症状。

雁北全国痹证会议根据寒痹病机及临床特点，拟订出以辛燥温热药为主的寒湿痹冲剂（附子、制川乌、生黄芪、桂枝、麻黄、白术、蜈蚣、当归、白芍、威灵仙、木瓜、细辛、炙甘草），此方功效是温经散寒、祛湿通络止痛，组方合理，兼顾表里，备受广大寒痹患者的欢迎。宁夏地处高寒，疗效更为满意，总有效率为90%以上，有的兼症亦可随之而解。

如孟某，男，34岁，工人，双膝关节固定疼痛、沉重难举、寒冷如冰十余年。患者曾多次求医无效，局部不红肿，触之不热，肘、腕关节亦酸痛，胃脘胀痛，自觉冷气攻心，大便溏，舌淡暗，苔白微腻，脉沉濡细略紧。查抗链球菌溶血素O 800U，红细胞沉降率5mm/1h，类风湿因子（RF）阳性。诊为痹证（寒湿阻络），投以寒湿痹冲剂，每日3次，每次1袋，连服1个月，渐觉下肢有温感，关节疼痛亦减，连服57天后，诸关节疼痛、冰冷感皆释，肢体活动正常，胃内冷痛亦除。查抗链球菌溶血素O 300U，红细胞沉降率及RF均正常。痊愈出院，后随访1年未复发。

临床中，有些寒痹患者，由于寒湿不化，痰湿阻络或上蒙清窍，头晕不已，以及久痛多瘀，阴寒凝涩瘀滞；因此本证可挟痰挟瘀，故在治疗中挟痰者加服二陈丸燥湿化痰，挟瘀者加服瘀血痹冲剂（当归、丹参、制乳香、制没药、片姜黄、川牛膝、红花、威灵仙、川芎、炙黄芪、制香附、生鹿角）活血化瘀，疗效较好。

如高某某，女，43 岁，工人，双膝、踝关节冷痛 20 年。痛处固定发凉，肤色不红，双下肢冰冷沉重，蹲下困难，双手指、腕关节及腰部均痛，曾服药不效。查红细胞沉降率 48mm/1h，抗链球菌溶血素 O 400U，舌质淡红胖大有瘀斑，苔白滑，脉濡细稍紧。诊为风寒湿痹，治拟寒湿痹冲剂，每日 3 次，每次 1 袋，并根据舌脉加服痰血痹冲剂，每次半袋，每日 2 次。连服 2 个月，诸关节疼痛逐渐好转，下肢发凉沉重也有所减轻，但头晕不减，此乃痰湿不化、上蒙清窍，停服瘀血痹冲剂，加服二陈丸 1 个月余，头晕减轻，服药 3 个月余，全身诸关节疼痛消失，四肢活动自如，查抗链球菌溶血素 O 200U，红细胞沉降率 5mm/1h。

治 背 骨 痛　|郭焕章|

背骨痛有多种情况，如背骨痛兼有阵发性头痛和五心烦热，或背骨冷痛如针刺，多为肾气亏乏所致；背痛板滞，兼有恶寒者，属外感风寒者多；入夜或气候寒冷则剧，或为跌仆闪挫宿伤，或为背骨痹证，缠绵不愈。

余用傅山背骨痛方加减治疗背骨痛，效果满意。处方：黄芪 30g、熟地黄 20g、山茱萸 12g、白术 15g、五味子 3g、茯苓 10g、制附片 3g。加减法：督脉亏虚者加鹿角胶、阿胶；外感者去附片、五味子，加羌活、桂枝；若项强者，加葛根；若血瘀气滞者，加当归、制乳香、制没药。

本方有补督脉、滋肾水、祛风除湿的功效。故使肾水足，督脉充，经气通调，气血调和，筋骨得以润养，其痛自愈。

脊 椎 痹 痛　|芦　第|

余诊一华君，2 年来患腰背痛。病始于 2 年前受湿发病，腰背痛如针刺，昼轻夜重，与气候变化无明显关系。面色黧黑，背屈肩坠，胸腰椎骨明显后弓压痛。X 线片提示为"增生性脊椎炎"。诊两脉沉滑无力，舌苔白腻。此属腰脊痹痛，因寒湿闭阻所致。治以祛风湿，通经络，化瘀消痹法。方用人参 60g、鹿茸 60g、桂枝 200g、附片 200g、川乌 100g、细辛 100g、土鳖虫 200g、蜈蚣 100

条、补骨脂500g、骨碎补500g、羌活300g、独活300g、炮穿山甲100g、生薏苡仁500g、苍耳子150g、制乳香200g、制没药200g，共研细末，每次服10g，1日3次，饭后温开水冲服。服药半月诸恙好转，经服药10个月余，病痊愈。2年后随访，腰背挺直，正忙于秋收劳动。

骨痹治验　　|赵健雄|

患者蒲姓，46岁，腰腿酸痛，跛行，在兰州几家医院求治，X线摄片提示：骨盆、腰椎、肋骨、锁骨、肩胛骨、跖趾骨均有脱钙及骨质疏松，见假性骨折线。询知患妇先后生产8胎，因4年前过劳感受风寒，病腰脊酸痛，步履无力、行走困难，口干纳呆，头昏耳鸣，手足心热，大便燥结，舌质稍红欠润，脉细数无力，一派肾阴亏虚之象。细析患者产育过多，致肾气衰弱、精血亏损。迫近"任脉虚，太冲脉衰少，天癸竭"之年，感受风寒、内著入骨，而成骨痹病。

《素问·痹论篇》云："骨痹不已，复感于邪，内舍于肾"。肾精不足，骨髓失养，阴虚热蒸，骨枯髓减，以致足不任身、骨质疏松。遂以虎潜丸滋肾清热为主，辅以益气通络之品，方用：生地黄、黄柏、知母、龟版、当归、白芍、牛膝、陈皮、黄芪、桑枝、丹参、鸡血藤、乳香、没药、甘草。另用虎骨3g研冲，每日1剂。服药二十余剂后，右腿活动较前有力，口干便结明显减轻。初治获效，仍遵前方继进。服药200剂，进虎骨60g、豹骨300g，已能上班工作。改丸剂续服。2年后复查，X线摄片，骨质已无明显稀疏，原假性骨折线较模糊，见骨痂形成。诸恙平复。

治痹勿忘实脾　　|刘文龙|

余临证遇一患者，腹泄6年，继发多发性神经炎，延久不愈，病情逐渐发展，9年来以两手足麻木、感觉迟钝、似戴手套、穿短袜样感为主要症状，兼见背部抽痛如触电样，大便溏泄。

分析本例病因病机，乃由久泄伤脾，运化失司，营卫气血化源不足，卫气虚则失其温煦肢体之功；营血虚亦失其外荣四末之用。营卫气血不足，则抗邪无力而易感受痹邪并久留不祛，营卫气血不足，亦会因虚而致瘀，外来痹邪久

/239

留不祛，内在营卫虚少行涩，致使经气不畅，闭阻不通，则麻痛诸症由生。此例足以说明，脾虚致营卫不足在痹病发生中有重要作用。故治疗用益气健脾、祛散痹邪、化瘀通络法。自拟黄芪四藤通痹汤为治，服药32剂，麻痛诸症逐渐消失，腹泻亦有所好转；继以补中益气汤合四神丸、痛泻要方化裁为治，服药18剂，大便恢复正常，日解1次成形便，麻痛之症亦未再发。单以中药50剂，使有9年病史的多发性神经炎及15年病史的腹泻重症获愈，随访多年诸症未再复发。本案的治疗中，以大剂党参、黄芪等益气健脾之品贯彻始终，是获效的重要因素。

从对《素问·痹论篇》的概要分析，以及本案的病机治疗中，体会到治痹病，除祛风、散寒，化湿以驱痹邪外，内调脾胃以充实营卫气血化源，实为重要环节；且痹之病状，多现于四肢，而脾主四肢，故曰：治痹勿忘实脾。

治"五体痹"当防其入脏　　|胡志坚|

"五体痹"（即脉痹、筋痹、肌痹、皮痹、骨痹）和"五脏痹"（即心痹、肝痹、脾痹、肺痹、肾痹）在临床上有密切的内在联系。"五体痹"缠绵不愈，反复感受外邪，内入于脏，可形成"五脏痹"。也有因脏气功能失调或饮食所伤，导致脏气痹阻形成"五脏痹"的。临床上，脉痹（如风湿性关节炎）导致心痹；筋痹（如类风湿关节炎）缠绵引起贫血、肝区不适及肝肿大的肝痹；肌痹（如多发性肌炎）引起腹胀呕吐的脾痹，皮痹（如感染性多发性神经根炎）导致的肺痹（如呼吸肌麻痹）；骨痹（如类风湿性脊柱炎）内舍于肾的肾痹，诸多例子屡见不鲜。"五体痹"入脏表示病进、病重，属难治不治之列，因而有"入脏者死"的记载，应当引起重视。

判断"五体痹"是否入脏，除"五体痹"的症状外，还要看是否有与五脏相关的脉症，一旦出现五脏脉症，即可确认为"五体痹"已经入脏。此外，"五体痹"的病情轻重及病程长短亦可作为参考，病情较重，病程较长，入脏的机会较多。但也有特殊情况，如皮痹内舍于肺形成肺痹，则病程甚短而症状严重，常危及生命。

"五体痹"入脏后，其治疗效果很不理想，正如古人所说："治五脏者，半死半生也"。因此，防止"五体痹"入脏，是治"五体痹"的重要环节。一方面对"五体痹"进行彻底治疗，另一方面根据"五体痹"各舍于相应脏的规律，佐以补益或调理五脏功能的药物，加强五脏的御邪能力，这对阻断"五体痹"入脏和五体痹的治疗是有积极作用的，符合"治未病"的精神。

谈四神煎治类风湿关节炎 　|李雪岩|

1960 年在天津医学院附属医院工作时，曾有女性病人张某，年 35 岁，因患类风湿关节炎住院治疗，患者每日下午发热，关节疼痛，灼热红肿，有的指、趾关节已变形，屈伸不利。诊视舌苔薄白，脉象细数。

该病属于中医"热痹"的范畴，症状与鹤膝风、白虎历节风等相似。多因体虚肤寒，腠理不密，以致风寒湿入于经络，阻遏气血，凝滞不行，邪匿深处，郁结久而化热，复因过服风燥药物，不断地发散，以致耗伤阴液，初诊时患者已是体弱神疲，动则汗出，经服四神煎七十余剂后，病情基本痊愈而出院。

四神煎由黄芪、石斛、远志、牛膝、金银花等药物所组成。（黄芪大剂量可达 240g，石斛 120g，远志 90g，牛膝 90g，金银花 30g（后下）。

方以黄芪为主，以石斛为辅，共收除痹强阴，补气通闭驱邪外出的功效；以远志、牛膝为佐，除寒湿、行血气健筋壮骨、活血通络；以金银花为引，清气分、血分之热，有消肿止痛的作用。

余用四神煎治疗类风湿性关节炎多有奇效。此病病久邪深，必须坚持治疗，才能有良好的效果。

漫 话 尪 痹 　|张松英|

类风湿性关节炎是西医病名，属祖国医学的"顽痹"范畴。历代医家对兼有关节肿大变形的痹证，没有统一的名称，有的叫"鹤膝风"，有的叫"白虎历节风""骨痹""肾痹""顽痹""痛风"等等；雁北全国痹证会议，用"尪痹"来概括有关关节肿大变形的一类病证，有利于中医病名的统一，亦有利于痹证的诊断和治疗。同时又制定出相应的协定方——尪痹冲剂（生地黄、熟地黄、附片、川续断、骨碎补、淫羊藿、补骨脂、独活、桂枝、防风、蜈蚣、知母、皂角刺、羊胫骨、白芍、红花、威灵仙、伸筋草、狗脊、生鹿角），通过 2 年多的临床应用，我们认为尪痹方的组成合理，凡按要求坚持服药者均有不同程度的疗效。

如马某，女，7 岁。其母代述：患病 1 年，曾在兰州住院 4 个月，诊为类风湿性关节炎，服泼尼松等西药好转出院。1 个月前因感受外邪，扁桃体化脓而复发，双手指、腕、踝、趾等关节肿大变形，僵硬强直，不能屈伸，需人照顾，查抗链球菌溶血素 O 400U，红细胞沉降率 110mm/1h，类风湿因子（＋），体温 37.2℃. 舌红稍暗，苔淡黄，脉细略数，诊为尪痹（肝肾气血不足）。投以尪痹冲剂每次半袋，每日 2 次，服药 2 个月关节肿消痛减，稍能活动，之后逐渐好转。共服药 5 个月，关节痛已消除。抗链球菌溶血素 O、红细胞沉降率、红细胞沉降率均正常，生活完全可以自理，已上学读书。随防 3 个月未复发。

尪痹的特点是病程较长，关节肿大疼痛，僵硬变形，不能屈伸，用补肾散寒、化湿散风为主的尪痹冲剂治疗，无不良反应，比较理想，但由于病久入血，久痛多瘀，寒邪凝涩瘀滞于经络关节，有些病人瘀象明显，如关节刺痛，痛处固定而拒按，舌质紫暗或淡暗有瘀斑，脉沉细涩或濡细缓。这样的尪痹患者，应先服或加服瘀血痹冲剂（当归、丹参、制乳香、制没药、片姜黄，川牛膝、红花、威灵仙、川芎、炙黄芪、制香附、生鹿角）祛瘀生新，再服尪痹冲剂效果较好。此法有助于温肾阳，通经络，利关节，使肾气足，关节筋脉得到荣养，肢体关节逐渐恢复正常。

如余氏，女，40 岁，工人。2 年前因受潮湿而致病，曾住我院诊为类风湿性关节炎，服药好转出院，之后反复发作，以致四肢关节肿大畸形，僵硬强直麻木，痛处固定拒按，生活不能自理。舌质暗红，苔白，脉濡细缓，类风湿因子（＋），红细胞沉降率 60mm/1h，抗链球菌溶血素 O 300U，诊为尪痹（肝肾不足，瘀血阻络），投以尪痹冲剂每次 1 袋，每日 3 次，瘀血痹冲剂每次半袋，每日 2 次，服药 2 个半月，关节疼痛明显减轻、肿消，能自己上厕所。后停服瘀血痹冲剂。单独服用尪痹冲剂共 5 个半月，关节虽有疼痛，但较轻，生活能自理，化验亦已正常。

临床见到的尪痹患者多数阳气虚，所以尪痹方以补肾散寒的药物为主，辅以化湿散风、养肝柔筋、活血通络之品，这是有理论根据的，是目前治疗类风湿较为理想的处方。此方起效虽慢，疗程较长，如病人能按要求坚持服药，都会有较好的疗效。

寒湿之痿求治太阴 ｜王端义　陈文光｜

历代医家对痿证病机的认识，都认为是由燥热伤津或血虚所致。在治疗上，多遵《内经》"治痿独取阳明"的大法。但是，临床上尚有属于寒湿的痿证，《内经》中也可找到寒湿痿证从太阴治疗的理论。如《素问·六元正纪大论篇》曰："民病寒湿，发肌肉痿，足痿不收。"对于寒湿伤脾而致痿者，《素问·藏气法时论篇》指出："脾病者，身重善饥肉痿，足不收……取其经，太阴阳明少阴血者。"故由寒湿引起的痿证，可求治太阴。使用温燥药。从临床实践来看，历代医家虽没有明确阐述寒湿之痿求治太阴的理论，但在治疗方面有温补太阴的先例。如《世医得效方》治疗痿证的"芎桂散"即是温热方药（川乌、川芎、桂心、炙甘草、干姜）。

在临床实践中，有部分痿证，四肢痿软无力，筋脉弛缓，食少纳呆，胸闷身重，甚至肢冷畏寒，肌肉枯萎。发病前多有感受寒湿的病史，或有中阳虚、寒湿内生的见症，苔白或腻，舌质淡，舌体胖，脉濡缓或沉迟。甚则有面色㿠白，气短息微，大汗淋漓，频吐涎沫，全身瘫软，苔白，舌质暗淡，舌体胖，脉细弱无力等正气欲脱之象。治宜温中健脾或温经通脉。用黄芪桂枝五物汤、当归四逆汤之类，并可配用马钱子散[注]。此时若用清热滋阴之品反会加重病情。若正气欲脱者，可配合独参汤、生脉散或参附汤以扶正固脱。频吐涎沫者，尚可用生姜汁、鸡蛋清、蜂蜜、白糖各30g，搅匀，稍温后分多次频服。

[注]：马钱子散系山东省历城县制药厂出品的中成药，每袋10包，每包0.6g，由马钱子、地龙等组成。具有祛风、利湿、散寒、疏通经络的功效。成人一般用量：每日0.6～1.2g，早晚2次冲服。

补土生金治劳瘵　|李福荣|

患劳瘵病，咳嗽，消瘦，烦热，便溏，往往缠绵难愈。此病气血阴阳俱虚，肺脾病症并见，治颇棘手。许叔微说过，虚痨将危，滋阴不如补脾。余遵其说，以四君子汤加味，以补土生金。土气充实，化生有源；金气充沛，咳症自愈，所谓治病求本者也。

如治王某，患劳瘵，病至沉疴，咳嗽便溏，呼吸短促，五心烦热，颧红盗汗，疲惫已极，六脉细弱。遂拟方：党参15g、炒白术12g、茯苓15g、炒山药15g、炒白扁豆15g、焙鸡内金15g、陈皮10g、生姜3g、炙甘草6g。服药后，咳嗽大减，溏泄已止，诸症好转。再按原方进药1个月，饮食渐增，能下床活动。只是阴分尚未复原，又改用滋阴润肺法调理。1年以后，病已痊愈，且形体丰腴，精神颇佳。

外感与内伤 |李历城|

一老翁，时时发热，自汗出，心烦，头痛，鼻流清涕，肢倦气短，苦于宿疾，症情重时，常服扑热息痛、羚翘解毒丸之类，只得一时舒服，但药后症状不减，反有加剧之势。余视翁劳倦，形气衰少，虽症颇似外感，但非外感。风寒外伤，其形有余，此脾胃内伤，元气不足。遵《内经》劳者温之，损者益之之义，选用甘温升阳益气法行春生之令。予补中益气汤，服药3剂，体舒有力，6剂，发热已减，前后十余剂，诸症悉退。

李东垣《内外伤辨惑论》指出："世俗不知，往往将元气不足之症，误作外感风寒发表，而反泻心肺，是重绝其表也，安得不死乎。"若把此劳倦内伤病错认为是外感风寒病，用发汗剂开泄肌表，必犯"虚虚"之戒而致误。

高原多燥湿兼病 |战世英|

外省人初到青海每可见口燥唇裂、肤皴失润、鼻干、甚则涕中带血等一派燥象。中医古籍中关于西北地高，民病多燥的论述也不乏记载。余初到青海也对西北多燥病之说深信不疑。后在临证中观察到，凡久居青海，特别是高山、牧区者，患头重如裹、四肢困倦、关节疼痛等外感湿邪者不少；而患食欲不振、胸闷腹胀、泄泻溲短、甚而面浮肢肿、黄疸等内蕴湿浊者亦多。此因高山林野冰雪常年不化，其民久居帐房席地而卧，寒湿易从外侵；又素以乳肉为食，喜饮醇浆。久则伤及脾胃，湿浊内停，乃致病症丛生。故西北高原之燥证乃外燥，湿乃内湿。

如患者张某，久居高原牧区，男性，年届四十，平素多食乳脂、牛羊肉，主诉纳减腹胀日久，伴便泻，日2或3次，且感咽干口燥，渴不欲饮，鼻腔干燥，涕中带血，舌淡红、苔白厚腻，脉浮滑。辨其证：内停湿浊，外有燥象。此证为湿困脾土，脾阳不运，津不上承所致。法以温运脾土，兼以化浊去湿。方用党参、白术、茯苓、半夏、陈皮、干姜、艾叶、制附片、木香、藿香、佩兰、焦三仙等。姑且外用红霉素眼膏以润鼻腔。6剂诸症减，再服6剂不仅胃纳开、腹胀消、二便调，且咽干、口燥、鼻衄均得痊愈。高原地区此类患者颇多，医者往往囿于高原多燥之论，对温运脾阳之药有所顾虑，且对外燥之象常佐滋润之品，致使内湿难解、治之罔效。殊不知脾得温则运，湿得燥则蠲，脾运得健，气机得复，气血津液得以内施外布，其表燥之象不润自除。

由上观之，高原燥、湿皆有，燥多为外燥，湿多属内湿，且外燥内湿尚多互见。故有高原外燥内湿之论。治法当以祛内湿为主，不因其外燥而避温燥、渗利、芳化之法。临证验之屡效。

大气下陷证　　｜李夫道｜

"大气下陷"出自张锡纯《医学衷中参西录》。其主要表现为"胸中大气下陷，气短不足以息。或努力呼吸，有似乎喘。或气息将停，危在顷刻。其兼证，或寒热往来，或咽干作渴，或满闷怔忡，或神昏健忘，其脉象沉迟微弱，关前尤甚。其剧者，或六脉不全，或叁伍不调。"用升陷汤治疗（张氏升陷汤原方：生黄芪6钱、知母3钱、柴胡1钱5分、桔梗1钱5分、升麻1钱）。张氏云："大气者，内气也。呼吸之气，外气也。"高原地区缺氧，患者多见气短，有呼吸之外气与内气不相接续者，即大气虚而欲陷，发病率往往随海拔的增高而增加。在高原地区由于缺氧而出现此组综合征，临床较多见。高原缺氧实属中医大气不足，人们长期生活在高原缺氧的环境下，"外气不能与内气相接续"出现大气下陷。临床实践，余用升陷汤治疗因高原缺氧致大气下陷证，有良效。高原缺氧是普遍的，因此各种疾病的治疗，若用升陷汤配合取效甚捷；也有一些病证，大气下陷虽不典型，升陷汤亦正中其的。

如治一薛姓妇女，因肉眼血尿入院。自诉头昏耳鸣，心悸气短，动则气短尤甚，尿血，腰酸痛，两腿无力。病逾年余，经查心电图、X线摄片、肾盂造影，均未发现异常。住院后经用大量抗生素、止血药治疗3个月，溺血仍不止。故用中医药治疗，余初诊，辨证为肾虚不藏，投予知柏地黄汤加味，药进10剂无效。病起于劳作过度，参合脉证，诊为大气下陷证。予升陷汤3剂，尿色变淡，5剂则尿清，7剂查尿常规转阴。追访5年，未再复发。又治一傅姓妇女，主诉自1975年以来常感胸闷气短，疲乏困倦，1年来曾4次突发昏厥，每次昏厥后10分钟可自行缓解。曾反复查血压、血糖、心电图、心向量图、脑血流图等均未发现异常。初诊时，切其脉沉而迟，自诉每次昏厥前觉心脏自上往下坠。予升陷汤4剂，服药后诸症消失。随访3年，未再复发。

"大气下陷"可见于多种疾病，余曾应用升陷汤治愈胃下垂、血尿、癔病性喘息、昏厥、习惯性流产、功能性子宫出血等。大气下陷的本质是宗气虚，故脉多沉迟，其胸闷气短与喘息截然不同，与气滞之痞满更有很大差别，临证时应仔细审度，勿犯虚虚实实之戒。

调 补 冲 任 |张奇文|

冲任二脉为奇经八脉中的两脉。冲为血海，主经水；任主胞胎，主妊养，为阴脉之母。冲任皆起于胞中，与足太阴、足阳明、足少阴、足厥阴等经相连。妇科经、带、胎、产诸疾，不少是因于冲任劳损所致，故调补冲任为妇科临床常用之法。

例如，谭某，女，25岁，潍坊市某工厂工人。乳子8个月，月经复潮后，阴道流血淋漓不断，有时停止，又复出血，血量不多，久治无效。西医诊断为"功能性子宫出血"。患者面色微黄，脉象细缓，两尺脉微。有房室因素，因房室不节，损伤冲任所致。治宜固摄冲任之法。怀山药15g、南芡实15g、莲子15g、菟丝子9g、枸杞子15g、沙苑子9g、建莲须9g、煅龙骨9g、五味子3g，水煎服。

服上方2剂血止，原方续服3剂。半年后患者因他疾来诊，述及自服上药后，月经正常。

此例因房室不节、损伤冲任。按奇经脉络，任在冲下，经行同房，精入伤冲，冲伤则漏下不止。久漏伤任，任伤则不能摄精，下窍制约失司。此类患者，治宜摒除血药，专理任脉，任脉隶于少阴，山药、芡实、莲子、菟丝子、枸杞子为补益脾肾、固精化精之品，龙骨、五味子下行涩敛，沙苑子、莲须兼能上行固摄。冲任固摄，漏下自止。临床上，笔者尝用上方治疗因经期行房引起的崩漏，刮宫后小腹痛和经水淋漓，以及某些损伤冲任所致之胎漏、胎动不安等证，均有较好的效果。

又韩某，女，33岁，潍坊市郊区农民。结婚10年未孕，患者17岁月经来潮，数月一行，量少色淡，经来腹痛。头眩神疲，带下腰酸，经前乳房胀痛，经服活血破血药多剂无效。妇科检查，子宫发育小于正常，两乳房发育亦小于常人。精神淡漠，性欲冷淡，喜静，脉象沉细无力，两尺脉不及。证属冲任虚亏。治宜双补冲任。拟方：熟地黄18g、巴戟天9g、鹿角霜9g、淫羊藿9g、益母草9g、怀山药15g、白薇9g、赤石脂9g、白果9g、紫石英9g、紫河车9g，水煎服。嘱每月月经净后服4剂，并以炒盐熨小腹，每晚睡前40分钟，自经净开始共熨敷 10 天。

如上法治疗 2 个月后，自觉腰酸无力症减，月经 42 天后来潮，乳房胀痛减轻，性欲要求明显增高，仍用上法治疗，6 个月后来诊，已怀孕，恐其冲任不固，有滑胎之虞，议壮腰健脾补肾之剂。方拟：熟地黄 15g、桑寄生 9g、怀山药 15g、川续断 9g、焦白术 9g、绿升麻 4.5g、菟丝子 9g、缩砂仁 3g、枸杞子 9g、炙甘草 6g，水煎服。

1 年后患者因乳疾来诊，得知生一男孩。

临床上，因冲任虚损所致不孕症并非少见。补冲任之法，即为补肾之法。肾在男子以藏精，女子以系胞。肾气虚弱，可导致冲任虚弱；肾气盛，冲任通盛，月事以时下。本例患者，月经延至 17 岁初潮，子宫发育小于常人，性欲冷淡，表现为肾气虚，冲任亏损。组方以熟地黄、巴戟天、鹿角霜、紫河车、淫羊藿、紫石英等味补亏损之肾阴肾阳，山药、白果、赤石脂固摄任脉，白薇益阴退热，合于大队滋补药中，以其清香之气将诸药引入血分，为历代妇科医家喜用之品。笔者治疗子宫发育不良，除服方药外，每配合经净之后，用炒盐热敷小腹部，经后趁子宫空虚之时，用熨法温通经脉，外治配合内服。炒盐不独有透热温暖下元之功，且咸能软坚，祛瘀生新，不论因子宫发育不良还是附件炎所致之不孕症，皆可配合用之。

肾肝脾三者关系失调是妇科发病的关键 | 刘洪祥 |

妇科论治，首重三阴。如《河间六书》说："童幼天癸未行，皆属少阴；天癸既行，皆从厥阴论之；天癸已绝，乃属太阴经也。"但是，若不明确肾、肝、脾的相互关系，也难于掌握重点，切合实际。所谓"天癸未行"，应包括由于肾气不足，脾胃虚弱，达不到冲任流通、气血渐盈，而出现的闭经，初潮晚至和经期不定等；"天癸既行"，应理解为生育年龄，由于肝郁侮脾或脾虚肝乘，而致冲任失调所出现的经、带、胎、产和前阴、乳房等病变；"天癸已绝"，应理解为中年之后，脾胃渐衰而致脾病传肾，所出现的经断前后诸多症状。临床既应注意各发育阶段的病理特点，但又不宜看死以守株待兔，应以此三脏为中心，辨证施治。

"虚者多责之肾"，但有阴虚、阳虚之分，又有先天不足和后天失调之别。在与各脏的相互影响上，也有不同。先天不足者，以阴虚证多见，常因"乙癸同源"而致血虚肝旺，气火偏盛，发为错经妄行或闭经等。后天失调者，可因生活失常，产多乳众所致；或如张景岳所说"五脏之伤，穷必及肾"，以肾阳虚为多见，每因"火不燠土"而脾阳不振，发为月经稀少或崩漏带下等。二者常能相互影响，演变为阴阳两虚的错杂病变。

"实者多责之肝"，但因肝以阴为体，其用（气）之有余，缘于阴血之不足，是本虚标实之证。《笔花医镜》说："肝之虚，肾水不能涵木而血少；肝之实，气与内风充之也。"所谓气与内风，即血虚气盛、肝风内动。因为妇女有经、孕、产、乳，易耗津伤血，形成血海常虚、肝阳多沸。一遇情志不适，即由肝气横逆而冲任失调。但还不止如此，肾水不能涵木，是肝邪之因，"肝失条达"又可导致脾肾亦伤的后果。

脾主升清、胃主降浊，脾胃既是气血生化之源，又是气机升降之枢纽。所以脾胃一伤，则中气不运而清浊相干，以致饮食不进而化源枯竭。随之而来的，或由脾病传肾，而肾中之精气不足；或因土虚木乘，而肝脾失调，甚至发为肾肝脾三脏同病。华岫云说："盖脾气下陷固病，即使不陷而不健运，亦病矣；胃气上逆固病，即不上逆、但不通降，亦病矣。故脾胃之治法，与各门相兼者甚多。"这就是在经断前后，由于"阳明气衰"而出现诸多症状的原因。也是益脾勿忘调肝、疏肝和胃必兼滋肾的根据。

调经必先理其气 |霍万韬|

古人云："调经必先理其气"。1961年余跟于道济老师从学期间，对此不十分理解。但经过20多年的临床实践，深感此理深刻中肯，而于道济老师的发挥尤精。

于师曾说：表面看月经病是以血为主，但血和气有密切关系，是互为表里的。气帅血行，总是以气为主，气行则血行，气止则血止，气顺则血顺，气逆则血逆，气的寒、热、升、降、畅、滞都可影响月经。所以说，血滞者必疏其气；血脱者，必益其气。前人也曾说过："见血休治血，必先理其气"。于师在用药方面认为，血滞者，四物汤中当归、川芎重用，或加香附、延胡索、青皮、木香等，使气行而血自不滞。如血脱者，重用圣愈汤内的人参、黄芪，八珍汤内的四君子，人参养荣汤内的五味异功散，当归补血汤内的黄芪。这就是"血脱益气""阳生阴长"的道理。

在老师的教诲和启发下，二十多年来深深体会到月经不调，多由于气。气虚则血缓（月经后期或闭经），气寒则血凝（闭经、痛经），气热则血溢（先期或崩漏），气滞则血滞（痛经或月经紊乱），气结则血瘀（闭经或胞宫肿瘤），气升则血升而上涌（倒经、鼻衄），气降则血降而下流（月经过多或崩漏）。所以调经尤当先理气。正如汪石山所说：调经莫先于养血，养血莫先于理气。理气之法不外是，血脱者益其气，血热者清其气，血寒者温其气，血涌者降其气，下血者升其气，血结者破其气等等，各随其所宜而调之。因此说："调经而不理其气，非其治也。"

谈重症痛经的治疗 ｜陈家骅｜

重症痛经，指经前和经期少腹剧烈疼痛，非一般药物所能奏效者。患者每至经期则如临大难，翻滚呻吟，痛楚万状，医者常为之棘手。

该病多由经期受寒，寒凝、气滞、血瘀所致。治疗该病当以散寒行瘀为主，少佐疏肝理气之品，方用王清任少腹逐瘀汤化裁，并选用一两味虫类逐瘀药以当大任。笔者常用蜈蚣和水蛭。蜈蚣辛温走窜，专入肝经，有极强的化瘀和镇痛作用。张锡纯谓其："走窜之力最速，内而脏腑，外而经络，凡气血凝聚之处皆能开之。"可作为治疗该病的首选药物。水蛭咸苦平，专入肝经血分，为破血逐瘀的良药，张锡纯谓其："善破血……于气分丝毫无损。且服后腹不觉痛，并不觉开破，而瘀血默消于无形，真良药也。"此外，药煎成去渣后，须兑入白酒5ml，以行药势、助药力。治疗本病，只在经前出现不适症状时和经期服药，一般治疗3个月经周期即可痊愈。

患者张某，痛经三四年，结婚多年无子，西医曾诊为"原发性痛经""子宫内膜异位症"。自述13岁月经初潮，经来第2天饮凉水一瓢，月经即止。自此脐下如掌大一块终年发凉。半年后经水复来，但来时腹中冷痛，腰痛如折。多方求治无效，逐年加重，甚则痛至休克。因此度冷丁成了经期止痛的常用药。近年来，每次注射哌替啶（杜冷丁）100mg，尚不能止痛。视其面，印堂处有寸余长青斑，舌侧现青紫色。诊其脉，沉弦有力。脉证合参，为沉寒痼冷，老血瘀积所致。遂以少腹逐瘀汤化裁，另用大蜈蚣1条研粉冲服。2剂疼痛基本消除，半年治愈。

用上方治疗该病一定要注意三点。其一，虫类药必用生品研粉冲服。其二，白酒必不可少，耐受量大者可用至10ml。其三，遵守服药方法，从经前出现不适症状到经期结束，每日1剂，分3次服。否则其效必减。

香归黄酒汤治疗痛经 　|曹鸿云|

临床中我常用香归黄酒汤治疗气滞血瘀、寒凝郁阻之痛经病，疗效颇为满意。香归黄酒汤由制香附、当归、黄酒、炒小茴香、桃仁、延胡索、川芎、生蒲黄、五灵脂、牛膝、红花、红糖12味药组成。

方中制香附性温而味辛，入肝、肺、三焦经，通行十二经脉，有理气解郁、止痛调经之功，实为"开郁之良品，妇科之要药"；当归、桃仁、红花、生蒲黄能破瘀活血；黄酒、小茴香、红糖温经散寒，使因寒而滞留之瘀血得以温化而散，其痛自止。五灵脂、延胡索活血止痛。方以制香附为君，气滞者将用量加至18g，以达迅猛理气之功，使"气行则血行"；当归、黄酒为臣，助主药行气活血之力，使经脉得以畅通，"通则不痛"。上药合用共奏行气止痛、温经散寒、活血化瘀之效。临床如见气滞偏胜者加木香；痛甚者加乳没，延胡索用至15g，五灵脂12g；瘀血重者，桃仁加倍，生蒲黄加量，益母草20～30g；少腹冷痛加肉桂、乌药，小茴香加量；气虚加黄芪、党参，去五灵脂。

一李姓患者，结婚多年不孕，每逢经期来潮，辗转反侧，腹痛难忍。每经肌肉注射哌替啶（杜冷丁），痛始缓解。如此多年，痛苦异常，遂求治于余，投以香归黄酒汤，每月经水来潮前3～5天即开始服药，直至经水止，共服约7剂。一潮痛轻，二潮痛大减，三潮痛止，正常工作。

究本方对痛经有效之因，诚系妇人之病多从气得，气滞则血瘀，气失温煦则血寒，应用具有理气止痛、活血化瘀、温经散寒之香归黄酒汤治疗，则能达到气行、瘀化、寒散而痛自消之目的。

痛经多从肝论治 　|李梅金|

痛经是妇科常见病之一，从肝论治多能收到满意的效果。

肝属下焦。其经脉绕阴器，抵少腹，布胁肋。如肝经受病，则其所过或所主部位即可发生疼痛。

肝主藏血而司血海，冲脉为血海，所以肝与冲脉、与月经有直接关系。若妇女情志不舒，肝气郁结，失于疏泄，遂致气滞血瘀，经行不畅而发为痛经。

反之，血瘀也有碍气血运行而影响肝的疏泄功能。

痛经的病因较多。常见者有气滞、血瘀、血虚、感受寒邪及肝肾亏损等。但究其原因多涉及于肝。所以痛经之治，自当首从肝着眼。如妇女情志不遂，肝气郁结，气滞血瘀经行不畅则发为痛经。治法以疏肝理气，祛瘀活血，通经止痛为主。偏于气滞者用逍遥散或加味乌药汤化裁；血瘀为主者用血府逐瘀汤加减。如行经之际，感受寒邪，肝受寒则肝气闭塞，经水之道路不畅，故不通则痛。治宜温散肝经寒邪，佐以活血行气。方用温经汤减麦冬、牡丹皮加乌药、小茴香等。如素体血虚，当行经之时，肝为欲尽排其所藏之血以应之。肝血一亏，血海亦虚。于是肝脉、胞脉均失所养而拘急。因而经期或经后，下腹绵绵作痛。所谓"不荣则痛。"治疗以养肝血为主，稍佐以通经止痛，方用桃红四物汤加阿胶、醋延胡索。如禀赋肝肾不足，或房事不节，以致精血亏少，精亏则水不涵木，血亏则不能养肝。于是源乏流竭血海空虚，胞脉失养，故而痛经。治宜调补肝肾，方用调肝汤加减。痛重者，仍需暂加行气活血止痛之品。另有血热气实，肝气壅滞而致痛经者，治宜凉血活血，行气解郁。方用生血清热方去木香加川楝子等。

总之，痛经之起多因于肝，故善治痛经者，方有千变万化，然每不离乎肝，其道一也。

痛经病以通为治 | 刘洪祥 |

"不通则痛"，为痛经病的主要病理，"通则不痛"，当为治痛经病的基本法则。但因气血之所以运行不畅，又有因寒、因热和肝郁气滞之不同。故调寒热、理虚实，通调气血可收止痛之功。

寒证，一为虚寒，血无温和之气以运行；一为寒滞，血为寒邪所侵而凝滞不通。此二者，在痛经病中最为常见。前者，多属发育营养较差，经血一行，即觉冷痛不舒，甚则拘急恶寒；经血已下或得温则减，治以温补通调，方用大温经汤（《金匮要略》方）；后者，多因受寒或误食生冷而起，血行不利，腹痛阵作，血色紫暗、挟有瘀块，治以辛温香散，方用香桂散（《证治准绳》方），或加桃仁、红花，或与失笑散相合。

热者，有郁热血滞和湿热阻血之别，多见于经产妇，或婚后日久不孕者。郁热偏重，则痛势急迫，血量多而色深挟瘀，或赤白混下，伴有心烦胸闷，治以清热散郁，方用丹栀逍遥散（《内科摘要》）加减；湿热并重，每在经前即觉少腹胀痛、腰部不舒，经血一行，痛势加剧，甚至尿急、尿频，血止后诸症若失，治以化湿行血，兼清郁热，方用桂枝茯苓汤（《金匮要略》方）合二妙散（朱丹溪方）。因此类痛经病，多属带下病中的兼有症状，不但随症加减可参照带下，而在月经过后，当以调理带下为主。

肝郁证，多在经前先有胸乳胀痛，经血一行，则痛势下移，而为少腹坠胀疼痛；或腹痛阵作，伴有腹泻呕吐，尿意频数；更有血止后，仍有腹痛绵绵不休者。治以调肝舒郁，但对方药选用，应随时变通。如经前胸乳胀痛，方用疏郁导滞的复方瓜蒌汤（自拟方），用全瓜蒌、当归、没药、川芎、赤芍、牛膝、木香、郁金、甘草等，随症加减；经行腹痛，方用王清任的少腹逐瘀汤，以通利经血；如阵痛加剧、吐泻交作者，方用刘草窗的痛泻要方，重用白芍，更加党参、甘草以散郁柔肝而和中；经后腹痛，方用《医宗金鉴》当归建中汤，实有温运和血之功；血祛阴伤，肝郁而致脾气不伸、腹痛不止者，方用《伤寒论》芍药甘草汤，更加橘核以和肝脾。如此前后互参，多能痛止病除。

乌梅丸治痛经　　|姚树堂|

痛经久不愈者，多因肝脾失调，气血不和，气机失于调畅，郁久而生寒热，致成虚实互呈，寒热错杂之证，非新病证情单纯者可比。此时治须多方兼顾，融汇祛寒热、调肝脾、和气血诸法于一方，然而堪当重任者惟《伤寒论》之乌梅丸也。

余凡遇痛经历年不愈，无论是原发性还是继发性，只要其呈现经前、经期或经后少腹拘挛而痛，血行不畅，经色或淡或黯，心烦口渴，手足欠温，乏力肢酸，脉细弦无力，每与斯方，多如期而愈。如本院职工张某，32岁，经行时少腹疼痛，月经不畅，其色时淡时黯，或有瘀块，历经三载，月月如是，鲜有变者。多方求医不效，以致影响工作学习和生活。邀余诊治，查其面色萎黄，舌质淡胖，边尖红，舌苔薄黄，右脉细软，左脉弦细，少腹按之拘急，痛引阴户，即投乌梅丸为汤，每月经前3剂，经期3剂，经后3剂，3个月而愈。要之：治仲景之学者，临证治病当抓病因病机，方药当以其功效为肯綮，万勿谓某方治某病，某病用某方，此非其道也。《伤寒论》述乌梅丸证仅1条，主治证为蛔厥和下利，并未提及治痛经，本人从辨识痛经久不愈者之病因病机着眼，选用补消兼施、寒热并用之乌梅丸来主治，屡收显效，是为扩大经方运用之一得也。

经 闭 要 言　　|马龙伯|

血虚血枯，血瘀血隔，皆足以造成经闭不通。然经闭虽同，虚实迥异，枯之与隔，有如水火，夫隔者血本不虚，或气或寒，或痰或积，一有所逆月事不来，病发于暂，其证属实，必通之，血下而始愈，故可攻也。枯者血海枯干，化源垂绝，其来有渐，其症无形，脾胃气衰，冲脉内竭，血脉枯矣，则须补养营气，使其血充，经水自行，倘勉强通之则枯将益枯，砻糠榨油，不危何待，学者识之。经闭之证当分清虚实寒热，方不致有误。但亦有无虚无实，妇科检查正常者，则当辨证结合辨病，攻补兼施；亦有外无虚形，而子宫幼小不月者，又当重用血肉有情之品，促使子宫发育，方能获效，凡此皆宜深究。

（马明良　整理）

热 涸 经 闭　　|董 平|

闭经不外虚、实二证。临床所见实证居多，虽有血瘀、气滞、寒凝、痰阻之别，辨证施治尚不甚难。虚证有脾虚、热涸、血枯之别；热涸、血枯都较难治，而热涸经闭者，尤为少见，最易误诊，以致迁延不愈。

尝于1959年7月诊一王姓年轻妇女，主诉闭经1年零9个月。缘患者于婚后怀孕2个月流产，流血过多，月经逐月减少，以致闭经。前后求医9个月，均不见效。

查患者腹软不拒按，不胀痛，又未摸到包块，没有气滞、血瘀、寒凝症征，形体不肥而瘦，没有痰阻现象，故其经闭不是实证。患者长时间抑郁寡欢，心脾气结，内生郁火，故心烦焦躁，口苦咽干唇燥。肺受熏烁，故鼻干衄血。脾不能为胃行其津液，则胃失和降，嗳气纳少。脾胃升降失常，生化之源缺少，心肺均无所资，则气血两亏，面黄形瘦，心悸气短，头晕，眼黑，神靡。舌红、苔黄、脉虚细而数。此患者经历了流产、失血及心脾郁火内煎、阴血渐枯、经量渐少而闭的渐变过程，当属热涸阴虚血枯经闭之证。

此证治法，先宜熄其火焰，降其逆气；继则扶其脾胃，滋其化源；终则补其奇经，通其胞脉。初诊用黑栀子9g、知母9g、玄参9g、生牡蛎12g、生何首乌12g、郁金6g、赤芍9g、藕节炭3枚。进2剂，鼻衄即止，心烦焦躁、口苦咽干唇燥均瘥，余症同前，二诊原方滁菊花改为生用，加当归9g、紫石英12g。再服2剂，津生，神爽，嗳气除，胃纳开，胸闷减，舌不红，苔黄转淡，脉但虚细而不数。于是在三诊时撤苦寒，进甘温，补奇经，通胞脉，拟方为：党参9g、土炒白术4.5g、黄芪6g、当归9g、川芎4.5g、丹参9g、紫石英12g、杜仲12g、桑寄生12g、川牛膝15g、乌药4.5g、木香4.5g、郁金6g、赤芍4.5g，3剂。另用八珍益母丸每日2次，每次2丸，温开水化服。上方才服完第2剂，月经即来，精神愉快，胸闷大减，食量大增。于是另拟一方给予调理，嘱于下次月经来潮前再来就诊。

经前1周，患者来诉又有口鼻干燥现象，而且急躁易怒。诊其脉细弦，询之曾经动气，乃处予小剂量丹栀四物加桑、菊、柴、乌、牛膝，另加八珍益母丸。服药后月经只逾期2天而至，从此以后每月均按期来潮。

这个病例能够迅速获效，关键全在于辨证。辨证之于治病，实属重要。

经行吐衄小议　　丛春雨

经行吐衄之名，见于清代《医宗金鉴·妇科心法要诀》，历代妇科专著所称各有所异，《傅青主女科》则曰"经逆"，《叶天士女科》称"逆经""倒经"。俱指妇女经前、经期，经后或吐血或衄血之证。今之治法大抵多宗《医宗金鉴》及傅氏女科。

中医论治，贵在辨证。然"证"如何"辨"，须分清临床症状之主从，举纲张目。就本病而言，常见者有"肝郁""郁热""阴虚"等证型。肝郁者多经前衄血，并伴烦躁，乳胀；郁热者必素有胃热，以经期呕血为特征；阴虚则多见经后吐衄，且伴阴虚证为余热未净之征。证候虽异，而病位不离肝、肺与胃，病机又以肝郁气逆为总枢，或郁久化火；或肝逆乘胃，或肝火犯肺；证分虚实两端亦不可不辨。

本病应以"治肝为本""降逆为标"。故临床除抓住主要特征分型辨证、立法拟方外，于各方中必用怀牛膝、香附。怀牛膝善降逆火，引血下行。余曾重用达90g，配伍入方，甚效。香附长于疏肝调经，但嫌其辛燥，可嘱病家如法炮制：先用米泔水浸，以制其燥并借其谷气引入胃腑；再予童便浸泡后，炒黑存性，碾粉冲服。此二药性平，与他药配伍，寒热无妨，且可协力奏效，诚为佳品。

月经间期腹痛诊治　｜金季玲｜

一少妇，每于两次月经中间，小腹一侧抽掣疼痛，牵连腰脊、肛门，痛不可忍，常须肌注度冷丁等以止痛。婚后3年未孕（测其基础体温呈双相型，疼痛每于基础体温上升前发作，基础体温上升后渐缓）。愚诊断其为月经间期（排卵期）腹痛，经辨证属气滞血瘀，治以行气活血，于腹痛发作前投隔下逐瘀汤加减。药用：当归10g、川芎6g、赤芍10g、桃仁10g、丹参15g、没药10g、延胡索10g、乌药6g、香附10g、荔枝核10g、川楝子10g、柴胡10g，3剂。药后腹痛减轻。第2周期仍照法服药，腹痛未作，月经到期未潮，于停经50天时作妇科检查，确诊为早孕，尔后足月分娩。

月经中期，冲任脉道已渐充盈，功能也日趋旺盛，气血活动，冲任流通，妇人处于"絪缊之候"。如《证治准绳》引袁了凡语："天地生物，必有絪缊之时，万物化生，必有乐育之时，……凡妇人一月经行一度，必有一日絪缊之候，于一时辰间，气蒸而热……于此时……须而施之则成胎矣"。显而易见，文中所谓的"絪缊之候"，即西医的"排卵期"。医家所谓"絪缊之候"，正是对此时妇女体内气血明显活动的一个形象的比喻。因此，冲任气血旺盛，流通，"絪缊"正常，腹痛便无由而作。反之，情怀不舒、肝郁气滞，或经期冒寒，外受湿热等，均可致气血运行受阻。冲任二脉气血不通，"絪缊"不畅，在月经间期，就会发生剧烈小腹疼痛。"冲为血海""任主胞胎"，冲任经脉不利，自然不能孕育。

针对月经间期的生理变化和腹痛的病因病理，投以行气活血药，使气血流通，血脉疏达，冲任调和，"通则不痛"，则腹痛自止，而不孕之证，亦随之而愈矣。

吊阴痛之我见　｜门成福｜

吊阴痛见于《萧山竹林寺女科秘要》。其症为"经来时有筋两条，从阴内吊起至乳上，痛不可忍"。即妇女的阴部、少腹、乳房部疼痛，痛不可忍，并有条索状物突起于胸腹两侧。每于经行时而发，常可反复，属痛经之范畴。本病与肝脏的关系较为密切。肝体阴而用阳，其经循行少腹，绕阴器，布胁肋，达巅顶，与冲任相通。经血欲行，气必先调。今肝气郁结，气机不利，血行不畅，脉络瘀阻，故作痛而不可忍。鉴于本病主要责之于肝，且机制为肝郁、气滞、血瘀，故治疗当行气活血，祛瘀止痛。余每遇此证，多用血府逐瘀汤加藁本、郁金、香附治之而获效。方用当归、桃仁、红花、赤芍、川芎活血祛瘀；牛膝祛瘀血，通血脉，引瘀血下行；柴胡、郁金、香附、桔梗、枳壳疏肝解郁，开胸行气；生地黄凉血清热并伍当归养血活血；藁本上达，牛膝趋下，甘草缓急止痛。合而用之，上达巅顶，下通血海；既解气之滞，又行血之瘀；活血而不耗血，祛瘀又可生新。气行瘀祛，故疾可除。

经 行 失 明 ｜华占福｜

经行失明，在妇女经行前后诸证中偶有见到，前人称之为"经行目暗"，多由气血虚弱和精亏引起。根据"肝受血而能视""五脏六腑之精气，皆上注于目而为之精"及"气脱者，目不明"的医理，目之能视与肝之藏血、肾之藏精、气之能摄有密切关系。血、精、气一旦虚损，则可引起目暗失明。临床上往往遇到有些患者，由于生育过多，月经量过多或平素气血虚弱，一旦经行，每出现失明证候。笔者曾治 1 例，疗效颇佳。患者林某，女，37 岁，自诉生过6 胎，以往经期正常，惟经行量多，有时头痛，两眼干涩。近 2 个月来，经行期双目失明，看人只见一片黑影，经行过后，视力逐渐恢复。此次经来量特多，突然两眼失明，伸手看不清指形。察其面色㿠白，舌淡苔薄白，两脉细弱，当属气血虚弱、肾精亏耗，拟八珍汤加枸杞子、山药、黄芪。服 4 剂后，视力恢复正常，头痛目涩亦去。嘱其下月经行前仍服前方 4 剂，以巩固疗效。经随访，此后再未复发。深感先贤理论，来源于实践，稽其言有征，验于事不忒，诚可谓至道之宗，奉生之始也。

崩 漏 治 验 ｜关思友｜

安阳县洪河屯一妇女，年近半百，月经间隔 10 天左右来潮 1 次，量时多时少，颜色微暗，达 4 年之久，迭进补益之品罔效。1981 年 2 月邀余诊治，望其精神虽萎靡不振，面色少华，然而舌红紫，脉虽沉细但来去有力。忖思良久，脉症合参，辨为血热妄行，嘱以木耳（白者佳，黑者亦可）15g、冰糖（后下）15g。水煎服，每日1剂。服半月，精神倍增，未见崩漏。继服半月，经来适时。1年后断经，迄今四载，体健无恙。

以上治法，何以能收功？盖患者舌红紫，脉沉取来去有力，经色微暗，此皆提示血分有热，血被热迫而妄行。若不详察舌脉，见神萎少华，肆投补益则差矣。殊不知愈补气愈旺，气有余便是火，火盛动血，血室不宁，因而崩漏遂作。欲安其血，当取平补微凉之剂，使补而不壅，凉而不遏。甘平之木耳能凉血止血，合甘平之冰糖能补中益气，两者配伍，相得益彰，故功效卓著。

精辨证，细用药 | 邢维萱 |

审证求因，辨证施治，是祖国医学之精髓，精于医者，莫不以此为准则。

忆昔曾治李姓妇女，适逢绝经年龄，血崩不止，已有月余，多方求医不效。面色萎黄，心悸不寐，少气懒言，纳食欠佳，脉沉细无力，舌苔薄白质淡。余辨证为心脾两虚，脾不统血。治以黄芪30g、党参30g、当归15g、白术10g、茯苓15g、广木香5g、龙眼肉10g、炒酸枣仁15g、鸡冠花30g。患者服药后依然出血不止，而且体质日渐衰弱。请李翰卿老所长诊治。李老问及病情，按脉片刻，仍按原方加白茅根60g服用。果然药进2剂血崩止。请教李老加白茅根何意？李老说：此人心脾气虚证存在，但适逢绝经之年，天癸将尽，肾水不足，加之日久出血，阴液更加亏损。阴不足则阳有余，阴虚生内热迫血妄行。按其脉细数，知有虚热之象，加白茅根以去其虚热，热去血自不出。《内经》云"阴虚阳搏谓之崩"，此证是也。我听后心中豁然开朗，李老先生精辨证，细用药之功力令人折服。

崩漏辨治与安冲汤 | 王鼎三 |

崩漏一证，临床一般分虚实两大类，而以属虚、属热者居多。亦有火郁、实热、血瘀者。以虚中有实，虚实夹杂，冲任劳伤，累损他脏为多见。

我辨本病，青年女子之崩，重责肝经之郁滞；中老年妇女之崩，多责肾与冲任之不足。不能一见紫块即认为是瘀阻而滥用攻伐。盖血一离经即为死血，凝为紫块，似瘀非瘀。《沈氏女科辑要笺正》云："不可执定紫为瘀血，必持攻伐，证断无不以摄血为急之理。若复见疼即破，见紫即攻，虚者越虚，落井下石，为害益烈"。即使是挟瘀者，也当使用益气行滞之品，慎用攻伐。处方宜简洁轻灵、稳健和缓。初起先止血以塞流，继用清热凉血以澄源。至"热已清，宜行气血以端其本"，是巩固疗效的关键。

七情郁结，大都烦躁易怒，肝郁不疏，久而化热，所谓气有余便是火，扰动血海。心烦、口苦、苔黄，少腹作胀。崩虽在血，其源在气，血随气行，欲治其血，先调其气。治疗多在逍遥散基础上加凉血滋阴之属。若因惊恐所致者，多在柴胡龙骨牡蛎汤基础上加用生川大黄，取其化瘀止血，推陈致新之功。若木气凌脾、隧道壅滞、络脉不和，脾失其统而血下不止者，宜柔润肝木，多用白芍，使脾脱木贼，以保血渐归源。

如治某患者，40岁。发病前胸乳部常常作胀作痛，后突患崩；历时3个月余，渐转为漏，绵绵不绝，时作时休。初诊时口苦纳呆，舌燥干而尿赤黄，面色黄，其脉涩弦。证属肝经郁火、阴虚阳亢，究以阴虚为本，治宜用扶阴清热之剂：地骨皮、墨旱莲、女贞子、生地黄、粉牡丹皮、地榆炭、沙参、川楝子、茜草、藕节、生白芍。予上方3剂后血减，又5剂后诸症均减轻，以滋阴为本进退17剂告愈。

又治李某，39岁。平素体弱，闭经数月，月经来潮淋漓不断3个月；突然血下如注，经行刮宫术，诊为"子宫内膜增生"，用炔雌醇等药物后血渐止。时隔数日血崩又复作，遂邀余诊治。其面如黄蜡，食欲极差，大便乍难乍易，脉沉软而缓，苔白质淡。先拟张锡纯"安冲汤"3剂，血渐减；惟脉缓，关尺尤甚，予补中益气汤加半夏、陈皮、炮姜炭。6剂药进纳开。进退治疗4个月余，月经应汛如健。

段某，23岁，未婚女青年。因劳动过重，近2年来月经不正常，量多；近几个月来淋漓不断。上月中旬血多，以后逐渐加重，先紫后红；量多时不敢挪移，头目昏花，恶心少食，心慌惊悸，腰酸腿乏，面甚黄且消瘦。诊时经血不断，曾用西药止血、凝血剂及激素类，曾作2次刮宫术及人工周期治疗，均无大效。六脉沉细、苔淡白。系气血俱虚、冲任不固、肝肾不足。先予"安冲汤"2剂，药后血量稍减；继服2剂后基本控制。再去黄芪，加贯众炭、三七粉，服7剂，其病若失。1年后随访，无复发。

"安冲汤"用生龙骨、生牡蛎之妙，正如张山雷所云："以介类潜阳收摄横逆龙相之火，如生龙齿、生牡蛎、生玳瑁之属，俗子每谓一味兜涩，蛮封蛮锁，甚至望而生畏。不知血之所以妄行，全是雷龙相火疏泄无度。惟有介类有情，能吸纳肝肾泛滥之阳，安其窟宅、正本清源，不治血而血自止，非强为填塞之法"（《沈氏女科辑要笺正》）。"安冲汤"益气健中，其中海螵蛸，茜草敛冲任，止血而不致瘀；川续断补益肝肾，培本固藏，既通泄又寓补，真匠心独具。

我惯用此方，或加清、或加补、或直入肝肾，审证凭脉，验案颇多。

益母止崩汤治崩漏 | 褚玉霞 |

益母止崩汤乃承蒙师教，于多年临床之中摸索，自拟而成。该方对崩漏有瘀血者屡用屡效，系临证百例之心得。药物组成为：益母草30g、贯众炭15g、茜草12g、炒红花10g、生山楂10g、生地榆30g、墨旱莲30g、藕节30g、枳壳10g、三七粉3g。方中益母草、茜草、生山楂祛瘀兼能止血；红花炒用，偏于养血止血，兼能祛瘀；贯众炭、生地榆、墨旱莲、藕节、三七粉凉血止血；佐枳壳理气，取气行血行之意，以促使瘀血排出。另据药理研究，益母草、贯众、红花、山楂、枳壳能加强子宫收缩而利于止血；墨旱莲、地榆、茜草、藕节能升高血小板，缩短出凝血时间。诸药配伍，确能使瘀祛血止，祛邪而不伤正。忆昔曾治中年张氏妇女，年近七七，患崩漏2年，某医院诊为"子宫内膜增殖症"，多方求治。效果不著。延余诊时，子宫出血四十余天，量多，色淡红，有血块，面色苍白，心悸气短，舌淡脉芤，血红蛋白降至60g/L，遂拟益气升提、祛瘀止血治法，投益母止崩汤加黄芪、太子参、升麻、炙甘草，3剂而血止，以归脾汤加阿胶善其后，经治2个月病愈。

沐浴阴雨血常下，培补中阳而收功 | 和协华 |

余于1978年5月曾治一南阳油田女工，每逢刮风阴雨及洗头沐浴经血即至，多则1个月中经行二十余日，少则亦有10日，已历年余，多方求医而罔效。察其形体消瘦，面色无华，纳差乏力。经血色淡，舌淡苔白，脉细无力。用五君子汤（四君子汤加干姜）合香苏饮加黄芪治之而取效。该女祖居东北辽宁，来南阳工作已5年，因水土不服，脾胃不健，化源不足，卫气失固。遇阴雨风冷天气，寒湿乘虚而入，客于胞门，伤及冲任，血失固摄而经血漏下。水为阴，沐浴及阴雨使已虚的卫阳更虚，卫外失司，腠理疏松，风寒直达胞门，戕害冲任，而血下不止。其症在血，其本在化源亏虚，故用四君子汤加干姜温培中阳，以滋化源，合香苏饮疏表以散外寒，行气以消内壅，伍黄芪益气助卫，诸药融为一炉，则中宫得健而卫气强，脾阳得温而运化畅，表里豁达，邪却正安，冲任固守，血漏自止。

（李僖如　整理）

扶阳补气法治疗失血证　|王修安|

　　血热妄行之失血证，一般常用寒凉药，忌用辛热；但对较长时间的出血及大失血者，易使元阳大损，变为虚寒，而症见面色苍白，唇淡，形寒，肢冷，甚则肢麻或疼痛。对此，非辛热桂附之类不能救阳之脱，非甘温参芪之辈不能摄血生血。笔者在临床中，每用桂附为主药，助阳散寒，以参、芪、当归、地黄相辅，扶阳补气而生血。诸药相济，通阳化气。气血足而百骸通，火能归源，血能归经，恶寒自除，手足自温，血可止，脉可复。余用此法治疗多种失血证及血虚疼痛，均收到较好效果。

　　曾治一徐姓患者，36岁，病缘服红花坠胎引起大出血而昏迷，此后，鼻、齿龈、阴道常有出血，皮肤常见散在瘀斑和瘀点。病已6年，时轻时重。现面色苍白，神疲气短，血色淡红而清稀，全身恶寒较重，关节麻木疼痛，四肢及躯干出现瘀血点，脉细数无力，苔薄白。此属元阳大虚、气不摄血之脱血证。长期慢性出血，气随血脱，使元阳更虚。元阳虚极，故恶寒较重。血少不荣，面色苍白，神疲气短，全身关节麻木疼痛。血失所统，甚则衄血。治以益气温阳补血，引血归经；方药用党参60g、白术10g、茯苓15g、当归60g、炒白芍10g、炙黄芪30g、炮附片10g、肉桂10g、陈皮10g、生姜10g、甘草6g、大枣6枚。连服27剂，饮食好转，气力大增，四肢转温，精神有增，面色显红润，脉缓有力，继服原方巩固疗效，又连服15剂，诸症悉平。

固冲涩精治崩漏　|张殿隆|

　　崩漏一证，其病机主要是由致病因素，引起冲任失调而不能制约其经血所致。从病型分类，不外虚实两型。又有气虚、脾虚、肾虚、劳伤、血热、气郁、血瘀等类。急崩多属热，久崩多属虚，故临床常以属虚、属热者居多。对急崩可清热凉血，速塞其流。对淋漓不止、日久不愈，心、肝、脾、肾均受其累者，宜固本止血，更当以涩精为先。固冲治本，涩精治标，两者不可偏废。

青春期及青春期前期发病者多由于先天禀赋不足，致病因素侵袭使冲任受伤。治疗上除针对病因治疗外，偏重补肾。中年妇女常有肝气郁滞，木郁不达，久而化火，迫血妄行，治宜清热疏肝，泄有余，和气血。老年妇女，经断前后，多因肾气渐衰，脾失所统。此期治以健脾为主，有热者兼清热，有郁者兼解郁。

药物：白术、山药、党参、川续断、炒杜仲、海螵蛸、陈棕榈炭、炒地榆、仙鹤草、芡实、莲须、女贞子、墨旱莲、生牡蛎（煅）。取其益气，涩精，补肾，固冲。挟血块者加五灵脂、川芎；少腹发凉者，加炮姜、肉桂；若遇暴脱，除中药治疗外，配合西药抢救治疗，辄能收功。用法均取汤剂，5剂为1个疗程。血止后，根据病体差异，扶元固本，兼理脾胃，嘱病人注意休息，以巩固疗效。

如15岁少女张某，月经来潮半月未止，服药5剂，经止，后服六味地黄丸5天痊愈。又如冀某，37岁。经来四十余日未止，量多，色淡，右胁胀痛。上方加柴胡10g，6剂，经止，胁胀舒。再如治一陈某，50岁。月经淋漓不断1个月未止，量时多时少，色淡红，用上方3剂，经止，后续服5剂，随访经已绝。

经断前后诸证治疗小议　　|许玉山|

经断前后诸证为妇女绝经前后的常见病，现代医学谓之"更年期综合征"。

月经的来潮主要与肝、脾、肾三脏及冲任有关。断经之年，肾气衰，天癸竭，精血不足，冲任失司，肝、脾、肾功能失调，阴阳失去平衡，出现一系列证候。有的迁延数月，有的长达数年，影响工作与生活，需要及时加以调治。

本病以阴虚阳亢者最多。由于肾阴亏损，肝阳上亢，症见头晕目眩，心烦易怒，情志失常，手足心发热，潮热汗出，心悸不眠；经量或多或少，经期长短不定，或漏下淋漓不断；舌质红，脉多弦细而数。治疗宜滋阴潜阳，方用生地黄12g、玄参10g、牡丹皮10g、菊花10g、炒酸枣仁15g、龙齿12g、珍珠母12g、当归12g、白芍12g、竹叶8g、甘草5g、茯神12g，水煎服。

如真阴耗损，心火上炎，心肾不交，心烦意乱，精神恍惚，怔忡不寐或神志失常者，宜滋阴清热，交通心肾。方用生地黄10g、玄参10g、黄连15g、茯神12g、远志10g、天冬12g、炒酸枣仁15g、竹叶8g、当归12g、朱砂2g、琥珀

5g（后两味研极细末，分2次冲服）。

此外偶有肾阳不足，奇经失煦，而致腰膝酸软阴坠者，治宜温肾阳、固冲任。方用熟地黄12g（砂仁水炒）、巴戟肉12g、淫羊藿15g、补骨脂10g、菟丝子12g、山萸肉12g、鹿角胶12g（另炖兑服）、杜仲10g（炒断丝）、川续断12g。

又有肝木乘脾，下肢浮肿，食欲不振，脉弦虚软，舌苔薄白者，宜健脾除湿、平肝利水。方用茯苓皮15g、冬瓜皮15g、白术12g（炒）、陈皮10g、泽泻10g、猪苓10g、车前子12g、薏苡仁12g、生姜皮6g、白芍12g。若下肢冷加桂枝6g；腹胀满加大腹皮12g，川厚朴8g；恶心欲吐加半夏8g，竹茹10g。

总之，治疗中应谨守病机，在调补肾阴肾阳的基础上，或平肝潜阳，或养心安神，或健脾利水，或调任固冲，不宜用芳香辛燥和苦寒之品，以防耗伤气血。患者亦应积极地配合，养成良好的生活习惯，静养神，少思虑，息怒气，适劳逸，慎起居，以期收到满意的疗效。

带证辨治经验　　|王鼎三|

带下一症多是湿盛。但因人的体质不同，故证候差别较大，挟症极多。

临床常见寒化、热化、挟痰、挟瘀、挟风等不同情况。寒化证的主要表现，带下色白无味，人乏倦、脉缓，责在脾肾两虚。宜温阳化湿、健脾益气、补肾固带，佐以升提。自拟"宽带汤"。由当归、白芍、熟地黄、党参、炒白术、麦冬、莲子、牡丹皮、肉苁蓉、黑杜仲、炒巴戟天、五味子、补骨脂、生黄芪组成。如偏脾气虚者，用自拟"祛湿化白汤"。由六君子汤去半夏、茯苓，加生山药、扁豆、白芍、车前子、薏苡仁、苍术、白果、鸡冠花组成。白带稀者加生芡实，清稀者加鹿角霜。

热化，多现黄带，或味腥臭。治以清热化浊，以傅山"易黄汤"或张锡纯"清带汤"作基础方进行化裁。

挟痰者，湿痰下流胞宫。如叶天士云："肥人气虚生痰，多下白带"。湿痰上犯，则喘则咳；湿痰下注则带则浊。治宜温药和之。

挟瘀者，脉络不通、气血不行，带多赤白相兼。宜通滞行气，佐以活血、祛湿止带。赤白相兼，气味恶臭，加清热解毒。

挟风者，外感风寒，内客胞宫，少腹坠胀，宜温宫祛风。风能燥湿，风药之防风，羌活用治白带尤有效益。

属于肝气郁结，情志不遂而致者，宜疏肝解郁，利湿止带。

对本病的善后，当嘱患者少吃生冷，调养性情，使脾胃渐强，肝气调达。余尝云：疏肝养性，为本病防治之关键。

尝治患者，刘某，31 岁。婚后 7 年未孕，带下不止 5 年，时稠时稀，腰困身疲，便溏。多方治疗，效果不显。见面萎黄、舌质淡、苔白腻，脉沉而无力，右关部濡缓。证属脾气不足、下焦湿盛。治宜健脾化湿。方用祛湿化白汤：党参 30g、白术 15g、苍术 15g、生山药 20g、白芍 20g、炒车前子 15g（布包煎）、生薏苡仁 12g、白扁豆 12g、陈皮 10g、甘草 5g、白鸡冠花 9g、生白果 7 枚。5 剂后显效，共用 15 剂后带止。后用人参健脾丸十余盒，次年生一子。

又治郑某，32 岁，工人。带下清稀，色白，连绵不断，小腹觉凉，腰酸神倦，食少便溏。带无怪味，病已年余。脉沉缓，苔薄滑。证属下焦虚寒，治宜温养冲任。方用生龙骨、生牡蛎各 30g，海螵蛸 20g，茜草 10g，肉桂 9g，生山药 30g，鹿角霜 20g，干姜 9g。7 剂后带止，继服桂附理中丸、金匮肾气丸数盒，调养而愈。

阴中干涩属带下病　　｜杨恒茂｜

妇人阴中干涩者，其痛苦难以言状，严重者以致影响家庭和睦。究其病理，主要是阴中分泌物过少、失于滋养濡润而致。然教科书中带下病只言带下量多，色质异常，气腥或臭，伴有腰酸，少腹痛或阴痒等症状；对于阴道分泌物过少引起的阴中干涩症，则未涉及。余认为这种阴道干涩是带下过少，当属于带下病范畴。至于治法，因证多属肝肾亏损，故以自拟补肾润燥汤治疗。药用：女贞子、枸杞子、菟丝子、羊红膻、熟地黄、当归、知母、天花粉、甘草；属肝郁气滞者，可治以自拟柔肝润燥汤：当归、生地黄、川芎、杭白芍、醋香附、天花粉、牛膝。以上 2 方余用于临床，俱有效验。

调经治带概说　　｜褚玉霞｜

调经与治带之法，众说纷纭，各申其义，各言其理，往往使后学者无所适从。愚以为，月经病的治疗，重在一个"调"字。如因先病而后经不调，当先治病，病去则经自调；若因经不调而后生病者，当先调经，经调则病自除。在调理时，应根据经期、经后和平时的不同情况，采取相应的调理方法。经期，宜活血通经，因势利导，以促使经血的排出，常用当归、川芎、红花、泽兰之类，一般不用苦寒辛散之品。但若病情需要，自当别论。经后，因行经而造成暂时的阴血不足，应以滋养肝肾为主，多用白芍、熟地黄、何首乌、枸杞子之类。平时治疗，月经先期多热证、气虚证，宜清热、补气；月经后期多寒证、实证，宜温经、化瘀，促使月经来潮。闭经则宜及时疏导或周期性地给与活血调经之品。崩漏用塞流、澄源、复旧三法，在辨证的基础上因时而用。痛经之实证者，宜经前3~5天开始用药，平时勿需治疗。

白带为妇女的一种正常阴液，由脾之运化、肾之闭藏及任带二脉司约。如肾气不足，脾失健运，任脉失固，带脉失约，则发生带下病，治以健脾固肾祛湿为主。若白带过多，邪盛且体质壮实者，多用茯苓、薏苡仁、车前以健脾利湿；邪盛正虚者，多用山药、白术、扁豆健脾渗湿。若肾气虚，精液滑脱而下者，多用芡实、莲须、白果之类以涩精固肾，一般不宜采用熟地黄、枸杞子、何首乌、女贞子等滋阴补肾之品，恐滋阴助湿，则带下更甚。如系湿毒带下，除内服清热利湿之剂外，又需查明是否滴虫性、真菌性、老年性阴道炎，宫颈糜烂或险证等，而配合相应的外治法。若癥瘕兼有带下症，应以治癥瘕为主，兼治带下，在调理脾肾的基础上，根据其正气虚实的情况，采取先攻后补，或先补后攻，或攻补兼施等不同的治疗原则以治癥瘕。

若月经病患者，兼有带下病，当先治带下，后调月经，每每带下治愈则月经自调。

安胎用药琐谈 |单志群|

胎漏、胎动不安患者对药物敏感性很强，稍有不慎，祸不旋踵，因此用药要恰到好处，方可取效。

安胎当以止血为首务，选用止血药物，当"必伏其所主，而先其所因"。气虚者，采用益气摄血法，药物如黄芪、人参；血寒者，则温经止血，选用艾叶炭、炮姜炭；血热者，则凉血止血，选用地榆、侧柏炭、莲房炭。另外，生地黄有补血行血之性，制熟则反通为塞，对于气血虚弱者，重用之，取其黏腻之性，而止血尤速。同时也当选用入奇经之药。鹿角胶补督脉而性收，阿胶补任脉而性潜，荆芥炭有引血归经之作用，配合使用，效果较好。

其次，古代医家称黄芩、白术为安胎圣药，有言过其实之嫌。黄芩味苦气寒，对于血热胎动者宜之。清·张正时云："用黄芩安胎，惟形瘦血热，营行过度，胎常上逆者相宜；若形盛气衰，胎常下坠者，非人参举之不安；形盛气实，胎常不运者，非香砂耗之不安；血虚火旺，腹常痛者，非芍药养之不安；体肥痰盛，呕逆不止，非陈皮行之不安，此治母气之偏也"。张氏把黄芩与其他诸药作比较，说明用药要有针对性。王士雄运用黄芩安胎，也多用于实热之证。若血虚有火，以竹茹、桑叶、丝瓜络为主，他认为"此三物皆养血清热而熄内风，肝虚而胎系不牢者，胜于四物阿胶也"。

白术味甘苦性温，甘以健脾益气，苦以燥湿，脾健自无湿邪，气旺胎可固摄。傅青主善用白术安胎，认为此药有利腰脐之气的作用。脾所主带脉环腰一周，运用白术健脾益气，使腰脐间气血通畅，而无湿邪留滞之患，故有安胎之作用。但白术毕竟是温燥之品，若兼有阴虚者，可用山药、白扁豆、石莲代之。若气虚所致腹痛下坠，大便干结者，重用生白术，有益气通便之效。

最后，胎元长养于胞宫，赖气以固之。若气虚下陷，常用升麻、柴胡升举之，但用量不宜过大，恐升散胎气。艾叶炭虽能止血，其性温，一旦血止，即应去之。当归辛甘温，为血中之阳药，有行血助热之弊，慎用之。若胎气壅滞，选用砂仁、陈皮、木香理气之品，要注意用量及配伍，使调气不损胎，理气不耗阴。采用补法，要注意补不壅滞，不助热化火，同时注意培补脾胃之气，因气血生化必因于脾。《内经》云"荣卫之道，纳谷为宝"，脾气健运，使药物转输而发挥作用，并使气血得充，胎自可安矣。

妊娠与壬辰　　|郭谦亨|

男女媾精，两神相搏，合而成形，结胎胞中，十月孕育，一朝分娩——这是人在母体内从形成到出生的全过程。其中未娩之先，《素问·奇病论篇》叫"重身"，《素问·阴阳别论篇》谓之"有子"，《素问·腹中论篇》称"怀子"，《素问·五常政大论篇》名"胎孕"，《素问·平人气象论篇》称为"妊子"，等等。《金匮要略》虽有"怀身""怀妊"之称，但总的概括其为"妊娠"，并以之名篇。此后，妊娠二字，便成为对胎孕过程的专用词。妇人怀孕为何叫做"妊娠"？妊娠并用，是字义之重叠乎？考怀孕叫做"妊"，胎动叫做"娠"。《说文》：妊"孕也"，娠"女妊身动也"。动，有运动变化之义，故妊娠连称，非字义重叠，是指胎孕及其发展变化。

又妊，通作任，有保养之义。《白虎通·礼乐》有"任养万物"之语，胎儿赖母体气血精液以营养。又有任务之义，即生儿育女既是女子生理所独具，也是母性繁衍后代之天然任务。

进一步说，"妊娠"，是壬辰旁加女字所组成。壬是天干之一，辰是地支之一。天为阳，地为阴。古云：阴阳和而雨泽降，夫妇和而家美成，父母阴阳之气交而胚胎生。天一生水，地六土成。壬主水，辰主土。水为天一之真阴，万物之本源，在人为肾所主。肾是先天之本，男女天癸之源，胞脉又系于肾，任脉起于胞中而主胞胎。土为地之基，万物化生之母，在人为脾所主，是后天之本，为气机升降之枢纽，营养运化之源泉。胚胎既成，又必赖母体先后二天之精维系、营养以生长发育。故于壬辰之旁加女字，以示母亲对胎儿生育之功也。

浅谈妊娠咳嗽遗尿　　张宝兴

妊娠咳嗽遗尿，是妇女怀孕后以咳嗽则遗尿为主症的疾病。该病医书记载较少，但临床并非罕见。

此病常伴有腰酸背楚，胸闷气短，饮食不振，神疲乏力，懒于言语，少腹重坠，或午后潮热，两颧红赤，咳吐稀白痰或干咳无痰，尿色清白或微黄，大便微溏等症状。究其机制，缘由脾肺气虚，肾气亏损，司摄失常。由于脾胃虚弱，生化之源不足，则肺气必虚，如李东垣所说，凡脾胃一虚，肺气先绝。肺气虚损，肃降失常，故病咳嗽。妊娠后气血注于冲任以养胎，阴血不足，则肾阴亏，肾气亦虚。肾司二便，与膀胱互为表里。肾虚则司摄失常，膀胱不约，而遗尿。且咳嗽使胞胎下降压迫膀胱，故咳嗽每兼遗尿。胸闷气短，神疲，纳呆，懒言以及咳吐稀白痰，尿色清白，大便微溏等，皆属脾肺气虚。腰酸背楚，午后潮热，两颧赤，干咳，舌苔微黄，均属肺肾阴虚。治法：补脾肺之气，滋肺肾之阴。方用补中益气汤合都气丸。用补中益气汤培土生金，补益脾肺，升举下陷之气；用都气丸滋补肺肾之阴；肺之气阴相济，行其清肃下降之职，则咳嗽自愈。肾气藏固，膀胱得约，故遗尿自止。

若不咳亦遗，遗不自觉，遗尿重者，原方合缩泉丸或白薇芍药散（白薇、白芍）加减。若胸闷不畅，大便溏泻，中气下陷重者，重用补中益气汤。若两颧赤，午后潮热，阴虚症状重者，重用都气丸。若咳嗽重者，可重用五味子以敛肺气，还可酌加款冬花、炙紫菀。

余妻妊娠6个月时，于感冒后咳嗽日增，随则出现咳必遗尿，昼夜不断，实为痛苦。《济阴纲目》云："妊妇嗽则便自出，此肺气不足，肾气亏损，不能司摄，用补中益气汤以培土生金，六味丸加五味子以生肾气而愈"。即按原方取药1剂，上、下午各服1次，晚上病若失，基本不咳也不遗尿。照原方服2剂，咳嗽遗尿痊愈。此后用该方加减治疗多人，轻者1剂，重者几剂，皆获满意疗效。

甘露消毒丹治疗妊娠肿胀 | 马桂文 |

妊娠肿胀多由脾肾两虚、水液运化失常所致。临床常对脾虚者，予以健脾利湿；肾虚者，予以温阳利水，多有疗效。但有一部分兼瘀的肿胀患者，以常法治疗，收效欠佳。前贤早有"治水必活血，血活水自利"之经验，余临证治此类疾病，常仿此法，每能获效。

1984年初冬，刘姓妇孕8个月余，患妊娠肿胀，胸高腰粗，腹大异常，尤以阴部及下肢肿甚，皮薄光亮，常有清水渗出，疼痛难忍，立则不能俯，坐则不能起，卧则气喘急。呕恶少食，小溲涩痛，面目浮肿，舌质暗淡，苔黄厚腻，脉滑有力。显系中运不健，水湿停留，湿郁化热，湿热互结，气机壅塞，血行不畅，兼有瘀象。前医曾用茯苓导水汤，2剂鲜效。余思此证既为湿热交阻，且挟瘀血阻滞，何不以清利湿热为主，佐以化瘀行水之法？遂处以甘露消毒丹加泽兰、益母草、王不留行。药进3剂，肿势尽退，母子遂安。不日出院，至期分娩。

有故无殒，亦无殒也 | 和协华 |

妇女血证因情志而发者，临证十有六七。轻者月经不调，重者成为干血痨，继发不育。尤其久病入深，虚实夹杂，常在疑似之间，若不能慧眼独见，则难以发众人所未发，治众医所不治。1949年麦收，治一荥阳农村妇女，卧病在床，身发潮热，纳食甚少，气短乏力，起则头眩，面目皮肤发青，肌肤甲错，月经时多时少，腹痛按之有块，指甲薄脆凹陷，脉弦无力。虽经多方医治而无效。吾往视之，询其发病乃因前生一女婴夭亡，情怀不畅，郁闷久而成疾。据病因、脉症诊为气滞血瘀，已成痨症，治以疏肝理气、活血化瘀为法，药用当归尾、苏木、干漆、红花、香附、桃仁、陈皮、木香、蒸大黄、焦三仙等药。连进 18 剂，潮热缓解，饮食增加，头眩、腹痛减轻，经下血块亦少，能起床活动。仍以上方继服，沉疴渐起。复进药三十余剂而邪祛正安，谨慎调摄 1 年，体力复原，怀妊连生 2 男。

《金匮要略·血痹虚劳病脉证并治第六》谓大黄䗪虫丸证为："五劳，虚极，羸瘦，腹满不能饮食，食伤，忧伤，饮伤，房室伤，饥伤，劳伤，经络荣卫气伤，内有干血，肌肤甲错，两目黯黑"。立意于以通为补，究其药味，多用虫类破血攻伐之药，少有补益之品，仅以甘草、地黄、芍药滋阴缓中而已。冠大黄于方名之首，其通重于补之意甚明。本案与大黄䗪虫丸证雷同，但若以丸药缓图，恐难抑病进之势，故将丸药易为汤剂。攻破虽有伤正之嫌，然《内经》明言"有故无殒，亦无殒也"。非专指妊娠之胎儿，乃广言人体之正气。

有故无殒，亦无殒也 ｜张士卿｜

妇人妊娠之际，治病用药最宜审慎，一切耗气破血、峻利滑泄以及有毒之品，皆当禁忌。然而，若遇急重病证，又不可畏首畏尾，坐失救治良机。

《内经》有"有故无殒，亦无殒也"之训，张仲景于《金匮要略》中立桂枝茯苓丸，专治"妇人宿有癥病，经断未及三月，而得漏下不止，胎动在脐上者"。这些理论及实践，对于指导我们治疗妊娠期的某些疾病很有现实意义。

去年曾治一妊妇，脘腹疼痛难忍，烦闷呕吐频作，吐出蛔虫两条。当时外科会诊，认为系"胆道蛔虫症"，欲行剖腹产手术，只保大人，不保婴儿。其家属不愿行手术治疗，急求中医诊治。病人怀孕 7 个月有余，病妊娠蛔厥，遂以治蛔厥之法治之，令病者顿服食醋 2 两，并急煎汤剂 1 剂。处方：乌梅 15g、榧子 15g、使君子 12g、槟榔 15g、南瓜子 60g、党参 15g、黄连 3g、干姜 3g、当归 9g、柴胡 3g、生大黄 3g。服上药 1 剂后，泻下蛔虫一团，腹痛大减。又宗原方继服 1 剂，泻下蛔虫 5 条，病情好转出院。2 个月后随访，已正常分娩，母子身体均健。

由此例可知，治疗妊娠疾病，也应宗"有是证，则用是药"的原则，只要临证细心，察证详明，投药精当，则虽为峻剂攻伐，亦有病当之，并无损胎之虞。

妊娠用药贵在灵活　　|马桂文|

妊娠之后，生理殊变，易致病。有因子病而累母者，有因母病而碍子者。若用药失误，则易生变而致母子俱危。《校注妇人良方》曰："如若服水银、水蛭、虻虫之类，不惟孕不复怀，且祸在反掌。"故医者对于妊娠药禁，不可不知，然亦勿过于拘泥。医病用药，贵在灵活。余在临证，选方遣药，宗《内经》"有故无殒，亦无殒也"之旨，精心辨证，大胆施治，每获良效。

1979 年夏，治一陈某，年三十许，体素虚寒，妊娠 9 个月，卒遇暴风骤雨，复卧湿地，未一句腰腿疼痛难忍，前医多用羌活、独活、防风等药以温经散寒，木香、延胡索等理气止痛，服之无效，余诊之，见其人舌淡黯，脉沉紧，乃素体虚寒，正气不足，寒湿袭络之候，宜扶正祛邪、益气养血、温通经络为治，非驱风散寒、理气止痛所能奏效。遂投黄芪、当归、川芎、麻黄、羌活、桑寄生、川续断、乳香、没药、附子、川乌、桂枝、鹿角胶，4 剂痛止，届期分娩，母子康健。

上方中附子、川乌、桂枝、乳香、没药均系妊娠禁用或慎用药物，然附子散寒力胜，川乌止痛力强，乳香、没药定痛力专，桂枝通络力宏，如此配伍各施其能，非但无害，反而有功。此所谓"有故无殒，亦无殒也"。尽在医者调遣之妙也。

又治一妇人王某，24 岁，妊娠 2 个月，操劳过度，小腹卒痛，汗出肢厥，蜷体抱腹，呻吟不已。余诊之，见其面色苍白，唇色紫黯，舌淡脉涩，显系寒凝血瘀，胞脉阻滞，阴阳不相顺接，故腹痛肢厥，汗出淋漓。法当温经散寒、活血化痰，遂投丹参、赤芍、桃仁、乳香、没药、延胡索、木香、细辛、甘草。药 3 剂而病痊愈。

上方中桃仁、乳香、没药列为妊娠慎用药物，然余用之，痛止胎安，何故也？其理在于有是病即用是药，有病则病当之。

戴人曰："夫病之一物，非人身素有之也，或自外而入，或由内而生，皆邪气也，邪气加诸身，速攻之可也"。观乎胎之疾亦然，岂不知妇人重身，即有病端，但去其病，而胎自安矣。

夫医之妙，务求活用，是故方无定证，药无定治。方求配伍之妙，药用其性之专，守理法而不泥于理法，则无药不可以安胎；反之，则无药不可以伤胎矣。

轻可祛实下死胎 | 姚兴华 |

患者许某，女，42岁，娠娠已9个月，素来体健，3天前登高晒衣，不慎摔倒，至夜即感胎儿不复动。次日晨起就诊于某院妇产科，确诊为胎死腹中，决定行剖腹产手术。因惧怕手术，来诊。

患者自觉胸腹胀满不舒，气息微促，少腹部重坠且痛。观患者精神略觉紧张，望其颜容红赤，以额心及两颧色重，舌质边尖稍发青色，脉象沉缓微涩。证属胎元受损，血脉阻滞。精气断绝之死胎。治宜扶正疏通气血，使死胎产出。

方用：保产无忧散原方。当归4.5g、川芎4.5g、厚朴2.1g、艾叶炭2.1g、炙黄芪2.4g、荆芥穗2.4g、川贝母3g、菟丝子3g、羌活1.5g、甘草1.5g、枳壳1.8g、杭白芍3.6g，3剂。

药服2剂则死胎自下，且出血不多，无任何痛苦。

严苍山《增辑汤头歌续集》谓保产无忧散曰："此方怀孕7个月即宜予服。7个月服1剂，8个月服2剂，9个月服3剂，10个月亦服3剂，均空心温服，临盆自无危险，倘未服或致胎动不安，势欲小产，及临盆艰难，横生倒产，儿死腹中，命在须臾者，急煎与服，立见转危为安，诚良方也。产后禁服。人或讥其药轻错杂，制方实寓深意，非可轻议也。"

此方安胎保产屡用不鲜，用下死胎实属不多。观其治胎死案，足证此方轻可祛实。安胎保产、下死胎旨在扶正祛邪。

（姚树绵　姚树峰等　整理）

家传秘方"保胎饮"治滑胎 | 魏仲遥 |

滑胎成因主要是肾气亏损、冲任不固；其次是气血虚弱、不能固摄胎元；血热扰动冲任，迫血妄行，胎元受损者亦间而有之。对滑胎的治疗，必须以滋肾补肾为主，辅以健脾而调理气血，并适当辨别孕妇体质的虚实寒热，参照用药，才能收到事半功倍之效。余家传秘方保胎饮，屡用屡验。保胎饮药物组成：党参15g、炒白术25g、茯苓10g、艾叶3g、川续断12g、菟丝子30g、炒杜仲15g、紫苏9g、桑寄生12g、阿胶15g、白芍10g、砂仁9g、甘草3g，水煎服。

在受孕后每日或隔日服药 1 剂，至妊娠已逾滑胎日期，改为每周 1 剂。

该方加减法如下：如舌红苔黄，口苦烦渴，溲赤便干，减艾叶加苦参 12g、生地黄 15g；如舌淡苔薄白，脉沉弱，少腹下坠，去紫苏、砂仁，加黄芪、升麻；阴道流血较多者合胶艾四物汤去川芎、当归。

该方中党参味甘性平、不燥不腻，善于补脾养胃；白术为补脾燥湿以助运化之良药，茯苓渗湿下行，协同白术以健脾；菟丝子甘辛微温，为平补肝脾肾之佳品，其性温而不燥，补而不滞，为治滑胎之要药。协同杜仲、桑寄生、川续断补益肝肾，养血益精。肝肾足则胎元日固，无坠胎之患。阿胶甘平质黏，为血肉有情之品，能益血安胎；在大队滋补药中加入辛温芳香之砂仁、紫苏，除理气安胎之功效外，可防滋补壅滞之弊；白芍苦酸微寒，有补血敛阴缓急止痛之功。合方共奏滋肾补脾、固摄胎元之效。脾肾气足，冲任得固，可无堕胎之虞。

治滑胎的方药小议 |李广文|

在滑胎的辨证施治中，采取辨证与辨病相结合，药物的性味归经与药理研究相结合，非孕期治疗与孕期治疗相结合，是非常重要的。

滑胎的治疗以益肾气安胎元为基本法则。从临床病例分析看，肾虚型占绝大多数，而且气血虚弱型和血热型也往往伴有肾虚才能造成滑胎。故各型滑胎的治疗均应着重益肾气安胎元。古人单用益肾药就能收到良好安胎效果。如《千金方》中的千金保孕丸和《妇人大全良方》中的杜仲丸，均由川续断和杜仲两味药组成（前者杜仲为川续断的 2 倍，后者是二药等份）。杜仲、川续断为益肾安胎良药，药理实验证明，杜仲有镇静、镇痛作用，川续断含有丰富的维生素 E，故保胎效果良好。在常用的方药中，以寿胎丸加味为最好。药为菟丝子、桑寄生、川续断、阿胶，加杜仲、砂仁、香附、陈皮、黄芩，水煎服。气虚者加参、术；血虚者加当归、芍药；血热者加生地黄、苎麻根。

非孕期应查清病因，对证下药。属肾虚者，益肾填精固冲任；属气血两虚者，健脾胃补气血；属血热者，益阴清热凉血养血。根据治病必求其本的原则，适当调治。更重要的是节制性欲，以免耗伤肾气。

香附、陈皮为理气安胎良药。香附的安胎根据：①古籍中有不少保胎方曾用香附，疗效肯定。如桑寄生散（《世医得效方》）、固胎丸（《妇科玉尺》）、行气归血汤（《傅青主女科》）等。②药理实验研究证明，香附有抑制子宫收缩和提高痛阈的作用。③根据祖国医学痛则不通的理论，必有气血郁滞，用香附理气，使气血得通，则腹痛自解。陈皮有抑制子宫收缩的作用。

枳壳在保胎古方中常见。如栀芩汤（《妇科玉尺》）、保气散（《世医得效方》）、枳壳汤（《济阴纲目》）、保产无忧散（《傅青主女科》）等。药理研究证明，枳壳能增强子宫收缩，故在滑胎患者非孕期使用，对恢复子宫的功能是很好的。而孕期则不应使用，以免促使宫缩而堕胎。

当归保胎。药理研究证明，当归有抗维生素 E 缺乏症的作用，在保胎中可以使用。但因其有"双向性"，即其非挥发油成分能兴奋子宫肌使收缩加强，而其挥发油能抑制子宫肌使子宫弛缓。故孕期使用当归以后入为宜，以免引起子宫收缩。

养心安神药的选用要慎重。在保胎治疗中，遇有心神不安者，医者常在主方中配合使用酸枣仁、远志、合欢花，以达到养心安神之目的。但是，根据近代药理研究，酸枣仁、远志、合欢花均有兴奋子宫、使其收缩的作用，故不用为宜。可用珍珠母、煅龙骨代之，因此二药既有镇静作用，又可补充钙质，以供胎儿骨骼发育之需要。

调补冲任治滑胎　　|王云铭|

滑胎，多因冲任损伤、不能摄血养胎所致。治疗方法，在未孕之先，宿有慢性疾患致气血虚弱者，宜先治疗宿疾，以恢复健康；既孕之后，则宜调补冲任，安定胎元，同时注意节房事，以收全功。方用"调补冲任方"随症化裁，效果良好。

"调补冲任方"系先师纪翱臣先生之经验方。药物组成：白术 9g、黄芩 9g、桑寄生 9g、川续断 9g、党参 30g、茯苓 15g、莲子 15g、砂仁 3g、甘草 9g，水煎服。功能调补冲任，安定胎元。方中党参、白术、茯苓、甘草补气益脾胃，桑寄生、川续断补益肝肾，莲子开胃进食，砂仁理气安胎，白术燥湿，黄芩清热，湿热一祛，其胎自安。诸药合用，以收调补冲任、安定胎元之功。冲脉隶属于阳明，调阳明即可固冲脉；任脉隶属于少阴，"乙癸同源"，所以补肝肾就是固任脉。临床上，血虚胎漏下血者，加阿胶 30g（另烊化，分 2 次服）、地榆炭 30g，以清热养血止血；气虚小腹重坠者，加黄芪 30g、升麻 9g、柴胡 9g，以益气升提；血虚腹痛者，加炒当归 6g、黄芪 30g、白芍 15～30g，以补气生血，和营止痛；肾阳虚腰冷痛者，加巴戟天 9g、鹿角胶 9g（另烊化，分 2 次服），以温补肾阳；肾阴虚腰酸痛者，加枸杞子 30g、熟地黄 15g，以滋补肾阴；白带过多者，加芡实 15g，海螵蛸 15g，以健脾祛湿，涩精止带；恶阻者，加陈皮 9g、竹茹 9g，以理气止呕。服药方法，自怀孕之月份起，每月服 5 剂，每日 1 剂，连服 3 剂后，则隔日服 1 剂，服至妊娠 7 个月。

据 34 例观察，足月正常分娩者 29 例，无效者 2 例，中断治疗者 3 例。治愈率为 85.29%。

驴肾治滑胎 |纪世卿|

妇人妊娠，全赖肾脏作强，肾气盛，任通冲盛，月事以时下，才能有子。胎元安适，又赖血以养之，气以载之；若纵欲无度，为房事所伤，或劳力过度，跌仆闪挫，均能使气血不和，冲任失调，肾气不固，而致滑胎。驴肾为驴之外生殖器，其气味甘温无毒，有滋阴补肾、强筋益肝、调固冲任之功。余于临床，每遇滑胎患者，常以驴肾焙干研面于未孕或妊娠后出现滑胎征兆时内服。每次服 6g，日服 1 次，5 天为 1 个疗程，服 1 个疗程即可，屡试屡验，实为安胎防滑之良剂。

谈保产无忧散 |谭秀兰|

保产无忧散一方，原载于《傅青主女科》。十几年来，笔者以本方化裁治疗先兆流产和习惯性流产三十余例，效果显著。

保产无忧散具有补气血、益肝肾、固冲任而安胎的功效。方中当归、川芎养血和血；芍药养血柔肝；黄芪、甘草补气，甘草兼能调和诸药；厚朴、枳壳理气；菟丝子阴阳双补；川贝母清肺化痰；羌活、荆芥疏肝祛风；生姜温中安胃；艾叶暖宫散寒安胎。在临床运用时需有加减：肾虚腰痛者，宜加补肾药；肾阴虚加枸杞子、女贞子、墨旱莲；肾阳虚加炒杜仲、川续断；平补肝肾加桑寄生。脾气虚弱、倦怠乏力者，加党参、茯苓、白术。血虚者加制何首乌、阿胶、桑椹、熟地黄。气滞腹痛者加砂仁、香附，并重用芍药、甘草。恶心、呕吐者加砂仁、陈皮。胃热者加黄芩、竹茹。血热者加生地黄、黄芩。阴道下血者加阿胶珠、鹿角霜，并重用荆芥穗炭。如属习惯性流产，常加补骨脂、鹿角霜。

笔者在临床实践中认识和体会到：①流产患者以肾虚冲任不固最为多见，所以菟丝子、桑寄生、川续断、炒杜仲为安胎之常用药。②川芎一药，性辛温而善走窜，为血分之气药，能上行巅顶，下达血海，旁走四肢，以行气活血、祛风止痛见长。故常用于产后。若用于安胎必须慎重。如要用时，量不宜大。尤其是阴道下血患者，最好不用。③黄芩、白术不失为安胎圣药，但并非一遇胎动即用，而是有热者才用黄芩清热安胎，兼脾虚者用白术腱脾安胎。④砂仁、香附是理气安胎良药，用以治疗兼气滞腹痛者，疗效显著。⑤凡患流产者，必须调情志，慎起居，禁房事。如此方可达到保胎目的。

妊娠下血验方 　　|赵健雄|

余悉心研究《金匮要略》之妊娠病篇，受其启发，自拟一治妊娠下血方（下称"验方"）：当归、白芍、阿胶、艾叶、川续断、桑寄生、白术、黄芩。全方8味，由4组对药合成，当归、白芍补肝养血，阿胶、艾叶安宫止血，川续断、桑寄生调理肝肾，白术、黄芩除湿热，共奏调补冲任、安胎止血之效，临证应用颇觉顺手。

干部吴某，初孕2个月余，下血3日，腰腹坠痛，注射黄体酮不效，诊其舌质稍红，脉沉细滑，予验方加黄芪、侧柏叶，3剂，血止症失。

农妇牛某，前已流产4次，现妊娠3个月，劳动中突患下血，腰酸腹痛阵阵，舌质红，脉滑细数，予验方加菟丝子、补骨脂，2剂血止，4剂而愈。

此方用于滑胎者亦效。家属王某，连续滑胎3次，均在妊娠3个月以内，或因劳累，或无明显诱因。此次孕已2个月，自觉腰酸腹痛，食欲不振，忧心忡忡，求治于县医院，只嘱卧床静养，别无良法。邀余诊治。查其舌质稍淡，脉数细滑，尺中较弱。予验方加黄芪、菟丝子、杜仲，服近30剂，腰酸腹痛均愈，食纳如常。思其既往滑胎期已过，予泰山磐石散再间断服逾3个月，至期喜得一女。

此方用治崩漏、经血过多，亦每获效。如治朱女，年17岁，患崩漏3年余，多方求治不效。时值下乡，邀我往诊。视其面萎黄乏力，腰酸胁胀，舌质稍红，脉沉弦，予验方加黄芪、柴胡、山茱萸，服十余剂而崩漏止。

胎萎不长　　|田 丰|

胎萎不长临床偶可遇到。胎儿于母体皆以谷气滋养而逐渐生长，如孕妇素体虚弱或有宿疾，脾胃不和，气血不足，胎失所养可致孕至 5～6 个月，腹形明显小于妊娠月份，胎萎不长，如不治疗，久则易致胎死腹中。余每诊斯症，均以"胎元饮"治之，其效彰。曾治李某，教师，患者腹胀，食少难化，每食荤腥即泻，肢倦乏力，已近 10 年，身体羸瘦，停经 4 个月，仍有恶心呕吐，妊娠 5 个月，腹部仍不见膨大，不感胎动。恶心呕吐时发时止，纳食量少，乏力，大便五六日一行，面色黄白消瘦，无胎动感，舌质淡红，薄白苔，脉沉细滑。方用胎元饮加减：人参 10g、白术 10g、黄芪 30g、砂仁 6g、陈皮 6g、当归 10g、杜仲 10g、炙甘草 6g，服 2 剂。恶心减轻，饮食增进，精神好转。上方去陈皮，加菟丝子 10g、阿胶 15g，每周服 2 剂。共服 8 剂后，腹部见增大，已感胎动，诸症痊愈，体重增加，乃停药。足月产一男婴，母子平安，数年后随访，孩子发育良好。

此胎萎不长系胎前有脾胃不和之宿疾。母体禀赋不足，胎儿不得滋养，故萎而不长。

胎元饮重用人参，峻补母体之元气，力挽胎儿生机；白术、砂仁、陈皮、炙甘草健脾和胃，以滋生化之源；黄芪、当归能补有形之血，佐以杜仲固肾，胎有所系，用上方疗母疾，水谷化而气血运，萎胎得以生长。肾为先天之本，主生长、发育，胎儿于母体中生成、发育，须赖母体的肾气、肾精以激发，故加菟丝子、阿胶，以补肾之精气。先后天俱补，是治疗获效的关键。

产后痉病治验　　|李修伍|

《金匮要略·妇人产后病脉证并治篇》云："新产妇人有三病，一者病痉，二者病郁冒，三者大便难。……新产血虚多汗出，喜中风，故令病痉……"，由此可知，产后痉病乃亡血伤津，筋脉失养，阴虚风中所致。治疗本病投以家传之产后定痉汤（全当归 9g、酒生地黄 9g、川芎 6g、荆芥炭 1.5g、防风 1.5g、化橘红 9g、清半夏 9g、蝉蜕 9g、童便一酒杯为引），捷效。

1958 年，先父治一开封李姓女，22 岁，因难产而行剖腹产手术。术后出现痉厥，筋脉拘急，口噤不语，昏迷不省人事，角弓反张，二便闭，用西药治疗罔效，病情甚为危重。先父往诊，据脉症投产后定痉汤 1 剂。因患者口噤不能服药，以药汁保留灌肠。注入 2 小时后，小便通，角弓反张、抽搐等见减。守方又进 2 剂，诸症若失。

本例患者难产并手术，气血暴亡，血脉失养，上不能荣脑，下不能达四末，属血虚中风病痉。治法首宜养血滋阴生津，用方遵循"治风先治血，血行风自灭"之理，其中全当归、川芎养血活血；生地黄养血滋阴；蝉蜕清散肝经之风；防风祛风解痉；荆芥炭入血分祛风；橘红、半夏理气行滞，降逆化痰；童便既可活血通经祛风，又可引药入血，药共 10 味，对产后血虚病痉，药证合拍，配伍恰当，故用之效验。

产后血虚发热误治伤人　　|毕福高|

余少年时期，先父悬壶于乡里，施治严谨，每于临证笃奉"必求于本"的格言，遇有临证误治者，则告诫于我，以引为借鉴，免蹈覆辙。其中一案，至今铭记。邻村杨三之妻袁氏，产后 8 天，发热绵绵，延请先父往诊。症见脉浮大而虚，舌体胖大质嫩，面色萎黄，气息低微懒言，并告之素日体弱，今生产时又失血过多。脉症合参，诊为血虚发热。随处以当归补血汤，重用黄芪。嘱其膳食加鸡，羊肉类，以血肉有情之品食补助之。杨之岳母浅通医理，执言为产后外感，云上方有碍恶露。随遣家人另邀他医，医处以荆芥、防风加柴胡、薄荷之品，1 剂后虚热略缓，但出现头晕、心慌之症。先父见之，知其为亡血误汗伤阴动血所致。劝医更方，医坚己见，2 剂则冷汗淋漓，恶露不畅，复热如往，因杨氏岳母固信此医，先父无奈，十分惋惜，书诗一首赠与杨三："古今尚谈失街亭，何人不责马谡公，用人不当怨孔明，千秋功罪应分承，今人覆蹈孔明辙，谨防今朝失街亭"。杨三畏其岳母，不敢违其意，先父再次告之，如果再剂，恐兄将作二次新郎。患者过 10 日后，果然因过汗亡阳，变证蜂起而亡。临床辨证要细微，如鲁莽草率行事，常草菅人命。几十年来，余迄今深记此案教训，临证务求其本而后治。

阴 翻 治 验　　|刘海涵|

阴翻属少见之症，治亦无成方。笔者曾治1例，郭某，因难产，而形成外阴翻肿，在某医院经用药物治疗数天无效而延余诊治。视其外阴翻肿，色泽瘀紫不鲜，形如蚌蛤，触之坚硬不软，自觉微有热胀感，左侧重于右侧，舌暗红苔灰，脉沉涩，此为阴翻。因症在新产，时值寒冬，乃寒凝血瘀，络脉不通所致。治以温经散寒，活血消肿。处方：泽兰叶50g煎汤，置于盆内，乘热熏洗，每天1次，每剂煎2次，6日痊愈。

患者缘由严冬难产。难产则络伤，寒凝则血瘀，症呈肿硬坚结乃寒凝瘀滞，故用泽兰叶煎汤熏洗直达病所。该药《本草纲目》谓其：味辛甘苦，性微温无毒，入肝脾二经，散寒消瘀。故治产后阴翻有效。

热 入 血 室　　|苗润田|

热入血室证，前贤多认为是妇人月经适来适断之时，血室空虚，邪热侵入而成。症状以往来寒热，胸胁下满，昼日明了，暮则谵语为主。《伤寒论》提出刺期门泻肝胆邪热，或小柴胡汤和解枢机的治法。后人加用生地黄、丹参、赤芍、红花等凉血行瘀之品，疗效更好。月经前后形成的热入血室证，瘀热互结较轻，由于经血自下，邪热可随之而泻，常可自愈。

产后因血室空虚，邪热乘虚而入，与瘀血搏结，恶露不下，瘀热上扰心神，神志失常，亦当属热入血室证，惟其邪热与瘀血搏结较重，治法应以破瘀泻热为主，笔者常用小柴胡与桃仁承气汤合方治疗此类病症，疗效显著。

张某，女，24岁，既往体健，第一胎足月顺产一男婴，产时出血不多，产后产妇异常兴奋，自觉全身燥热，彻夜不眠，少腹疼痛，恶露量少、色紫暗有瘀块。产后第4天开始谵语妄言，手舞足蹈，虽冬月天，仍着单衣单裤，按脉沉涩有力，舌质紫暗。证属热入血室。方用：柴胡15g、赤芍12g、白芍12g、黄芩12g、桃仁12g、红花10g、牡丹皮10g、当归15g、大黄15g、芒硝6g（另包冲服）、肉桂3g、生甘草6g，服2剂后，下血量多，神志渐清醒，欲加衣被，乃瘀血邪热渐祛之象。产后易虚，前方去芒硝，减大黄为6g，加生地黄9g、党参 15g。3 剂后，神志基本清醒，恶露不多，色转淡，饮食如常，能哺育料理婴儿，惟仍睡眠不好，时有心烦。证属余热未清，心血亏损。方用：当归 15g、白芍 15g、生地黄 12g、炒栀子 10g、炒酸枣仁 12g、茯神 12g、生龙骨 15g、生牡蛎 15g、生甘草 6g，4 剂痊愈。

人工流产后视物不清　　|王自平|

人工流产后，两目视物不清，临床尚属少见。笔者曾遇一教师，人流后 2 天，目珠胀痛，两目昏蒙干涩，视物不清，头晕头痛，腰膝酸软，五心烦热，口渴不欲饮，夜眠梦多，舌红少苔，两脉细数无力。

此属人工流产后失血伤津，精液耗伤，不能荣肝养目而致。治用补益肝肾，健脾养血之法。以杞菊地黄丸加减，方用生地黄 30g、熟地黄 30g、白芍 15g、当归 20g、菊花 12g、枸杞子 10g、山茱萸 20g、生山药 30g、麦冬 30g、何首乌 20g、茺蔚子 30g、桑寄生 30g、白术 20g、盐黑豆 30g、甘草 3g。服 5 剂后，诸症好转，惟腰膝酸软不减。上方加续断 15g、补骨脂 10g，再进 10 剂。10 剂药后，能看清 1 小时，但心烦口渴，舌质红，苔薄黄，上方加黑栀子 15g，6 剂水煎服。共服药 16 剂，两目视力恢复正常。改用杞菊地黄丸，每日 2 次，每次 2 丸，早晚服，以善其后。

《内经》云："目得血而能视"。人工流产后，精血耗伤，气血精液亏损，不能养肝荣目，故两目视物不清。肝藏血，肾藏精，肝肾俱亏，精血虚少，故目不视物。治以养肝肾、益精血之法，用杞菊地黄丸为主，又加补益精血之药，佐以健脾益气之方，使肾精得充，肝血得养，脾气健运，气血生化有源，上注于目，则能视。

产后伤食泄泻　　|张文阁|

谢姓，女。1975 年春来诊。自诉 5 年前生产甫毕，食熏肉，遂发"坐月泻"，日行三四次，脘腹胀满不适，服"黄连素"等药治疗，泄泻停止。但此后每当食肉（不论熏肉或新鲜肉）或喝肉汤，皆作泻。泻时一般不需治疗，过一二日自止。然其人又喜食肉，如此反复发作已达 5 年之久。

患者平素脾胃虚弱，面色萎黄，乏力困倦。复由产后耗伤气血，致使脾胃益虚，受纳无权，运化失职，进食难于消化之熏肉，滞于中焦，败胃伤脾，使脾之运化功能更差，不能升清降浊，水湿停聚，清浊不分，故食肉必发泄泻。

薛立斋论产后泄泻之病因，虽将饮食伤脾与脾虚二者分而论之，然临床往往是相互影响，同时为病的。脾虚易伤食，伤食则脾更虚。本例即是伤食与脾虚二者兼而有之，两因相感，以致食肉则泄泻。其治遵薛氏的"若米食所伤，用六君加谷芽；若面食所伤，用六君加麦芽；若肉食所伤，用六君加山楂、神曲丸"之意，仿其法而施之。拟健脾和胃、消肉化积为法，药用：党参12g、白术12g、茯苓12g、山药15g、木香6g、陈皮9g、生山楂30g、鸡内金12g、神曲12g、炙甘草6g、生姜3片。连服4剂，5年痼疾，竟获痊愈。此后食肉或喝肉汤，亦不泄泻，食量有增，面色转为红润，身体康复。

补虚止乳痛 |邢维萱|

曾治一产后5个月余哺乳妇女，每哺乳后乳房疼痛难忍。曾服药数剂，均以柴胡、瓜蒌、丝瓜络、王不留行等行气通络止痛药为主，效果不佳。观其脉证，患者体质较弱，两乳未见硬肿结块，乳汁不少。该患者乳络通畅，未有气血壅滞征象，患者体质虚弱，气血不足，且痛发于哺乳之后，乃知乳后乳房中乳汁减空，又一时不能化生乳汁，乳络缺少乳汁荣养，必感不适，与虚证痛经每于经后发作同理。日久每逢哺乳精神紧张，故而疼痛加重。应服补气血药以化生乳汁，使乳络得到荣养，即可解除疼痛。故用党参50g、黄芪30g、升麻30g、丝瓜络15g、通草5g、当归15g。服药数剂果愈。

缺 乳 |李历城|

产后乳汁甚少或全无，称为"缺乳"。

张某，28岁，产后奶水不多。乳房松软，面色苍白，食少便溏，舌淡白无血色，用芝麻、黄豆、炖猪蹄汤治疗。《玉楸药解》谓芝麻能治"乳少"；《名医别录》谓猪蹄能"下乳汁"，诸药相合，有养血通乳、促进乳汁分泌的功能。每次用芝麻100g炒至发香为度，黄豆200g（砸碎），猪蹄1只，清水适量，放人沙锅内，煎汤凋味服食，每日1剂，连服3剂，乳汁增多，又服3剂，基本上能满足婴儿需要。

精神刺激而致情志失调亦可影响乳汁分泌，从而造成缺乳。临床表现为乳房胀满而痛，乳汁不行而身热，胸胁胀满，口苦畏食，此为肝郁气滞。常用通乳汤（自拟方）治疗，屡获效验。处方：柴胡6g、杭白芍9g、当归9g、王不留行9g、僵蚕6g、漏芦9g、鹿角霜9g、芝麻9g，猪蹄汤煎服。此方一般3剂，可收全功。外用鲜蒲公英捣烂敷乳房上，则效果更佳。

回乳时机在经期 ┃褚玉霞┃

同窗丁君，其妹小儿已过周岁，欲回乳，从故里函问何时回乳为宜。愚认为，乳汁乃脾胃气血所化，薛立斋在《女科撮要》中云："血者，水谷之精气，和调五脏，洒陈六腑，在男子则化为精，在女子则上为乳汁，下为月水。"产妇分娩以后，脾胃化生的精微，除供给母体需要外，另一部分则随冲脉与阳明之气上升，化生乳汁以养胎儿。所以，哺乳期间，尤其乳汁最旺盛之时，月经一般不潮。据此，对于授乳妇来说，月经来潮之时是回乳的最佳时机。古方设免怀散即是此意。对欲回乳者，吾常在经期投以当归尾、赤芍、红花、川牛膝各15g，生麦芽60g。3剂，3~7天可获良效，且不会继发乳痈。

回　乳 ┃李历城┃

炒麦芽回乳，早在《丹溪纂要》《薛立斋医案》中有记载，一直沿用至今，为断乳之良药。然而临证中，其效果全然不一。有的得心应手，效如桴鼓；有的如泥牛入海，全无消息。笔者临证摸索，认为其中存在一个药量和煎制法问题。炒麦芽断乳，取效快的关键在于其用量要大，煎制法为：取生麦芽180g，微火炒黄（注意一定要即时炒即时用），置沙锅内，加水1000ml，煎至500ml（先文火后武火，煎煮时间需20~30分钟），滤出头汁。复加水800ml，煎至400ml，将2次煎的药物兑在一起，分2次温服，服后令微汗出。近年来，笔者临床治疗百余人，均为2剂服完即告痊愈。

浅议脏躁病　　|张塾院|

脏躁病属于郁证中的一个类型，其临床表现多种多样，常有胸中懊憹，郁郁寡欢，悲忧善哭，呵欠频作，时伸懒腰；或出现喘息，胸中憋闷，不思饮食，咽喉梗阻；也有的像癫痫样发作，突然晕倒，手足抽搐如鸡爪样，牙关紧闭，移时苏醒；或出现恐惧不安，幻觉妄想，四肢震颤，甚至出现四肢瘫痪。以上诸症往往见于西医"神经衰弱""神经官能症""自主神经功能紊乱""更年期综合征"等疾病中。由于精神创伤，情志波动，失其常度，致肝气郁结，郁则气滞，气失疏泄，上犯心神，引起诸症，初伤气分，久延血分，变生多端，而为郁劳沉疴。治疗本病，余以开郁、养心、安神为主，酌兼涤痰、利湿、行血为辅，自拟一方，名合欢汤，于临床试用，每获良效。其方为：合欢花30g、合欢皮30g、郁金12g、百合30g、天竺黄12g。方中重用合欢，有补益怡悦心志之效。若症见烦躁易怒与栀子为伍，少寐多疑善惑与石菖蒲相配，嗳气、呵欠频作辅以紫菀，恶梦纷纭加琥珀，妇女月经不调加漏芦，精神恍惚、午寒午热、汗出口干加柴胡，痰气交结、咽喉如物梗阻加厚朴，气逆恶心加旋覆花，胁痛加牡蛎，守方随症加减。如某女子患"脏躁"，彻夜不寐，烦躁欲死，呵欠流泪，苔白脉细弦，用合欢汤加减治疗，3剂病减，6剂病大减，9剂病豁然而愈，续给合欢皮、合欢花各30g，泡饮代茶，断不再发。几年来个人用此方治疗十余例，每获良效。此外，还应注意精神调节的重要意义，俗话说："笑一笑，少一少，恼一恼，老一老"，确有至理。

乳胀证治刍言　　|丛春雨|

乳房是足阳明胃经所过，其中央乳头属肝，故凡乳房诸疾，每责之于肝胃经气之不和。乳胀疼痛一证，在临床非为独立之病证，多伴随于妇女行经时出现，故多不被重视，很少专予治疗。余在妇科临床，常遇患者每因此病而情绪懊憹，甚至影响工作、学习。

乳房胀痛，治以调理肝脾为主。但必须详审病机，分型论治。其一为肝气郁结，气滞阻络。胀痛多无定处，时作时止，每因情志不和而加重，拟"消胀舒郁汤",方选醋制香附、柴胡、青皮、川楝子、枳壳、路路通、木瓜以行气开郁,是方之核心在于醋制香附配柴胡,疏肝解郁为最佳;二为肝郁脾湿,脉络阻滞。以乳胀为主,伴胸闷纳呆,拟"健脾疏郁汤",方选党参、土炒白术、茯苓、橘红、薏苡仁、制香附、川楝子、合欢皮、通草以扶土抑木为主,方中重用薏苡仁,生熟各半,可用60~90g;三者为肝郁血滞,瘀阻络脉。其疼痛有定处,痛不可触,或触之有块,伴烦躁易怒,经少腹痛,拟"疏气活络汤",方选丹参、香附、柴胡、郁金、泽兰、王不留行、瓜蒌、穿山甲,其中重用泽兰入肝脾,活血散结而不伤正,于乳胀痛最宜;四者肝阴不足,络脉失养。痛胀隐隐而作,喜按则缓,过劳后加重,常伴头晕失眠,咽干烦躁,治以养血柔肝、缓急止痛,拟"柔肝止痛汤"。方选白芍、当归、何首乌、女贞子、乌梅、路路通、川厚朴、炙甘草,以当归、白芍合用养血敛阴,乌梅、甘草相合酸甘合化,缓急止痛。

　　盖乳胀之病,概而括之:一气、二湿、三瘀、四虚,全赖辨证。审因以明证,因证而设方,必辨识精明,娴于诊察,方能得之于几微而获效。

肥胖不孕治验　　|秦增寿|

　　余师蔡公,业医四十余载,医理明而医术精,善于辨证,尤长于内、妇科杂病。邻里王某之妻,素体肥胖,喜静恶动,白带清稀而量多,月经量少而色黯,且日渐加剧,年逾四十,尚未孕育,求子心切。师曰:"此乃痰湿过盛,阻塞胞宫,治宜健脾燥湿化痰"。遂投白术、茯苓、半夏、山药、泽泻、甘草、山楂,5剂,白带量减,精神转佳。效不更方,服至30剂,白带净,身轻而神爽,月经亦趋正常。半年后怀孕,足月顺产一女婴。

　　朱丹溪曰,"肥人湿多",汪宏亦曰:"肥者常多血少气"盖肥胖之人,形厚而气薄,本虚而标实。其气不足,首推肺、脾、肾三脏,肺虚则不得宣化,脾虚则失运化,肾虚则不能温化,三焦气化不利,水液代谢障碍而停蓄。尤以脾虚"土不制水",水液难以周流,聚而为湿、为痰、为饮,蓄于体内,其形自肥。湿为阴邪,其性重浊而黏腻,缠绵不已,阻滞气机,压抑经脉,使脏腑功能紊乱或发生障碍,则咳喘、带下、呕吐、眩晕、不孕等症丛生。余师审证求因,从因论治,以气虚湿盛为要害,用二陈汤与泽泻汤合剂,治本兼治标,共奏益气健脾、燥湿化痰、淡渗清利之功,使气复而功能健,湿祛而气血通,血气调畅而妊子矣。

解郁调经种子汤治不孕症　|亢海荣|

余曾治疗二十多例婚后十多年不育的妇女，都治愈生子。分析此类妇女多是情志抑郁不畅，肝气郁滞，久则郁伤气血，损及冲任，气滞血涩。因此疏肝解郁、通经活络、调理冲任，是治疗本症的大法。据此自拟解郁调经种子汤。方剂组成：当归15g、益母草15g、牡丹皮12g、制香附15g、红花10g、丹参30g、菟丝子15g、葛根30g、炒杜仲24g、川牛膝10g、川续断24g、沉香10g（研末冲服）。每月于经前1周连服7剂，连续治疗3个月为1个疗程，至孕停服。

如王某，女，36岁。于15岁初潮后月经即不正常，常是50天至半年一行，25岁以后月经常是50天一行。每次经前有明显腰痛酸胀，少腹拘急。结婚16年未育。西医检查为"幼稚子宫"，宫体仅如枣大。余投以解郁调经种子汤二十余剂。第3个月经行过期70多天，来院检变，主诉喜吃凉饮，疲乏多眠，恶油食。查脉象弦滑有力，青蛙试验阳性，诊为早孕。至期生一男孩。

不孕症与男女双方都有关系，不能单责妇女。然对女子来说，"求子之道，首先调经。"治疗得当，可种子。

瘀血活血贵经期　|武　秦|

月经期禁用或慎用破血药物，为古今医家所强调，笔者以往亦为此言所囿，凡妇女经期求诊，破血药物绝不肯用。

临症偶治一不孕妇女，月经长期量少，经来二三天即止，经行腹痛难忍，腰痛如折，经色紫暗有块，块下则痛减，舌暗红有瘀斑，脉弦紧，反复思忖，证属血瘀，遂遵"有故无殒，亦无殒也"之训，毅然进当归15g、桃仁15g、红花15g、川芎15g、川牛膝15g、赤芍15g、三棱15g、莪术15g、小茴香15g、肉桂9g。3剂，意在活血祛瘀，调经止痛，反复嘱病家血多即停药，若下血逾月经之量即来就诊，以免延误病情，不意患者药后来告，用药后此次经行并未大下，然伴随症状荡然无存。其后连续3个月每逢经期投上方3剂，经血量色质渐次正常，3个月后告已孕。

此例对笔者颇有启发。月经是脏腑、气血、经络作用于胞宫的现象，血有余则注入冲脉而为经水。故月经与血实有根本区别，它是有余之血。因此就功能而言，它绝无正常血液的那种濡养滋润的作用。正如唐容川所说："女子胞中之血，每月一换，除旧生新，旧血即是瘀血，此血不祛，便阻化机。……瘀血不去则新血断无生理，观月信之去旧生新可以知也"。又云："凡离经之血与荣养周身之血已暌绝而不合，……此血不能加入好血，反而阻血之化机，故凡血证，总以祛瘀为要"（《血证论》）。由此可知，经血总以通行为顺。若内有瘀血，则见月经不畅。轻则活血以行之，重则破血以祛之，均为必行之法。然活血祛瘀，于平素用之，往往瘀血未去，反有伤好血之虞。如断为瘀血，于经血下行之际趁而祛之，则如顺手牵羊，必收事半功倍之效。犹似热结旁流用承气，乃通因通用之法，因势利导之意，故瘀血证于经期运用破血药，非但不当畏惧，实乃理出必然，当然，"衰其大半而止"，自不待言也。其后，余遂定上方为"活血通经方"，临床治血瘀型不孕症患者，经期每投上方3剂，多获良效，并无1例坏证。

妇人腹痛证治　　|王伯武|

傅某，国棉某厂女工，2个月来常发脐周、小腹绞痛，痛时面青汗出，翻滚呻吟，难以忍受。至某医院住院治疗，毫无效验。五十余天后，医院令其出院，出院诊断为胃肠神经官能症？蛔虫病？出院后病势益甚，遂往我处诊治。

查患者面色黄滞，形体消瘦，眼圈晦黯，痛苦病容。询知其纳差，乏力，心情忧郁，月事尚正常。舌体瘦，色黯，苔正常。脉象弦细兼涩。从脉症以观，属脾虚肝郁，气血凝滞之象。治宜健脾调肝，理气活血。拟方：当归10g、杭白芍15g、川芎8g、茯苓15g、泽泻10g、白术10g、枳实10g、延胡索10g、川楝子10g、炙甘草6g，3剂。水煎早晚服。

1星期后，其父来告，服药3剂，痛未发，遂继服3剂，1周以来，其病若失。

上方系以《金匮要略》当归芍药散、枳实芍药散为主方，合芍药甘草汤、金铃子散而成。《金匮要略·妇人妊娠病脉证并治篇》及《妇人产后病脉证并治篇》中云："妇人怀娠疗，腹中疗痛，当归芍药散主之"，又云："产后腹痛，烦满不得卧，枳实芍药散主之"。察本例患者虽非妊娠，但腹中疗痛一证与经文主证无异，此其一也；当归芍药散虽为妊娠后脾虚肝气不调而设，枳实芍药散虽为产后气血郁滞而立，但此患者脾虚肝郁、气滞血瘀之证俱备，则其病机无异，此其二也；当归芍药散中以当归、芍药、川芎调其肝，茯苓、泽泻、白术健其脾，加枳实以增其行滞之力，合金铃子散以助其理气活血之功，芍药、甘草以缓其急，合为调肝健脾之通剂，非妊娠产后之专药，用治此例，药证合拍，此其三也；况痛之所生，乃滞之所在，所滞者无非气、血、水、便，诸药分则各行其滞，合则共疏其结，通则痛除，此其四也。有以上四者之可用，确然投之，宜乎其效之如影随竿也。

本方临证治疗妇人腹痛，往往收意外奇效。忆1952年秋，在西安民益中医联合诊所诊一老妇，患腹痛3日，灸刺诸药不能治，某医师诊为急性阑尾炎，须动手术，老妇畏惧，乃转求治于中医，余以上方投之，药到痛除。若拘于急性阑尾炎之诊断，中医无此病名，则从其主症腹痛辨证施治，终免于手术而愈。

妇人阴痒外洗方 | 韩守辰 |

妇人阴痒证为妇科常见病之一。症见外阴瘙痒，甚者奇痒难忍，常伴黄、白带下。有的渐成阴蚀，外阴溃烂，痛痒并作，脓血淋漓，或兼少腹下坠，寒热，腰重等。

对于本病的论述，古籍记载颇详，大致归纳为：湿热下注，阴虚血燥。

在治疗上，除服清热利湿、养血润燥之剂外，多数都辅以外用药熏洗，而苦参、蛇床子几乎为通用之品。

笔者幼受家传，对此病用先祖所遗外洗方药，每收良效。方用：透骨草30g、艾叶30g、苦参20g、地骨皮20g、丹参20g、紫参20g、蛇床子20g。用法：①每剂作2煎，每煎取液1000ml，置盆中，先熏蒸，待温度适宜坐入，约半小时，早晚各1次。②上药研粗末，分3包，每次用1包，纳纱布袋中（布袋容积要大，入药后要有一半空隙），扎口，文火煮半小时，使用方法同上。

二法比较，后者较好。此方多年使用，疗效实属满意。

徐某，女，33岁，阴痒久治不愈。除服用养血清热剂外，外用上药3剂症状明显好转，能安然入睡。6剂后告痊愈。

本方用苦寒之味佐以辛温之品，以透热于外、渗湿于内，透骨草有疗疮疡肿毒、阴囊湿疹之功。缓痒润燥，加养血凉血之品。如丹参、地骨皮、紫参。其余苦参、蛇床子悉遵古法。

阴 吹 之 治　　|李广文|

　　阴吹，是指妇女阴道有气排出，并带有声响的一种病证，首见于《金匮要略》。此证多发生于 40 岁以上的经产、体弱之妇，而室女及未育者则较少见。阴吹之疾，在经产妇中并不罕见，只是因为病家多隐而不宣，故发病率似乎较低，医籍中亦缺乏详细记载。正如张璐说："阴吹正喧，乃妇人恒有之疾，然隐忍不言，以故方书不载"。

　　仲景曰："胃气下泄，阴吹而正喧，此谷气之实也，膏发煎导之。"吴谦等认为，阴吹是胃气实而肾气虚，治以诃梨勒丸（以诃梨勒固下气之虚，以厚朴、陈皮平谷气之实）；若气血大虚、中气下陷者，治以十全大补汤加升麻、柴胡。吴鞠通认为，阴吹的病机是"痰饮蟠居中焦"所致。他在《温病条辨》中说："饮家阴吹，脉弦而迟，不得固执《金匮》法，当反用之，橘半桂苓枳姜汤主之"。说明了阴吹病机非止一端，当然证治也就不同。

　　以现代医学的观点看，阴道出气的情况很多，如阴道壁及盆底组织松弛、直肠阴道瘘、会阴Ⅲ度裂伤、前庭肛门瘘、滴虫性阴道炎、神经官能症等。古人"阴吹"所指，主要是多产体弱之妇，外阴不能遮阴道口，阴道壁及盆底组织松弛，阴道前后壁不能紧密相贴，当仰卧、吸气等阴道形成负压时，空气进入阴道穹隆，当动作或腹压增加时，空气从阴道排出并带有声响。故陆渊雷把"阴吹"说成是"空气得以窜入，因身体动作而挤出阴门，亦发音如放屁。"

　　阴吹辨证，首先应分清是阴道真出气还是假出气。假出气者，指病人自己感觉阴道出气，而医生检查不能察觉者，一般见于神经官能症的患者；真出气者，不仅病人有所感觉，而且他人亦可觉察。对阴道真出气者，应辨病与辨证相结合，通过检查排除前庭肛门瘘、直肠阴道瘘及Ⅲ度会阴裂伤。因这三种情况，虽有典型的阴道出气，但用药无济于事，亦不属于古人所说的阴吹范围。滴虫性阴道炎引起的阴道出气，其气随阴道分泌物一起而出，声音细小，而且以外阴痒、带下就诊。所以，祖国医学所说的阴吹，主要是指阴道壁及盆底组织松弛的一类。此类病证辨证多分以下三型。

　　1. 中气下陷型　临床有多产、难产或产后劳力过早史。阴道时有气出，且有声响可闻。小腹下坠，四肢乏力，少气懒言。舌淡、苔薄白，脉虚细。妇科检查：阴道壁及盆底组织松弛，或伴有会阴陈旧性裂伤。治以补气升提，以补中益气汤加味，药用：升麻、柴胡、木香、陈皮、当归、白术、枳壳各9g，黄芪、党参各30g，炙甘草6g，水煎服。

2. 气血大虚型　临床有产育过多、过频或产后大失血史。阴道出气有声可闻，面色苍白或萎黄，头晕目眩，心悸怔忡，神倦懒言。舌质淡，脉细弱无力。妇科检查同上。治以大补气血。十全大补汤加味：党参、黄芪各30g，白术12g，白芍、当归、茯苓、熟地黄各9g，川芎、肉桂、炙甘草、生姜各6g，大枣4枚，升麻、柴胡各9g，水煎服。

3. 阴虚便燥型　身体瘦弱，大便燥结，数日一解，排便艰难，前阴出气之多寡与大便燥结程度有关，常伴有五心烦热，或午后潮热，口干尿黄，舌红或绛干，少苔或无苔，脉象细数。妇科检查同上。治以通肠润便之猪膏发煎：猪膏250g，乱发如鸡子大3团，将发合膏中煎之，发消药成，分2或3次服。

又经验证明，用香油、蜂蜜适量调服，既简便易行，又疗效可靠。

阴吹治肝1例　|李成恩|

《金匮要略》谓"胃气下泄，阴吹而正喧，此谷气之实也，膏发煎导之"。《医宗金鉴》认为本病是肾气不固，气从下泄所致，主以诃梨勒丸。张璐有本病案2例，一为闭经3个月，小腹痛贯彻于心而阴吹，用失笑散。一为小产后寒热腹痛而阴吹，予焦山楂熬焦、黑糖为丸，用伏龙肝煮水澄清，煎独参汤送3钱。《温病条辨·下焦篇》有"饮家阴吹"之证，谓不得固执金匮法，当反用之，主橘半桂苓枳姜汤。

余曾治一中年妇女，自诉经前腹胀，牵涉两胁及乳房，腰痛特甚，带多而有腥味，色白。近2年来，经前后阴部常出疮疡，烧灼痛痒。连连阴吹，苦不堪言。脉弦兼数，舌红尖绛，口干而苦，病属"阴吹"，与前述诸法均不合拍，此病理属肝气郁滞，疏泄不利，热毒下注，故予养阴疏肝，清热解毒。方用丹栀逍遥散加味，并加熏洗药。当归12g、柴胡10g、白芍15g、生甘草10g、生地黄15g、黄连6g、栀子10g、薄荷10g、牡丹皮10g、麦冬15g、益母草15g。每日1剂，水煎服。另用苦参15g、蛇床子15g、防风10g、白芷10g、土茯苓30g，水煎熏洗。3剂后诸症大减，效不更方，继给前药3剂而愈。

下 鬼 胎 |张 斌|

"鬼胎",于《诸病源候论》《傅青主女科》论之甚详。1951 年,曾治一"鬼胎",患者姓马,年三十余,据其夫称素体尚健,无明显宿疾。闭经 2 年,初起似有妊娠反应,但早逾产期,不仅毫无临盆征象,反而日见消瘦,腹大如鼓,面色苍黄,肌肤甲错,如鱼鳞,青筋暴露,四肢干枯,呼吸细弱,语声低微,饮食很少入,二便不行,眼看命在旦夕。诊其脉细软欲绝,关尺重按尚有弦象,舌质紫暗,无苔少津,遂令饮以米汤,汤入即吐,吐清稀绿水。乃断为"鬼胎"临危之证,已属胃肾两败,肝胆肆虐。欲补之,反助其邪上逆;欲下之,反伤其正下脱。思之再三,忆起一外治法,与病家商妥,姑试之。

幼年时,叔父口授一方,外用治疗癥瘕积聚。考"鬼胎"一病,与"鬼"无关,实乃七情郁结,气血瘀阻,胎未成而秽恶已积胞宫之证,与癥瘕积聚之类同。此病人内服药物已难下咽,遂先以针刺百会、合谷、三阴交 3 穴。百会留针扶正,补合谷、泻三阴交以助胞气下行,使胞胎易下,并急用巴豆 1 粒、红娘子 3 个、急性子 9g,同捣极烂,用生蜜少许调敷脐中,外衬厚纸,用热物熨其上,以温通行气活血攻下。同时另邀一位西医协助,给予补液救护。当晚,"鬼胎"即下,尽是大量黑紫血块和秽恶之物,遂拟四物汤合六君子汤加减,调理痊愈。

白淫梦交,实为一症 |张文阁|

白淫是从阴中流出的一种液体,乃欲火盛而淫自出也。正如《妇科要旨》所说:"白淫乃思想无穷,所欲不遂,一时放白,寡妇尼姑此症居多,乃郁火也"。

"梦交"者,梦中交媾也。梦交最早见于《金匮要略·血痹虚劳脉证并治第六》,文中有"男子失精,女子梦交"一句。

白淫、梦交的主要病机为积念太过,情欲不遂,相火妄动,心火炽盛,心肾失养,神不守舍,肾失闭藏,故睡则梦交,交则淫水必流。因此,白淫、梦交,实是一症,故可称"白淫梦交"。

1964 年春，曾治疗高姓女患者，时年 29 岁，育有一子一女。其身体一向健康，忽于 1961 年患肺痨。愈后，性欲亢进，久则竟致其丈夫阳痿不用，其后遂夜梦交合，并从阴中不断流出水样液体。自述数月来身体消瘦很快，从阴中流出一种水样液体，越来越多，沿腿流下，不白不黑，不红不黄，无特殊臭味。苦于夜寐不安，且梦多怪。始初梦交 1 次，继则夜 3~4 次，甚至午睡亦梦交。继而出现幻觉，时见一男子与她形影相随。且头昏，乏力，五心烦热，口干咽燥，饮水不多，纳谷不香，大便稍干，小溲色黄，脉细数无力，舌质红而干，少苔。

病缘肺燥阴伤，阴虚阳亢，相火旺盛，以致性欲亢进；房事过度，耗伤精阴，相火愈旺，性欲愈强。加之丈夫阳事不举，所欲不遂，两因相感，君相二火俱炽，少阴必受其伐。治以滋阴降火，泻心宁神及敛涩为法。宗知柏地黄汤、清心莲子饮、黄连清心饮三方化裁，方用大剂量生地黄、盐黄柏、苎麻根养阴清热，平相火，保真阴；黄连、朱茯神、炒远志、炒酸枣仁清心火，宁心神，使神能守舍，以制其欲；知母、黄芩、麦冬、地骨皮清热养阴退虚火，以助平降相火，清心宁神；山茱萸、石莲、金樱子酸收敛涩，以止白淫。如此配伍，降火与养阴同用，清心敛涩与安神并施，标本兼顾，相辅相成。连服 12 剂，精神好转，全身症状大减，淫水已少，梦交亦减。服至 24 剂后，白淫止，梦交无，五心烦热、幻觉等症悉除，纳增神爽而告愈。

房事腹痛腰痛 ｜秦进修｜

房事腹痛腰痛一症常给患者带来难言之苦，因系隐疾，羞于口述，故临床少见。

昔曾治王氏妇，36 岁，每遇行房少腹疼痛如绞，腰痛如折。房事后 3 天之内不能活动，影响工作，因此拒绝房事，以致夫妇感情疏远。此外，平素不能服消导理气之剂，服之则心悸，少气无力，尚兼夜尿多，舌体胖嫩，质淡无苔，脉沉无力，两尺尤甚。余细思之，当为中气不足，肾阴阳两虚之证。拟以补益正气，滋补肾阴肾阳之方，药用熟地黄 24g、山药 12g、山茱萸 12g、泽泻 9g、牡丹皮 9g、茯苓 9g、党参 30g、黄芪 30g、菟丝子 30g。水煎服，日 1 剂。经 1 周治疗，病情大减，述房事后次日能坚持正常工作。服药 20 剂，病已痊愈。余念此病甚是痛苦，恐后复发，故嘱继进原方，共服 59 剂。随访 14 年未复发。

新生儿脱阳证的救治　　|余伦文|

新生儿脱阳证是新生儿在未满月之内所出现的阳气虚脱证候，若治不得法，则易造成新生儿死亡。

10 年前的一个冬夜，曾治徐某之子，初生 5 天。面色惨白，口唇青紫，四肢厥冷，气息奄奄。量其体温低于 35℃。听诊，心音弱，每分钟 45 次，呼吸表浅，时有间歇，舌质淡白，脉来沉迟细弱，似有似无，余以拇指掐其合谷穴，毫无反应，复用力掐人中穴亦不啼哭。余见小儿病势危笃，随以火烘棉被使热，使小儿卧其中，复索艾叶、纸卷艾条 2 根，灸百会，神阙。约 1 时许，按四肢皮肤略有微热，听心音较前稍有力，1 分钟 50 次，体温上升至 35.2℃。停灸百会，继灸神阙、气海约 30 分钟，面色好转，皮肤觉温，舌质稍红，脉来虽沉细但应指不绝。体温上升至 36.5℃，停灸。遂处方以益气回阳，药用党参 9g、黄芪 9g、附子 6g、桂枝 3g、炙甘草 3g，2 剂。患儿服后转危为安，至今健在。

百会，一名三阳，一名五会。乃手足三阳和督脉相会之处。有开窍醒脑、回阳固脱之功。扁鹊曾用此穴治虢太子尸厥，取得满意疗效。此穴不宜多灸，阳回即止。神阙穴，亦名气舍，属任脉，又为冲脉挟行之处，与督脉相表里，有调补元气之功。督、任、冲一源三歧，三脉经气相通，内联十二经脉、五脏六腑，故督、任能调理一身之阴阳。灸百会、神阙，有回阳固脱救逆之功。此法简便易行，于缺医少药之地尤有价值。

婴儿臌胀（先天性巨结肠）　　|马献图|

尹姓儿，40 天，生后 3 天腹胀，逐日加重，乳不下，时吐，便秘不解，日夜啼哭，以抠便缓解。经医院治疗，诊为"先天性巨结肠"，劝其住院手术，其父母拒之。遂求中医中药治疗。

患儿面色苍白，肌瘦形羸，腹皮绷急如鼓，青筋怒张，舌红纹紫。此系肝脾二脏受病，气结湿郁，积滞充塞，传导失职，腹气不通，致腹部胀大而成臌胀。治当行气通腑，调和肝脾。处方：大黄 1.5g、番泻叶 3g、枳壳 5g、香附

4g、青皮 4g、党参 5g、白术 6g、茯苓 8g、赭石 15g、竹茹 5g、炙甘草 3g。儿进 1 剂，矢气转；2 剂，大便自排；3 剂，腹胀缓解，神情好转。遂转用益气健脾、润肠通便法，给予调治。原方去大黄、番泻叶、赭石、木香、竹茹；加郁李仁 10g、火麻仁 10g、当归 10g、焦山楂 4g，再进 6 剂，诸症减轻，精神好转。上方间断自服 16 剂，病愈。

半载后，余偶逢之，见儿面色红润，体胖，嬉戏如常，容貌焕然。其父母告曰：今孩儿乳食正常，二便自调，安然无恙。

吐　舌 |孙维福|

余曾治一不满周岁小女孩，数日来，患吐舌证。患儿常将舌伸长，吐露出口外，每次持续约 1～3 分钟不等，日数十次。其母惊感异常，急来医院就诊。观其形色，发育一般，营养欠佳，形体消瘦，双目略红赤。望其舌，舌红而苔黄。诊其指纹，在风关，色紫红而沉隐不显。问其二便，小便黄赤，大便干结，难解如羊屎。头易汗出，掌心热。据诸症剖析，乃为心脾积热，热邪伤阴。仿清胃散、二阴煎化裁试服，药用：川黄连 1.5g、牡丹皮 2g、当归 3g、大黄 1g、木通 1.5g、生地黄 2g、麦冬 2g、石膏 3g、玄参 2g、甘草 2g。水煎服，多次分服，日进 1 剂，连进 2 剂。3 天之后，复诊，患儿吐舌已十去七八，偶有可见，目赤亦去，二便通调。药中其病，效不更方，仅去大黄，继服 2 剂。服药毕，吐舌愈，诸恙除，随访至今未见复发。

小儿"阳常有余，阴常不足"，此儿心脾积热，化火伤阴。舌为心之苗，又为脾之外候，手少阴心经系舌本，散舌下，上行，连目系；足太阴脾经连舌本，散舌下。心脾积热，弄舌于外，此为吐舌之理也。故治以清热泻火，滋阴润燥，阴液得滋，火热得泄，吐舌之症自然愈矣。

漫话小儿风温肺闭邪陷的姚氏"双开"治法 |董　平|

说起小儿风温肺闭邪陷的姚氏"双开"治法，那还是四十多年前我在上海学来的。在随诊徐丽洲先生时，有一次，有个患儿高热无汗，痰涌气促神迷，两目上视，先生诊为风邪袭肺，邪痰互阻的肺闭险症，对其母说："很厉害啊！"其母闻言泪下如雨，跪地恳求挽救。先生将她扶起口唱一方，用的是开肺方（生麻黄、葶苈子、白芥子、制天南星、天麻、天竺黄、龙齿、钩藤、石决明、鲜石菖蒲等药），外加苏合香丸芳香开窍，守方连用2日，病儿即转危为安。对此，我的印象非常深刻。以后注意到先生对这类病配合开肺药所用的开窍药，有时是牛黄抱龙丸，有时是苏合香丸，轻的只加用石菖蒲、郁金、地栗梗等味，随症变化，收效都很好。后来我在临床上加以应用，受益不浅。有时遇到肺邪表实又兼痰热内攻的温病患儿，就把我在章巨膺老师那里看到的治小儿温病的辛凉宣表和凉开清窍的种种巧办法，揉和在"双开"治法中，使用起来，更加得心应手。

1962年，一个叫王桂龄的10个月男婴，因气促鼻煽7天收住儿科，诊为中毒性肺炎。但治疗无效，又出现心功能不全。当时喘促加重，见三凹征（＋），心率快，两肺干湿啰音密集，肝大，肋下2指多。口唇青紫，缺氧严重，给予金霉素抗感染，又给强心剂及给氧均无效，急下病危通知并邀中医诊疗。当时我诊得该患儿喘促，鼻煽，身热始终无汗，亦无涕泪，可知风温袭肺经旬，玄府不通，卫分之证，始终未罢；又诊得神昏，面青，痰鸣，舌尖绛赤，指纹深紫，直出命关，胸热熏手，四肢厥逆，可知肺卫郁闭，邪难外出，痰热攻里，逆传心包之势已成。心想挽救之道，莫如"双开"，即拟一方外开肺闭，内开清窍，兼以清热涤痰。处方：生麻黄3g、葶苈子3g、白芥子4.5g、生石膏12g、黄芩4.5g、金银花12g、连翘12g、杏仁6g、紫菀9g、僵蚕9g、桑白皮9g、甘草3g、紫雪散3g（分4次另吞）。

上方水煎成100ml，分3次1日内服完。连进2剂后，周身皮肤潮润有微汗，高热喘促立减，不需再予输氧，只是痰鸣如前。原方加天竺黄（3g）再进1剂，高热退为低热，已不复神昏，但痰声漉漉不减于前。仍用原方，把紫雪散改为猴枣散（0.4g，分2次服），又进1剂，不但体温恢复正常，指纹由紫转淡，而且喘促、鼻煽大减，喉间痰声亦低。乃去石膏、黄芩，加滑石12g。并加用猴枣散0.4g，分2次服。服2剂，气促已平，痰声低至仅仅隐约可闻，只是烦哭不休。去麻黄，加茯神12g、钩藤9g，只进1剂，烦哭即止，仅有稀疏而轻微的咳嗽和痰声。改用化痰止咳轻剂如下：杏仁6g、桑白皮9g、川贝母6g、天竺黄4.5g、僵蚕9g、紫菀9g、茯神12g、钩藤9g、甘草3g、芦根9g，服完2剂。患儿除偶有咳嗽之外，其他情况良好，带药3剂出院。

这个病例具有风温卫分表证未罢又兼痰热内陷心包的特点，病情复杂，病势险急。如果不是学习前辈经验，先从外开肺卫、内开清窍入手，恐怕很难挽回。

外感发热验方　　赵仲薇

外感发热是儿科常见的病证。我在长期的临床用药过程中，筛选出解肌清热、醒脾和胃的验方，用来治疗此证，疗效甚好。方由葛根、茵陈、藿香3药等量组成（没有恶心、呕吐，也可不用藿香）。葛根解肌退热；茵陈善于清利湿热；藿香醒脾和胃，辟秽化浊。3药性味皆轻清，微温微寒，有寒温相济之效，无辛燥苦寒之偏，用于小儿感冒，时令病初起，食积发热，屡用屡效。曾于1979～1982年观察了83例小儿外感发热，患者主症有发热，或发热恶寒，头痛，流清涕，伴有恶心，呕吐，舌红苔厚腻，脉滑数。年龄小者不满1周岁，大者13岁。除2例无效外，最多服药4剂而愈。少数体温在40℃以上，精神不振者，可每隔6小时服药1剂，每剂煎20分钟，不服第2煎（因其药性轻清，为了取其清灵之性，故不久煎）。其效可谓屡用屡验。

诊治小儿发热经验谈　　徐宝源

儿科病人每以发热或兼发热求治者多见，此乃因小儿体质脆弱，易感外邪，其中乳幼儿尤其如此。凡六气之变以及饮食失节或由惊恐，皆可致儿体枢机不利、三焦郁热、中土失和、气机逆乱而发热。

诊视小儿应侧重查其头面部之象，五体以头为尊，小儿病之痛苦变化更多地表露于头面部。观其头颅骨骼可知禀赋之健弱，观其面部气色可知病邪之浅深，观其二目神情可知病情之轻重。此外还应抚其周身所发温度之高低、汗液之有无及多少以及皮肤之滑涩，了解其饮食便溺情况，通过这些辨明体质之虚实，病机之逆顺，热邪之在表在里及深浅，以此推断其变化之轻重趋向。值得注意的是，小儿发热病之轻重与其体温之高低并非一致，虽有体温高达41℃，但小儿体健神奕而病机非逆；体温虽在38℃以下，但小儿体弱神亏而病机不顺，不可轻视。

治疗小儿发热之法是以疏表为先，兼顾清里。但表之不宜过散，过散则阴伤；清之不可过甚，过甚则邪陷。热之在上者，宜肃肺以宁心；热之在中者，当清胃以醒脾；热之在下者，慎柔肝以护肾。热之新者通经络，热之久者和三焦。热渐升者宜防痉，热突降者勿忘厥。治热之法，大体如斯，审其病机，可得之矣。

小儿发热用药大法余总结为勿过重、慎予毒、不宜杂，而应以利三焦之气为主。利上焦之气者，如杏仁、桔梗、川贝母、薄荷、沙参、白前、紫苏子、牛蒡子、金银花、黄芩、黄连、桑叶、紫苏叶、前胡之类。利中焦之气者，如芦根、葛根、竹叶、竹茹、陈皮、知母、莱菔子、枳壳、茵陈、青皮、神曲、麦芽、山楂、二丑、半夏、大黄之类。利下焦之气者，如生地黄、玄参、青蒿、白芍、牡丹皮、车前子、牡蛎、滑石、木通、黄柏、白茅根之类。热之入血者，板蓝根、连翘、犀角之类常随；热之生痉者，琥珀、珍珠、牛黄、朱砂、钩藤、全蝎可用。发热之体实气盛者，宜加礞石、芒硝；体弱气微，加人参、枸杞子。

低 热 治 验　|张　刚|

临床上常见一种不明原因的低热，往往缠绵数月不愈，多伴有盗汗现象。其证多属脾胃阴虚。治当以调脾、养阴、清热为主。用自拟调脾清热汤，多有显效。如患儿杨某，男，7岁，低热4个月余，经各医院检查、透视、化验均无异常，多方治疗低热不退。身体消瘦，面色㿠白，不思饮食，夜有盗汗，二便通利，舌红无苔，脉缓无力，给自拟调脾清热汤。处方：乌梅24g、山药15g、沙参12g、石斛9g、胡黄连9g、地骨皮9g、白茅根24g、甘草6g、焦山楂9g、淡竹叶3g、灯心草1g。4剂热退。方中乌梅、山药、辽沙参、石斛、甘草调养脾阴，固表敛汗；胡黄连、白茅根、地骨皮退热除蒸。凡虚热病证使用本方，屡试屡效。据个人经验，特别是乌梅、山药二味为补养脾阴之良品，性平无毒，脾胃虚弱，舌红无苔，少苔或剥苔者均宜使用。

顿 咳 发 痉　|刘海涵|

顿咳发痉，病情险恶，死亡率较高，每有癫痫、肢体瘫痪等后遗症，治疗甚为棘手。

1981年曾治12岁患儿，呈阵发性咳嗽，发作时连续不止，呈鹭鸶形并有鸡鸣声，经某医院诊为百日咳。半月前突然出现昏厥，抽搐，二目上吊，持续3~

4 个小时。此后每日皆作，数分钟即止，某医院诊为百日咳脑病，给予抗生素、镇静剂治疗无效，延余诊治。诊见患儿昏睡不醒，呼之目开，瞬时即闭，舌红苔薄黄，脉数。白细胞 34.8×10^9/L。参其脉证，属顿咳发痉，此为时邪犯肺，痰热上蒙清窍，引动肝风。治宜清热解毒，开窍熄风，遂给安宫牛黄丸，一次半丸，日2次，2日后上症好转，血象稍降。继服上药4天，血象正常，未再抽搐，神志已清，家长以为病愈而未再诊。6天后突然发热，寒战，口渴，急来复诊。望其舌红、苔薄黄，脉疾数，体温39℃，证为营热转气，治宜清宣气热，解毒养阴；以白虎汤加味：石膏50g、知母30g、山药20g、甘草10g、金银花30g、连翘30g、荆芥10g、薄荷10g，水煎服。次日热退身凉，但时咳有痰，溺黄，舌红苔黄津短，脉细缓，又以益气养阴、止咳和中之剂以善其后，其病遂愈。

本例初起为温邪犯肺之顿咳，但因失治，痰热上蒙，引动肝风而发痉，故用安宫牛黄丸清营开窍而神清病缓，数天后又复发热者，是为温邪由营转气，而现气热之证。故用白虎汤大清气分之热，金银花、连翘清热解毒，荆芥、薄荷疏表祛邪外出，药证合拍，效如桴鼓。

治疗肺炎喘咳用药小议　｜史 纪｜

瓜蒌仁、大黄、红花3味药在治疗小儿肺炎喘咳中，运用得当，能获良效。

瓜蒌子系甘寒之品，入肺、胃、大肠三经。有润肺下气，涤痰止咳，润肠通便之功。《宣明论方》独取瓜蒌仁一味，治疗小儿痰喘。《济生方》则以瓜蒌子与半夏相伍，疗肺热痰咳，足见瓜蒌仁之妙。瓜蒌仁性寒可清热，质重可下气，能润能行，能清能下。润则润肺滑利，行则利气逐邪，清则清泻肺热，下则下气止咳，走肠通腑，能促使肺经的湿浊痰涎外排，使湿浊走于大肠。

大黄苦寒走大肠，性本降泻，善于下达，有泻火凉血、逐瘀通经、涤肠透腑的作用。虽非肺经之药，但肺与大肠相表里，腑气闭实，则肺郁不开；腑气通顺，则肺有宣肃。而小儿肺炎喘咳，又多见燥粪内结，腑实不通，或通而不畅，下而不利，或大便不调，便下秽浊，大黄可攻坚导滞，通便泻浊，泻火解毒，通腑开肺。正所谓"热淫所胜，以苦泻之""病在上，取之下"；其量以大便调顺，不致妄泻为度。

红花，辛甘微温而气香。辛香散行，甘温和畅，入心肝二经而走血分，可行一身之血脉，散留滞之秽邪瘀浊；又能随不同的主辅佐使专注于不同的脏腑经络，而有不同的功效。若佐于清肺化痰之剂，则可散肺经瘀滞，化湿浊痰饮；若佐于破积导滞之剂，则可行下焦之积滞秽结。在肺炎喘咳的治疗中配以适量红花，则有利于肺气的宣发肃降、湿浊痰涎的疏化消散，以免肺气郁闭、心阳虚衰之害。

瓜蒌仁、大黄、红花，一味入肺，润肺涤痰，下气止咳；一味走大肠，通便泻浊，通腑开肺；一味归心，活血通经，促秽浊之疏化。三者相伍，清上以走下，通下以启上，使邪热痰涎，泄有出路；腑通气调又可护肺，邪祛而正不伤，为治疗小儿肺炎喘咳之要药。故凡临证所见小儿肺炎喘咳，痰盛气壅，胸高鼻煽，啰音布肺，咳甚喘憋，口唇发绀，腹胀纳少，大便不调，指纹紫，苔腻等风热痰邪闭肺之实证，皆可加用瓜蒌仁、大黄，红花，以促使痰涎的疏化，肺气的宣畅，从而减少和避免心衰的发生，使病愈更速。

治泄泻力避僻险 ｜徐宝源｜

湿盛成五泄，故治泄泻必以利湿为主。小儿脾胃嫩弱，亦必以调和脾胃为本；如因乳食内积，郁腐而成秽浊者，尤应以排浊解毒为急务。其宜以寒为治者，慎勿过寒而伤其元气；其宜以热为治者，亦勿过热而致变生。若立法得当，使湿去则泄自止，脾胃和而脏腑自安，秽浊去则无邪害，治小儿泄泻之法尽于此矣。

治小儿泄泻，旨在寻常，力避僻险。如利湿之药，用茯苓，车前子、滑石、白术、薏苡仁、通草之类；和脾胃用党参、焦三仙、陈皮、白扁豆、山药、莲子、甘草、鸡内金之类；清秽浊用金银花、连翘、紫花地丁、豆蔻、马齿苋之类；挟热者，以黄芩、黄柏、黄连之类清之；挟寒者以桂枝、麻黄、丁香、肉桂、高良姜温之；体虚者，补以党参、黄芪之类；气实者导之以大黄、枳壳、焦槟榔之类。至于药味之配伍及剂量之轻重，则应切合患儿之体质及病情，勿使毫厘之失，则为善矣。

婴幼儿迁延性腹泻施治六法 ｜丁象宸｜

婴幼儿腹泻常缠绵不愈，有的迁延达半年之久。本病多为虚中夹实，邪盛正虚。余治本病，常采用六法，即除湿、益气、助阳、涩肠、清热、生津，酌情互相配合治疗，收效满意。

从临床资料来看，目前各地分型类别繁多。余则仅分虚寒、湿热伤津两型，前者为正虚证，后者为本虚标实证。

腹泻，"凡泻皆兼湿"，湿为其标。两型凡以湿为主者均以淡渗之品，利其小便。药物选用茯苓、猪苓、泽泻，以五苓散方化裁。

泻不甚者，虚寒型以补虚为主，用益气、健脾、助阳之品。以党参、太子参益气，肉豆蔻、补骨脂、肉桂（或桂枝）振兴脾阳。

清热生津之法，用于湿热伤津型。本证阴虚之体为本，湿热为标，然治本养阴则碍湿，利湿治标则伤阴，故余以甘平微寒泄热之葛根、升麻、白芍，配伍沙参、麦冬、玉竹养阴，取其清中有养，并佐以淡渗之品，以使养阴不滞湿，利水不伤阴。

固涩之法多用于虚寒型或热象不甚的湿热阴虚的患者，常用罂粟壳、肉豆蔻以配伍。

实践中六法应相互参合，不可割裂。虚寒型用健脾助阳、利湿涩肠；湿热伤津型，用清热生津、益气利湿，选用药物也不宜过多，一般选用 8～10 味药为宜，剂量也不宜过大，一般以 1.5g，随不同年龄酌量增减。

"醉乡玉屑"治腹泻　　|唐玉生|

10 年前夏季，吾幼女身患腹泻，7 天未止。病初日泻十余次，吾未介意，嘱妻领其去医院诊治。翌日，吾回单位，再未过问此事。不料时隔 1 周，返回家时，小女病仍未愈。其间虽曾又去他院医治，腹泻非但不减，反而加重，每日达二十余次。致妻喋喋抱怨。吾速观小女，见其两眼凹陷，形体消瘦，面色萎黄，脉沉细，舌苔白。粪便呈清水样。其精神尚好，脉虽细不微，而现沉象，诊为伤食，寒湿侵中，而成水泻。忆起《冷庐医话》有"醉乡玉屑，治小儿食瓜果致痢，久不愈……，余尝以此方加车前子、泽泻，治食伤水泻……"的记载，遂用"醉乡玉屑"（苍术 5g、川厚朴 5g、炒陈皮 5g、炙甘草 2g、鸡内金 10g、砂仁 2g、母丁香 1g）加车前子（包）10g、泽泻 6g。水煎分 3 次温服，1 剂症减，2 剂痊愈。

醉乡玉屑方含平胃散健脾燥湿；配鸡内金、砂仁、母丁香醒脾温胃、消食导滞，加车前子、泽泻以分利水道，故效果良好。

用车前草治疗小儿腹泻 | 杨高和 |

小儿腹泻，水样便一日数次，重者十几次，若不及时治疗，可转为慢脾风，或导致气脱液竭的危候。其病理是外感风寒，内伤饮食，脾运失常，清浊不分而发病。治疗当健脾利湿止泻。中医有"治湿不利小便，非其治也"之说，遵此理论，1978年我用鲜车前草一味，水煎服，治愈40多例小儿腹泻。近几年按此法共治疗2117例，总有效率97.26%。其中12小时以内止泻者占44.78%，12~24小时以内止泻者占46.62%。2000多例无一例出现液脱气竭等恶化现象（仅3例出现轻度皮疹）。

保婴小灵方 | 陆长清 |

腹泻是婴幼儿多发病，久泻则影响婴幼儿生长发育和抗邪功能，也给母亲带来苦恼，余献出小灵方，可保婴儿平安。泄泻原因很多，宗以脾胃为本，婴幼儿脾胃娇嫩，更易受饮食所伤，故多腹泻；脾胃者土也，居处中州，有行津液养脏腑、灌溉四旁、分清浊、别水谷之功，脾胃气机升降开合、布化津液正常，则不生泄泻之疾。惟饮食不节、中虚土郁，脾胃失和、传化失职，泄泻由生，因风则飧泄，因寒则洞泄，因湿则濡泄，因热则暴注下泄，因食积中满腹痛水泻。脏腑娇嫩、形气未充为婴幼儿特点，寒、食、湿、热常伤中土，中气虚运化失常，水谷留滞，浊气上犯，清气下陷，则发生泄泻。

治泻补中扶土为常法，佐以分利水湿；余临床多年以扶土分利水湿治婴幼儿腹泻疗效满意，家长也满意，多称小灵方。

其组方以燥湿化浊运脾之苍术为君，消食化积散瘀滞之山楂和温脾消食止泻之砂仁为臣，佐以渗湿利水之猪苓别清浊，更以畅胃下食的生姜为引；主方4味，随年龄增减用量；依症状变化辨证加减，水泻如注加车前子，虫痛加乌梅，下痢赤白加马齿苋，食滞腹痛加木香，大便日行十数次酌加罂粟壳。

治痢莫忘调脾胃 | 张 刚 |

痢疾多因素体脾胃虚弱、饮食不洁，导致肠胃秽浊积滞，外受暑湿疫毒之气所致。清热解毒、调血理气为治痢之定法。小儿"脾胃娇嫩"，加用调理脾胃法可增强脾胃运化功能。余经多年经验积累，自拟"2 号腹泻效灵汤"，方用葛根、黄芩、黄连清热解毒；藿香、滑石、木通清暑化湿；用焦山楂、槟榔荡涤肠胃，消食导滞；用乌梅、山药、甘草、白芍调理脾胃，缓急止痛；更加枳壳理气宽肠。常常收到满意效果。如治患儿任某，男，3 岁。发热腹痛，大便脓血，经西医诊断为"急性痢疾"。日下痢七八次，舌红苔少，指纹色紫，诊为"湿热下痢"。处方：葛根 6g、黄芩 4.5g、黄连 3g、白芍 6g、甘草 3g、乌梅 9g、山药 9g、焦山楂 9g、槟榔 3g、藿香 4.5g、枳壳 5g、滑石 4.5g、木通 2.4g、淡竹叶 3g、灯心草 0.5g。服 2 剂，热退痛止，下痢减为日 2 次，肉眼已不见脓血。继进 2 剂痊愈。

王瑞五与牛黄散 | 党炳瑞 |

吾师王瑞五先生，业儿科六十余年，一生精心研制儿科 26 种散剂，牛黄散就是其中之一。该散由牵牛子、大黄等份为末组成。具有消食导滞、祛积化疳、健脾调中的功效。

本方方义：大黄推陈出新，调中化食，疳积食伤，非其不治；牵牛子治一切壅滞、胸膈食积。

其用量及用法为：治疳积，每日每岁 0.5～2g，服 7～10 天，停 1 周，再照服，如此 2 或 3 个疗程可愈。治食伤，每日每岁 2～3g，使之缓泻，服 1 或 2 次即止，不可尽剂。治纳呆，每日每岁 0.5～1g，服 1 或 2 日便可愈。

本方使用时，用量不同，药理作用也不同。大量每日每岁 2～3g，可攻坚去滞、荡涤胃肠；中量每日每岁 1～2g，能清热泻火，宽中消食；小量每日每岁 1g 以下，则健脾止泻，清热厚肠。小儿腹泻多为饮食不节、食滞不消而作，以小量牛黄散健脾消食，调中和胃，宿食得消，腹泻可止。

牛黄散一药，药力峻猛，最易伤人，服后以大便稍增为度，勿令大泻，特别是体弱及先天发育不良之患儿，更应慎用。

先生谓牛黄散可驱虫，吾未置信。后在临证中以牛黄散治疳积，屡听家长言病儿服药后下虫数条云云，方忆先生言之不谬。以牛黄散驱虫，每日每岁1～2g，分3次服以缓泻为度，虫即下。疗程3～5天，停药1周再服第2疗程，3或4个疗程可愈。

疳积散治疳积 ｜陈书奎｜

疳积是指小儿脾胃虚损，运化失宜，水谷精微长期吸收障碍，气血失荣，外形干枯，甚则腹大如鼓，青筋显露的一种病症。此证用自拟疳积散治疗，疗效满意。方药组成：党参20g、鸡内金20g、山药30g、莲子20g、神曲20g、大麦芽20g、焦山楂30g、白扁豆10g、大榧子仁10g、炙鳖甲20g、使君子仁10g、甘草10g。诸药粉碎为细面，1～2岁每次服1～2g，2～3岁每次服2～3g，每日2～3次，服时可加适量白糖，也可加面粉、芝麻、糖等，烙成焦饼，按实含药量服用。

杜男，3岁，家长代诉：已患病6个月，经多处医治无效，初患病时，经常出现停食、吐泻、腹胀等症。诊其面色萎黄，极度消瘦，腹大青筋显露，喜卧湿凉地，毛发焦枯无荣，哭声低微，精神萎靡，苔白质淡，脉细微，诊为疳积病，治以健运脾胃，补益气血，投疳积散10袋（每袋18g），日服3次，每次3g，药未吃完即愈。

疳积病以脾胃虚弱为本，以食滞、气郁为标。脾胃为气血生化之源，脾胃功能正常，则乳食精微得以充养五脏六腑、四肢百骸；如脾胃虚弱，乳食精微不能吸收，久之必成疳积。方中党参、莲子、白扁豆、山药、甘草有助脾胃运化，补益气血之功；鸡内金、鳖甲、大榧子、使君子、山楂、神曲、麦芽有软坚散结，消食健脾，和中下气，杀虫之效。以补为主，以消为辅，药切病机，用于临床，屡收良效。

新生儿便秘治验 ｜乔保钧｜

1984年3月15日，余曾诊治一10天男婴，自出生后3天即大便秘结，状如羊屎，昼夜啼哭。始用泻药，泻后复秘。查其面红目赤，口唇、皮肤干燥，腹胀，按之哭甚，舌红少津。证属胎毒，津液内耗所致。治以清热生津润燥之法。方用：玄参15g、生地黄15g、麦冬15g、生大黄9g、生甘草5g、淡竹叶3g。先以白萝卜250g加水1000ml，煮至500ml再入上药，煎取150ml，加白糖适量，装入奶瓶适寒温，不拘时令患儿徐徐吮之，隔日1剂，连用2剂，大便转常而神安。

初生便秘，多缘胎热，若津伤未甚，可径以通泻。该患儿津伤肠燥，惟增水行舟而病可已。

保和汤治愈肾病综合征 | 叶盛德 |

某年隆冬，病房中一肾病综合征患儿张某，周身肿满，小便不利，余曾以治水肿之常法调治无效，无奈，暂赖激素维持。今适逢春节，恣食佳肴，遂成积滞，其食纳顿减，肿满益甚，舌苔厚腻而黄，脉象弦滑。为消食积，遂投保和汤3剂，重用山楂。药后出人意料，诸症均减。且化验尿蛋白由（++）以上转为阴性，为住院4个多月来之未有过。经多次化验结果均同。停服此方。尿蛋白复现（+），遂坚持保和汤守治，且停服激素，症情日见好转，直至痊愈出院。出院后继服保和汤加减，随访2年，再无复发。

辨证运用保和汤治疗肾病患儿之积滞而使尿蛋白消失，肾病综合征痊愈，疗效肯定，引余深思。肾病综合征属中医"水肿"范畴。病机"乃肺脾肾三脏相干之病"（张介宾）。辨证亦多以脾肾两虚为常见。然小儿"七岁肾气盛、齿更发长"，必赖后天水谷之滋养。且小儿常不知饥饱，恣食无度以致消化不良，"脾常不足"。脾虚则不能运化水液，上不能输精以养肺，下不能助肾以制水，肺失养而通调不畅，肾失助则开合不灵，于是三焦之气闭塞，决渎之能自废，水因气闭，气因水壅，水道不通，溢而成肿，故小儿肾病水肿诸临床常以脾虚为主，肾虚为次。脾虚者又每每以饮食失节为因。在治疗上正如许学士之言"补肾不如补脾"外，鉴于前案启迪，健脾尚需消导。自此案后，凡遇肾病患儿，辄投以保和汤加水蛭、白术、萆薢等药。经治疗36例均取得了较滋阴益肾利水为好的疗效。

温经行痹治汗血　　│靳祖鹏│

　　汗血又称血汗，亦称肌衄。指血由皮肤泄出而言。治汗血一般多用清热凉血法及益气调血法，余治1例用温经行痹法获效，介绍如下。

　　赵某，男，8岁，因发热及两下肢疼痛出现紫癜3天来诊。3天来患儿发热，无汗，流清涕，两膝关节及膝以下两小腿肌肉关节疼痛，不能站立，伸屈活动受限。同时腹痛阵作，四肢出现大小不等暗红色紫癜，密度逐日增加，二便如常。苔黄腻，脉紧数，体温37.7℃，手足凉，色淡红，下肢凉至膝。诊为汗血，因寒阻经络，血泣外泄于皮肤，发为痹痛肌衄。苔黄脉紧数，示外寒郁表，里已化热，卫阳不振，失于温煦，因而四肢厥逆。脾胃不和气机不利，故腹痛阵阵发作。方用桂枝汤加味，以温经散寒通阳行痹止汗血。处方：桂枝9g、杭芍9g、当归9g、青黛片4片（分2次吞服）、生姜6g、大枣5枚、炙甘草6g。水煎服2剂，四肢转温、痹除痛消，紫癜未再增加，体温恢复正常。再服3剂，紫癜明显消退，连用8剂，斑退皮净而停药。

　　汗血出于皮毛，皮毛与肺相合，故治汗血亦当注意调营卫以和肺气。此例用桂枝汤意在祛寒解表调营卫以治肺，温经行痹和胃止腹痛，配当归活血行滞，协助止汗血，加青黛清热化斑，共奏温经散寒，通阳行痹，清热化斑之效。

小儿舞蹈病治验　　│王书波│

　　现代医学将小儿出现手足乱动、挤眉弄眼、鼻吭、摇头，在意识集中或精神紧张时加重，睡眠时消失，这些征象称为舞蹈病。其中脑性舞蹈病目前尚无特效办法，余近年来以中医辨证论治，治疗脑性舞蹈病取得了较好疗效。

　　中医认为舞蹈病的病机系由肝肾阴虚，肝阳上亢，兼有心热相乘，则手足动摇。故治宜滋阴补肾，镇肝熄风，清心安神，泻火除痰。方用自拟肝心熄风汤，方为：何首乌8g、丹参8g、地龙8g、天麻8g、钩藤5g、生石决明15g、天竺黄8g、石菖蒲8g、胆南星6g、郁金6g、琥珀8g、重楼8g、珍珠母12g、礞石8g、甘草3g。经用此方治疗5例脑血流图有异常改变的脑性舞蹈病均获得良效。已观察3~4年，未见复发。

治肝之病，应注意子母关系。生肝木者肾，若肾水不能生肝木，故补其母，用何首乌，滋阴补肾。心为肝之子，实则泻其子，故用丹参、重楼、地龙、天竺黄、琥珀、珍珠母、石菖蒲，活血、清心、安神、除痰开窍。再用天麻、钩藤、生石决明、郁金、胆南星、礞石，镇肝熄风、解郁祛痰，甘草缓急，调和诸药，临证确有显效。

小儿躁动治验一得　　刘玉芝

曾治一男孩，1岁。其母述：患儿经常用手打己头部，家人制止时，其便将头向墙上碰撞，且多汗，夜间常哭闹，已半载。询问患儿饮食，得知未得母乳喂养，每日饮牛奶2斤（1000g）。大便干，一日二行，指纹色青。辨其症状，应属躁动。因乳食积滞而化热，热主动而成此证。遂拟清热消食之剂：蝉蜕6g、银柴胡6g、连翘3g、淡竹叶3g、钩藤5g、石斛6g、神曲6g、鸡内金3g，3剂。并嘱每剂煎2次，分多次徐徐一日服完。药后小儿打头之症已除，夜间不再哭闹，便亦不干。嘱多食水果、蔬菜。3个月后，此病又犯，又予上方3剂，仍效。

《内经》病机十九条曰："诸躁狂越，皆属于火。"注释者多把此"火"释为外感六淫、内伤五志之火。此一验案说明，由饮食而致的中焦燥火，亦当属于其中。不可局执于一因。

食痫证治一得　　张　斌

"食痫"一证，为小儿多发病之一。该证皆由乳食太过，食积生痰，痰郁化火，火盛动风，痰、火、风三气上涌所致。其证突然发作，出现气逆上壅，清窍闭塞之高热抽搐，呼吸困难，牙关紧闭，面目红赤，倒仆强直，不省人事，一日可多达十数次发。若不急救，面色由红转青，由青转白，多不治。旧社会由此而丧生的婴幼儿为数不少，本人的2个孩子，亦曾患此证。那时治疗经验不足，只靠针刺暂得缓解，继而又发。后逐渐摸索出配合内服药治疗，效果颇为满意。方法是：先针刺百会留针，以防暴脱；继而点刺攒竹、迎香、地仓、人中、承浆，而后给予"十宣"放血。同时鼻中嗅以通关散，或擦牙开噤，最后白水灌服自制四圣散：黑丑（炒）3份，白芥子、大黄各2份，甘遂（煨）1份，共为细末，每用1～1.5g。服后先吐后泻，汗出热退，病即痊愈。此方为本人由控涎丹悟化而来，以黑丑通下焦，重用则降泄力强，白芥子宣上焦，大黄开中焦，而以甘遂峻逐痰饮，少用为使，且不伤正。4味相合，以达食下痰消，火清风熄之效果。

辨证求本治癫痫 　|张崇孝|

张姓女，9岁，短暂性意识障碍已2个月余。每次发作，两眼发直、发呆、呼叫不应，约半小时后，一如常人。近日夜晚发作1次，半小时后缓解。曾赴某医院诊治，查脑电图为异常脑电图，诊为癫痫（混合型）。经治月余疗效欠佳，发作较前频繁，每次发作1～2小时后始能缓解，后经友人郑某介绍，来余处诊治。

患儿形瘦面黄，眼睑微浮，多寐，纳食少，大便稀溏，日3次，舌淡苔白腻。诊为风痰上扰，蒙蔽清窍。治拟化痰开窍。然生痰者，脾也。脾虚失运水湿停留，聚而为痰。若不健脾助运以治本，徒祛痰则痰去复生，病难愈矣！遂处一方，药用：苍术、白术、茯苓、山药、白扁豆、半夏、陈皮、砂仁、胆南星、车前子、炮姜、石菖蒲。嘱水煎服，6剂。1周后，食欲增，大便可，嗜睡好转。改予温胆汤化痰开窍，药用：茯苓、半夏、陈皮、炒枳实、姜竹茹、川贝母、天竺黄、钩藤、海浮石、旋覆花、甘草、明矾（冲服）。10剂，水煎服。月余，郑某告曰：药后患儿病未再发，已上学。随访3年，患儿病未发作。

杀虫健脾汤治积证 　|张 刚|

古代所谓儿科四大要证——痧、痘、惊、疳，在现代医疗条件下，均已少见，惟积滞一证，临床屡见不鲜。小儿之积，多由饮食不节，伐伤脾胃。湿热内蕴，极易生虫。或因虫致积，或因积致虫。总之实多虚少，或标实本虚。故治疗以疏导为上，滥用补品则贻误病机。具体治法如消食化滞，健脾杀虫，消补兼施。或寒或热，则贵在临证权变化裁。余在临床上自拟杀虫健脾汤，治疗本病，效果良好。

方药：藿香6g、白术6g、陈皮6g、乌梅15g、川花椒4.5g、黄连4.5g、紫苏子6g、槟榔6g、枳壳6g、焦山楂9g、使君子9g、榧子6g、香附6g。

加减：脾虚明显者可加党参9g、茯苓10g、山药12g、甘草3g，健脾益气，消补兼施；溲黄而短少者加淡竹叶3g，灯心草1g，导热外出。

如患儿贺某，12岁，经常腹痛，不思饮食，精神倦怠，食后即便，脘腹胀满。经西医检查：肝脾均大，肝功能正常，血常规无异常。化验粪便有虫卵。曾服用西药山道年、驱蛔灵等无效，特来求治。见其面黄、消瘦，毛发干枯，舌质红苔白，脉虚缓无力。证属脾虚挟积，兼虫扰肠胃。予杀虫健脾汤加减，连进7剂，诸证好转。嘱其服原方每周2剂，1个月后随访，体重增加，恢复健康。

醋治蛲虫病　　刘继美

蛲虫病多见于儿童，以肛门外作痒为主症，中医称之为"线虫""线头虫"。

前人认为，凡虫得酸则静，见辛则伏，遇苦则下。根据这个道理，我在临床多年摸索出用食醋治疗蛲虫病的方法，简便效捷。方法是每晚7时，用经消毒的注射器抽3~5ml食醋，将注射器插入肛门内约5cm处，缓缓地将醋注入直肠内。或将食醋用凉开水稀释（每100ml凉开水加30ml食醋），于睡前用经消毒的导尿管插入肛门内约20cm处，然后以消毒的注射器将药液通过导尿管注入肠内，每次100~140ml（小儿酌减），每日1次。两种方法先后共治疗300余例，一般1~3次即愈。无不良反应。

蛲虫寄生在人的大肠里，雌虫常在夜间爬出来在肛门周围产卵，故使肛门周围发痒，夜间更甚，乃致睡眠不安，食醋味酸性敛，晚间在蛲虫活动时使用可使蛲虫静伏、肢体麻痹，随大便排出体外。故能收到良好的疗效。如李某，2岁，患蛲虫病半年多，肛门瘙痒，晚间特甚，睡眠不安。用消毒注射器抽食醋3ml，如法施治，连用3次即愈，随访2年未复发。

大惊卒恐治验　　吴庆举

小儿脏腑娇嫩，气血未充，经脉未盛，神气怯弱，如有大惊卒恐，必伤心胆之气。心胆之气一伤，而致心无所依，神无所归，魂无所定，气血逆乱，神气失散则诸症起。证候多见睡眠不安、易惊、哭闹不已，甚则昏厥抽搐。有的表现嗜睡、痴呆、头昏、纳差、多恶梦而惊叫。此因大惊卒恐致使神气陡离，故治疗也当以镇惊安神，收复神气为主。临证中常以安神定志汤加味运用，常可取得较好疗效。余曾治一7岁女童，因被人对着耳朵突然大声恐吓后，当晚出现精神痴呆，嗜睡。夜间常因做恶梦而惊醒。观其患儿痴呆，语言迟钝、嗜睡，诊脉中即扶案而睡。面色苍白，头痛且胀，恶心，不欲饮食，舌质红，苔薄白，脉弦细，宜以镇惊安神之法，予以安神定志丸加味：茯苓9g、远志9g、丹参10g、石菖蒲9g、生龙齿18g、当归9g、莲子心1g、甘草3g，水煎服。琥珀粉、朱砂粉各0.5g（冲服）。每晚1次。

服药3剂诸症大减，服药6剂而病愈。事隔2个月余，以相同原因又被惊吓而病，诸症复出，再次来诊。按原方服5剂而诸症皆除。

甘露消毒丹治小儿盗汗　|苗　晋|

患女，6岁，其母诉：小儿每当入睡则大汗出，纳呆，嗜睡，困倦，曾服知柏地黄丸等药，多方治疗未效，大便溏，尿黄，望其面红形胖，舌质红，苔黄腻而厚，切脉滑数。考虑小儿饮食不节，损伤脾胃，脾失健运，湿热内生，阻遏气机，开合失常，故盗汗出，投以甘露消毒丹：茵陈10g、石菖蒲3g、草豆蔻3g、射干6g、川贝母2g、黄芩5g、藿香3g、薄荷3g、滑石12g、木通3g、连翘10g，3剂。水煎服，日1剂，分3次温服，3剂后盗汗大减，再进3剂，盗汗止，饮食增，精神好转。

盗汗一证，在《诸病源候论》中称虚劳盗汗，明·薛铠在《保婴撮要》提出血虚盗汗，孙一奎在《赤水玄珠》提出阴虚盗汗；后世医家多遵此说，临证盗汗以阴虚火旺者多，治疗多以养血益阴、补虚敛汗为治则，本例小儿证候未见虚象，正如宋·钱乙在《小儿药证直诀》中所说："盗汗未必皆是虚证，阳热太旺者亦有之"。所用甘露消毒丹一方出自《温热经纬》，有化浊利湿、清热解毒之功效，用于湿热内蕴致盗汗者，确中病机，使湿热之邪从中而化，从小便而出，从表而散，则盗汗止而兼证愈。

小儿麻痹与"温病系小儿中风"

| 孙继芬 |

　　解放初期，我国小儿麻痹流行，其病重者危及生命，一般亦多有严重的后遗症，给患者终生带来不幸。卫生部组织中医研究院和中国医学科学院名老中医、西医积极防治。吾师赵锡武先生经细致观察患儿的发病过程，发现患儿发病的共同点是热病，且多有胃肠症状，因此确认小儿麻痹属中医温病无疑。但温病多数没有麻痹不用的证候。麻痹不用似中风的偏瘫而又不是中风，中风一般无温病过程，因此起名叫"温病系小儿中风"，从温病和中风论治。病患初起发热或泻痢阶段，用葛根黄芩黄连汤，清热解毒，清除消化道的毒邪；热退已出现麻痹现象者，用葛根黄芩黄连汤加加味金刚丸。用葛根芩连汤继续清除余毒，同时用加味金刚丸滋补肝肾防治麻痹。这样只要治疗及时，多数不留后遗症。病程在 1 个月以上的单纯后遗症期，只用加味金刚丸补肝肾，可使麻痹的肢体恢复健康。

　　葛根黄芩黄连汤是仲景治协热利的方剂，有清热解毒除湿，清太阳阳明协热的作用，故用他来清理消化道的小儿麻痹毒邪，取得较好的疗效。吾师这一经验在防治小儿麻痹症中做出了贡献。余下乡医疗在边远山区遇到一些散发的病例，用之无不效。

解颅之治不可拘一

| 史 纪 |

　　凡病皆有寒热虚实之别，其治亦有温凉补泻之法，解颅一证，当不例外，然自古至今，执偏者不少。古人以为此乃肾虚所致，其治多以补肾为主，地黄丸施之。今人效法者多，岂不知施治当先辨证，辨证才能虚实有别，寒热可分。对症下药，虚者补之，实者泻之，寒者温之，热者清之，湿浊者化之，瘀滞者行之，治法相应有异，所谓同病异治，但不失辨证之理。先师曾治疗解颅多例，先责之于肾，后求之于脾；论及阳衰，又言及阴盛；指出湿浊聚脑，又引出脉络受阻；属先天者多虚，属后天者多实。辨证精当，施法灵活，效如桴鼓。其治有是证则用是药，常取紫河车粉、鹿茸血肉有情之品，培补先天，兴阳固本。酌入巴戟天、附子、壮阳益肾，以助温补之力。选山茱萸、枸杞子、五味子，

益精而补肾；木香、青皮、香橼、白附子行气以化浊邪；全蝎、蜈蚣、土鳖虫之类走经窜脉，活络通脑；川芎、干漆、橘络等味化瘀通络，以启水道；商陆、海藻相伍，祛湿浊以消水气。诸药有补有泻，有利有和。视其证或补或泻，或补中有利，或利中有和，据证以异其用，使药达病所。余随师诊治，受益匪浅，铭记犹新。

解　颅　│李光琰│

解颅分为轻症和重症。轻症：小儿生后，囟门过期不闭合，头颅增大，但不太显著，可以治愈。重症：头皮光急，按似水囊，头倾不立，体瘦如柴，神识痴呆，实属难疗。

此病机属脾肾两虚。肾主骨、生髓，肾虚则髓海空虚。肾虚多由先天不足造成。肾虚则坎气失蒸，火不生土。土虚则运化失职，从而造成气化失职，清气不升，浊气不降。浊气乘髓海空虚上冲，只上不下，日渐增多变成解颅。在治疗上，重点是肾脾两助。肾健则髓海满，脾健则浊气化。从而清气得升，浊气得降，气机得调，则解颅自愈。选方当以六味地黄丸合八珍汤加减，其药物是：熟地黄45g、山药30g、茯苓30g、泽泻24g、牡丹皮15g、人参12g、白术18g、石菖蒲18g、车前子30g、甘草12g、黄芪30g、鹿茸9g、牛膝30g，共为细末，每日3次，每次1.5～2g。蜂蜜为丸亦可。若见患者舌红苔黄，脉数有热者，可在上药中加栀子24g、黄芩24g、金银花24g。

近10年来，余治疗轻证解颅4例，效果良好。

小儿湿疹，当以清利　│乔保钧│

余于1984年12月5日接诊一出生37天的女婴，患儿周身密布湿疹，流黄色黏液1周，尤以面部、头部为甚，躁动不安，啼哭不已，溲黄赤，大便稍干，舌质红，指纹青紫。辨为湿热内盛，蒸腾于外，当用清利之法。拟方：当归10g、防风10g、黄柏10g、玄参15g、苦参9g、猪苓15g、全蝎9g、生甘草9g、蒲公英15g、淡竹叶3g。加水500ml，煎取100ml，装入奶瓶吮之。再将药渣加水2000ml煎水洗浴，1日1剂，6天后疹退，周身脱皮而愈，随访数月，未再复发。

婴儿湿疹，又名奶癣，与胎热、乳食有关。如胎前母食五辛，婴儿生后易患此证，且易反复发作，缠绵难愈。治疗总以清热利湿，活血除风为要。因小儿服药难，而外洗较易，本证以内服为主，清热、活血以治其本，兼外洗，除湿、止痒、敛疮治其标。由于内外合治，标本兼顾，故获速效。

（路韦信　张智民等　整理）

小儿节食甘甜　　｜李明堂｜

很多孩子天真活泼，欢蹦乱跳，就是不爱吃饭，家长常为此着急发愁，每次吃饭都要哄劝，有的甚至吵吓逼迫。虽美食佳品，精心调制，孩子们仍畏食拒纳。时间一长，家长见宝宝体质瘦弱，面色欠佳，就到处求医。

孩子们畏食大致有三种原因，一是脾胃素弱，二是疾病影响，三是喂养不当。随着人民生活的提高，很多独生子女畏食多数是因饮食不节，喂养不当和喜吃零食的习惯所造成的。

有些家长出于对孩子的疼爱，就怕营养不够，除正常喂乳食外，整天还忙着给孩子喂橘子汁、麦乳精、鱼肝油、葡萄糖。稍大一点又加上巧克力、钙糖片、鸡蛋、肉末，真是不厌其精。幼儿脏腑娇嫩，多食肥甘则损伤脾胃，甜食能致中满，可令儿纳呆。这些食品能产生大量的热能，体内热量已足，孩子自然就不想吃饭。也有些家长，不管孩子年龄大小，消化力强弱，一见孩子不爱吃饭，就怕孩子缺乏营养，千方百计让吃高级营养，甜食厚味。这样一来不但达不到营养目的，反而更影响孩子的消化和吸收能力，轻则畏食，重则损伤脾胃。临床有些孩子，饭食质量挺好，就是体弱、纳呆、偏食、腹泻，服药无效，余每用高粱末炒黄熬汤，给孩子当水喝或服点牛黄散，症状很快就缓解，食欲也渐增加，就因高粱和牛黄散有消油腻、清实热、健胃肠的作用。

俗话说"孩子待要安，三分饥与寒"，这样既不影响脾胃，又能增强孩子的抗病能力。做父母要疼爱孩子，就应该让孩子饮食有节，喂养按时，不用零食，节食甜食厚味。倘若因多吃甜食油腻引起纳呆畏食、消化营养不良时，可让孩子常服点香橘片、化食丹、牛黄散之类，既能帮助消化，又可增加孩子的食欲和健康。

婴病治母法　　|苗　晋|

早在《诸病源候论·卷四十七霍乱候》就说："或乳母触冒风冷，食饮生冷物，皆冷气流入乳，令乳变败，儿若饮之，亦成霍乱吐痢……皆需暂断乳，亦以药与乳母服，令血气调，适乳汁温和故也"。可见隋代医家已认识到疾病可以通过乳汁传染。那么反之，婴儿有病亦可调治其母。

我在多年的儿科临证中，对部分乳儿疾病，常用调治乳母法，如乳儿生后泄泻，若其母稍进油腻则乳儿大便次数增多。面色萎黄，舌淡胖，苔白腻，属脾虚者，用健脾渗湿法，常给母服参苓白术散加山楂10g、鸡内金6g；若患儿大便乳瓣多，清稀如水，扪其腹有冷感，舌淡苔白，指纹淡，病程长者，多属脾肾阳虚，选温肾健脾法，如附子理中丸加山楂10g、鸡内金6g，每获良效。

它如乳儿感冒、呕吐等证，根据患儿寒热虚实，令其母服药，亦每每获效。

话儿科宜散剂　　|周世印|

郑颉云老中医，临证五十余年，娴于医术，精通儿科。尤以治小儿病擅用散剂而独具风格。

郑老医师认为，小儿在发病上，肺系疾患及脾胃疾病较多，在病变特点上突发多变，传化迅速，热证、实证居多，因此及时治疗，十分重要。汤药煎服，费时不济急；散剂则可预先配制，剂量易于掌握，服食方便，吸收较快，奏效为速，正适合小儿特点。

再者，小儿脏气清灵，生机活泼，用药须轻灵，其散剂用量随病而定，能灵活应变，如同一散剂，小量者和胃消食，大量者导滞攻下；祛邪之剂，初取小量，防止攻伐伤正，若当用大剂峻烈之品，亦可随病而定量；须用补剂时，散剂久服，既方便又补而不滞，使正气缓缓恢复。更有小儿服药多拒而不从，每强迫给药，常有撒失过多，汤剂者难以及时补充，惟散剂取用方便，无此之虑。

散剂又为定型剂，某些不易入煎或芳香易挥发之品，更是散剂配伍之长。因此，散剂是治疗小儿病的理想剂型。

在散剂的配制服用上，郑老遵法而行，并重视佐药和调味品的作用。若乳食所伤，用乳汁调药；谷食所伤，用炒麦芽煎汤调药，以增药效。若大便坚实，用熟蜂蜜调药润导；发热、泄泻病，用淡盐水送服散剂。还有糖水调服法等各种特殊用药法，因病而施，能促使疾病尽快向愈。

小儿方药运用漫谈　　|马荫笃|

　　小儿的生理、病理有其特点，方药的选择配伍、适用方面亦有一定特点。小儿系"纯阳之体"，病多实多热，故在方药的使用中，小儿偏于清泻。又小儿多因六淫饮食之伤为病，病较急骤单纯，故常需采用急方、小方进行治疗。同时小儿形气未充，多患积滞、发热之疾，所以清热导滞的轻剂、泻剂，每多用之。当然，亦有小儿久病体虚，病属虚寒，需用补剂、涩剂、重剂者，但为数较少。

　　因小儿病情单纯，选方用药，应少而精，用一种药能治疗的，就不必用两种，一般以 4~6 味为宜。在选择方剂时，儿科虽然实证、热证居多，但在使用轻剂、宣剂、泄剂时，仍须审慎，因为小儿为"稚阴稚阳"之体，"脏腑娇嫩""气血未充"，加之"肝常有余，脾常不足"，故苦寒峻下之方，涌吐燥散之剂，均非所宜，用药制方也当遵味少、量小、制巧之原则，在配伍上下功夫。

　　小儿使用温补剂时，应谨慎而缓行，因小儿阳气旺盛，病多实热，若虚寒症状表现不明显，或真热假寒、或"大实如羸状"，草率投以温热峻剂之品，犹如抱薪救火，以致变证蜂起，由轻转重，由重转危。吾从事儿科临床近三十载，从失败与成功的经验教训中，对小儿用药攻补稍有体会：即有一分邪热，当清一分，邪热退尽呈现虚寒者，然后徐徐温补之，切不可因病家求愈心切，求补则补，以致邪热复炽，前功尽弃，贻害病儿。曾治一名 2 岁患儿，患赤白下痢 7 日，日十余次，腹痛下坠，某医院曾用痢特灵、庆大霉素治疗，效果欠佳。余投以香连散，服药 3 天，脓血已除，腹痛下坠消失，脉象由数转缓，惟日便仍二三次，肛门仍红，此儿系独生子，其母十分溺爱，一再请求施以补剂，以防病后身虚。余思邪热将尽，改为健脾补益之剂虽早，但也未尝不可，于是投以参苓白术散，另煎高丽参 3g 频服之，不料药服 2 天，大泻不止，腹痛啼叫不安，舌苔又现厚腻，复投以前方 3 日而愈。此吾之过也。夫小儿脏气清灵，随拨随应，只要辨证、选药精当，自可建功，急求峻补，必偾事矣。

答治疽毒问惑 |刘继明|

余带学生实习时，曾治一疽毒患者。2年前左侧臀部长一肿物，溃后形成瘘管，稀薄脓水淋漓不尽，时有红肿热痛，经治不愈。余以温补气血、通经散寒之阳和汤加金银花、连翘治之。学生不解其故，问曰："病为疽毒，且有红肿热痛阳热之症，师何以温热之剂相投，岂非抱薪救火耶？"答曰："为医者当知其常而达其变。疽毒阳热居多，寒凝血枯者亦有之。此患者病期2年，辗转省内多家医院均以清热解毒治之，再投寒凉，岂不重蹈他人之辙，其理一也；脓乃气血之所化也，局部瘘管形成，脓液淋漓，更有形寒怕冷，舌淡脉弱，气血虚寒可知，其理二也；病症虽时有红肿热痛，乃脓口一时闭塞，脓液排泄不畅、郁而化热之故。但先病为本、后病为标，治病必求其本，其理三也。本病之毒即是寒，解寒而毒自化，清火而毒愈凝，故用是方以取阳光普照，阴霾得散之功，加银花、连翘者以治其标"。如法调理月余果愈。

中医外科局部望色琐谈 |赵尚华|

望色是四诊的重要组成部分。古人说，能合色脉，可以万全。这确是经验之谈。临床上对色泽变化观察的仔细与否，对色泽变化判断的正确与否，往往是外科治疗成败的关键。从外科来看，既要重视面色的观察，更要重视病变局部色泽的变化。

疮疡局部的色泽可以反映全身阴阳气血的变化，所以外科病变往往可以依局部的形色变化辨疾病的阴阳属性。曾治一例阴火咽痛患者刘某，半年前发现咽痛，经用青霉素、链霉素、红霉素等抗生素不效，又服中药清热利咽之剂亦不应。病重时疼痛难忍，夜不安眠，自述有洞形溃疡，长期不愈。视其咽喉不红、不肿、无脓点。张口用力哈吼时才看到扁桃体后有 0.7cm×0.7cm 洞状溃疡，内含脓液，周围色苍白。诊其脉细弱，乃断为阴火咽痛。治用玄参、麦冬、生地黄、金银花、蒲公英、肉桂、附子、桔梗、甘草等，养阴清热，引火归原。服1剂后疼痛减轻，3剂后疼痛消失。

外科治病，首当辨其阴阳之证。阴阳明辨，则治疗顺当。1例咽痛，辗转半年，久治不愈，关键在于没有详察其色，分其阴阳。如此教训，为医者当谨记之。

重楼治疖肿痈疔　　|肖　钧|

目前疖肿痈疔仍是常见疾病，口鼻三角区疖肿及项痈也较多见，用依比膏外敷及注射抗生素有时疗效亦不理想。

邓刚健老中医治疗疖肿有一验方，经我应用多年，屡获奇效，现略述如下。凡单发性疖疗，无论已破、未破均可应用。未破时用三棱针或火针穿破一孔或数孔，轻轻擦去脓液。切勿挤压，因颜面项部血管丰富，以防毒邪深陷营血而成"走黄"之症。然后醋磨重楼成稠糊状，用干棉球或酒精棉球蘸敷疮上，胶布固定，干则滴润食醋。每日换药1次。轻则1次，重则3～5次即愈。过重可配服清热解毒之剂。方法简便而取效甚速，并无不良反应。但对并发"走黄"之症者，则只能作为辅助治疗方法。

重楼又称七叶一枝花、重台、铁灯台、蚤休、螫休及草河车等，为百合科重楼属植物。性味苦寒，能清热解毒、消肿止痛。一般中药房都有，新鲜的更好。它产于江西、广东、四川、云南、贵州及湘西等省区的凉爽阴湿环境、肥沃沙质土土壤里。现代实验研究证实其对多种细菌均有较强的杀菌作用，故称为中药中的"广谱抗菌药"。疖肿痈疔多为金黄色葡萄球菌感染，故用之有效。此外尚可外敷治疗腮腺炎及毒蛇咬伤等病。

本方载于李时珍《本草纲目》："醋磨，敷痈肿蛇毒，甚有效"。并记有俗谚云："七叶一枝花，深山是我家，痈疽如遇者，一手拿掉它"。可见此药是治疖肿痈疔的有效药物，而且应用于临床，也有悠久的历史。

九龙丹治痈疽疔毒　　|刘长天|

祖传九龙丹的组成：乳香、没药、儿茶、血竭、巴豆（不去油、去油则效减）。

制用法：各等份，为末，巴豆另碾，蜂蜜（不用炼制）为丸。

服此药以患者平时每次能吃多少猪肉来定药量，若患者每次能吃500g猪肉者，药量服 3g。吃猪肉量小者，服药 1~2g。小儿酌减。服药时先把水烧开，将小米煮进去，其时水面上飘浮起一些生米沫，将此沫取出，用此将药丸送下。将稀米粥煮熟后，候冷备用。服药后腹泻 4 或 5 次后，急服冷米粥，腹泻即止。若还不止，急喝几口冰水必止无疑。如服药后用量小不泻者，可再服。

曾治路某，男，44 岁。左小腿内侧痒肿疼痛，后则溃烂成疮，周围皮肤乌黑、僵硬，疮口凹陷，肉色灰白，流灰黑色脓水，臭秽不堪。经中、西药多方治疗无效，前来诊治。我诊为臁疮，予九龙丹如法服之，3 日见效，脓水不流，20 天后溃疡全部愈合，病告痊愈。

五倍子膏治疽痛有效　　|李遇春|

余遇"有头疽"一症，尝用西法治之，每于切割、冲洗、换药之际，病者常因剧痛而呼号呻吟，余常思得一善法效方，使患者脱此苦厄。一日余值班，有一位 20 多岁年轻妇女由家属抬入诊室。其面赤中夹青，唇红中而焦，解衣见胸部膻中穴左寸余处有脓头数个，红肿焮热，上下径尺，左右蔓延，过背只隔一右肩胛而将汇合，体温高达 39.4℃，病起 1 周。近 3 日剧痛难忍，昼夜呻吟，不眠不食。此乃膻中疽，为疽中险重之证。审证求因，乃春节前夕过食膏粱厚味，火毒湿热内盛，复因风邪外袭，营卫失和，气血瘀凝，经络阻滞而成是证。治此重症，寻常之方决难奏效。河北《中医验方汇编》治"脑后发"之"五倍子膏"极有效验。因思"脑后发"亦为有头疽之一种，用其效方治此膻中疽或可奏效。乃连夜配制，如法敷贴，内服大剂清热解毒之药。次日体温渐退，疼痛大减，红肿渐消。约 1 周后，于换药之时，如掌大一片腐肉随药膏脱落，露出深约 1cm 的创面，红活洁净，病人所苦十去八九。遂嘱其带药回家调养。2 年后随访。患者告云：当年回家调养十余日，所患即瘥，今正乳子。余视原患处，见只留下一长约 10cm 的线状柔软瘢痕。

自此以后，屡用此方无不应手取效。一般单用此药外贴即可。凡对症之病，贴后药膏必然干燥；如贴后药膏仍稀软如新调制样，是不对症，用之无效，不必再贴。本方以五倍子为君，其气寒，能散热毒疮肿，佐以消痈肿之陈醋，专长祛风之蜈蚣，能解秽消毒之冰片，甘缓滋润之蜂蜜，外敷疮疽可聚敛疮毒，使红肿渐收聚于一处，并可使已腐之肉速脱，免受刀割之苦。本方不但长于化腐，更善于生肌。用后可使新肉速生，愈合后瘢痕极小。

多年来余用此方不但治疽有验，试治褥疮、皮肤结核，亦有一定疗效。后来为备不时之需，配制此方时暂不加醋，制成锭剂，临用时再用烧热之醋化成软膏，其效不减于前。

五倍子膏方：五倍子（炒微黄）250g、蜈蚣（焙）3条、冰片9g、蜂蜜185g、陈醋250g。

制法：将五倍子、蜈蚣、冰片各研细末，先将蜂蜜炼至滴水成珠，入五倍子末搅成硬膏，候凉后再入蜈蚣末、冰片搅匀即成。

用法：先将患处用生理盐水或花椒水洗净，再将本药膏摊在消毒敷料上贴于患处，初起每日换药1次，腐肉脱落后可隔2或3日换药1次，直至痊愈。

阳性疽证之治 |李廷来|

阳性疽证是一种常见病，发展变化比较快而复杂，故属重症。我院曾收治129例，除2例无效外，均获痊愈。该病分为虚证和实证。虚证主要因毒盛正虚，正不胜邪，而出现阴虚火炽、气血两亏的症状。如局部漫肿平塌，方用回毒银花散加味：金银花、生黄芪、皂角刺、浙贝母、生甘草。溃后脓水稀薄，疼痛较重，高热，口干，便秘，溲赤，脉细数，舌质红，苔薄黄。治宜养阴清热，扶正托毒，方用竹叶黄芪汤加减：人参、生黄芪、生石膏、半夏、麦冬、杭白芍、当归、川芎、黄芩、生地黄、淡竹叶、天花粉、生甘草。实证主要因毒盛正实，而局部红肿热痛，上有粟粒样脓头，肿块坚硬向四周蔓延扩大，身热恶寒、头痛、纳呆，舌质红，苔黄或薄黄，脉象洪数或弦数，此为风热内蕴，气血凝滞。治宜清热解毒，活血化瘀，散风消肿。方用仙方活命饮。表邪重者加荆芥；热重者加紫花地丁、连翘、栀子。溃破以后，疮面腐烂，状如蜂窝，腐烂面积仍继续扩大，患者憎寒壮热，口干欲饮，小便黄赤，不思饮食，苔黄厚，脉洪数，为热毒炽盛，蕴结于内。治宜清热解毒，凉血祛痰。方用神授卫生汤加减：当归尾、金银花、连翘、天花粉、防风、白芷、土炒穿山甲、皂角刺、生石决明、黄连、大青叶、紫花地下、生甘草。收口之时，脓水畅泄，腐肉渐脱，肿消痛减，新生肉芽红活，全身症状改善，饮食渐进，疮口逐渐收缩，舌苔白，脉象细数。治宜托里消毒，方用托里消毒散：北沙参、生黄芪、白术、茯苓、当归、川芎、皂角刺、白芷、白芍、金银花、桔梗、天花粉、生甘草。若面色萎黄，心慌，气短，饮食不佳，口干便秘，舌红少津，脉象浮虚者，此为气血双亏。治宜扶正养阴，用人参养荣汤或十全大补汤加麦冬、五味子。若有口渴喜饮，宜兼用六味地黄汤。同时，配用外治法：未溃者，宜根据清热、凉血、活血、散瘀、消肿、止痛的原则，选用麝香回阳膏、拔毒膏、金黄散、消炎软膏等。若溃后腐肉较多，或脓腐难化，宜用化腐散或红升丹。若腐肉尽脱，脓液较多或疮色鲜红者，宜用拔毒散、白灵药或白珍珠散。若溃疡面积较大，可在局麻下行多个"小十字"形切开排脓。若溃口脓腐已尽，生肌迟缓者，可用生肌散，外敷生肌玉红膏，促其收口。

治发背兼用透表之法　　| 王崇和 |

曾治一男性患者，10 年前左背部突然长出状如鸡子大之疖肿，因痛不可忍四处求医，曾用大剂量抗生素治疗，3 次切开排脓。伤愈后，患处遗留如掌大之瘢痕，每遇阴雨天气，其处刺痒不安。

不意今在右背部，与前患部遥遥相对，局部红肿热痛，牵掣右上肢活动受限，扭动腰肢亦感疼痛，经西医确诊为"多发性蜂窝组织炎"，医欲切开排脓。患者恳求用中医方法为之排解。经检查，脉洪大而数，苔黄薄，舌质红。治疗除清热解毒、托里解肌排脓外，宜开腠理，透达太阳之表。药用：金银花 30g、连翘 10g、夏枯草 30g、蒲公英 30g、赤芍 10g、生地黄 10g、生黄芪 30g、甘草 6g、葛根 15g。服药 3 剂，身热去，疼痛止。继服原药 5 剂后，局部红肿渐消，伸肢、扭腰均已恢复正常。3 个月后随访再未复发。

此证中医谓之发背，俗称之为"搭手"，属痈疽中之大患，《内经》云："诸痛痒疮，皆属于心"，从脏腑辨证属手少阴心经之热毒；从六经辨，位居于背部，处太阳经所过之地，乃属少阴热化出转太阳，故方中除常规用药外，加葛根引邪透达太阳之表。

余治此例深感，治外科疾病，于常法之外，注意运用脏腑、经络辨证，是提高疗效的重要途径。

急性乳腺炎治疗漫话　　| 尚德俊 |

急性乳腺炎，在祖国医学中称为"乳痈""妒乳""吹乳""乳发""乳毒""乳疽"等，是妇女产后哺乳期很常见的疾病。是因乳头破裂，化脓性细菌（主要为金黄色葡萄球菌）侵入乳房，引起的急性化脓性感染。而乳汁蓄积，或各种原因引起气血瘀滞，就容易发生细菌感染，热结乳房，而引起发病。

妇女在产前和产后哺乳期，应经常保持乳头、乳房清洁卫生。不要使乳房内乳汁蓄积，每次哺乳时，应让小儿将乳汁吸净，或用吸奶器吸出或用手挤出。乳头破裂时，应及时治疗，外搽鸡蛋黄油、消炎软膏等。这些都可以预防急性乳腺炎发生。

急性乳腺炎发病初期，病人感到乳房疼痛，出现硬块，乳汁蓄积不通，而后乳房红肿热痛，全身发热，如未经适当治疗，最后形成乳房脓肿。

发病后，应早期诊断，早期治疗，这是取得疗效的关键，可使大部分病人乳房炎症消散而痊愈。如延误治疗，超过 5 天之后，则多形成乳房脓肿。

临床治疗的方法有以下三种。

1. 内服药物疗法　主要应用清热活血、通乳散结的方药。对早期急性乳腺炎，可内服蒲芍橘汤。方药：蒲公英 120g、赤芍 60～90g、橘核 15g，水煎服。乳房炎症较明显时，可内服仙方活命饮：金银花、赤芍各 30g，天花粉、当归、皂角刺、连翘各 15g，乳香、没药、防风、陈皮、生甘草各 6g，白芷、穿山甲、贝母各 10g，水煎服。清热解毒、活血消肿治疗急性乳腺炎有显著效果。临床治疗时，不宜使用过多的苦寒泻火药物，以免乳房内结成硬块，不易消散。

2. 外治法　是治疗急性乳腺炎不可缺少的治疗方法，常有显著疗效。对早期急性乳腺炎，可用陈皮、薄荷叶各 30g，煎汤趁热洗渍患处，每日 2 或 3 次。并可应用芒硝，加少许冰片，用两层纱布包好，外敷患处。或用鲜蒲公英、鲜马齿苋捣烂外敷患处治疗。这些治疗方法都可以促进乳房炎症消散吸收，早日痊愈。

治疗急性乳腺炎，内服药物疗法与外治疗法相结合应用，只要在发病 5 天以内，就能使大多数病人乳房炎症吸收消散（内消）而痊愈。

3. 切开引流　当形成乳房脓肿时，应及时切开引流。《外科正宗》指出："脓已成而胀痛者，宜急开之"。《景岳全书》强调"脓成针之而愈"。我们主张应用小切口引流，即能使脓液引流通畅，疮口愈合较快，缩短疗程。然而应用火针排脓引流，则往往脓液引流不通畅，延长治疗时间。同时，曾见到 1 例急性乳房脓肿施行火针排脓，刺伤乳房内血管，而发生乳房出血。临床上应该引起注意。

乳癖合并乳泣治验　　|石曾淑|

未产而乳汁自出，祖国医学称乳泣。乳房内生积块，形如梅李、杏核，其者如鸡卵，推之可移，皮色不变，不生寒热者称乳癖。其病机祖国医学亦早有论述，多认为乳癖由于思虑伤脾，郁怒伤肝，致气滞痰凝而成。乳泣多为气血大虚之候。然乳癖合并乳泣者，则论述甚少，临床又为常见，其病机值得推敲。

乳汁本气血所化，气血来源于脾胃，又与肝的疏泄功能关系密切，气血大虚之时，固可形成乳泣，然脾胃功能失常，升降运动失调，影响肝的疏泄时，也可导致乳汁异常分泌。所以，既可由于肝郁脾伤，出现气滞痰凝，形成乳癖，同时也可由于脾胃升降运动失调，肝气疏泄异常，而导致乳汁自出，从而形成乳癖与乳泣同时出现，证属虚实夹杂。

近治2例乳癖合并乳泣患者。1例为36岁女教师，长期情志不舒，失眠多虑，后发现两乳房胀满隐痛有块，不甚坚硬，时有乳汁自出，其色白而淡，月经按时来潮，无其他宿疾。另1例为44岁农民，近2年来，两侧乳内均有大小不等硬块十余个，大者如鸡卵，小者如杏核，质较硬，推之可移，时觉隐痛坠胀，月经量少。2年来虽不哺乳，但时有乳汁自出，挤压时偶而成流，乳汁呈浅黄色，经问知患者除家务甚重，饥饱不匀，别无他疾。上述2例病人，均属劳思伤脾，肝气失调。实多虚少，均以大麦芽为君，佐以黄药子、四逆散治疗（例2因脾虚明显又加党参），药后，不但乳汁停流，且积块渐消。大麦芽长于消食和中，去心腹胀痛，又常用于回乳。《本草纲目》云其可治"产后青肿血水积"，配以善治"诸恶肿疮瘘""消瘿解毒"的黄药子，则破积作用加强。四逆散疏肝理脾，使木土得和，故上药配合共奏回乳消癖块之功。

无名肿毒洗药及肉片贴法 |赵长立|

在农村行医时，有同乡王维藏者以兽医为业，我常观察他给马治无名肿毒，习用青黛、黄柏、金银花、明雄黄煎汤洗患处，其效甚速。后来遇田某之妻，患足跟痛，不红不肿，但痛不可忍，昼夜频呻，打针吃药，多方治疗无效。便用王维藏之药方加白矾，用青黛12g、黄柏18g、金银花21g、明雄黄12g、白矾12g。煎汤，熏洗患处，只用1剂即愈。以后，我常用此方加蛇床子治阴痒，也无不效。

俗话说：偏方治大病，虽不尽然，但也有其事，我在乡间曾碰到一位农民，突然足拇趾剧痛，而皮色不变也不肿，用药外敷不效。适有识者语之曰："用鲜牛肉片贴之。"但乡间无处觅鲜牛肉，遂用猪肉片贴之，须臾痛即止。用肉贴敷止痛，其理安在？我终未解，录之俟教。

生殖器疮疡证治 ｜王德林｜

生殖器疮肿、溃疡，中医称为"阴疮""便毒""下疳"等。所谓"疳"，又以溃疡久不愈合为特点。

发病原因，多由肝肾阴亏、湿热下注所致。此外，亦有由房事不洁，染毒而发；亦有因药物过敏而引起。

此证的治疗，一般分虚、实两端。病程短，阴部肿胀，小便淋漓作痛，脉数有力，舌苔黄腻为实证，病程长，阴部不肿，疼痛不剧，小便畅利，脉虚数，舌质红艳为虚证。实证多以清利肝经湿热为主；虚证多以滋肾补阴为主，佐以清热利湿。实证多用龙胆泻肝汤；虚证多用六味地黄汤加黄柏、知母、金银花、土茯苓。我在古浪县医院工作期间，曾治过数例生殖器肿痛、溃疡患者，有男性也有女性。男性均通过检查，生殖器肿胀疼痛，小便不利，淋漓难解；也有的龟头溃烂，疮面有黄白色脓样膜状物覆盖，脉数，舌苔黄腻者，均用龙胆泻肝汤加减治愈。女性患者未做检查，只根据其主诉阴部肿胀疼痛，小便难解，黄带多脓状等，亦用龙胆泻肝汤加白茅根治疗而愈。有 2 例女患者服龙胆泻肝汤不愈，因其病程较长，疼痛不剧，改服六味地黄汤加金银花、土茯苓而愈。

以上患者，均根据中医"肝脉络阴器""肝胆相表里""肝肾同源"这样的理论为指导而用龙胆泻肝汤、六味地黄汤，并取得了比较满意的疗效。但方中苦寒之药偏多，应中病即止，以免伤及胃气。

生殖器溃疡经久不愈，多由实转虚，由肝及肾，须滋阴补肾佐以清热利湿，方能获效，故常用六味地黄汤加金银花、土茯苓以治。

另外，生殖器溃疡还必须辅以外治，如痛肿兼痒流湿水者，可外撒祛湿散（制炉甘石 30g、枯矾 3g、轻粉 3g、青黛 10g、黄柏粉 10g、冰片 2g。共研细粉外撒。干者，用熟清油调药外搽），或用黄连油膏外敷（黄连粉 8g、冰片 1.5g，凡士林调膏）。

竹叶石膏汤治乳痈术后发热 ｜侯钦丰｜

《伤寒论》第 396 条云："伤寒解后，虚羸少气、气逆欲吐者，竹叶石膏汤主之"。刘渡舟教授在讲授其临床应用时说："斯方治疗乳痈术后缠绵难愈、久不收口者，亦甚有效。"余验之临床，果如其言。

1982年孟春，本族一弟媳产后7天，因乳头内陷，吮乳困难，遂罹乳痈。切开引流后，持续发热在38.5℃左右，屡用青霉素、链霉素及红霉素治疗罔效，后邀余诊治。其脉虚数无力，并伴有恶心欲吐而不欲饮食、心烦、口干欲饮等症，舌质嫩红而苔薄黄。此为乳痈术后致气阴两虚证。治当清热和胃，益气生津。以竹叶石膏汤加竹茹、白薇。患者服药2剂，体温降至37.5℃，呕吐亦止，欲进饮食。嘱原方再服3剂，创口逐渐愈合而诸症悉除。

1984年仲冬，一中年产妇，因产后伤婴，乳汁郁积而患乳痈，经手术治疗后，病未愈而发热不已，遂用各类抗生素并内服清热解毒、散结消肿之中药二十余剂无效。一乡村医生来信询求方治，余亦疏竹叶石膏汤加味治之，患者连服6剂，竟热退而病瘥。

上述2例均系乳痈术后发热不退、缠绵不愈之证，皆以竹叶石膏汤加味治之而获效，何也？《灵枢·经脉》篇说："足阳明之脉，……其直者，从缺盆下乳内廉"。盖乳房内合于足阳明胃经，故热结阳明，司发为乳痈。业经手术治疗，必致气阴耗伤，而阳明余热不退，故病势缠绵而治不见效。竹叶石膏汤既能清阳明之余热，又有益气生津、扶正抗邪之妙用，实乃清补并用、标本兼顾之良剂。方中加入竹茹、白薇，取《金匮要略》竹皮大丸之意，益增其清热和胃止呕之效。斯方恰中病机，故能达药到病愈之目的。

中药外洗法治术后伤口不愈　|徐廷素|

余曾治一青年女性患者，分娩行会阴侧切术，创口长期不愈，某院于局部用一般消毒剂（高锰酸钾）清洗，配合抗生素治疗，约2个月无效而求诊。余思此乃局部处理不当，阴部分泌物较多，创口处于浸淫状态，且离肛门甚近，污染外邪实属难免，应保持患部干燥清洁为宜，故自拟苦参汤外洗。用药3剂后，局部情况明显好转，再用3剂而愈。未用任何内服药。

苦参汤组成：苦参、蛇床子、地肤子、朴硝、大黄、黄柏。取其清热、燥湿、收敛之功，便于创口愈合。煎药方法是用纱布将诸药包扎，朴硝另分放（分4包，每煎放1包），加水同煎，每次煎20分钟，每剂药可煎4次。每日浸洗患部2或3次，每次30分钟。

中药煎汤外洗疗法，药液效用能直达创面，其效迅速，方法简便易行，适应家庭自疗。临床遇有隐曲之外伤疾患，或某些外伤难治之证，可试用此法治疗。

海石脂软膏治臁疮 |李明堂|

中医所称"臁疮"多发于小腿下 1/3 的"内臁、外臁"部位，故名臁疮，即现代医学的下肢溃疡，常是下肢静脉曲张的并发症。

发病原因，多因脾湿胃热内生，流注下肢，使脉络瘀阻，或久负重物。下肢脉络失畅，或外伤虫咬，破损皮肤所致。

本病初起，患病多先痒后痛，红肿成片，日久溃破流水形成溃疡，疮面凹陷，边缘隆起而硬，肉色暗红或灰白，脓水腥臭而稀薄。病人常感下肢沉重乏力。临床可分湿热型和气虚血瘀型，以气虚血瘀型为多见。因溃疡经久难愈，反复发作，给患者造成极大痛苦，我们运用验方海石脂软膏临床取得满意疗效。

如治赵某，男，患臁疮 8 年，疼痛不适，经多方医治无效。检查：左小腿下端有 10cm×5cm 的溃疡面，色暗红，流脓水稀薄、腥臭，舌质暗红，苔白，脉平和。诊断：臁疮属气虚血瘀型。外敷海石脂软膏，第一次用药后局部疼痛不减，流稀脓水增多，3 天后换药，疼痛减轻，流脓水亦减，以后每 5 天换药 1 次，原方加黄柏 10g 用法同上。2 个月后痊愈。

海石脂软膏处方：海螵蛸 30g、赤石脂 10g、枯矾 10g、樟脑 3g、青黛 6g、冰片 0.6g、轻粉 1.5g，共研细面，用适量猪板油捣为糊状。

海螵蛸能收敛止血，生肌祛湿。赤石脂生肌收口。枯矾解毒医疮，燥湿止痛。青黛解毒利湿，清热杀虫。冰片防腐消肿。轻粉杀虫止痒，攻毒医疮。猪板油解毒润燥，生肌止痛。上方合用奏解毒活血，生肌敛疮之功。

臁　　疮 |孙喜才|

我在诊治疾病过程中体会到"治病必求其本"的古训是十分重要的，即使在应用现代医学时，也不要丢开这一要旨。不能一听到"炎"字，就乱投苦寒解毒之品，若巧投于实热证，可取其效，若误投于虚寒证，则贻误非浅。

患者阎某，以左下肢内臁处溃烂半年不愈而住院。入院时患部有 3cm×3cm

大的溃疡，伤处有淡黄清稀液外渗，溃疡周围皮肤呈黑褐色，下陷且硬，局部温度较低，舌质淡，苔白，脉沉细。病理诊断为脉管炎。医投以苦寒燥湿解毒之品，服 11 剂未见效。此为气血两虚、寒凝经脉所致，用阳和汤加味：熟地黄 15g，麻黄 3g，肉桂 3g，鹿角霜 15g，干姜、白芥子、炙甘草各 6g，黄芪 30g，当归 15g，白芷 9g，牛膝 15g。方中前 7 味，可温补开腠、和阳通滞；黄芪、当归以补气养血；白芷生肌；牛膝能引诸药下行以达病所。

服上方 4 剂后，疮面已无分泌物，服至 8 剂时，疮面已完全结痂。减白芷，继服 10 剂，患部痂皮已脱，疮面愈合，原下陷之皮肤完全恢复正常。停药观察数日，无不适而出院。

血栓闭塞性静脉炎治疗刍议　　|王正甫|

血栓闭塞性静脉炎为周围血管性疾患之一。中医认为证属气滞血瘀，热毒蕴结。此病分深浅两类。多侵犯中青年人。

深静脉炎：全身恶寒发热，上下肢高度肿胀，疼痛剧烈，大腿内侧皮肤变青色，皮下生硬结，口干思饮，大便干结，小便短赤，食欲不振，舌质暗红，苔黄腻，脉洪数。证属气滞血瘀，热毒蕴结。治宜活血化瘀，清热解毒，通里攻下。方药：当归 15g、丹参 30g、赤芍 15g、红花 15g、益母草 30g、金银花 30g、蒲公英 30g、板蓝根 30g、漏芦 15g、皂角刺 15g、大黄 12g（后下）、芒硝 8g（冲）、生石膏 30g。方中当归、丹参、赤芍、红花、益母草活血化瘀；金银花、蒲公英、板蓝根、连翘、皂角刺清热解毒；大黄、芒硝、生石膏通里攻下。每日 1 剂，水煎两遍，2 次分服。10 剂为 1 个疗程。如发热过高者可加重金银花至 60g；皮肤肿胀、皮下硬结者，三黄散醋调外涂，一日数次。

浅静脉炎：发病较缓慢，上下肢局部皮肤变青变黑，皮下沿浅静脉经络出现索状硬条和硬结，下肢肿胀疼痛较重，步行困难，舌质红，苔黄厚，脉弦数。证属气滞血瘀，积久成疳。治宜活血化瘀，软坚散结。方药：丹参 40g、当归 15g、赤芍 15g、红花 15g、桃仁 10g、金银花 30g、蒲公英 30g、连翘 15g、漏芦 15g、皂角刺 15g、地龙 10g、三棱 9g、莪术 9g。方中当归、赤芍、红花、桃仁、丹参活血化瘀；金银花、蒲公英、连翘，漏芦清热解毒；皂角刺、地龙、三棱、莪术软坚散结。每日 1 剂，水煎内服。肿胀硬结处，外用三黄散、食醋调涂，一日数次。对顽固之硬条、硬结可贴敷钡铁氧体和锶铁氧体磁片 300～700 高斯 3～5 片。约 3～5 天硬条、硬结很快变软消除。

脱疽治疗一得 | 米子良 |

从临床常见的肢节末端麻木、疼痛、肢体沉重、或寒或热，甚至趾指溃落等症状看，脱疽相当于现代医学血栓闭塞性脉管炎，属于疑难病症之一。

1965年冬，余曾治1例脱疽病人王某，男性，年近花甲。询其病史，1958年春天打井下水，受冷刺激，失去知觉，经抢救而复苏。但手足厥冷过腕踝，2旬后左右足趾作痒疼痛，继生黑点，下肢小腿肚感到麻木抽搐样疼痛，逐渐加重。1960～1963年间，右足大趾溃落一节，左手示指截除两节。历时8载，病势更趋严重，久治未瘥。患者精神不振，面色少华，舌淡苔白腻，手足四肢瘦削，皮色紫红，右手拇指示指裂隙溃烂不流脓水，六脉沉细而弱，趺阳脉微，手足发凉，两手足指趾冷甚如冰，常常抱手足蜷卧，夜不能寐，疼痛异常难忍。素嗜烟酒已三十余年。法当温阳散寒，活血通络。以真武汤化裁：炮附子26g，炒白术、赤芍、白芍、干姜各17g，生黄芪50g，全当归30g，潞党参17g，细桂枝、金银花、生甘草、桃仁泥各17g，全蝎10g，水煎服。外敷磺胺膏。药进1剂痛减，4剂后，疼痛若失，溃疡渐收。再4剂，诸症均消。为巩固疗效，又进8剂，不足1个月，竟获痊愈，随访1年未见反复。

重 症 脱 疽 | 李培丰 |

余治徐某患脱疽5年，始觉双下肢小腿酸痛阵发，逐渐足趾疼痛，后左拇指逐渐发冷，皮色青紫，疼痛剧烈，溃破，流紫色血水，终于截趾。继之右上肢拇、示、环三指，右下肢拇指亦溃。诊断为"广泛性血栓闭塞性脉管炎"。

余观患者形体丰盛，面红目肿，行动蹒跚。右脚拇趾、二趾、四趾趾端，左手示指指端红紫肿溃，有脓水流出，其中右脚拇趾爪甲已脱，显露直径约0.7cm之溃疡面，中央黑枯，周围绕以腐肉。口干头晕，小便短赤，纳谷不香，大便干燥，二三日一圊。右下肢疼痛剧烈时由趾彻膝，四肢肌肤冰冷至膝肘，脉沉细数，舌质红，苔厚腻。

脱疽迁延5年，损骨切趾，肌肤冰冷乃毒火阻滞，经脉不通所致。火毒蕴结，入营耗阴。治以清热解毒，佐以活络、养阴。处方：①犀黄丸每服9g，日服2次。②当归93g、玄参93g、穿山甲15g、土鳖虫12g、蜈蚣2条、牛膝15g、全蝎6g、没药10g、乳香10g、石斛60g。每日1剂，水煎服。

药服20剂后，四肢比前较温，除右拇趾有伤面流脓外，其余指、趾脓永均减少。但身热，便难，舌红少苔，脉细数。前方去蜈蚣加丹参60g，增金银花20g。继服30剂，服后惟右拇趾创面未愈，中央黑枯，以探针触之，质硬不动，显系死骨形成。继服前方加黄芩30g，创面上"七天七夜"药膏。方服7剂，上"七天七夜"药膏2天后，用镊子从疮面钳出5mm×3mm×2mm大小死骨一块，周围如锯齿。骨底肉芽红活。继服前方10剂，丸药停服。半年后来信告知其病已愈。

脱疽一症，辨证多从火毒蕴结着眼。余认为，该病有寒有热，应从病人整体着眼，辨证施治，立法遣药。余治愈数十例。有重用附片治愈的阴寒痹阻的脱疽患者，本案属火毒，重用虫类搜剔兼服犀黄丸，活血化瘀，解毒消痈，为治疗该病的另一途径。用"七天七夜"药膏对死骨的自然脱离大有帮助，给病人减轻截肢痛苦，实为中医外科特色之一。

附"七天七夜"药膏：

铅30g、硫磺10g、朱砂10g、青盐30g、枯矾20g、水银40g、白矾40g、火硝40g。

上8味共入阳城罐中，升火依法升炼。7天7夜后灭火，候冷，去火毒。每用少许，凡士林调和，外敷腐肉死骨上，不可敷于好肉上。

（康日文　整理）

松香消瘰膏外敷治鼠疮 　|魏度长|

瘰疬破溃后俗名"鼠疮"，其病因病机多为肝气郁结，郁久化火；或阴虚火旺，炼液成痰，痰火上升，火气痰结，发为瘰疬。本病日久极易溃破，并溃后难以愈合。

近十几年来，余治疗44例患者中，破溃期患者即有26例，经用松香消瘰膏外敷治疗后，颈项凹凸不平之疮口，逐渐平复，且基本不留痕迹。其效确切可靠，且简便经济易行。

本方在《医宗金鉴》神效千槌膏的基础上，去土木鳖、巴豆，加儿茶、血竭、人乳配制而成。方用松香125g，炒乳香、没药、铜绿各5g，血竭、儿茶、杏仁各6g，蓖麻子去皮15g，香油125ml，人乳一酒杯（10ml）。将以上药物放入药碾内研制成软膏，贮瓶内备用。用时，将药膏摊于白布上，敷于破溃疮口部位，每天换药 1 次，至拔尽坏腐，皮肤平复为止。

本病已溃后，可见破口多处，瘘管彼此相通，此愈彼起，极难愈合。余用本药外敷，一料痊愈者 24 例，二料痊愈者 2 例。说明疮口愈大，疗程愈短；疮口愈小，疗程愈长。

阳和汤治流痰在于灵活 | 邓占元 |

流痰病多附骨而生，相当于骨结核、关节结核。该病特点是，来势不凶，经过缓慢，化脓不急，溃后难敛，常缠绵不愈，且消耗体质，易致残废，甚或危及生命。治疗也颇为棘手。我以阳和汤化裁，灵活施治，每多获效。

流痰初起，正气未衰，邪气亦盛，治宜先攻其邪气，阳和汤加防风、羌活、蒲公英等消散之品。若疼痛较甚，可加延胡索行气止痛；行动不便者，可加威灵仙、鸡血藤疏通经络。服十余剂后，若效果不明显，切不可更方，应继续用阳和汤随症加减治疗，直至病症转轻，再加炙黄芪、炒山药等补品收功。如李姓女学生，患流痰病（腰椎结核）2 个月余，腰痛较甚，行动不便，以阳和汤为主方治疗，服药 10 剂后，疗效欠佳，继用原法，又服 6 剂，病情明显好转。坚持服药月余而病愈。

病程久者，正气已衰，邪气入里，治疗除攻邪外，应加入补气血，壮筋骨之品。若病处皮色改变，或紫或暗或漫肿无根，加附子、薏苡仁，使之从阴转阳。若有腐骨者，加补骨脂、骨碎补益肾壮骨，生新骨去死骨。如齐某，患流痰病（跟骨结核）1 年，病情较重，用上法灵活化裁，坚持治疗 3 个月而病愈。

久病肝肾俱虚、气血两亏者，也可用阳和汤加减治疗。若局部溃破，稀脓自溢且量多时，方中重用白芥子，少佐桔梗。若死骨脱落，可用八珍汤相伍；若溃烂之处久不收口，肌肉难长，可加黄芪生肌收口。如此，既可搜剔病邪，又可双补气血。一般服 100 天汤剂后，可停服汤药而改服自创的"骨结核粉"（蜈蚣 3 条、穿山甲珠 9g、全蝎 6g、贝母 15g 共研细粉），早、晚用淡盐水冲服 1.5g，10 天为 1 个疗程，服 3～5 个疗程可获显效。愚治一女病人李某，患流痰病（胸椎结核）十余年，几易医院未愈。胸部右侧溃破疮口，流脓不止，病人痛苦万分。以阳和汤合八珍汤调治 3 个月，病情大有好转。尔后服骨结核粉治疗近半年，痊愈。

阳和汤可和阳通滞，温补开腠，但补而不滞，温而不燥。既能散寒痰之凝滞，又可补气血之虚损，阳和一转，阴寒得散，痰结悉解，邪祛正安。我认为对流痰病，只要辨证准确，用阳和汤灵活变通治疗，均可取得疗效。

（温启宗　邓培德等　整理）

静脉炎之治疗 |张绍先|

静脉炎相当于中医的"脉痹"之病。多发生于下肢、盆腔或胸腹壁静脉。本病的发生，主要是正气不足，气血亏虚，复受风寒湿邪侵袭，客于血脉，郁久化热生湿，湿热流注经脉，局部血脉痹阻不通，气血瘀而不畅，终成脉痹之病。正如《内经》所说："痹在于脉则血凝而不流"。王清任在《医林改错》中指出："凡肩痛、臂痛、腰痛、腿痛或周身疼痛，总名曰痹证。明知受风寒，用温热发散药不愈；明知有湿热，用利湿降火药无功；……因不思风寒湿热入皮肤，何处作痛。……入于血管，痛不移处。……总逐风寒，去湿热，已凝之血更不能活。如水遇风寒，凝结成冰。"对脉痹的治疗，余根据前贤的论述，以活血化瘀为主要治则，制成新方，名"水蛭消肿汤"。方药如下：水蛭、当归、川芎、红花、赤药、川牛膝各15g，黄芪30g。加减法：凡急性发病，患处红肿疼痛，舌质红苔腻，脉滑数者为热毒内盛，加金银花、连翘、蒲公英、栀子、黄芩、黄连清热解毒；凡失血过多，心悸气短，自汗乏力，面色㿠白，舌质淡白，脉虚数者，加补气养血之人参、麦冬、五味子、白术等；若肢体肿胀、按之凹陷没指，为瘀血阻滞，水湿内停，溢于肌肤，加利湿消肿之猪苓、茯苓、泽泻、车前子等；患者体质强壮，又无其他出血性疾病者，可加三棱、莪术、桃仁、虻虫等破瘀行血之品以软坚消肿。因本方活血破瘀之力峻猛，故妇女月经期应慎用或停用。此治法余经过10多年临床应用，用以治疗各种静脉炎症，均取得满意疗效，且无毒副作用。

谈谈大动脉炎的治疗 |王正甫|

大动脉炎，也叫无脉症，是周围血管性疾患之一。其病因至今尚未明确。中医辨证为气虚血瘀，热邪蕴结。主要临床表现为心慌气短，胸胁闷，肩臂作痛，面黄肌瘦，疲乏无力，食欲不振，口渴出汗，大便干，小便黄，妇女月经不调，舌质暗红，苔黄厚。双手脉搏细弱，有的扪不到。体温偏高，双臂血压测不出，颈动脉有明显杂音，细胞沉降率快，白细胞总数偏高。治宜补气生脉，清热化瘀。方选补气清热汤加减：当归20g、白芍20g、熟地黄30g、黄芪30～60g、党参15g、五味子15g、麦冬15g、金银花30g、连翘15g、玄参20g、漏芦15g、炙甘草9g。方中当归、白芍、熟地黄、黄芪、党参、五味子、麦冬、炙甘草，补气养血生脉；金银花、连翘、玄参、漏芦，清热解毒。如血瘀较重者，加赤芍15g、丹参30g；热重口渴、大便干者，加知母15g、生石膏30g。

大动脉炎目前尚无较理想的疗法，余用补气清热汤治本病四十余例，都取得较好的疗效。本方是由复方生脉散和四妙勇安汤化裁而来的。从实践中得知其有良好的补气生脉，清热化瘀作用。内服不久即有逐步恢复脉搏，升高血压，解除症状的效能。但必须明确诊断；治疗时，扶正药不要过量，祛邪要防伤正。扶正祛邪，攻补兼施，要切合病情而用。

下肢血瘀证　|翟明义|

气血在体内环流不息，周而复始；畅通豁达，病不得生。然六淫或七情，或跌仆损伤，致使下肢血流滞涩，"脉泣而不行"，则下肢血瘀之证旋即而生。对此证余曾用化瘀解毒汤、清热化瘀解毒汤和益气逐瘀汤治疗获效。

一产妇23岁，产后右下肢肿痛，高热，某医院诊为淋巴管阻塞。体若燔炭，右下肢红肿发亮，胀痛欲裂，按之如泥，烦躁不安，口渴面赤，舌红，苔薄白，脉洪数。本病是瘀血滞涩经络，郁而化热。治宜活血化痰，清热解毒。方用化瘀解毒汤：当归15g、赤芍15g、红花10g、黄芪30g、金银花30g、连翘20g、蒲公英30g、水蛭20g、土鳖虫15g、忍冬藤30g、牡丹皮5g、生地黄30g、甘草3g。服上药17剂，获愈。1年后追访未见复发。另一男患者，某医院诊为右下肢血栓性静脉炎，曾服扩张血管药，效不明显。右下肢红肿疼痛，从右足踝至膝下水肿，足跗皮色灰暗，太冲脉可触及，右踝上30cm处发绀剧痛，触之灼热，左肘外伸受限、两手麻木。舌质红，中心无苔，脉沉细，为风寒湿邪客于经络所致的血瘀痹阻证。邪客经络久而不去，则血泣而不通。治宜益气行血，清热化瘀，方用清热化瘀解毒汤加减治之：当归15g、赤芍15g、黄芪30g、川牛膝15g、水蛭15g、土鳖虫15g、地龙15g、红花15g、香附15g、金银花30g、牡丹皮15g、苏木15g。服6剂疼痛减轻，但水肿如故。将黄芪加至60g，嘱服9剂，则局部红肿面仅有10cm×10cm。前后服药61剂而诸症消失。1年后随访，未见复发。

1984 年冬，一女住院治疗风湿性心脏病频发性早搏。早搏得到控制后，突然左下肢木沉不能走动，痛如锥刺，服各种止痛药，痛不能止，彻夜不眠。诊为左股动脉栓塞，下病危通知，余诊其脉偶有结象，左腿皮色苍白，潮湿发凉，伸展不灵。舌淡红，苔薄白。属气血不行，血瘀经脉，"不通则痛"。治以益气活血，拟用益气逐瘀汤：黄芪 60g、当归 15g、地龙 30g、水蛭 30g、川牛膝 15g、香附 15g、延胡索 15g。服 3 剂，痛有减轻，12 剂后诸症若失。黄芪减至 30g，水蛭减至 15g 继服，1 个月出院。半年后随访无复发。

血瘀证有五脏瘀、六腑瘀和经脉瘀的区分，在脏腑者多有吐血、衄血、便血、溺血、咯血、经闭、癥瘕积聚等。经脉血瘀者，四肢、皮肤多木沉或红肿、胀痛、局部水肿、紫癜、周身固定疼痛，皮下肿块等。该病的病因各有不同，造成结果皆是"血泣而不行"。凡身体任何部位发生水肿、肿块、木沉或剧痛不移者，均应以血瘀处理。有瘀久化热者应在活血化瘀的基础上加入清热解毒之品。"气为血帅"，活血者必先益气、调气。水蛭为活血之猛将，重证者为必用之品。病有缓急之异，而药量有多寡之别，临证时应灵活掌握。

肠瘘发热之治　|张敬轩|

肠瘘导致发热是外科常见并发症之一。据临床表现，有阴虚津亏、气虚发热、湿热蕴毒等证。亦可因病久伴有瘀结而发作。阴虚津亏证可用增液养阴法，宜以增液汤加天花粉、牡丹皮、石斛、白芍、当归治之。气虚发热者，可用补中益气、甘温除热法，宜以补中益气汤或四君子汤调治。湿热蕴毒者，可用清热燥湿解毒法，宜以黄连解毒汤、二妙散随证加减治之。若肠瘘日久伴有瘀结者，可配用活血化瘀解毒之品，宜以桃仁承气汤加减。我曾治一张姓患者，于 1 个月前因患先天性巨结肠症伴肠扭转而手术，后致肠瘘、腹胀月余，发热加重 4 天。曾用多种抗生素，发热无明显好转。诊时患者形体消瘦，语声低怯少气，面色潮红，皮皱甲错，腹部胀满，叩之如鼓，略有隐痛，无明显拒按之征，左下腹有一个 0.5cm 大小之瘘口，其周围皮肤较硬，皮色略红，有轻度糜烂，挤压时从瘘口中流出少量粪样物及气体。舌红而干，少苔，脉象细数。肠瘘，证属气阴双亏、湿热留恋。治当滋阴生津、益气清热。方用增液汤合四君子汤加减。药用：玄参 12g、麦冬 10g、生地黄 10g、天花粉 10g、石斛 10g、党参 10g、白术 10g、茯苓 12g、黄芪 15g、陈皮 12g、土茯苓 30g、赤芍 10g、白芍

10g、蒲公英15g、黄柏10g、木香6g。水煎服，每日3次。服至12剂，热势已平，症情大减。遂以扶正益气，养阴解毒调之，以全后功。本案治疗以扶正为主，既看到阴津亡失，又注意到中气之虚。故治宜气阴俱补，双管齐下。脾胃为后天之本，是津液、阴精生化之源，脾虚往往多湿，病久蕴毒，所以必加清热利湿解毒之品，方能奏效。

(马明良　葛贞祥　整理)

外切内挂治肛瘘　|王发科|

肛管直肠瘘，简称肛瘘。多是肛门周围脓肿的后遗症。它是肛管直肠与皮肤间的一种异常瘘道，由原发性内口、瘘管、继发性外口组成。早在2000年前，《灵枢·痈疽》篇中记载：发于尻，名曰锐疽。《古今医统》有"成漏穿肠""串臀中""鹅管"的记载。祖国医学认为肛瘘的病因，多为脏毒、湿热、阴虚内热等引起。临床上有肛门周围脓肿切开或自破，伤口经久不愈，时有红肿热痛，时有脓液外流，反复发作，周围皮肤潮红瘙痒。病虽不大，常年痛苦折磨，影响健康和工作。

对这种肛瘘，我们祖先远在明代就采用挂线疗法。如《古今医统》记有：药线同下，肠肌随生，僻处既补，水遂线流，疮口鹅管全消。临床采用挂线疗法治疗肛瘘，可防止因手术切断直肠环，引起肌肉收缩、括约肌断裂分离，使之失去括约作用，导致大便失禁。挂线疗法是通过橡胶条、粗丝线、药线从肛瘘的内外口紧紧结扎，约7~10天将瘘管、肌肉缓慢逐渐地断开，使断端随之愈合。近几年我们采用瘘管外皮肤和直肠环下的肌肉切开术，将下剩的直肠环部用线结扎，这样减轻了结扎后的疼痛，又缩短了疗程，节约了开支，收到满意的效果。

水　疝　|贾斌|

水疝，症见阴囊肿大如水晶，现代医学称之为睾丸鞘膜积液。本病成因为肝经感受寒湿之邪，气机受阻，使水湿停滞不化，聚于阴囊所致。其治法宜疏肝理气、温化利湿，余常用柴胡、青皮、荔枝核以疏肝理气，木瓜、白芍酸缓经脉，止痛缓急，助其水湿排泄，小茴香温通走其肝经，知母、五加皮、汉防己利湿。现代医学认为睾丸鞘膜积液多因疝气引起，故配合应用补中益气汤加味，提升中气，免使滑脱。

余尝治 2 例，患儿自感阴囊坠胀，行走不便而来求治。查其阴囊肿胀如水晶，透光试验阳性，给予疏肝行气利湿之剂。药用：柴胡 10g、青皮 3g、蒲公英 15g、汉防己 9g、木瓜 9g、五加皮 9g、白芍 15g、生甘草 6g、小茴香 6g、夏枯草 9g、知母 10g、荔枝核 9g、橘核 9g。服药 9 剂，阴囊水肿消失，改服补中益气汤加减，以善其后。追访 17 年病再未复发。

治阴茎海绵体硬结一得　|顾兆农|

阴茎海绵体硬结，可能是阴茎静脉栓塞所致，为一罕见病症，余曾治愈 1 例，堪称效佳。

患者郝某，42 岁。1 年来阴茎抽痛，勃起时疼痛更甚，近 2 个月来出现小腹抽痛，阴茎左下方有数个硬结，最大者约 1cm×1.5cm。西医诊为阴茎背侧静脉栓塞，海绵体硬结。查其舌边有瘀点，苔白厚而中心腻，脉弦数。盖肝藏血，肝之经脉入少腹而络阴器，若情志不遂，肝气郁结，日久血行不畅，经脉瘀滞，久成结节。脉证合参，证属肝经气滞血瘀，兼有湿邪阻络。治宜疏肝理气，活血破瘀，佐以利湿。处方：当归 24g、白芍 12g、桃仁 9g、红花 6g、丹参 15g、生牡蛎 24g、青皮 9g、莪术 6g、三棱 6g、泽泻 12g、制大黄 9g。服 60 剂后，抽痛硬结消失，六脉和平，病遂痊愈，后随访，未复发。

谈　肉　瘿　|李廷来|

肉瘿生于颈部正中或稍偏一侧，肿块多呈半圆形。肿块初起，可硬可软，皮色不变。若肿块较软，表面光滑，界限清楚，按之不痛，并能随吞咽动作上下而移动的，中医称为"肉瘿"；若肿块坚硬如石，推之不移，表面凸凹不平，称为"石瘿"。而这两种疾病都是相当于现代医学上的甲状腺肿瘤，但其性质有根本性区别。此病多由性情急躁，忧思愤怒，肝气郁结，脾失健运，致使湿痰凝结而成。其治疗方法，多为化痰软坚，开郁行滞，散结消肿，使其消散于无形。几十年来余用加减海藻玉壶汤治疗良性甲状腺瘤，取得了比较满意的效果。

药物组成及其用量：海藻18g、昆布12g、生牡蛎30g、青皮10g、陈皮10g、半夏10g、玄参30g、川贝母10g、连翘12g、知母10g、桔梗10g、柴胡10g、黄芩10g，水煎服。如湿痰较重者加茯苓、白芥子以祛痰湿；气郁重者加香附、郁金、青木香理气破瘀；肿块坚硬，日久不消者加黄药子、穿山甲或加少量的山慈姑1.5~3g，软坚破瘀；如弥漫性肿胀者加夏枯草；两手震颤者加钩藤、天麻；善饥者加生石膏、知母以清肺胃之热。本方不但能治甲状腺肿瘤，其他病，如颈淋巴结核、腋淋巴结节肿大等病都有一定的疗效。

风寒瘾疹之治疗　　｜刘光起｜

风团瘾疹（荨麻疹）为临诊常见之疾。多为湿郁肌肤，营卫不和；或胃肠为湿热郁结；或阴虚血燥，风邪外袭，而致内不得疏泄，外不得透达，郁于皮毛腠理之间，发为瘾疹。治疗之法，初发证急者可疏风、散寒、清热、利湿而愈；因于素体虚弱，营卫不合，卫表不固，又感风邪者，可滋阴养血，祛风固表获效。此类患者体质本虚，气血又耗，每感寒受风即发作，中西药物均可收效，但易复发。此证阴虚血燥、风湿郁表，久可致瘀，临证治疗当于养血、驱风、固表之中加活血祛瘀之品为宜。方选《医宗金鉴》地黄饮合玉屏风散加减。实践证明疗效较为满意。处方：熟地黄、制首乌、玄参、蒺藜、炒僵蚕、当归、红花、生黄芪、炒白术、防风、生甘草、牡丹皮。例如：袁某，女，51岁。遍身易起风团痒疹已4年多。初因受风发疹，瘙痒夜甚，时发时愈，少遇风冷即发。以致不敢出门，经常头晕，微有恶心，脉细，舌淡苔薄。皮疹散在呈小云片状，微高隆起，色白，皮肤甲错，多搔痕血痂。治以疏风祛湿、养血逐瘀、润燥固表，以上方加减，服20剂而愈。随访，愈后未再复发。

治风疹块一得　　｜陈阳春｜

风疹（荨麻疹）为风邪化热所致，传统治法以祛风活血，即常言祛风先活血，血活风自灭之理，用消风散以疏风清热、除湿止痒治之。余曾治患儿郑某，面色发红，起有斑块，或红或暗紫色，上肢前臂、小腿部均有类似斑疹，伴有痒感。观其神态自若，眼睑轻度浮肿，面色发红，触及温度不高，暴露于外的皮肤有散在的红色或暗紫色斑疹，大小不等，连成一片。舌质淡红，苔薄白，脉微数。辨证属风邪束表，内不疏泄，外不透达，郁于肌肤所致。治以清肺解表，调和营卫。以麻杏石甘汤合桂枝汤加减。处方：麻黄（另包后下）6g、杏仁6g、石膏10g、桂枝3g、白芍6g、甘草3g。服完第1剂后，面部红色斑块开始消退，仅留面部一紫块。再以上方加黄芪10g、白术6g、防风6g，服3剂，巩固疗效，以防再发。

采用治肺方药麻杏石甘汤合桂枝汤加减治疗风疹，是根据肺有外合皮毛而充肤泽毛的生理功能。以麻杏石甘汤清肺解表，合桂枝汤解肌祛邪，调和营卫。气机畅，营卫和，风疹自愈。此方经过多年的临床验证，对荨麻疹的治疗，只要辨证得当，用该方疗效显著。

风疹1例治验　　|熊永文|

一男性中年患者，一次性过量嗜白酒，汗出当风，即见周身风疹团遍体，奇痒烦热，躁动难忍，皮肤抓痕如鳞，目不忍睹。经服用中、西药物半月后虽好转，但每日至夜半子时仍奇痒烦乱不堪，以下肢为主，起如杏核大之皮下硬结，用针刺硬结，亦难解奇痒。子时过后风团渐消，方能入睡。每夜如此发作，经多处、多法治疗，而经久未愈。

患者于一次剧烈运动时，发生软组织损伤，经服云南白药、西安白药、上海三七伤药片等药物后，不但损伤渐复，出人意料的是此后风疹也痊愈了，且至今未发。其中必与瘀血有关，子时阳衰而阴胜，正不胜邪，不能驱邪外出，故昼安而夜半发作，经服活血化瘀之白药等，瘀血得祛，气血流通，邪祛正自安。

风　疹　块　　|孙喜才|

风疹块又名瘾疹，按其病程长短，可分为急性和慢性两大类。急性者易治，慢性者易反复发作，以致迁延数月或更长时间。

家父用归脾汤治疗慢性风疹块，效果良好。慢性风疹块，多与素质营卫不足，对外界的适应能力减弱，以致六气盛衰变化，即感受外邪而发。此病反复发作，气虚脾弱化源不足，卫外不固是其根本。用归脾汤补益心脾，健脾益气，养心补血，气血旺，营卫充盈而卫外可固，风疹可愈。

痞瘤 |郭 池|

杨某，患痞瘤已年余。每日出风团虽不多，亦不甚大，奇痒难忍。发时伴随腹痛，心烦懊侬，欲吐、欲泻，四肢冷，口苦舌干，不思饮，似饥欲食，见食则饱，所苦难以名状。遍求诸医，皆无效果。余诊其舌质淡有齿痕，苔黄白相兼厚腻，脉沉弦而迟。本病虽小恙，已多法治之无效，故余思良久，难以定方。斯时吾女秀珍在旁乃曰："其证寒热错杂，虚实互见，似仲景所言之厥阴证也。"余猛省，立处乌梅丸改汤药2剂，予以试服。1周后，患者来告曰："服药1剂病即愈。"年余之病豁然如失。皮肤病，治从厥阴而收功，实出余之所料。

活血平肝，瘙痒可安 |贾鸿魁|

皮肤病虽多发于浅表皮肤，实根源于内，与脏腑气血关系密切。一旦脏腑功能失调，气血运行不利，皆可导致皮肤病发生，即所谓"有诸内，必形诸外"。因此治疗皮肤病亦需从整体出发，辨证论治。否则只着眼于局部皮肤，而忽略内调脏腑气血，即使皮肤病暂时好转，但是不久又会复发，甚至愈发愈重。

在临床上遇到一些慢性皮肤病，如神经性皮炎、慢性湿疹、银屑病等，表现皮肤粗糙、增厚、角化、皮损暗红、鳞屑多，舌质暗红或有瘀点瘀斑，脉弦或涩，瘙痒剧烈，入夜尤甚的患者，应用一般清热凉血、祛风止痒之剂，疗效并不理想。该类病多由精神紧张、情绪抑郁而发作。中医辨证与肝旺有关。肝为风木之脏，体阴用阳，其胜则强。肝气急而易亢，亢则动风，风动则痒。肝旺是引起瘙痒的主要病机。重镇平肝是治疗瘙痒的重要方法。常用药物：珍珠母、赭石、磁石、石决明、龙骨、牡蛎等，有平肝潜阳、重镇安神之效。临床实践证明，其止痒效果远较单纯用祛风杀虫止痒为佳。局部皮损，中医辨证由瘀血凝滞肌肤，气血运行不畅，肌肤失养所致。故用活血养血法，常用药物：丹参、当归、赤芍、白芍、牡丹皮、鸡血藤等。活血药本身就有化瘀的作用，瘀祛新生，气血流畅，肌肤得血液润濡，皮损逐渐消退。肝木荣、亢急平而瘙痒止，相辅相成。具体应用时，风盛加祛风药，如荆芥、防风、桑叶、菊花、苍耳子之类；湿盛可酌加苍术、苦参、薏苡仁、赤小豆、土茯苓之类；热重加黄连、黄芩、黄柏、栀子等。

滋阴养血治奇痒 　刘茂林

俗云风胜则痒，然风有虚实，外风致痒多实，内风致痒属虚，且以血虚、血燥生风致痒为多见。余曾治患者王某，旧患半身不遂、口眼㖞斜、舌謇流涎、语言不利等症。又突然周身瘙痒，痛苦难忍；昼日烦躁，夜不成寐，已六七日。余诊，尿少而黄。舌质红，苔薄白乏津，脉细数。实属久病血虚，化热生风所致。《素问·至真要大论篇》云："诸痛痒疮，皆属于心。"故用天王补心丹，以白鲜皮15g、蒺藜30g，煎汤送服，日服2次，每次2丸。从用药之日起，瘙痒日渐减轻，连服1周后，奇痒即止。

用天王补心丹滋阴养血清热为主；稍佐白鲜皮、蒺藜疏肝理气、除风止痒。恰合血虚生风之病机，虽是奇痒，亦获卓效。

论治皮肤病 　蒋庆雨

中医向有"内不治喘，外不治癣"的说法，反映了喘、癣的难治。其实，中医治疗皮肤病也很有效。我感到，皮肤病范围虽广，但仔细分析，不外燥、湿两端。掌握好这两种辨证，灵活加减，可取得满意疗效。

凡局部干燥，或红、或肿、或脱屑、或皴裂、或痛或痒者，多属血热、血燥，治当凉血润燥，自拟润燥汤有效验。凡局部潮湿渗出、或色潮红、或有水疱、以痒为主、兼有疼痛者，多为湿热浸渍，治当清热渗湿，自拟渗湿汤，也多有效验。

润燥汤组成为：生地黄20g、当归10g、阿胶10g、牡丹皮10g、赤芍10g、白芍10g、玄参15g、白鲜皮10g、苦参15g、地骨皮15g。渗湿汤组成为：萆薢

15g、黄柏 15g、苍术 10g、木通 6g、车前子 20g（包）、苦参 15g、冬瓜皮 10g、薏苡仁 24g、知母 10g、土茯苓 20g。

两方加减如下：兼风热的，酌加桑叶、菊花、防风、荆芥、牛蒡子等；兼毒热的，酌加蒲公英、金银花、连翘、紫草地丁、栀子、龙胆等。

上两方统治皮肤病，包括湿疹、荨麻疹、银屑病、手足体癣和各种皮炎等。

对于手癣（鹅掌风）、足癣（脚湿气），配外洗法，用鲜侧柏叶 250g，清水洗净后，加水 2000ml，煎煮 30～40 分钟，洗患病手足，每日洗 2～3 次，每次浸泡半小时。此法经济，简便易行。

活血化瘀法用于皮肤病的机会也很多。凡日久缠绵不愈，皮损增厚等挟瘀者，均可应用。此时舌、脉等亦有瘀象。最为有效的是结节性红斑，用活血化瘀为主，或配以清化湿热，或配以益气养血，往往取效。常用的活血化瘀药有桃仁、红花、当归、川芎、丹参、鸡血藤、苏木、川牛膝等。可随症选用。

散热解毒，消痤美容　　│西安市自力中药厂│

粉刺疙瘩，西医曰痤疮，是影响男女青壮年面容美观的常见皮肤病之一。罹患者局部皮肤常胀痛不适，皮疹红痒，有的形成脓疱、粉刺、疙瘩等。该病多属湿热郁结、热毒外溢所致。王治远副主任医师，经多年临床研究总结，选用中药治疗该病。由西安自力中药厂制成"消痤丸"，经西安四家大医院观察363 例患者，有效率达 96.41%，疗效甚好。

"消痤丸"由黄芩等 16 味中药组成。其中，黄芩清热燥湿泻火；麦冬、玄参、石斛等滋阴降火润肌；龙胆泻肝胆湿热；升麻、柴胡等发散风热、透疹疏肝；紫草凉血化斑；野菊花、大青叶、蒲公英、金银花、淡竹叶、竹茹、生石膏、夏枯草等清热解毒。诸药相伍，散热解毒、祛风除湿、滋阴降火，不仅能够使痤疮迅速痊愈，皮肤颜色恢复正常，而且能使头昏、体热、大便干燥等症状减轻或消除。

凉血化瘀话酒渣　　│郭仲轲│

酒渣和酒渣鼻都是以皮肤潮红等症见于面部的病变，二者在病因、病证、治则、方药上一概相同，惟病损部位稍有区别。潮红等不见于鼻部者为酒渣，仅见于鼻部或兼见于颜面其他部位者方为酒渣鼻。

鼻为肺窍，面隶阳明，脾与胃，肺与大肠又互为表里，故《素问·热论篇》曰："脾热病者，鼻先赤。"《外科大成》曰："酒渣鼻者，先由肺经血热内蒸，次遇风寒外束，血瘀凝结而成。"四版教材《外科学》进而补述："本病多因肠胃炽热上熏于肺，或为嗜酒、喜食辛辣之品，热气上熏、……"。总而言之，酒渣与酒渣鼻，病涉肺、脾、胃、肠，症见血热、血瘀，治当凉血化瘀。

治疗可用《医宗金鉴》凉血四物汤化裁煎服，并配合颠倒散洗剂外用。凉血四物汤原由当归、生地黄、川芎、赤芍、黄芩、茯苓皮、陈皮、红花、甘草、生姜、五灵脂等 11 味药组成。用时辄去生姜。肺火血热者加桑白皮、枇杷叶、栀子；血瘀色黯者加鸡冠花；结节如瘤者加夏枯草、连翘、鬼箭羽、桃仁、丹参；大便干燥者加制大黄；脓疱严重者加野菊花、蒲公英。酒渣者重用牡丹皮；酒渣鼻者重用辛夷。

上方加减之意不难理解，对血热者亦用活血之品，血瘀者不去凉血之物。颜面、鼻部发红，乃内蕴之热上蒸外熏，血受煎迫则离经妄行所致。当此之时，凉血清热，固为釜底抽薪；活血理气，则冀疏流导热。如此则离经之血顺流归经，未清之热随之遁去，可免血瘀热结之患，实属未雨绸缪之施。

血瘀之成，盖风寒外束所致。化瘀之品可解其凝，散其结。然内热不蠲，初凝刚去，再遇风寒，则复结又至。为斩草除根计，凉血之物，自不宜骤去也。

祛毒散治疗缠腰火丹 　　|孔繁学|

缠腰火丹，俗名蛇串疮。因皮肤有红斑水疱，累累如串珠，又多缠腰而发，故名缠腰火丹，现称带状疱疹。此证多因肝火内盛，外受湿热之邪所伤。余应用祛毒散治疗数百例患者，均有良好的效果，无任何不良反应。

治疗方法：取大蜈蚣 1 条、雄黄 10g、枯矾 3g。以上 3 味药物混合研为细末，装瓶备用。用时将药粉与食醋调如糊状涂敷于患处。每天涂 2～4 次为宜。如果疱疹大可以先用细针刺破后再敷药。一般轻的涂敷 2～4 次可愈，重的涂敷 4～6 次可愈。

李某，女，56 岁，两天前突然感到左胸前及左腰处发木痒，随即在木痒处起如高粱粒大的疱疹，灼痛难忍。检查：在左乳房上有 4cm×6cm 大一片疱疹，不相融合，均如高粱粒大。在左腰 12 肋骨头向后有 5cm×2cm 大一片疱疹，形状与前相似，局部皮肤红晕。诊为：缠腰火丹。外用祛毒散涂敷 5 次，疱疹即干瘪痊愈，皮肤颜色恢复。

缠 腰 火 丹　|李廷来|

缠腰火丹是一种常见的皮肤病。初起皮肤发红发热，灼痛或有异常感觉，旋即发生密集水疱。其疱大小不一，小者如粟，大者如豆。水疱簇集在一处或数处，排列成带状，但疱群与疱群之间皮肤正常，水疱透明，五六日后则成混浊，十数天后结痂。若水疱破裂，则糜烂成片，其痛如火燎。结痂脱落后一般不留瘢痕。而老年患者常局部脱痂后疼痛经久不息。本病主要由于肝火妄动，湿热内蕴而成。治宜清泄肝火、兼利湿热。内服龙胆泻肝汤加味：龙胆、栀子、柴胡、黄芩、当归、生地黄、泽泻、车前子、木通、生甘草、紫花地丁、板蓝根、白芍，水煎服。如湿重溢水者加赤茯苓、苍术、黄柏；若红肿痛甚者加金银花。外用加味三黄散：黄连、黄芩、黄柏各9g，轻粉6g，红枣炭3g，冰片1.5g，薄荷霜少许。共研为细末，以香油调涂患处，每日换药1次。亦可用柳枝炭、蚯蚓粪、冰片各等份，研末调敷。如疱疹消失，局部仍疼痛不止，宜疏肝活络，凉血止痛。方用四物汤加通络之品：生地黄、当归、赤芍、川芎、柴胡、青皮、黄芩、忍冬藤、丝瓜络、牡丹皮、生甘草，水煎服。

带状疱疹的蒙药治疗　|包 龙|

带状疱疹临床多见，余用蒙药治疗取得了较好的效果。如患者王某，男，19 岁，开始腹部出现丘疹、稍感灼痛，后来丘疹变为水疱、剧痒、阵阵刺痛加剧，破后流水，发热，睡眠欠佳，尿黄，舌质红，苔黄腻，脉数。拟方：早服蒙药普济宝贝丸（吉珠道尔吉）15 粒，以蒙药三子汤（巴日布苏木汤）为引子，先将药引煎 2 分钟待凉，送服主药15 粒。午用白开水送服泻黏剂（哈拉吉达布）15 粒，晚临睡前用白开水送服18 味水银丸15 粒，外用18 味水银丸（乌勒楚米布扎达）200 粒，加食盐250g 研细混合后，用水搅拌洗患处。每日 5 或6 次，这样用药1 天，病情明显好转，第 3 天即痊愈。

带状疱疹一般是由黄水（相当于中医的湿）引起。蒙医认为黄水的形成与肝胆功能失调有关，肝胆属火，临床症状又是一系列热象，因此为热性黄水证。水疱内容有脓样物，疼痛难忍，是黏邪侵袭所致，用清热凉血、燥干黄水的方法加解毒杀黏之法治疗。处方中用的"吉珠木道尔吉""巴日布苏木汤"是清热凉血的主方。内服和外用18味水银丸以燥干黄水，而"哈拉吉达巴"是杀黏解毒的要方。因而取得满意的效果。

高原"日晒疮" 高克强

现代医学证实，日光中波长 290～320μm 的红外线可引发日光性皮炎，也就是中医学所说的"日晒疮"。高原地区日照强烈，此病多见。笔者经数年观察，发现阴虚血热之体，复受日光曝晒，内外相合，热蕴肌肤，是该病的病因病机。根据以上机制，我每用犀角地黄汤加味治疗，多获良效。田某，女，60岁。牧区工作二十余年，患日晒病近十载。就诊时，颧、额、颊、唇等部，因长期病变，皮肤已成紫黑，肌肤增厚，灼热奇痒难忍。数年用西药，久不收效。若室内温度偏高，即感心中烦热，皮损加重。平日口渴思冷饮，常犯鼻齿衄血，手足心热，头晕耳鸣，失眠多梦，舌质红绛，脉弦细数，阴虚血热之证昭然。遂拟养阴凉血法治疗。处方：水牛角30g（另煎兑服）、赤芍15g、牡丹皮15g、生地黄15g、紫草15g、地肤子15g、白芷10g、补骨脂10g。日1剂，水煎服。用药后得效，坚持2个月服此药方而收全功。养阴药久服，似有增强肌肤耐受光热的作用。愿高原医药界同道研究。

化瘀祛斑汤治黄褐斑 陈伯咸

黄褐斑常见于生育期妇女，发病与月经、胎产有一定关系，笔者自拟化瘀祛斑汤治疗，获得较满意的效果。该方药为：当归、赤芍、川芎、桃仁、红花、泽兰、香附、柴胡各9g，丹参15g，生姜3片，大枣3枚，葱白3寸。每日1剂，水煎2次分服。

如治张某，女，24岁，未婚。患者14岁月经初潮，多年来基本正常。自1977年12月起，月经逐渐后延，现每2个月经潮1次，量少，挟有瘀块，经行时伴轻度下腹痛。1978年3月起颜面出现黄褐斑。颜面满布，以两颧上方为甚，脉甚细涩，舌边紫，苔薄白。治以通阳活血、调和营卫。拟化瘀祛斑汤治疗。

上方服完 17 剂，月经来潮，量较前多，瘀块减少，腹痛减轻，脉沉弦。守方续服 5 剂后，黄褐斑基本消失。

本病属心肝二经，多发于肝郁气滞、月经延后之体。产后瘀血亦是其成因。方中桃红四物养血祛瘀；柴胡调达肝郁；丹参、泽兰调经活血；香附行血中之气；配以生姜、大枣调和营卫，大枣入脾悦颜色；加葱白以通阳气。全方具有通阳活血、养血祛瘀、调和营卫之作用。气血协调，营卫得和，则瘀祛斑消。故本方可适用于非妊娠期及产后颜面出现黄褐斑的妇女。

解毒润燥治白疕　　|郭仲轲|

"白疕"，又名"松皮癣"，西医旧称"牛皮癣"，今呼"银屑病"。是一种缠绵难愈，又易复发的皮肤病。

该病分寻常型、关节型、脓疱型、红皮症 4 型，但以寻常型多见，且多由血热内盛，复感风热，毒邪伏于血络，伤营化燥所致。治宜凉血解毒润燥。自拟生元饮：生地黄、玄参、栀子、板蓝根各 15g，蒲公英、野菊花、桔梗、当归、赤芍、天花粉各 10g，贝母、土茯苓、紫花地丁各 12g，甘草 6g。瘙痒剧者加白鲜皮 15g；纳差便溏者去紫花地丁、野菊花，加山药、焦山楂各 10g；皮肤干燥脱屑者加鸡血藤 15g、何首乌 12g。曾治一中年男性患者林某，于感冒后四肢伸侧及背部出现红色皮疹，皮损为绿豆及扁豆大小圆形丘疹，其上被覆多层银白色鳞屑，刮之鳞屑脱落，可见半透明薄膜。舌质红紫，脉弦滑。诊为白疕。服生元饮 15 剂后，皮损色淡，鳞屑减少，未见新皮疹出现。治疗 33 天后，皮损全部消退而痊愈，随访 1 年半未见复发。

生元饮内服治疗白疕，一般 6 剂见效，2～3 周显效。皮疹消退以头皮、胸背部较快，四肢较慢。兼有少量斑片状皮损者，较单纯点滴状者消退慢。

防止松皮癣复发　　|王惠潭|

松皮癣是常见的斑片鳞屑性皮肤病，通称牛皮癣或银屑病。该病多由血虚、血热、湿热内蕴，复感风邪所致。临床治愈易复发，不少病人为此烦恼，现谈谈复发的防治。

松皮癣分冬季型、夏季型两种。冬季型多由血虚感受风邪而得，易于冬春加重或复发；夏季型多由血热、湿热感受风邪为患，多于夏季加重或复发。患病后必须积极彻底治疗，不能满足于皮损消退。如仅皮损消退，血虚、血热、湿热体质得不到彻底纠正，愈后必复发。防止复发须注意3点：①彻底治疗。即祛尽风邪，血虚、血热、湿热体质得以纠正。②在易复发季节忌食鱼、虾、牛羊肉及蒜、椒等食品。因诸物腥发辛散大热，血虚者食之，辛散伤血；血热、湿热者食之，热者热之，故易复发。③在易复发季节，提早服药预防。冬季型可服养血润燥之剂（附方：当归15g、何首乌15g、生地黄12g、熟地黄12g、鸡血藤12g、白芍12g、川厚朴9g、乌梢蛇3g、甘草6g）；夏季型可服清热、祛湿、凉血之剂（附方：木通10g、苍术12g、苦参15g、淡竹叶10g、土茯苓20g、当归12g、白茅根20g、薏苡仁30g、白鲜皮10g）。

生发汤治疗斑秃 |姜德喜|

斑秃俗称"鬼剃头"，又名"油风"。本病多因脾胃虚弱、肝肾不足、阴血亏虚、精神刺激所致。祖国医学认为，头发的营养来源于血，谓之"发为血之余"。脾胃为气血生化之源，脾胃功能的好坏会直接影响五脏六腑及头发的盛衰，故脾胃有"后天之本"之称。

头发的生机，根源于肾。肾能生髓、通脑，其华在发。肾气充沛，肾精盈满，则头发光泽；肾气不足，肾精亏损，则头发枯落。肾精有先天、后天之分。后天之精基于脾胃的运化吸收，来源于饮食中的精华部分。先天之精需要后天之精的营养；后天之精有赖于先天之精的蒸化，两者共存于一个统一体中，相互为用。过去我们在临床上仅着重于肾的医治，疗效欠佳。创立生发汤一方，根据发为血之余，肾之泽在发的理论，先天后天并举，脾气肾精同补，使气血有源，肾气充沛，收到很好疗效。

生发汤组成：党参、白术、茯苓、黑芝麻、霜桑叶、甘草。

伴有失眠多梦、健忘、烦躁或抑郁等神经衰弱表现者，加炒酸枣仁、夜交藤、合欢皮；表现气虚血亏者，加黄芪、当归、大熟地黄、何首乌；阴虚血燥、五心烦热者，加地骨皮、牡丹皮、生地黄、侧柏叶；肾虚腰膝酸软者，加菟丝子、桑椹子、补骨脂、墨旱莲、女贞子。

用本方治疗，无不良反应。最快者8~9天即可生出头发。初有黄和白色细微头发，渐渐变粗、变硬、变黑，一般 2 个月左右头发恢复正常。

如治刘某，男，晨起洗脸，突然发现头顶部及两鬓角处有约 3cm×4cm 大的圆形秃发斑 3 块，境界清楚，表面平滑，服胱氨酸 8 瓶，谷维素 6 瓶，维生素 B$_6$ 数瓶，同时用酒精泡侧柏叶擦十余天。经多方治疗 5 个月无效，来院求治。素日纳差，面黄体瘦，脉细弱，舌质淡红，苔薄白。证属气血两亏，给生发汤加黄芪、熟地黄、当归、何首乌。服 9 剂后食欲增进，局部有新发长出。服至 20 剂，患处头发全部再生。1 年后随访，发黑光泽，再未脱落。

另治侯某，女，突然头顶部发现有四五处指甲大斑块脱发，逐渐扩大，并于头侧及枕部相继发生新的脱发斑块，渐次蔓延，至头发全部脱落。1 年来多方医治无效。患处不痛不痒，伴有头昏眼花，五心烦热，脉细数，舌质红无苔。生发汤加地骨皮、生地黄、牡丹皮、侧柏叶。服药 15 剂，头顶及头两侧生出稀疏色白黄纤细的头发，逐日变黑变粗。服药 36 剂，头发全部长出。观察 8 个月，头发完全恢复正常，至今未复发。

脱发治疗体会　　|李子质|

脱发虽属小病，因与美容有关，男女青年一遇此症，便万分焦急，求愈之心，甚为迫切。

治此病者，一般都依据"肾为精血之脏""心生血""发者血之余"等理论，多从滋阴补肾、调养气血入手，但有效有不效，其因何在？盖由于不察病情，泛用一般疗法，以求侥幸于万一，岂非差之毫厘，谬之千里耶？

脱发原因甚多，不能一概而论，临证时，须审其除脱发外，尚有其他何病，察知由某病引起，即治其病，病愈，发即不脱，即脱者亦能重新长出。伤寒、温病患者，往往因高热伤血而致脱发，当急治本病，清其内热，内热除则血不伤，血不伤，发亦不会脱落，防患未然，亦是积极治疗之一大法则。

我在临床上遇此患者，治法不拘一格，必察其病情，辨证施治，灵活掌握，往往收到良好效果。例如一赵姓青年男子，每晨起床，发落满枕，梳洗时脱落更甚，顶部已所留无几。身体瘦弱，倦怠懒食，心中烦热，咳吐稠痰，苔薄白，脉浮弱。此因肺气亏损，不能营运，气血失其敷布，发不得其养，以致干燥脱落。《灵枢·经脉》篇说："手太阴气绝，则皮毛焦，太阴者，行气温于皮毛者也。……皮毛焦，……则爪枯毛折。"治以"人参蛤蚧散"（人参、蛤蚧、杏仁、炙甘草、知母、桑白皮、茯苓、贝母）加天冬、麦冬以补益肺气，除痰止嗽。服药将达 2 个月，诸症渐退，脱发停止，百日之间，柔细而黄茸茸的新发，亦从光秃之顶皮中涌现出来，终于恢复原状。此并未去治发，却病即所以治发也。

此外，亦有并无其他任何症状，只单纯脱发者。是由于患者神经脆弱，经不起外来某种刺激，突被袭击，神魂震荡，致心血失调而引起。不多日，即童山濯濯，萧疏无存，俗名"鬼剃头"。此种情况，无需治疗，安慰患者，耐心等待，自能重新长出一头好发来。此在临床上亦屡见不少。

治疗脱发验方 | 王鼎三 |

笔者自拟一方，取名养阴生发汤，临证用之效果良好，一般患者服 4 或 5 剂即可获愈，发脱久而重者，连服十余剂，可收效。

方药：西洋参 3g、银条沙参 9g、大生地黄 12g、熟地黄 12g、制首乌 12g、核桃泥 15g、黑豆皮 6g、天花粉 9g。水煎服，每剂煎 3 次，2 天 1 剂，忌辛辣或刺激性食物。

曾治李某，男，52 岁，老干部，因工作繁忙，日夜操劳，以致头发逐渐脱落，已成光秃，后连眉毛、眼睫毛一齐掉完。西医按脂溢性脱发治疗无效。因求余诊治。脉象虚数，舌质红，舌根稍有薄苔，自觉头部热痒，夜间有烦躁感。给服上方 10 剂，1 个月后复诊，头发、眉毛已见生出，又照原方服 5 剂，数月后已获痊愈。

十数年来余用此方治疗脱发掉眉，圆形斑秃，脂溢性脱发二十余例，效果均好。对气虚脾弱者宜加补气健脾药效佳。

临 床 偶 得 | 杜雨茂 |

中医的许多经验来自"临床偶得"，大量必然规律常常通过偶然现象被有心之人及时捕捉到，从而总结归纳出来。但是如何正确解释"临床偶得"，并由此悟出其后面隐藏的道理，使之上升为一种理性认识，以广其用，却并非易事。

尝治一男性中年农民，先患手足皮肤干燥裂口、疼痛数年，甚则裂口处流血。开始冬重夏敛，近 3 年来四季皆裂，夏天略轻。半年前患者又发生头昏目眩，气短懒言，动则心悸，四肢酸软，操持一般农活已感体力不支。诊其脉细无力，舌淡红少苔，面色萎黄、唇、甲色淡，二便如常。诊断：①血虚；②皲裂疮。分析其血虚属新病，已影响到劳动能力，其病较重；皲裂疮乃旧病，且为表皮病变，其势较缓，故当先治新病。遂予归脾汤去龙眼肉，加大枣、枯矾。连服二十余剂，血虚诸症明显好转，体力大增，已可下地劳动。意外的是两手皲裂疮竟然痊愈，裂口全敛，皮肤转润。嘱购归脾丸数盒缓服善后，以竟全功。事后细思，未治皲裂疮为何其疮速愈？乃肝主藏血，其华在爪，血主濡之。患者两手皮肤干燥裂口，乃与血亏有关。今用归脾汤为主，健脾养血，血虚得复，肝血渐充，两手肌肤濡润，皲裂疮自可痊愈。医界治皲裂疮一向惯用外治，多小效而难愈；不如内治为本，收效更捷。

治疗寻常疣效方　|朱宗元|

苦丁茶、花椒叶治疗寻常疣（千日疮）为浙江民间流传的验方。此法较今中西医常用的治法更为简便，且无痛苦，愈后无瘢痕。其法是用苦丁茶、花椒叶各 9g，水煎后浸泡患部。待疣表面角化过度的硬皮松软后，用手将其挖去，边泡边挖，一般大约一二天即可。角化过度的硬皮基本清除后，即可终止治疗。数日后自然消退。用此法治疗应选择最早发生的"母瘊"治疗，待"母瘊"消退后，其他"子瘊"则不治自愈。

内蒙地区常无此二药，后试用茶叶（红茶、绿茶、砖茶均可）和花椒，份量不变，结果同样有效。本人曾多次应用此方治疣，疗效肯定，故作介绍。

烧伤膏治烧伤　|王炳礼|

1978 年下乡巡回医疗期间，接诊一位面部烧伤的病人，大部分是 II 度，小部分为 III 度烧伤。

听群众讲，当地有位治疗烧伤的人，他的验方很灵。为了抢救病人，于是便找到了这位秘藏这个验方的老乡，请他给病人治疗，治愈后，面部和正常人一样。后来将这张验方制成膏剂进行临床观察，对各种烧伤疗效非常满意。其最大特点，就是不留瘢痕。处方如下：

生地黄 12g、红花 12g、甘草 12g、麦冬 12g、陈皮 12g、当归尾 12g、梅片 6g、朱砂 10g、茶油 1 斤（500g）、白蜡 60g。

制法：将梅片、朱砂研末，将生地黄、麦冬、红花、甘草、陈皮、当归尾、茶油一起放在锅内慢火煮，至麦冬成褐色，再放白蜡待溶后，纱布过滤，与梅片、朱砂调和成膏备用。

用法：先将烧伤面清洗干净，再将烧伤膏徐徐敷在烧伤面上即可。

说明：烧伤膏的制法关键是火候。一定要注意麦冬的颜色变化，成褐色即可，过之成黑色就不能用了。若无茶油用香油或猪油也可以。

骨折临证约说 |郭汉章|

骨折多由外力造成，但其病变则由外及内，形成一系列局部和全身的病理改变。故其治疗应内外兼顾，互相促进。外治与内服中药不可偏废。

《医宗金鉴》说："手法者，诚正骨之首务哉！"其重要性可知。正骨手法历代尽管宗法不一，流派不同，但复位的目的是一致的，可以归纳为：摸、接、端、提、按、摩、推、拿八法，取其各派手法之长，结合人体解剖特点，余对某些手法进行了改进和创新，同时经过简化、整理，使之更为实用，易于掌握，经几十年临床实践，效果很好。我的正骨八种手法为：①摸法；②旋法；③扩法；④牵法；⑤摇晃顶碰法；⑥提按法；⑦扣挤法；⑧舒筋活络法。以上八法必须融会贯通，临证时根据伤情运用自如，在施用手法时，必须注意以下 3 个方面：

第一，施法前通过望、闻、问、切，并结合 X 线片，对伤情做到了如指掌，胸有成竹，有的放矢，才能达到预期的效果，切不可心中无数，盲目从事。

第二，施法时要精力集中，活运全身气血于手部，施法中根据受伤机制，将八法融会于正骨复位的全过程，施法宜巧、准、稳、柔，即手法巧妙，以巧代力，部位准确，法到病解，气力稳妥，大小适度，刚柔相济，以柔克刚，必须做到法之所施，使患者不知其苦，方称为手法。反对粗暴正复手法。

第三，施法后保持可靠的外固定，特别要注意体位，体位是保持复位后的关键，如体位不当，肌力不平稳，很可能使骨折再次移位，导致复位的失败。

骨折部位之固定，若范围太广，影响关节活动，从而导致筋肉萎缩、关节僵硬、骨质疏松以及骨折愈合缓慢、疗程延长等一系列不良后果；倘过分考虑活动，很难保持复位后的良好位置。正确处理两者间的辨证关系，是促进骨折愈合、缩短疗程的重要问题。我的体会：复位是目的，夹板固定是手段，体位是关键。

骨折后，由于血离经脉，瘀积不散，因而经络受阻，气血流行不畅，因而在治疗时，除了先用活血化瘀药外，由于伤筋动骨，势必耗血耗髓，影响到肝肾养筋充骨的功能，因而必须培补肝肾，调和气血，造成有利于骨折愈合的全身因素。

损伤早期，骨断筋离，脉络受损，瘀血离经，而致血瘀气滞，瘀不祛，则痛不消，故宜用破法，治以活血化瘀、消肿止痛为主，可内服散瘀和血丹，外敷公英膏。中期经络不通，气血不和，宜用和法，治以和血通络、续筋接骨为主，可内服活血顺气散，外敷接骨丹。末期因伤筋骨，累及肝肾，精血亏损，宜用补法，故以壮筋补骨、补肝益肾为主，可内服壮筋补骨丸，外用展筋活血散，或用筋挛洗药方熏洗患处。

病有新旧，体有强弱，在治疗时须分主次、标本，结合具体情况用药，如体壮者用药可猛，体弱者用药宜平，新伤主急治，用药可猛，旧伤宜缓治，用药宜和。新伤以治标为主，旧伤以治本为主，早期以治标为主，中、后期以治本为主。

总之，诊治骨伤科疾病必须强调整体观念，善于抓主要矛盾，用药味宜少，但量要足。以破、和、补为三期用药原则，结合患者具体情况，具体分析，辨证灵活，才能收到满意的疗效。

正骨法贵在活　　|王广智|

《仙授理伤续断秘方》云："凡捺正，要时时转动使活。"前人之经验告诉我们，正骨，必须熟悉病情，方法灵活，操作巧妙，才能取得好的疗效。例如，治疗关节内骨折，难度较大，难点在于或骨块移位大，或部位深、摸不清，或受筋肉牵拉影响，使骨折块不易复位。往往因治疗不当，骨块对合不良，终留遗患。余治关节内骨折的方法是：用力小，手法巧。利用关节的自身模造作用，使骨折在活动中复位。如腕的旋转活动可使舟骨骨折、桡骨远端粉碎性骨折复位；肘的屈伸可使肱骨髁间骨折对位；踝的屈伸可使距骨骨折、内外踝骨折对位等等。曾遇一距骨中部骨折患者，两骨折块分别向前后分离脱出踝穴，他医束手。余用拔伸牵引加踝极度屈伸法正复。正复后 X 线摄片证实，两骨块完全对合。

正骨施法，切忌猛暴，必须善识病情，因势利导，做到"机触于外，巧生于内，手随心转，法从手出"（《医宗金鉴》）。针对病机，灵活运用，多可应手而效。或谓言之欠慎！姑请试之，必有得焉。

医 话 三 则　　|郭汉章|

一

孙某，骨盆骨折，伤后小便不解，病人腹胀难忍。因导尿管多次插而不进，无奈每天行膀胱穿刺，以解尿闭之急。曾内服萹蓄、瞿麦等利水之剂而不效。邀我会诊，检查病人，见其小腹胀满，腹痛拒按，舌红脉滑。证系外伤瘀血、瘀滞化热、三焦不畅。服用清热利水之药效果不著，是因药物力缓量轻。因思家祖有"葶苈子，利小肠，强似大黄利大肠"之教诲，随处以葶苈子、白茅根，令其煎汤饮服。服药次日即可解小便，3 剂后小便自如。

葶苈子上可泻肺，下可利水，通利三焦，效猛力峻，尿闭病急、体壮属实证者，皆可选用。属寒者，可加用肉桂；有瘀者，可配用活血之剂；体虚者，可与补中益气汤配服。又遇几位患者，如同上法施用，每每见效。

二

张某，右前臂尺桡骨下 1/3 骨折，曾施行切复内固定手术，半年后拍片检查骨折端不连，认为局部骨细胞坏死，不能愈合，必须再次行手术植骨。患者本人不同意手术，前来求治。经我检查诊断，全身系肝肾不足，局部为气血不畅。故外用以乳香、没药、血竭、三七、麝香、牛黄、当归、珍珠、琥珀等组成的研药"展筋活血散"施局部，手法研揉，促进气血通畅。内服自拟"壮筋补骨丸"补肝益肾。治疗半年后，拍片检查骨折端全部愈合，且功能完全恢复。

《内经》云："肝主筋""肾主骨"。因肝藏血，肾藏精，精血与骨的生长、发育乃至修复有密切的关系。精血盛，骨折修复快；精血虚，则骨折往往迟延愈合甚或不愈合。故医者多注重填补肝肾精血以求加速骨折愈合或治疗骨折不愈者，然不知尽管精血充盈，而局部气滞血瘀，肝肾精血不能随气血达于骨折端，亦属枉然。所谓"瘀血不祛，新血不生"就是此理。故对于骨折迟延愈合的患者，除应补肝益肾、填充精血外，还应注重局部之气血，才能相得益彰。

后又以该法治疗数十例骨折迟延愈合和骨不连患者，皆获满意效果。

三

腰部疼痛，有虚实寒热之异，伤科亦然。由于闪失扭挫者，多属气滞血瘀，当以活血祛瘀。我常用红花、延胡索为主，配以牛膝，煎汤饮服。牛膝意在引经，用量不宜过大。且牛膝具有一定的补性，若用量过大，可使气血壅滞，反为不美。以此方为基础，随症加减，治疗瘀滞腰痛，皆获佳效。

（薛　军　整理）

治疗肱骨髁上骨折的两种手法　|孙绍良|

肱骨髁上骨折是骨伤科临床常见的多发病证，发病率占儿童肘部骨折的首位，在治疗中和治愈后常遗留肘内翻畸形，造成肘关节功能失常。据多年来的治疗报道，肘内翻畸形仍不低于 14.3%，甚至高达 60% 以上，我科应用中医手法，对 254 例（其中最严重的有 51 例）进行治疗，疗效满意。

具体方法是：对肱骨髁上骨折尺偏移位者，在手法复位时，用臂丛麻醉后，将尺偏推到桡偏 1/5 ~ 1/4，并使桡侧骨皮质嵌插，尺侧张口，然后屈肘前臂旋后，再将肱骨远端与近折端顺骨纵轴互相挤压，给予夹敷固定，称此手法为"矫枉过正"。同样，对肱骨髁上骨折桡偏移位者，我们在臂丛麻醉下，用手法将桡偏推到留有 1/5 ~ 1/4 的桡偏，不能完全矫正，并且使桡侧嵌插，尺侧张口，再将远、近折端沿骨纵轴方向对挤，屈肘前臂旋后，再纠正前后重叠移位，给予夹敷固定，称此手法为"留有余地"。

对上述患者治疗时间最短为 11 天，最长 40 天，经过 2 ~ 3 年以上随访，都作过 2 或 3 次局部 X 线正侧位拍片及外观照像。结果：仅有 12 例较差，即肘关节伸屈功能较健侧少 30° 以上，携带角较健侧减少 20° 以上，手功能不好。但暂不能作任何治疗。其余均疗效满意。这 12 例中有 8 例都是因为伤后在其他医院治疗 1 ~ 3 周后才来我处治疗的，经我们给予手法复位，效果不好。其失败原因是通过反复手法对位，将折端磨损后，失去了固定的稳定性所致。

上述"矫枉过正"和"留有余地"的手法，我们认为值得介绍给同道，以广其用。

活血止痛丸治骨不连有效 |孙绍良|

我院自制"活血止痛丸"（杜仲、骨碎补、党参、当归、桂枝、黄药子、海马、自然铜、马钱子等 17 味药组成）有活血化瘀、消肿止痛、接骨续筋之功，治疗骨折、脱位及软组织扭挫伤中后期，效果显著，尤其对骨折迟缓愈合，能明显地促使骨痂生成，从而达到骨折接续之目的。

如张某，男，27 岁，农民，1963 年 7 月 15 日因大窑塌方砸伤左大腿中部，有青肿剧痛及异常活动，拍片左股骨中上 1/3 处碎片骨折，经本院作髓内针固定，5 个月后拍片，有 4cm 的骨缺如，未见骨痂生成。动则骨擦音明显，又经 3 个月后拍片，与前俱同，故去掉髓内针，改服"活血止痛丸"，配合食用猪羊骨汤，局部夹板固定，2 个月后断处无压痛及骨擦音，拍片有明显骨痂生成，原缺如处已接续，继服药 3 个月，能持双拐行动出院，3 个月后拍片，折部仅有前后约 3cm 的错叠。患肢短于健肢 2.5cm。3 年后随访，一切正常，快跑有微跛，患腿短于健腿 2cm。

又如澄城县煤矿杨某，男，32 岁，2 年前被碰伤左环指，拍片为左环指第 2 节中段骨折，经矿区医院先后 3 次手术处理，约 8 个月之久，仍有骨不连，来院拍片断端未见骨痂，查有假关节，痛不明显，且有肌萎缩。我们认为此乃脾肾虚而气血衰，内服"活血止痛丸"，局部以舒筋活血通络之剂煎泡，1 个月后骨擦音不明显，假关节消失，2 个月后拍片，骨痂已包绕断端，折线不清，外观患处有轻度重叠和外偏，第 2、3 节间关节微屈，不能作正常活动，出院继续用上药治疗，3 个月后来查痊愈，仅存关节活动欠灵，已恢复原工作 2 个月无恙。

快速复位治疗腰椎间盘突出症 |张　安|

腰椎间盘突出症，中医无此病名。属损伤腰痛的范围。腰椎间盘突出症一般都有外伤史，其症状为损伤后先腰痛，多在数日或数周后出现单侧腿痛，由腰逐渐向下肢串痛。病久者便有下肢麻木感，多发生在腰$_{4,5}$间或腰$_5$、骶椎间，诊断并不困难，一般腰有侧弯，在腰$_{4,5}$椎，腰$_5$、骶椎处有椎旁压痛、放射痛,直腿抬高试验在35°以下。X线片显示腰椎有不同程度的增生退变,椎间隙变窄,后缘增宽。但X线片无异常,亦不能排除腰椎间盘突出。定位主要靠临床体征。

椎间盘突出的病理改变一般有3种表现:

(1) 纤维环的外层、椎体后缘骨膜和后纵韧带都完整,突出的髓核可把这些组织顶出来,突进椎管内。

(2) 纤维环在椎体缘附着处破裂,髓核突在上下椎体后面骨膜内。

(3) 骨膜和纵韧带完全破裂,突出的髓核可游离到椎管内。

前两种是我们复位的适应证,首先应解决主要矛盾,使突出物远离神经根,减少压迫或将突出的髓核复位,这是我们治疗的目的。

我们根据古人悬吊法研制成功以液压为动力的大重量的快速复位床。此法自1982年至今复位2000余例,取得了满意的效果。经随访的600例分析,总有效率达96.4%。

操作方法:患者俯卧于牵拉床上,两腋窝固定于活动档柱内,两臂贴体,两下肢伸直,两小腿用牵拉固定带拉紧。接通电源调节好所需拉力,一般拉力180~240kg,一脚踏制动开关,医者拇指用力在定位处向内、向下按压,医者在拇指下有加宽椎间隙的微动感觉。椎旁压痛叩击消失即为复位,如仍有窜痛可重复1次。此法是当前治疗椎间盘突出症的理想复位方法。

如治王某,男性,30岁,工人。10个月前因腰扭伤出现腰痛,逐渐累及下肢,咳嗽、喷嚏时左下肢小腿外侧窜痛。检查:跛行,腰椎侧突,左侧腰$_{4,5}$椎旁有压痛、放射痛,直腿抬高试验左25°,足背屈、伸拇力减弱。X线片示:腰$_{4,5}$椎间隙呈前窄后宽改变,行牵拉复位术,1周后复查,患者腰腿痛明显减轻,侧弯消失。左下肢外侧仍有微痛感。腰椎旁压痛不明显,无放射痛,直腿抬高试验左70°,右90°,恢复正常工作。

腰椎间盘突出症是一种危害人民健康的多发病。发病后劳动和生活均受严重影响。以往本科采用小重量牵引及推拿治疗等,疗程长,效果不太理想,在古人悬吊法治疗的启示下,快复位法一般1次治愈。只要诊断准确,无不良反应。

芒硝治足跟骨刺痛　张衍鹗

足跟骨质增生,属中医"骨痹"范围。好发于女性更年期,男性也多发于年逾五旬的患者。临床表现多见气血不足，肝肾虚亏等证。临床表现常以足跟痛，有麻胀感，且疼痛以初立、初走时明显，活动后反而减轻，久立久站后则又加重为特征。本病疼痛一般较局限。跟骨基底结节部骨刺，痛点多在跟骨下方，偏内侧。粗隆结节部骨刺，痛点多在跟骨后侧（即跟腱附着处），痛点可窜到足踝、足背等处。疼痛程度与骨刺的大小无明显关系，而与骨刺的方向有关。骨刺的方向与跟骨底面近乎平行时，疼痛较轻，而斜向下方时，疼痛较剧烈。余用芒硝适量压成细末装入布袋，铺平约0.5cm厚，放在鞋后跟部，踏在足跟下，二三日症减，不超5日疼痛消失。如有复发，反复使用仍有效。其机制与芒硝的软坚作用有关，药直接作用于患处，软坚止痛。

三仙丹治疗慢性化脓性骨髓炎 | 王成文 |

化脓性骨髓炎，属于祖国医学的"附骨疽"范围，其特征是附骨而生，毒气深沉，初起无头不红，溃后迁延难愈，给患者造成很大的痛苦。余用三仙丹外治为主，内服中药为辅的方法，对慢性化脓性骨髓炎患者进行了治疗，收到了较好的效果。

因本病局部症状表现严重，故以外治为主，内治为辅，外治以拔毒、祛腐、生肌，内治以清热解毒、滋阴补肾为总的治疗原则。

外治法

1. 方药　采用三仙丹梢子和三仙丹底子。

2. 制作　取汞17g、火硝16g、白矾17g，将上药用升华法制成。炼制成后，丹碗内面附着一层红色结晶粉末即为三仙丹梢子（简称丹药梢子），留在丹锅底部的一团白色焦巴印即为三仙丹底子（简称丹药底子）。分别刮取贮藏有色瓶内备用。

3. 功用　丹药梢子和丹药底子皆具有拔毒、祛腐、生肌作用，但二者相比较来说，丹药梢子拔毒、祛腐作用弱而生肌作用强；丹药底子拔毒、祛腐作用强而生肌作用弱。临床上可以配合使用，多用于治疗痈疽溃烂等顽固性疮疡。

4. 不良反应　丹药梢子含有汞，可能有个别人发生过敏，或使用时间久而用量过大则发生局部疮面中毒情况，但少量撒布疮面则无刺激和疼痛的感觉。丹药底子不含汞或含少量的汞，故不会发生过敏和局部伤口中毒现象，但对局部疮面有轻度刺激而出现短暂的疼痛现象。二者比较起来，丹药梢子，不宜久用和剂量过大；丹药底子可以久用而无毒害作用。

5. 使用方法 局部常规消毒，清洁创面，进行搔刮，破坏窦道，开放伤口。取丹药底子粉末少许撒布疮面，或用药捻插入瘘管，外敷纱布，每日或隔日换药 1 次，直至死骨排尽，疮面腐肉少，肉芽新鲜、生长良好，此时可改用丹药梢子少许直接撒布疮面，或药捻插入瘘管，外敷纱布，每日或隔日换药 1 次，直到痊愈为止。不论丹药梢子和丹药底子，皆使用纯品，不加任何赋型剂，这样浓度大，效果好。

内治法

1. 清热解毒法 主要用于慢性骨髓炎急性发作阶段，凡局部红肿，疼痛剧烈，伴有高热，舌苔黄，脉滑数，此为热毒壅盛，瘀血阻滞，治宜清热解毒法。方用四妙勇安汤加味。

2. 滋阴补肾法 主要用于伤口颜色正常，肉芽不生，腰酸腿困，手足心热，舌质红，脉沉细数者，治宜滋阴补肾法。方用知柏地黄汤加味。

例：冯某，男，28 岁，内蒙古纳林河乡农民。患者于 1982 年冬季右足拇趾碰伤，局部感染溃烂，经久不愈，疼痛难忍。X 线拍片显示骨质破坏，有死骨，诊断为慢性化脓性骨髓炎，手术截去右足拇趾末节趾骨，术后 1 个月伤口不能愈合，局部伤口肿胀疼痛难忍，抱足而坐，彻夜不眠，建议再次截肢一节，患者拒绝，故转诊。检查：右足拇趾末节截肢术后，伤口不愈，伤口大约1.5cm×1.2cm，溃烂流脓，趾骨外露，疮口周围肿胀、皮肤紫暗。右下肢肌肉轻度萎缩，皮肤苍白，趺阳脉摸不到，痛苦面容，全身发热，体温38.9℃，渴喜冷饮，大便秘结，小便短赤，舌质红，苔薄黄，脉滑数。诊断为慢性化脓性骨髓炎术后感染急性发作，合并脉管炎。经用丹药底子撒布疮面，外敷纱布，每日换药 1 次。分泌物逐渐减少，疼痛减轻。同时配合内服清热解毒之剂，方用四妙勇安汤加味，每日 1 剂，水煎服。连服 10 剂。经 1 个月治疗，排出0.1cm×0.2cm死骨 3 块。继续外用丹药底子，前后治疗 4 个月，局部伤口愈合，疼痛消失，精神尚好，饮食、二便正常，舌质淡，苔薄白，脉沉细弱，右足趺阳脉仍摸不到，经 X 线拍片显示，骨质修复，边缘整齐，无死骨而痊愈出院。随访 8 个月未复发，并能参加一般体力劳动。

三仙丹治疗慢性化脓性骨髓炎，具有花钱少、效果好、制作简单、使用方便、简便验廉等优点，是值得进一步研究总结、推广应用的一种有效药品。

伤 筋 外 治　　|娄多峰|

伤筋，现代医学称急性软组织损伤，分扭伤和挫伤两大类。临床以疼痛、瘀肿、功能障碍为主要症状。其病机为跌仆损伤致气滞血瘀，经络阻塞。正如《医宗金鉴·正骨心法要诀》所说："跌仆损伤之症，专从血论。……皮不破而肉损者，多有瘀血"。其治疗大法应以活血化瘀、消肿止痛为要。吾家传一方，酒泡外搽，经数十年的临床验证，效果良好。药物组成：马钱子、栀子、没药、生草乌各等份（马钱子加倍），共为粗末，烧酒浸泡，取药液外搽患部。方用马钱子散血热、消肿之力甚速；没药散血祛瘀、消肿止痛；生草乌外用局部麻醉止痛。诸药相配，活血化瘀，舒筋通络，屡用屡效，望同道验正。

目 疾 小 议　　|李世平|

眼睛外观正常，但不能久视，视久则干涩难忍或视瞻昏渺，张介宾称之为"内障"，认为治当"专补肾水"。验之临床，专补肾水很难取效。本病肾水不足有之，但肝血不足、虚火上扰才是其主要原因。故我常用丹栀逍遥散去生姜、薄荷，加菟丝子、女贞子，以养肝血补肾水，清肝火。十数剂后，即可见效。

肝火上炎或风热上犯引起的目赤肿痛，临床习用龙胆泻肝汤加羌活、防风。其功效较单用清热之剂明显。因目为太阳经脉所过，加入羌活、防风，既能引药入经，又有疏散火郁之功，此亦《内经》"火郁发之"之意。

目 疾 五 则　　|张子述|

小儿青盲，养血定志通窍

《诸病源候论》云："青盲者，谓眼本无异，瞳子黑白分明，直不见物耳。"小儿青盲，系指小儿外眼端好，惟目视物不清者，相当于现代医学之小儿视神经萎缩、皮质盲、弱视等病。《审视瑶函》云："小儿青盲肝血虚。"余认为此病之因或由先天不足，或由后天热病伤津致小儿阴血亏乏，神气怯弱，玄府滞涩，目系失养。故治疗之法，当滋养阴血，定志通窍。余临证每以远蒲四物汤（四物汤加远志、石菖蒲）治之。若因先天不足所致者，加菟丝子、楮实子、枸杞子、肉苁蓉、杜仲等补肾固本；若由后天热病伤津所致者，加天冬、麦冬、石斛、天花粉等滋养阴液，若兼脾虚气弱者，合用补中益气汤。

如余曾治1例5岁患儿蒲某，热病后视力明显下降，视物远近皆不清。每伴口干烦躁，夜寐不宁。检查：双眼视力均0.1，验光配镜不能矫正。眼底：双侧视盘颞侧色淡。西医诊为"视神经萎缩"。余认为此系小儿青盲，证属阴血亏虚，玄府滞涩，心神不宁；初期治以养血通窍，定志安神，方用远蒲四物汤加麦冬、茯神、丹参、菊花、决明子；后期以前方酌加党参、白术、楮实子、肉苁蓉等健脾固肾之品。治疗3个月，患儿视力显著增加，右0.8，左0.9。且体质较先强健，夜寐转安。

震惊内障，祛风活血益损

震惊内障，相当于现代医学之外伤性白内障。《医宗金鉴》云："惊振内障，或因击振误著头脑，致脑中恶血流入睛内，日久变成内障。"余认为本病乃因伤击眼目，神水震荡，脉络瘀滞，睛珠失养所致；且伤后风邪易乘虚而入，变化多端，故治疗关键在于祛风活血益损。病发之初，可用除风益损汤，或四物汤加防风、羌活、密蒙花、蒺藜等祛风退翳之品；后期宜用杞菊四物汤，或固本还睛丸（生地黄、熟地黄、人参、麦冬、五味子、石斛、山药、茯苓、菊花、防风、川芎、枳壳、牛膝、甘草、菟丝子、杏仁、蒺藜、青葙子、车前子）。

如余曾诊治1例3岁患儿梅某，左眼不慎被碎玻璃击伤，创口愈合后，仍视物不清。检查：左视力隐见眼前手动。角膜上方现一条状白色斑翳，晶体全呈灰白色混浊，眼底不能窥清。西医诊断：①左外伤性白内障；②左角膜斑翳。余认为此系震惊内障，证属外伤神珠，脉络瘀滞，肝肾受损；初期治以祛风活血，明目退翳；药用当归、川芎、赤芍、防风、羌活、密蒙花、蝉蜕、蒺藜、菊花、枸杞子；后期重在补益肝肾，养血退翳，药用杞菊四物汤加丹参、楮实子、蒺藜、密蒙花、谷精草等。服药七十余剂，患儿视力著增，能辨清3m外的钢笔与图样，左晶体除上方囊膜外，余部混浊皆已吸收，眼底清晰可见。余再予固本还睛丸善其后，以退翳益损。

眼底出血，止血活血养血

眼底出血，见于现代医学之视网膜静脉周围炎、视网膜静脉阻塞、高血压、动脉硬化等病变。余认为本症虽然可由火热、气逆、气虚、瘀阻等多种原因所致，但临床以"火"与"瘀"为多。盖目居至高，火性上炎，灼伤目络，则致出血；或脉络瘀阻，血不循径，血亦外溢。故在治疗上，余主张审因论治，分期用药。对于因火热所致之出血，初期出血量多色鲜红，急宜凉血止血，佐以散瘀；方用凉心清肝汤（生地黄、当归、赤芍、丹参、牡丹皮、侧柏叶、焦栀子、黄连、灯心草）；中期出血停止，血色暗红，治宜活血祛瘀，佐以养血，方用四物汤加三七、丹参、茜草、茺蔚子等活血之品；后期出血吸收，治宜滋养阴血，佐以通络，方用杞菊四物汤，对于因瘀阻所致之出血，余始终治以养血活血，祛瘀通络。

如余曾治 1 例男性青年患者邓某，自诉双眼视物模糊，眼前阴影飘动 3 个月，每伴口苦咽干，小便黄赤。曾在某医院诊为"视网膜静脉周围炎"，经用维生素类、安妥碘、丹参片等药治疗，病情仍渐加重。检查：右视力 0.02，左视力指数/10cm。双外眼正常。玻璃体均呈棕黄色混浊，眼底不能窥清。舌红苔薄黄，脉弦细数。余认为此系暴盲之症，乃因肝火炽盛、灼伤目络，迫血妄行；治宜清肝凉血，散瘀通脉。方用凉心清肝汤加减，药用生地黄、当归、赤芍、丹参、牡丹皮、焦栀子、黄芩、荆芥炭、墨旱莲、三七粉。服药二十余剂，患者视力增加，右 0.2，左 0.3。玻璃体混浊部分吸收，眼底欠清。余再以活血祛瘀，调肝养血法治之，药用四物汤加丹参、牡丹皮、茺蔚子、枳壳、决明子、三七粉等，治疗 2 个月，患者视力大增，眼前阴影明显减少。检查：右视力 0.8，左视力 1.0。双玻璃体轻度混浊，眼底可以窥清，出血基本吸收。余后以杞菊四物汤加青皮、丹参、茺蔚子，服药五十余剂，患者视力恢复正常，右 1.2，左 1.5。

聚星障症，清肝养血退翳

聚星障症，相当于现代医学之病毒性角膜炎。《证治准绳》云："聚星障症，乌珠上有细颗，或白色，或微黄，微黄者急而变重。或连缀、或团聚、或散漫……初起者易治，生定者退迟。"对于本病病因，前人论述不一。《原机启微》认为是"风热犯目"；《证治准绳》认为是"痰火之患"；《目经大成》认为是"木火相攘"。余认为本病多因素体肝旺，外感风热，内外之邪相搏，上攻黑睛所致。由于病发黑睛，黑睛属肝，肝为风木之脏，体阴而用阳，故治疗不宜过用苦寒凉泻，否则不惟攻伐伤肝，且致寒凝翳定，日久难散。余治疗本病，每以清散祛邪与养血退翳二法并用。初期以清肝散热为主，佐以养血退翳，方用柴芩四物汤（柴胡、黄芩、生地黄、赤芍、当归、川芎）加防风、栀子、连翘、青葙子、木贼、菊花等祛风清热退翳之品；待热清邪退，则以养血退翳为主，佐以调肝宣散之剂，方用四物汤加青葙子、决明子、密蒙花、谷精草、蝉蜕、石决明、青皮等。

如余曾治1例女性青年患者郭某，自诉右目红赤疼痛，羞明流泪，视力减退月余，每伴两侧头痛，口苦尿黄。曾在某医院诊为"病毒性角膜炎"。检查：右视力1.5，左视力0.2。左睑微肿，睫状充血（＋＋），角膜中央密集细点状灰白色混浊，中上方细点连缀成片，如树枝状，荧光素染色阳性。右眼正常，舌红苔薄白，脉弦数。余认为此系聚星障症，证属肝经风热，上攻黑睛；治宜清肝散热，养血退翳；药用柴苓四物汤加蒺藜、木贼、蝉蜕、防风、羌活等，服药三十余剂，诸症著减，左视力增至0.6。余再投以养血退翳调肝之剂，药用四物汤加石决明、青皮、蒺藜、密蒙花、菊花、决明子等；服药四十余剂，患者视力增至1.0，目症消失。检查：左角膜中上方留有一菲薄云翳，在电光下细看方见。

视赤如白，调肝通窍补虚

视赤如白症，相当于现代医学之色盲。《证治准绳》云：视赤如白者，"谓视物却非本色也，因物着形之病……或观太阳若冰轮，或睹灯火反粉色，或视粉墙如红如碧，或看黄纸似绿似蓝等类。此内络气郁，玄府不和之故"。阐明了本病的临床特点与发病机制。余认为本病之因主要是肝经络脉郁滞，目中玄府不通，兼及气血失充、脾肾不足。盖目为肝窍，肝脉通于目系，只有肝气条达，络脉畅通，玄府通利，气血蒸蒸上荣，目才能行辨五色之能；若肝郁络滞，玄府阻遏，气血不能上奉，则目失辨五色之职。肾脾二脏乃先后天之本，精血生化之源，二脏充盛，则精血化生无穷，不断充养眼目；若二脏虚衰，则精血化生不足，目失濡养，不仅色觉异常，且致精明受损，视物昏花。治疗之法，初期当调肝养血，通窍活络，方用远蒲四物汤加丹参、橘红、柴胡、枳壳、枸杞子、决明子等；后期宜补肾健脾，佐以调肝通窍，方用补肾还睛丸（人参、白术、茯苓、熟地黄、川芎、远志、石菖蒲、生地黄、肉苁蓉、菟丝子、羌活、防风、菊花、密蒙花、木贼、甘草、蒺藜、牛膝、青葙子）。

如余曾治1例男性青年患者孙某，自诉5年前招工体检，始发现各种颜色均不能辨认。西医诊为全色盲。诸处求医，治疗罔效。检查：双眼视力均1.5，外眼及眼底未发现异常。用俞氏色盲表检查，册中图样数字，无一能辨。舌红苔薄白，脉弦细。余谓此系视赤如白症，证属肝郁络滞，玄府阻遏；治宜通窍活络，调肝养血，方用远蒲四物汤加橘红、茯苓、枸杞子、决明子、丹参、谷精草等。服药45剂，始见疗效，患者可以辨认色盲表中的一些简单数字与图样。方既奏效，说明目中玄府疏通，治当益气养血，健脾固肾，佐以宣通，方以补肾还睛丸化裁。药用太子参、熟地黄、枸杞子、决明子、当归、麦冬、白术、茯苓、远志、石菖蒲、橘红、川芎，此方服至二十余剂，患者对色盲表中的任何数字与图样均能辨清。6个月后随访，患者辨色力正常。

（洪　亮　整理）

三仁汤治湿热眼病 ｜寇崇琇｜

眼部疾患由湿热而致的较为常见，其特点为病情缠绵难愈，临床治疗颇感棘手。本人多年来应用吴鞠通《温病条辨》中之三仁汤加减，治疗这类目病，均取得满意的效果。

如患者吴某，男，21岁，右眼患病毒性角膜炎已6年，反复发作5次。此次在发热、腹泻后又觉右眼发红、疼痛、畏光、流泪，视力下降。检查：白睛抱轮红，黑睛中央有灰白色片状混浊，表面不平，荧光素染色阳性。因患者病情缠绵，反复发作达6年之久，且形体消瘦，面色㿠白，纳差，头闷，便溏，日三四次，舌胖，苔厚腻微黄，脉滑数。此为聚星障，证属素体脾胃虚弱，运化功能失常，痰湿内阻，又复感风热之邪，致痰湿与风热之邪相搏，上攻黑睛。治宜清肝利湿，宣肺畅中。方用三仁汤加清肝退翳之品，标本同治。

处方：生薏苡仁30g、白豆蔻10g、杏仁10g、厚朴10g、制半夏10g、滑石10g、赤芍10g、牡丹皮10g、决明子10g、木贼10g、青葙子10g、淡竹叶6g、生甘草3g，水煎服。

上方连服5剂而愈，至今未见复发。

时　复　证 ｜寇崇琇｜

此证亦属痒极难忍症范畴，多发生于青少年，常累及双眼，且有季节性，每逢春夏之季症状加重，秋末冬寒之时则减轻，如花如潮，至期而发，过期而愈，故名时复症。其病情缠绵难愈，短则3～4年，长则数十年，自觉眼部奇痒，灼痛不适，有黏丝状分泌物，上胞睑内面状如卵石铺路，质地坚硬，轻则黑睛内外侧缘处白睛有污秽色胶样隆起，严重时则累及黑睛四周。

古人认为此证多由风、热所致，故在治疗上多用祛风之法，常用方剂为驱风一字散、祛风汤等。本人认为此症以奇痒为主症，病情缠绵难愈，且眵多胶黏呈丝状，白睛有污秽色胶样隆起，故其病因应为风、湿、热三邪相搏，气血瘀滞所致。因此在治疗上采用祛风、清热、除湿、行气活血法。自拟处方：荆芥10g、防风10g、黄芩10g、百部10g、当归10g、赤芍10g、薏苡仁30g、茯苓10g、厚朴6g（或陈皮10g）、车前子10g（布包煎）。方中荆芥、防风祛风止痒；黄芩、百部清肺热、燥湿；薏苡仁、茯苓健脾利湿；当归、赤芍活血行滞；车前子导湿热下行，由小便而出。临床加减：若有肠寄生虫者加使君子、芜荑；白睛红赤，胶样隆起严重者加丹参，红花；痒甚者加羌活。

患者张某，女，18岁，陕西米脂人。两眼极痒，发红8年，有便蛔虫史。眼部检查：两上胞睑内面如卵石铺路状，白睛色污秽，黑睛周围有一圈暗红色胶样隆起。诊断：时复症。证属风、湿、热三邪上冲于目，致气血瘀滞。治以祛风清热，除湿杀虫，兼行气活血法。处方：荆芥10g、防风10g、黄芩10g、百部10g、当归10g、赤芍10g、生地黄10g、薏苡仁30g、使君子10g、芜荑6g，水煎服。服药3剂，便出蛔虫数条，眼部奇痒减轻，自觉清爽。上方去使君子、芜荑，加茯苓10g、车前子10g（布包煎），继服9剂而痊愈。

视 瞻 昏 渺　　|赵祚忠|

1978年4月，赵某延余诊病。自述两眼视物昏花，中间有黑圈，右眼较重，腰痛酸坠，有遗精史。经检查，视力分别为左1.0，右0.5。眼底可见黄斑部水肿，周围有反光轮，诊为中心性视网膜炎。查其舌质淡，苔薄白，脉沉细而数。审其证为肾虚视瞻昏渺。乃肝肾亏损，精血不能灌注瞳神所致。治宜补肾明目，方用五子地黄汤：熟地黄15g、牡丹皮10g、泽泻10g、怀山药15g、山茱萸10g、车前子15g（另包）、五味子10g、菟丝子10g、覆盆子10g、枸杞子10g，3剂。服药后自觉腰痛好转，视力有进步，遂按原方再进5剂。视力明显好转，中间黑圈变小，黑色变淡，按此方加减共服二十余剂。复查：两眼视力均恢复到1.5，黄斑部水肿已吸收，周围反光轮消失。3年未见复发。

五子地黄汤由六味地黄汤和五子衍宗丸组成，六味地黄汤填补真阴，五子衍宗丸补益肾气，精足气壮，精血可润养瞳神，故疗效满意。

补肝汤治目晾晾 |王凤池|

近十余年来，笔者曾对"流行性乙型脑炎""小儿泄泻""麻疹肺炎""食物中毒"等，在病情恢复期出现目无所见或目视晾晾的病人，服用"补肝汤"加味均收奇效。在可查的17例中，男11例，女6例，年龄3~12岁，服药3~15剂，均完全恢复视力。远期疗效随访在1~9年以上。如：马某，患"流行性乙型脑炎"，在恢复期两眼仅有光感，晾晾无所视。《内经》云："肝病者……目晾晾无所见"。又云："目受血则能视"。此属病后肝血亏虚，血不养目。故宗《医宗金鉴》补肝汤治疗肝血虚、目视晾晾之意，处以：全当归20g、白芍15g、酸枣仁15g、川芎6g、熟地黄15g、甘草6g、木瓜15g、桑椹子15g、枸杞子15g、何首乌15g。共服15剂，视力完全恢复。

补肝汤以四物汤为基础，加入酸枣仁，木瓜。方中药物多味酸入肝，妙在补肝阴养肝血。所以对大病后期，只要有目视晾晾或无所见的病人，即用补肝汤随症加味治之，鲜有不效，值得推广。

暴 盲 |寇崇琇|

暴盲，系指目平素无他症，外不伤于轮廓，内不损乎瞳神，倏然盲而不见的一类眼病。相当于现代医学的视网膜中央动脉或静脉栓塞、视网膜静脉周围炎、急性视乳头炎等病。古人认为此症多为怒气伤肝，肝伤则气逆，气逆则血亦逆，气血逆乱，则目受其害。肝开窍于目，目得血而能视，肝伤血少，故令目暗不明。肝有泻而无补，气逆自伤，疏之即所以补也，故用丹栀逍遥散治之。方中柴胡能疏，以达其逆；芍药能收，以损其过；牡丹皮、栀子能泻，以伐其实；木胜则土衰，白术、甘草扶其所不胜；肝伤则血病，当归以养其血；木实则火燥，茯神以宁其心。

多年来，本人以逍遥散加减治疗急性视乳头炎，得心应手。

如患者孟某，女，24岁。因气恼与他人争吵后，两眼突然视物不清已半月。检查：两眼视力均为0.02，外眼未见异常。眼底：视乳头充血、高起，边界模糊不清，静脉曲张，乳头周围网膜有散在性、火焰状出血，黄斑区中心凹反光弱。舌淡苔薄白，脉弦。诊断：暴盲（急性视乳头炎）。证属情志不舒，肝气郁结，气血瘀滞，脉络受阻。法宜疏肝解郁，活血通络。方用逍遥散加减。服药3剂，视力增至0.9。眼底：视乳头充血减轻，视网膜出血大部分吸收。前方减活血通络之药，加补肾明目之品，继服3剂，视力恢复到1.5。眼底：仅见视乳头边界稍模糊，余均正常。继服前方3剂，巩固疗效。

　　用逍遥散治疗暴盲的原则是：发病的早期，以疏肝解郁、活血通络为主。若视乳头充血明显，静脉曲张者，加丹参、赤芍、葛根、茺蔚子等；视网膜出血多者，加栀子、牡丹皮、生地黄、蒲黄等；视网膜水肿者，加薏苡仁、白扁豆、苍术等。中期：酌减活血、除湿之品，加滋阴补肾明目的枸杞子、菟丝子、山茱萸、楮实子、女贞子等。后期：以补益肝肾，益精养血为主，用杞菊地黄汤加减以善其后。

生气与暴盲　　|魏　淳|

　　目为肝之窍，肝主藏血，主疏泄，"肝受血而能视""肝和则目能辨五色矣"。若暴怒伤肝，气机逆乱，气血上壅，郁阻窍道；或因气郁化火，灼伤目络，迫血妄行；或因情志抑郁，肝失条达，气滞瘀塞经络，均可致目骤然而盲。

　　余在眼科临证中，每观暴盲者，常常由生气而致。余曾治疗多例，患者内外眼检查均无异常，只自诉突然视物不见，细细寻因，乃知患者多由生气而起，视力骤然丧失。治疗之法，在解除病人忧虑同时，针刺攒竹、合谷等穴，视力当即恢复如初。

脓　耳　　|马采芹|

　　脓耳，俗称耳朵底子。笔者二十余年来，用虹蚓[注]散治疗脓耳，效果显著。

　　此症以小儿患者为多见。初起发热，哭啼不安，继而耳内流出脓液。成人发病，多无发热，耳内有脓液样物，耳内疼痛，溃后疼痛减轻。

　　脓耳多由胆经火热郁积，复感风热邪毒，两邪相合，循经上行，结聚耳窍而化脓。

　　虹蚓散以鲜猪苦胆1个、虹蚓5～7个、枯矾面适量（根据苦胆大小而定）、上梅片 1.5g 组成。制法是：将虹蚰、枯矾装入鲜猪苦胆内（装满为度），将口扎紧，悬挂于不见阳光之通风处，阴干后，研细面，再和梅片研匀，贮瓶内备用。用时先用消毒棉球将脓液蘸净，将药面吹入耳内即可。

如治徐某，患脓耳十余年，时好时犯，犯时中西药治疗，效果不显，后经用上药治疗，吹药 5 次而愈。以后从未复发。

注：虹蚰，山东省民间药，系一种似土鳖虫的昆虫。

逍遥散化裁治暴聋 |张志华|

20 年前，青年杨某带其妻来求诊，诉日前突然耳聋，两耳无所闻。曾经五官科检查，未发现异常。询其病因，近来因与其兄嫂分家，自感不公平，常耿耿于怀，胸闷不舒，烦躁，常欲大哭，前日又突然耳聋。诊脉弦细，舌淡，苔白薄。证属情志不遂，气郁伤肝，长期忧郁不解，思虑伤脾，迁延日久，血失化源，阴血亏虚不能上注于耳。肝郁化热，上扰清窍。病属脏躁暴聋。治宜疏肝解郁，养血宁神。方用逍遥散合甘麦大枣汤化裁，1 剂而听觉复常，他症亦随之减轻，继续调理而愈。18 年后，因函授巡教复去其地，特意随访，病愈后未再复发。

复津当先治鼻干 |韩天佑|

人体内津液的盛衰与人的生命息息相关，正如朱丹溪所说"有津液则生，无津液则死"。对此当明辨之。以余之见，欲知津液盛衰，当先问其鼻干与否，何谓如此？肺开窍于鼻，肺朝百脉，输送精微，濡养全身脏腑、肌肉、四肢、五官、百骸。若肺热熏蒸，煎熬津液，则肺津亏耗，致鼻干而燥。继而五脏失养，随之出现眼干、口干等一系列症状。因而必须抓住鼻干之症，清肺热而养肺津，使肺朝百脉有权，输送精微的作用复常，则诸干自平。肺为华盖，其性娇嫩，喜清肃，易为热邪所伤，变生他症。无论患何疾病，尤当先治鼻干以复肺之宣发，余每用清金散以治。栀子炭 4g、黄芩 4g、枇杷叶 9g、生地黄 9g、天花粉 9g、连翘 9g、麦冬 9g、薄荷 4g、玄参 4g、生甘草 4g、桔梗 6g。若兼有咽干喉痛者，加山豆根、射干、金银花等以泻火解毒，清肺润喉。若兼肝胆郁热而口苦、目眩、胁痛者，可加川楝子、郁金、大青叶、炒龙胆以清肝胆之热。若兼有大便干燥，则加胖大海、番泻叶、大黄炭等。临证应用，每获鼻干除而肺津复布之效。

奇 证 不 奇 ｜刘海涵｜

临床常证固多，但奇证偶亦遇之。医者若因其奇而惑乱于心，则势必寒热攻补杂投而技穷。余以为奇证之奇在其标而不在其本。若能运用中医基本理论拨云窥日，探求其本，则往往可以平易之药而收功。

1964 年 3 月，曾治一女性患者，年 36 岁，农民，产育繁密。来诊自诉鼻痒难忍。初起，只觉鼻孔内燥热，势如火燎，烦躁失眠，口干不渴，继之鼻孔深处犹如猫须刺然，渐至奇痒阵作，痒甚则仆席滚地，难以忍受，需以钝头光圆坚质木棍，探刺鼻腔，达酸痛泪流而痒方止。诊其舌红无津少苔，六脉沉细而数，皮肤干涩。综观脉证，属肺燥鼻窍失润，失润则燥火生而致痒。用清金润肺法。方用麦味地黄汤、甘露饮合泻白散加减：地骨皮 30g、生桑白皮 30g、生地黄 30g、熟地黄 30g、天冬 20g、麦冬 30g、黄芩 10g、枳壳 10g、炙枇杷叶（刷去毛）20g、茵陈 20g、石斛 30g、甘草 10g、鲜芦根 120g，3 剂，水煎服，9 剂而瘳。

1967 年 7 月又治一顾姓患者，男，22 岁，教师。自诉眩晕耳鸣，继之耳垂自觉有蚁噬感，抚之不去，掐之则已，甚至日不能食，夜不能眠。严重时，两手不能离开耳垂，通宵达旦无有宁时。据其症因，乃因情伤志耗，精气亏损，虚火上扰耳窍所致。故以壮水制阳、填精益志、滋肾宁心为法，方用知柏地黄汤加味：盐知母 15g、盐黄柏 15g、熟地黄 30g、山茱萸 30g、山药 20g、茯苓 10g、牡丹皮 10g、泽泻 10g、磁石 30g、朱砂 3g（冲服），3 剂，水煎服，日服 1剂。后以此出入，三诊而愈。

以上二证临床少见，医书也鲜见记载，可谓奇证。然从中医整体辨证出发，探求证与脏腑之关系以明其本，从本论治，则本除标去而证消。

鼻衄如泉涌，良法在野求 ｜孙福生｜

昔吾友介绍一治鼻衄之法，据称其效如神，且简而易行。遂铭记于心。一日课间休息，学生郭某，忽鼻衄如注，自以手纸团堵塞鼻孔。但血复由口腔溢出，复以自来水冲洗头额，仍不奏效。余见其状，忆及吾友所传治鼻衄之法，姑且一试。急令该生卷起裤管，暴露腘部，挺立而站，余以手掌重叩击其双侧委中穴各3下，少顷其衄即止。后遇鼻衄患者每以此法治之，无不应验。

鼻衄为临床常见症状，多为火热之邪上犯、伤及阳络所致。考委中穴为足太刚膀胱经之合穴，又称血郄，具有通络泻热之效。又足太阳膀胱经始于目内眦，近鼻，故取其合穴以掌击之，乃循经上病下取、导热下行之法。其法简便、安全、易行、速效，真乃治衄良法。但鼻衄见于血液病、鼻腔肿瘤等病者，用此法不效，务须细察。

不拘一格医顽衄　|马裕袖|

笔者自幼便溏，日二三次。读中学时又患鼻衄，到春末至夏中更甚，每遇洗脸必发。至大学时，甚则不能以冷水洗脸。先后用药不少，终未能愈。诸医处方总不外清热凉血，栀子、生地黄、白茅根之类。鼻衄非但不瘥，而便溏更甚，一日大便四五次。致使饮食减少，体力渐差，精神不振。无奈，只有弃治鼻衄，改治便溏。先后用补中益气丸、健脾丸半月之久，便溏有所好转，但鼻衄如故。一次保健医生开桂附理中丸6丸，首服此药，甚感新鲜，便将6丸1次服尽。不料2小时后，感到周身烦热，躁扰不宁，咽干口燥，不能静坐听课。便溏虽未痊愈，然而鼻衄从此好了。

通过自身接受寒热两法治疗鼻衄之经历，感受颇深。治衄多用清热凉血之品，是符合"热伤阳络则衄"这一理论的。而余自幼便溏为脾阳素虚，患鼻衄长期服用栀子、白茅根等清热凉血之类，而衄不愈。此可证明鼻衄并非全是因热所致，还有因寒而得。其衄是脾肾阳气不振，脾虚不能统血，肾亏血失摄纳而致鼻衄，故重用桂附理中丸而得痊愈，据此足见知常达变之重要。

口疮辨证三则　|蔡福养|

口疮，是口齿科常见病之一。其内治法必须辨证而施，如实火致病者，用清胃散、凉膈散、导赤散之类，以清心脾之火为治；若因虚火致病者，用天王补心丹、甘露饮、六味地黄汤之属，以滋心脾肾之阴为要；若因阳虚致病者，用附子理中汤、桂附地黄汤之类，以温脾肾之阳为施；若因气虚致病者，用补中益气汤以补脾胃之气为治，总以辨证为据。

实践中，因气虚而致口疮者，屡见不鲜。如患者王某，每遇劳累则发口疮。其症状上腭处有 3 个黄豆大溃烂面，四周微红。《寿世保元·口疮》云："上焦虚热，发热作渴，饮食劳役则体倦，内伤气血，而口舌作疮也"，属脾胃虚弱，中气不足，升降失调，津液不化，湿邪内生，上淫于口舌，腐蚀肌膜，乃发口疮。治宜健脾补中、升清降浊。选用补中益气汤加栀子、牡丹皮清上焦虚热。使升降得调，湿邪、虚邪得降。服数剂而口疮自愈。

去年春，友人来郑探亲，告曰："患口疮数年，四方求医，无效。"视其证，口内有两个绿豆大白色溃烂面，四周不红肿，舌质淡胖，舌苔腻白，伴有肢冷腹痛，便溏食少。此属脾虚寒。因脾胃同居中焦，主运化水湿，开窍于口。若中焦虚寒，运化失调，乃生湿邪，上溃口舌，久滞肌膜而成疮。治宜温中健脾，益气化湿，收敛溃烂；选用附子理中汤，服药 9 剂。脾胃得温，湿邪得除，口疮自愈。

病友张某，近月余感觉舌根部不适，有 4 个绿豆大白色溃烂面，四周不红肿，以手指按压，微觉疼痛，继则小便量多，大便不实，腰脊酸痛，形寒怕冷，舌质淡，苔白腻，脉象沉弱。细思《外科大成》"口疮，腰脊酸痛，下肢不温，小便反多，脉沉弱，桂附八味汤主之"之言，知本病属肾阳不足，温通失调，致脾失煦养，湿邪聚痰，上溃口舌，腐蚀肌膜，发为口疮。治宜温补肾阳，选用桂附地黄汤。连服 10 剂，诸证转愈。又改服桂附地黄丸 15 天，以善其后。

治口疮清胃热并注重养阴　　|张鹏举|

《医贯》云："口疮，上焦实热，中焦虚寒，下焦阴火，各经传变所致，当分别而治之。"但根据体会，口疮者阳明胃热是其本，临床上用清胃热的方法治疗较多；若日久不愈，反复发作者，不仅胃热盛，且往往有热邪久羁、化燥伤阴之征，所以治疗还当注重养阴。曾治一男性，苏氏，35 岁，患者口腔糜烂已半年余，多方治疗，时发时愈，十分痛苦，观患者口腔黏膜糜烂，疮边红嫩，舌红苔白，诊脉沉而弦滑。同时伴有厌油暧腐，渴喜冷饮。证属阳明胃热炽盛，化燥伤阴，采用清热养阴之法，方用增液白虎汤加味。处方：生石膏15g、知母10g、甘草3g、生地黄15g、玄参15g、麦冬10g、白芷10g、石斛10g。服 3 剂后口疮已愈，然厌油嗳腐未除，舌质红，苔白，脉沉弦略滑，虽然热清液增，口疮已愈，考虑阳明余热仍在，故用银花解毒汤加味清热降逆，防止复发。方用：金银花 30g、黄芩 10g、紫花地丁 12g、甘草 3g、川厚朴 10g、莱菔子 15g、半夏 10g、旋覆花 10g。服 5 剂，再未复发。

本例方中用增液汤养阴，白虎汤清热，石斛配生地黄以益阴生津润燥，白芷引各药入阳明胃经，诸药合用，清热不伤津，养阴不留邪，药证合拍，故能获效。

食梨治咽干口臭　　｜熊永文｜

一北方中年男性干部，因连续食用南方小麦面食，逐渐发生咽干口臭，至今 15 年不愈，别无其他症状。

患者 15 年前去江南诸省出差半年许，常食南方小麦面食之类食物，开始咽干口臭，且每日清晨口唾清水不止，不唾则无法入睡，起床后此症逐渐消失。病初若改食大米，此病即愈，若复食小麦面食，则前症立即发作。医生给服养阴生津止渴药不效，又嘱病人每日食生萝卜 1 斤（500g），连服半月不但无效，病情有所发展，由原来的清晨 4～5 点开始，变成晚 12 点后开始咽干、口苦、口臭，每晚必须用清水漱口数次才能入睡。病人自己食用大量橘、柑、苹果治疗，仍未见效，患者口苦、咽干、口臭与当日饮食有关，若晚饭食面食太饱，当晚症状严重；反之，若空腹、少食则症状大减，所以病人长期采用饥饿疗法，但仍不能根治。

偶然一次病人吃了几个梨，当晚症状大减，从此即吃梨治疗，每日 1 斤（500g），连服近月，症状基本消失。此乃胃阴不足，食梨可养阴清热，食疗之妙优于药治。

口甜吐涎治验　　｜刘镜如｜

友人葛君之胞妹，年近四旬，苦于口中甜腻，时流口涎而多方求医。

《素问·奇病论篇》说："有病口甘者……此五气之溢也，名曰脾瘅……此肥美之所发也……治之以兰，除陈气也"。诸医依旨治之，累月服药，未能治愈。

一日，与其兄偶然谈到此病，我甚觉稀奇，约其来诊。观其形体，察其颜色，视其舌质舌苔，切其脉象，全然正常。追问病史，起因不详，惟感口甜难忍，口涎过多。仔细观其病历，视既往用过的方药，均系健脾疏肝，清热化湿，理气祛瘀，芳香化浊等法。药证不错，为何无效？我漫步室中，再三推敲，忆此证虽有口中甜，但涎水多，属水气寒饮内聚，用治水气的小青龙汤原方。水气去则脾气运化，口甜流涎或可解除。遂挥笔书小青龙汤原方5剂，嘱每日1剂，早晚分服。3日后，病人欣然而至，告症状已轻。继续服用，前后共用12剂，病愈，随访2年未再复发。

中医理论，奥妙无穷。辨证处方，各具千秋。医生治病，贵在辨证明，立法当，用方妥，遣药精。欲达到此目的，须竭尽生平之力，"锲而不舍"以求之。

口酸症治验　石冠卿

临床上吞酸、吐酸症比较常见，而仅在咀嚼食物时口酸较为罕见。1982年10月沈阳县税务局干部李雁波，患口酸症年余，在本县经中西医治疗数月，见效甚微，思想非常苦恼，无奈来郑求治于余。患者症状比较稀奇，既不吐酸水，也不嘈杂，只是在咀嚼食物时则口酸，并且愈嚼愈酸，并感食欲不振，身困乏力，余无不适。舌质淡，苔黄，脉弦而缓。余认为病系肝郁乘脾，土虚生湿，肝郁脾湿，郁久化热，湿热郁蒸则变酸。此即："木曰曲直，曲直作酸"之病理表现。在咀嚼食物时，酸水上泛，所以愈嚼愈酸。治以逍遥散，疏肝解郁，合左金丸清泻肝火，再加茵陈利湿热。上方服6剂，口酸基本消失，惟在吃甜食时口中略有酸感，并有易急躁和睡眠不佳之症。因药已中鹄，仍用上方加炒酸枣仁、合欢皮以养心安神，又服10剂，其病即告痊愈。

喉科内治用药特点　王德林

咽喉是人身的重要器官，饮食、呼吸的通道。若发生疾病，轻则咽喉红肿疼痛；重则不能饮食，呼吸困难，病情危重。本病的治疗虽然离不开中医理论体系的阴阳五行、脏腑经络、四诊八纲等辨证施治原则，但由于咽喉部位、生理、病理的特殊，治疗又有其特点。

其一，有表固当解表，无表亦当宣泄。咽喉位于人体上部，咽主纳食，下系于胃；喉主呼吸，下系于肺。咽属胃，主肌肉，喉属肺，主皮毛。由于这些特点，因此外界风邪毒气，既可长驱直入侵犯咽喉，使气血凝滞咽喉为肿为痛，又可直接侵袭皮毛、肌腠，使皮毛、肌腠密闭，体内之热，无处外泄而上攻咽喉，为肿为痛。因此，咽喉疾患初期，解表宣泄、驱邪外出是当务之急。有明显表证者，固当解表；无明显表证者，亦当宣泄。这一点不同于其他各科。解表和宣泄，有相同之处，也有不同之处。相同之处是同为驱邪外出，不致滞留于内；不同之处是有轻重之别。所以，历代喉科专著以解表宣泄的六味汤为主加减，治疗咽喉诸病，就是一个例证。但必须说明，慢性、虚性喉科疾病，如阴虚喉癣、慢喉喑等，不属以上的范围，不能强调解表宣泄。

其二，慎用苦寒强遏，以防火毒滞凝。咽喉疾病，一般皆认为火毒为患，世俗习用苦寒以泻火，以期咽喉肿痛早愈。咽喉疾病虽多火邪为患，但不能不分情况，骤用苦寒强遏。《内经》云："火郁则发之"。就是说火邪之所以为患作祟，多为风邪外闭，郁火上攻。发之则火邪外散，喉病即可向愈；遏之则火毒凝结，喉病加重。我初从医，曾治疗过1例温毒喉痛患者，猛用苦寒，病情增重，病家另请高明，用辛凉疏泄、平淡无奇的桑叶、蝉蜕、生地黄、甘草，药后即愈。这对我来说，是一个极大的教训。到底什么情况下用苦寒药合适呢？戴北山先生说得好："温症为热症，未有不当清者也。其在表宜汗，汗法即清法也；其在里宜下，下法亦清法也；若在表已汗而热不退；在里已下而热不解；或本来有热无结，则惟以寒凉直折其热而已。故清法以济汗下之不逮。"值得我们深思。

其三，注意腑气通畅，又忌猛攻峻泻。咽喉疾病，因恣食醇酒炙煿，以致脾胃积热，肠道欠通，郁火上攻，咽喉肿痛溃腐，臭气难闻。若用苦寒，邪火益甚；润肠通便，喉痛自除。临床医疗中，由于疏忽通便而使喉病不愈的不乏其例。曾有一位老妇患喉病，延某名医诊治，观其方药，不愧为高明手笔，然而药后不愈，病情增重，咽喉溃腐，张口臭气熏人，苔黄而干，脉象数实，经询大便数日不解。患者拒药，经用番泻叶10g当茶泡饮，腑气一通，咽喉病速愈。

其四，脉虚兼数宜滋阴，脉虚而弱当益气。咽喉疾病，虽与五脏六腑、十二经脉均有一定的关系，但关系最为密切的乃脾、肺、肾。脾属土，肺属金，肾属水。咽喉疾病，病久不愈，大致有两个方面原因：一为耗肺肾之阴，一为损伤肺脾之气。肺阴伤则累及其子，肾阴伤则子盗母气。咽喉干涩疼痛，语言难出，声低息短，自汗盗汗，精神疲倦，腰膝酸软，头晕耳鸣等。养阴清肺汤、子母两富汤（熟地黄、麦冬）最为适宜。养阴者，养肾之阴；清肺者，清肺之热，此子母两治之法。子母两富汤，也是这个意思。

损伤肺脾之气所致的慢性喉病，如慢喉喑等，常伴有呼吸气短、动则气喘、面色㿠白、目无精彩、懒于言语、自汗神疲、食少胸闷等，补脾益肺往往可收到良好效果。此即补母以生子之法，方如补中益气汤，四君子汤加麦冬、玄参、五味子等。但是，临床症状是错综复杂的，不是单纯易辨的，往往虚中夹实、实中有虚、阴中有阳、阳中有阴，只有细辨脉象，才能确定治则，总之，脉虚兼数宜滋阴，脉虚而弱当益气。

白喉辨治经验谈 张敬轩

白喉自清代中叶以后，文献描述渐多，有"疫喉""白缠喉""缠喉风""锁喉风"等。从症状表现看，中医称为"白喉"者多指咽白喉。而咽白喉多属"缠喉风""白缠喉"之类。白喉是一种咽喉处生白假膜的传染病，多发于冬春，病势急，病情危。在其流行时尚需注意与乳蛾、鹅口疮等病证鉴别。白喉发病之因乃素体阴虚，内有蕴热，复感时行疫毒或燥热侵袭，邪毒蕴结肺胃，上蒸咽喉而致。其临床证型一般分为3种，有温毒表热证、阴虚热毒证、热毒炽盛证。

温毒表热证。咽喉部生有薄白膜，发热恶寒，头身疼痛，舌质如常或略红，苔白或微黄，脉多浮数。治疗常以裘吉生的"除温化毒汤"加减（玄参9g、金银花9g、桑叶9g、木通3g、薄荷3g、川贝母9g、竹茹6g、生甘草3g、枇杷叶9g）。方中亦可加入土牛膝15g以解毒利咽。

阴虚热毒证。这是白喉中最常见的。喉中见白点或白块，且用力撕拨不易祛除，伴有疼痛，身微热或潮热心烦，纳差乏力，身体不舒，舌红少津，脉象细数。我常用养阴清肺汤加土牛膝根治之，药用：生地黄10g、玄参20g、麦冬12g、川贝母10g、牡丹皮10g、白芍10g、薄荷（后下）6g、甘草3g、土牛膝15g。其中重用玄参、土牛膝、麦冬，亦可酌加黄芩、山豆根。本方重在养阴清热解毒。

热毒炽盛证。临证常见喉间白膜溃腐且较大，疼痛难忍，咽部红肿较甚，伴高热口渴，烦躁，面赤气粗，苔黄，脉象数实有力。用增液汤合龙胆泻肝汤加减（生地黄10g、玄参15g、麦冬12g、板蓝根12g、黄芩12g、栀子10g、大青叶10g、金银花10g、马勃3g、龙胆10g、木通3g、甘草3g）。清热解毒，养阴利咽。临证可随症加减，若病者为小儿宜酌减其量。治疗时亦可兼用锡类散吹喉。

若白喉出现并发症或危重者，我常用玉竹、生地黄、熟地黄、麦冬、何首乌、女贞子、白芍、山药、茯苓、甘草等治之。若见心悸汗出、烦躁，或四肢厥逆，脉细微不清。此属难治之危证。若白膜脱落，气道闭阻者，急宜做气管切开，积极抢救。古人治白喉有忌表之说，临床确当斟酌。

（马明良　靳风英　张葆英　整理）

喉痹病的范畴及辨证论治　|王德林|

中医喉科病的名称大都根据症状特点而定名。如乳蛾是根据局部肿物像乳头、似蚕蛾而定名；喉痈，是根据痈疡发于喉中，热盛肉腐成脓而定名；喉风，是根据其来势凶猛急骤、风痰壅盛而定名等等。惟喉痹这一病名，到底包括哪些喉科病，至今尚无统一认识。如《喉科奇验明辨》云："风喉间肿痛，统一之曰喉痹"。我认为除乳蛾、喉痈、喉风、白喉、疫喉痧等有典型症状以外的，凡无典型症状而咽喉肿痛类的咽喉病，均可归纳在喉痹病中。

病因大致有下面的特点：急性，每因外感风热或素嗜烟酒，积热上攻而发病；慢性，多由急性转变而来，或治疗不当所致。

1. 因于风热的，咽部关内关外有不同程度的弥漫性红、肿、痛，俗称"红喉"。自觉干燥灼热，吞咽感觉不利，痰多而黏稠，咳之不易，全身可伴有发热、恶寒、头痛、脉浮数、舌苔黄腻等。内治宜用喉痹饮加减（前胡、炒牛蒡子、桔梗、玄参、川贝母、僵蚕、天花粉、荆芥、薄荷、生甘草），外治宜用加味冰硼散（炒硼砂15g、玄明粉15g、朱砂2g、冰片1.5g、滑石8g、薄荷冰2g，共研细末瓷瓶收贮，勿令泄气）吹咽部。

2. 因素嗜烟酒的，热毒积于肺胃，上攻咽喉，咽部颜色深红，轻度肿胀疼痛，痰多黏稠，咳之不爽，每欲咳咯为快，舌苔黄腻，脉象沉数，甚则便秘溲黄。内治用鼠黏解毒汤（炒牛蒡子、葛根、升麻、桔梗、黄芩、天花粉、黄连、栀子、枳椇子、生地黄、生甘草）加减。外用加味冰硼散吹咽。

因风热乳蛾或风热喉痹治疗不当或失于治疗，热邪逗留于肺，耗气伤津，咽部干紧，淡红不肿，口干舌燥，欲饮不多，胸闷气短，疲乏无力，脉象虚大。内治宜加减沙参麦冬饮（沙参、麦冬、生地黄、熟地黄、天花粉、黄精、川贝母、生甘草、薄荷），外治宜用柿霜一味，口中噙化慢咽。

半夏厚朴汤加味治疗梅核气　高维埠

半夏厚朴汤是历代医家治疗梅核气的良方。它能行气降逆、化痰散结，对梅核气一病确有疗效。但对一些顽固患者效果不甚理想，若在原方的基础上加射干15g、生地黄30g、山豆根30～60g，则速见疗效。因射干能宣肺豁痰散结、清利咽喉；生地黄能清热凉血、生津止渴；山豆根能清热解毒、利咽消肿。与原方合之，共奏理气豁痰、清热利咽之作用。数年来我治疗此证多例，体会本方临证确实得心应手。

梅核气与半夏宣痹汤　韩守辰

梅核气者，乃"咽中如有炙脔"，诸家多以"痰气郁结""肝郁气滞"论治，以半夏厚朴汤、逍遥散等加减治之显效。然若因外感温热，治不彻底，遗此顽疾者，治当别论。

盖温邪犯肺，多从口鼻而入，咽喉为必经之道。倘与内在湿痰相结，滞于咽中，则成此疴。

吴鞠通为"太阴温热，气分痹郁而咳者"设上焦宣痹汤。今病位在上，病因亦为湿（痰）热互结。症除咽塞不利外，余亦大同。且方中射干苦寒入肺，有清咽利痰之妙用。另加半夏化痰，去通草，加牛蒡子、桔梗以宣肺利咽。组方如下：制半夏（醋炒）、炒牛蒡子、桔梗、炙枇杷叶、射干、淡豆豉、郁金。此方用于临床，颇为得手，每收良效。

越鞠丸治梅核气　邓杜忠

梅核气一病，患者自觉咽部不适，似有一物，吞咽不下，咯之不出，易致心烦意乱。医者除用半夏厚朴汤外，亦常用越鞠丸治之。该方药共5味，却能解六般郁症。古谓：行气，健胃，消滞。主治：气、血、痰、火、湿、食诸郁所致之胸膈痞闷，吞酸，呕吐，饮食不消或瘀滞经痛之属实证者。笔者多年来以本方加减治疗梅核气多例，每多奏效。

如患者田某，男，88岁。5个月前与他人吵架后生气，遂觉咽部阻塞感，咳痰不利，咽下困难，纳谷不香，日渐消瘦。经查：咽、心肺无异常，食管钡餐透视正常。舌有薄白苔，脉弦有力，略滑。患者求治心切，愚处方：苍术9g、香附6g、川芎3g、神曲12g、栀子9g、半夏9g、陈皮9g、青皮9g、槟榔9g。3剂，日1剂，水煎服。次日患者来诊，一进门便说："几个月未治愈的病，你1剂药就治好了"。我问其服药后感觉，患者谓：首剂第一次药服后约7小时，即咳出黏痰一块。我嘱患者继续服药9剂后，余症全消，观察数年未见复发。

着手中焦治失音 ｜姚树锦｜

某翁年过花甲，骨瘦如柴，精神萎靡，颜面黯黑。张口唇动，未闻其声。询知乃食管癌放疗后所致失音。

患者纳食甚少，夜不安寐，口渴烦躁，溲赤便秘。饥不欲食，渴不欲饮。舌淡形瘦，苔薄欠润，六脉皆见沉弱细涩。面对斯证，医者岂可只治失音！四诊合参，析其病因，乃放疗使阴阳气血严重耗伤，胃气重创使然。治宜从本，从健脾胃开化源入手。方用四君子汤加生黄芪、薏苡仁、砂仁、山楂、鸡内金之类。药进5剂，即见起色。患者饮食明显增加，能在他人搀扶下步入诊室。遂于上方中加生脉散以补气阴。药进7剂，患者能自行步入诊室，且精神日见转佳。仍步前法化裁，先后加用石斛、桔梗、青果、蝉蜕等。经服三十余剂后，患者日食1斤（500g），精神健旺，声音已出，但为嘶哑之声。嘱其长服人参健脾丸，晚服麦味地黄丸。月余后，患者即告声音恢复如初。

此例不治失音，何能声出朗朗？盖气虚无力鼓动作声，阴虚失却濡养之能，为此病之因。因为本，治重本。然气阴不能速生，宜从中焦入手。脾胃兴则纳谷旺，纳谷旺则气阴化生有源。俟其正气来复，失音之病，当不治自愈矣。

失语证治 ｜王怀义｜

气滞失语与气虚血瘀而致失语者，方书鲜有所论。今以所遇记述于此。

赵某，男，36 岁，失语近 2 个月，病由与人争吵之后，怒气填膺，旋即语声不出，继而吞咽也感困难，靠输液补给营养。1967 年 7 月 15 日抬来就诊。问其所病，则张口伸舌，一声难出。吞咽也难，脉弦舌红。余断其为大怒气逆，心志不遂，舌窍不灵，此乃气滞性失语也，法当理气疏肝，斡旋气机，开通窍道。药用：柴胡 10g，枳壳 10g，赤芍 10g，郁金、石菖蒲、当归、桃仁各 10g。2 剂后语声即出，4 剂吞咽亦利。

一名 5 岁男孩患流行性乙型脑炎，病入恢复期，热虽退而神呆不语兼肢动不灵，吞咽困难，曾用滋阴开窍方、神仙解语及资寿解语汤诸方施治无效。查舌红而苔白润，脉细数。病乃温病气阴两亏，窍络瘀阻，舌本不能转运，病在舌不在喉，仿王清任法，拟补阳还五汤加减：黄芪 15g、当归 8g、川芎 6g、地龙 10g、桃仁 10g、红花 6g、羌活 3g、酸枣仁 10g、石菖蒲 10g、桑寄生 30g、神曲 10g。上方水煎鼻饲 2 剂后，腿能屈伸，手能摸脸，能食面条少许。再服 2 剂后，能语而声低微。连服 10 剂，即能言笑。

喉部、会厌局部病变形成的失语，谓之喉喑。喉喑专指音能发，舌能动而音声不出，或音声低微，或声音嘶哑的病症。如若局部喉、咽、会厌无病，惟舌本强直，运动失灵而形成的失语，谓之舌喑。舌喑专指欲言而舌不能动的病症。上述 2 例均为舌喑，即今之神经性失语症。例 1 由于情志不遂、气机阻滞，故用四逆散调畅气机，辅以当归、桃仁、郁金、石菖浦，活血通窍而取效。病例 2 由于耗阴伤气而血瘀，故以补阳还五汤加酸枣仁、桑寄生，协同黄芪益心、肾之气，羌活、石菖蒲引药上行入脑，使活血通窍之力更胜。凡脑炎恢复期出现肢体强硬、偏瘫失语言涩、吞咽不利而无阳热阴虚证时，用本方多验。

寒闭失音　　| 车振武 |

肖姓患者，寒风凛冽之际，重劳汗出。当晚归时，饥困难忍，复进冷餐，食后即感不适而就寝。午夜即恶寒发热，头痛鼻塞，身痛无汗，咳嗽胸闷，声音嘶哑，继而声音不出。煎服红糖生姜汤一碗，声音仍不扬。天明就诊，已不能语言。其脉浮紧，舌苔薄白。脉证互参，此即朱丹溪所谓"风冷能令人卒失音"。由于重劳汗出受风，风寒侵袭，内遏于肺，肺气失宣，致金实不鸣，属寒闭失音。治宜疏散风寒，宣利肺气。拟用麻黄汤加味：麻黄 9g、桂枝 6g、细辛 3g、杏仁 6g、桔梗 9g、甘草 6g。嘱服 1 剂，并盖被取汗。汗后表证大减，稍能发音而声不扬。仍有咳嗽，胸腹胀满。仍用前方麻黄减为 6g，去桂枝，加贝母

9g、白豆蔻9g。续进2剂，表解里和，声音复常而愈。

夫失音一症，金实不鸣者多属客邪壅塞于肺，金碎不鸣者多属肺燥阴亏或肺肾阴虚。此证一因风寒束表，肺气壅闭；二因夜归饮冷伤肺，治节失职，故发为失音。麻黄汤加宣肺药可以开泄郁闭之肺气；加白豆蔻可以暖胃散寒，以暖中宫。诸药合用，则表寒解，里寒散，肺宣声发而病愈。

忧恚无言 ｜冯明清｜

祖国医学认为，声音的发出，与肺、心、肾、肝等脏器及舌、喉、会厌等器官有密切关系。因舌为心之苗，为声音之机；会厌为声音之关；喉为声音之门；肺气通于喉；肾脉上系舌本；肝脉上入颃颡。由致病因素的影响，或脏腑功能的异常，皆可影响到声音的发出，造成声音嘶哑或失音。在致病的诸种因素中，除外感外，因恚怒、悲哀而致失音者也不鲜见。

余曾治一男性患者，于感冒之后，出现声音嘶哑，经治疗已愈。后因受精神刺激而声音全无，且每次的复发也多与忧恚恼怒、悲哀有关。经多方检查，除咽部稍有充血，被部分医生诊为"咽炎"外，多数医生结论为"癔病性失音"。经余细思，想起《灵枢》有"忧恚无言"的记载，意识到忧恚恼怒，必使肝气郁结，肺气壅滞，机窍不利，而致失音。因此治从疏肝理气、通利机窍入手，用逍遥散加活血利咽之品，并辅以思想开导，令其情志舒畅，从而获效。

归芍六君汤治吞咽麻痹 ｜王允升｜

咽喉吞咽功能麻痹是中风前期的一个症状。有的与中风症同时出现，有的单独出现。临床上以肾阴不足、水不涵木、肝阳偏亢、肝风内动与痰湿内阻、肝失濡养为多见。主要症状是：不能吞咽，水浆难入。惟一的治法是插鼻饲管、进食流质饮食及进行药物治疗，维持生命。有的长期撤不掉鼻饲管子，缺乏有效的疗法。

余用归芍六君汤水煎鼻饲治疗此症收到满意效果。一般用20～30剂左右，患者的吞咽麻痹缓解，撤去鼻饲管，其咽喉功能恢复正常。处方：当归10g、芍药10g、党参10g、白术10g、茯苓10g、陈皮10g、半夏10g、甘草3g，水煎鼻饲。方中用当归、芍药养血柔肝，以利疏泄；用六君子汤补气健脾、化痰和中。

若平素嗜酒者，宜加葛根。舌赤挟燥者宜减半夏加贝母。一般常守原方不用加减。药味和平，剂量亦轻，疗效很好。

耳鼻喉恶性肿瘤用药四法　　|华良才|

实践中余用散、软、解、补四法治疗耳鼻喉科恶性肿瘤，有一定效果。

散：若能早期发现，肿物不大，未溃，无颅内及内脏重要器官转移（但可能有淋巴结之早期转移），正气尚盛者，可采用活血化瘀、祛痰散结之法，冀其肿物消散。宜在辨证论治前提下酌情选用下列具有抗癌作用之药物：生蒲黄、五灵脂、丹参、赤芍、三七、土鳖虫、全瓜蒌、半夏、胆南星、贝母、杏仁、莱菔子、皂角刺、穿山甲、莪术、龙葵、石菖蒲、乳香、没药、当归、木鳖子（去壳，炒去油）、紫草、地龙、血竭等。

软：肿瘤已明显增大，生长迅速，坚硬如石，未溃，无颅内和内脏重要器官转移（但已有淋巴结转移），正气尚可者，宜采用软坚散结之法。此时宜慎用大量活血化瘀药，以防癌瘤的进一步扩散。可在辨证论治前提下选用如下具有抗癌作用的药物：昆布、海藻、海带、夏枯草、山慈姑、重楼、威灵仙、猫爪草、硇砂（研为细末，以龙眼肉包裹吞服，或装胶囊亦可）、射干、硼砂、牡蛎、蛤粉、白矾、核桃枝、蜈蚣、鸡内金、全蝎、僵蚕、蜂房等。治疗得当，有早期治愈之希望。

解：肿瘤已开始破溃、邪气实而正气尚未衰败，正邪相争，肿瘤局部有出血，兼有发热、口干、纳差、便秘、脉数、舌红等热象；或经放疗、化疗等有全身或胃肠反应；或已有颅内及内脏重要器官之早期转移，但尚未出现恶病质者，可采用清热解毒之法。此时应禁用大量活血化瘀之品，以防肿瘤进一步破溃、转移。可在辨证论治前提下选用如下具有抗癌作用的药物：天花粉、野百合、长春花、秋水仙、无花果、白花蛇舌草、山豆根、猕猴桃根、半枝莲、半边莲、蒲公英、土大黄、急性子、鱼腥草、三七、大蓟、小蓟、黄药子、白药子、了哥王、喜树果、孩儿茶等。

补：恶性肿瘤晚期，原发肿瘤溃烂出血，膨胀，有颅内、内脏重要器官之转移，范围广泛，正气已虚，甚至气血衰败，阴精亏损者，宜采用扶正抑癌之补法。禁用活血化瘀之品，以防肿瘤进一步扩散转移，动血耗血。可在辨证施治前提下选用以下具有抗癌作用之品：人参、太子参、西洋参、党参、黄芪、白术、生薏苡仁、五加皮、女贞子、山茱萸、松蘑菇、茯苓、天花粉、三七、沙参等。

以上四种方法不是截然分开，可以互相参差、灵活运用。此外在选择药物时，应力求扬长避短，以"一药多能"为原则。只要治疗得当，早期患者，可望治愈，晚期患者也可收有限地延长寿命或减轻病苦之效果。

刺 法 琐 谈　　|唐学正|

刺荣勿伤卫，刺卫勿伤荣

《难经·七十一难》曰："经言刺荣勿伤卫，刺卫勿伤荣，何谓也？然针阳者，卧针而刺之，刺阴者，先以左手摄按所针荣腧之处，气散乃内针，是谓刺荣勿伤卫，刺卫勿伤荣也。"对这段经文滑寿解释为"荣为阴，卫为阳，荣行脉中，卫行脉外，各有深浅也，用针之道亦然。针阳必卧针而刺之，以阳气轻浮，过之恐伤于荣也。刺阴者，先以左手按所刺之穴，良久，令气散乃内针，不然，则伤卫气也。"根据余多年临床体验，"刺荣勿伤卫、刺卫勿伤荣"二句，系指依八纲辨证，视病之虚实表里，而施刺之深浅适度而言。卫为阳，主表，荣为阴，主里，病有表里，刺有浅深，气分病在卫，血分病在荣。同一证、同一穴，荣卫不同，刺法各异。如头痛一证，太阳病头痛，风邪所伤，其病在表，取穴太阳，宜卧针而刺斜向上方，直透率谷（约 3 寸）；厥阴病头痛，乃阴虚所致，其病在里，取穴太阳，宜斜刺向下，深达 2～3 寸。两种刺法感应亦不相同。如曾治一男性成年患者，病人头痛、眩晕，医院诊为神经衰弱、神经性头痛，遍服中西药及普鲁卡因封闭，未见显效，迁延数年未愈。患者精神萎靡、面苍白、目无神、语言少力。脉沉细、舌红无苔。依"刺荣勿伤卫之理"取太阳、列缺、绝骨等穴。每针均有进步，继针月余，其病缓解。

观上述验证，此两句经文，实谓依病邪之所居，决刺之深浅也。

刺必及其分

昔年于北京护国寺庙会，见一走方医生，不知其名，众称其"神针刘"。刘为一人治头痛，持 4 寸长针，刺太阳穴左右各一，其技之熟练，非常人可比。须臾退针，病人自言头痛已止，且头清目爽，称谢而去。既往每针太阳穴斜刺三五分深，往往效不应手。此后逐渐取太阳穴深刺之，效果昭然。始悟刺虽中穴，不及其分，效乃迥异。《内经》云："病有浮沉，刺有浅深……浅深不得，反为大贼。"针刺之浅深实为刺法之要。

刺法与书法

刺法犹如书法，非一日之功。善书者，力透纸背，入木三分。颜、柳、欧、赵，风格各异。刺法犹是。善针者，入肤轻巧，病人毫无痛苦，入针后，提插捻转，应心得手，迎随补泻，感应昭然，效果也异于一般。然刺法全在指力功夫，初学者必先练指力。熟能生巧，手法之熟练来自实践，从磨炼中出功夫，无捷径可寻。

针后缓步

已故老民族医高喜，工善针灸，尤长火针，乡里求治者甚多。1960年来呼授教，高老医生每针病已，必令病人于室内缓步，片刻始令安坐。此系和缓其气血，徐徐条达营卫，实为动静结合之法。特记之。

刺痛与感传

针刺时因针通过表皮，故有痛感，此谓刺痛。入针后向深部探之，有酸麻重胀之感，此谓感传。刺痛与感传有别，刺痛呈热灼样痛，瞬间而过；感传则隐约可耐，扩散传导范围很大，时逝时显。术者往往于入针时由于病者呼痛，则停针不发，因而效难应。善针者，此时应观察病人表情、听病人之反应，酌行手法，施以补泻，但不能不顾病人痛苦，一味乱捻乱刺，而致病者晕针。

漫话盘针法 　|王碧如|

盘针法为《金针赋》中下针十四法之一，何谓盘针？明·汪机曰，盘者，如循环之状，每盘时，各须运转5次，左盘按针为补，右盘提针为泻。

余临证对盘针法进行探索总结，并和呼吸结合起来，稍有心得。其操作方法是：多选取躯干部双侧腧穴，不泥于"肚腹盘旋"的古训。进针得气后，术者双手各以拇、示指持针柄上端做圆周状（360°）盘旋。同时令患者深呼吸，每分钟呼吸10次左右，每呼吸1次盘旋1周。盘旋时不提插，不捻转。术者施术时须精力集中，和患者保持同步呼吸。至于左盘右盘及盘旋的次数，应视患者病情而定。如患者李某，脘腹疼痛欲死，察其面色青黄而暗，脘腹疼痛拒按，脉沉肢冷，舌唇紫暗，苔薄。证属气滞血瘀，乃用隔俞、胃俞2穴，进针得气后，施盘针法，痛势渐缓，留针每间隔 10 分钟施术 1 次，留针 40 分钟后，肢温痛止。

余临床体会，盘针法可以行气活血、疏滞止痛，对胃脘痛、腹痛或因闪挫、扭捩引起的胸痛、腰痛或痛经等急性痛证及气厥实证，多有良效。

补泻手法与药物剂量不能等同观之 |唐学正|

补泻手法与药物剂量似同实异。古人谓手法为虚则补之，实则泻之，视病情而施补泻，随气而调之是为上工。今人谓手法为刺激量之轻重，亢进重刺，衰退轻刺。刺激轻重以示量之强弱，犹如药量之大小。古今之说虽异，但临床所用手法皆同，均以指力捻转提插，寻求感应。手法补泻当视病机而定，同一手法随病机而变化，彼时曰补，此时曰泻。同一手法随病人而异，对彼用之曰补，对此用之曰泻。同等量之刺激，此时可疗疾，移时则致害，似此何能与用药之剂等同耳？参芪之补气，归芎之活血，自古皆同，少有异议。再番泻叶之泻下未见有少用则泻，多用则结者。而针刺于法则不然，《内经》云："为虚为实者，工勿失其法。"针刺本双向作用以调补气血，同一手法有补有泻，同一穴位则可补可泻，未有何穴补气、何穴活血者。凡言某穴之作用必与病情、手法联系观察，方能达应手之效。

1956 年余治一病人，患精神失常。刺人中、内关、少商诸穴，症状反剧，重刺之，尤甚，停针则静，再刺之，复如故。后针大椎穴使其呈休克状态，片时苏醒，狂躁乃止。此病人邪盛正虚，所施手法不足以制其邪，后施重刺，对病邪一举而攻之，其病遂见转机。

针 刺 得 气 |肖康伯|

进针以后，病人有酸、麻、重、胀感为"得气"。现在的针灸书上许多都是这样写的。

但是古医书上讲的针刺"得气"，是术者下针后对针下的感觉，不完全是患者的感觉。《标幽赋》云："气之至也，如鱼吞钩饵之浮沉；气未至也，如闲居幽室之深邃"。

"气速至而速效，气迟至而不治"。从"得气"的迟速可以判断病之轻重虚实及预后。针下得气这是医者的针感。作为针灸医生，对"得气"的针感要熟知，针下得气的针感因人因症而异，医生据此判断正邪虚实情况，决定补泻手法，这是一位针灸医师的基本功。

经络起止相应 |王立华|

1968 年山西芮城县一老妇，患三叉神经痛近 2 个月，发作时疼痛难忍，辄以手自打其脸，服中药二十余剂，皆无效。作封闭治疗 1 个月余，仅能暂缓。医院欲作三叉神经切除手术，患者拒而出院。适余下乡至该县，诊视病人，右侧面部瞤动，口不能张，饮食受限，痛苦不堪。最痛处在右侧迎香穴处。余欲用针刺治疗，家人及患者均有难色，余慰之曰：只针手指，不针面部，病人始勉强允诺。余即以毫针刺其左手商阳穴，随捻转随让其手摸患侧，张口咬牙。甫捻转数转，患者即面现笑容，疼痛若失，张口咬牙，均可自由。于是惊问曰：手指和脸相通耶？余告之大肠经起止相应之故。

前年孟县一妇人，过去患指疔，脱掉一指。1966 年示指又起疔毒，肿痛难忍，甚为恐惧，担心再脱一指，余针迎香穴痛止排脓而愈。

两例合看，迎香穴能治示指之疔毒，商阳穴可止迎香部剧痛，经络之起止相应，如鼓之应桴。

五输穴从井始探 |孙六合|

五输穴以井为始，皆已公认。就为何以井为始以及阴阳井穴五行配属不同的机制，谈一些个人浅见。

阳经井穴

凡阳经皆从井金开始，根据阴阳互根之理，其始穴配阴季之初，秋冬为阴，初秋乃阴之始。阳经井穴的主治功能，又多具金秋肃降之性。

秋季气候凉爽，其气清肃，阳经井穴多具有清热之效。如厉兑穴能清胃火而治牙痛；商阳泻大肠之热而消咽肿；关冲泻三焦火而除热多寒少之证，以及少泽、至阴治热病头痛，乳房肿胀，莫不此类。金秋之季，树叶枯黄，开始飘落而下，而井穴应之有降逆下气及坠胎之功。如窍阴、厉兑能导热下行，治疗头昏目赤、牙齿肿痛；至阴之穴，乃足太阳寒水之经，水势下趋，且膀胱与肾相表里，肾主胞胎，故泻至阴可利水以治难产、胞衣不下。不但如此，金秋万物客平，有收藏之象，故井穴至阴又可安胎，若灸至阴温补肺金，生肾水，理胞宫治胎位不正。秋季阴雨连绵，随经刺阳经少泽穴，补肺金生肾水。小肠为多血之经，津血为乳汁之源，津血充而乳下，故可治乳汁不足。

阴经井穴

凡阴经皆以井木为始，根据阴阳互根之理，其始穴定配阳季之初，春夏为阳，初春为阳之始，而阴经井穴的主治又具春木之性。

春发之时，积雪始融，大地冰解，万物萌生，花苞待放，阴经井穴具有醒脑开窍之功，如泻少冲、中冲则开窍，治热入营血之昏迷；因肾主骨生髓，脑为髓海，泻肾经井穴涌泉，可醒脑开窍，治久病邪气入里之昏迷；肝藏血，温补肝经井穴大敦，益肝摄血，治失血过多之昏迷。初春之时，严冬已过，阳气始升，阴经井穴又多具发散郁火开窍之效。泻肺经井穴少商，清肝木益肺金，而治咽喉红肿；泻心经井穴少冲，清热开窍，治疗肝郁气滞性的癫狂证；刺肾经涌泉，滋阴清热，治疗足心热痛；泻心包经中冲，清热凉血，治疗掌心热痛。初春之时，气暖阳升，情志畅快，阴经井穴具有疏肝理气的功能。如心经的少冲疏肝理气，治疗肝气郁结的胸胁疼痛；泻脾经之隐白，抑肝健脾，治疗肝气犯胃的腹部胀满疼痛。

总之，五输穴以井为始，是从阴阳互根的理论，春秋气候的特点，井穴的主治效能，以取类比象的方法，论述了阴经井穴从春木开始，阳经井穴从金秋开始之理，而且这种理论已通过临床实践得到了证实。

针治外感一得　　| 杨廉德 |

余参考、取舍《玉龙歌》"无汗伤寒泻复溜，汗多宜将合谷收"和《兰江赋》"无汗更将合谷补，复溜穴泻好施针。倘若汗多流不绝，合谷收效如神"之义，取复溜、合谷两穴，无汗者补合谷、泻复溜；有汗者泻合谷、补复溜，用治外感热病，每能取得满意疗效。忆余邻刘某，夏月劳倦感寒，午夜突发寒战，无汗恶寒，重被不温，急邀往诊。余于户外即闻患者抖动切齿之声，诊时急刺补合谷、泻复溜发汗，寒战惭止，身温汗出，未几入睡而愈。

合谷是手阳明大肠经原穴，大肠与肺相表里，肺主皮毛；复溜是足少阴肾经经穴，肾与膀胱相表里，膀胱主一身之表，外感风寒，寒束肌表，卫阳被遏，温补合谷可温经散寒，宣通卫阳，因而起驱邪发汗的作用。又泻复溜，开太阳之闭，助膀胱气化，有手足上下、阴阳脏腑同治之妙。风热外袭，风为阳邪，热迫汗出，泻合谷可泄热解表，热泄则汗自止；又补复溜，为调补肾阴、培其本源，使之作汗，有补泻兼施，预护正虚之妙。

（丁世敏　整理）

针灸加拔罐治哮喘　　邵经明

临证哮喘多变，除有表里、寒热、虚实、阴阳错杂相兼之异外，且肺为华盖，居五脏之首，主一身之气，常为其他脏腑病变所系；且肺司呼吸，主皮毛，多为外界因素所干扰，故哮喘辨治比较难掌握。余年逾古稀又六，施针并灸兼拔火罐治疗哮喘顽疾，于临床屡屡取效，积经验凡三十余年，愿将己之一得，管陈于后。

临床论治除据辨证施治外，所选主穴有三，即肺俞、大椎、风门。肺俞为肺脏精气输注之处，可疗呼吸系外感内伤诸疾；大椎属督脉经穴，为诸阳经之会，是宣肺平喘要穴；风门属背部膀胱经穴，有祛邪固卫平喘之能，三穴居背邻肺，合用确有治肺平喘及预防其复发功效。施针并灸兼拔火罐，有祛邪助正、调节脏腑、输导阴阳之功。1963年余曾治疗一赵姓少女，年方13岁，患哮喘已七八年，病初每遇入冬或外感时即发咳喘，经治时轻时重，久而无论冬夏遇冷即发，重时喘鸣迫塞，难以平卧，口唇青紫，因药物治疗不见好转，故寄希望于针灸，切其脉沉细无力，舌苔薄白滑润，舌质淡，面色萎黄，手足欠温，肺部听诊有明显哮鸣音，诊为风寒客肺、脾虚失运、痰闭气道而作哮喘，治疗宜宣肺化痰平喘，针灸大椎、肺俞、风门。肺俞、风门直刺6分，大椎直刺1寸，得气后留针15分钟，其间提插捻转、平补平泻行针3次，起针后用艾条施灸7分钟，喘旋缓解，每日1次，10日1个疗程，治疗1个疗程后，呼吸正常，哮喘得平。休息1周，改为隔日针灸1次，巩固治疗1个疗程。当年冬季遇冷哮喘未发，感冒时仅感胸闷不适，呼吸不利。次年又按前法治疗2个疗程，第3年又针灸1个疗程。旧疾得到根治。

医者常道："喘主于肺"，虽有内外之别，然而其治必以肺为主，故选肺俞、大椎、风门3穴为主穴，立意在肺以伏其主，但欲"伏所主，必先所因"。故应据其因而配他穴，如有外感可配合谷，以宣散发表；虚者配关元、太溪以固肾纳气；咳嗽偏重者配太渊、尺泽以宣肃调畅肺气；痰多气逆者配天突、膻中，以降逆消痰。据哮喘发作特点多由六淫邪气引发，故在发作时急则祛邪为主，缓解时治当扶正为主。由于本病宿根难除，必须连续治疗2~3年以上，即使发作被控制，也要在欲发季节之前给予以治疗，如好发于冬可在来年夏秋季节进行治疗一二个疗程，同时要加强身体锻炼，方可长效久安。

指压天突穴治顽固呃逆　　| 潘学敏 |

昔余友赵某告曰：按压天突穴可治呃逆，甚验。余并未介意。1984年夏，韩某住我院行胆囊切除术，翌日出现呃逆频作，每发伴刀口疼痛。经用阿托品、多种镇静剂罔效，邀余会诊。症见呃逆声声、且伴嗳气，皮肤黄染、溲赤、便干、脉细。处以旋覆代赭石汤合茵陈蒿汤，3剂。3日后再诊，呃逆如故，患者痛苦不堪，群医棘手。忽忆及吾友所告，遂依法施治，约2~3分钟其呃顿止，在场医患皆惊赞不已。后余屡施此法治呃逆均验。其实该法颇简，即用拇指重压天突穴，使患者胸部出现沉重感，并令其同时作吞咽动作，约2~3分钟其呃必止，再压片刻即可。此法简便易行，不需设备，且无他弊，真乃妙法也。

针刺心包经穴治心律失常　　| 王宗学 |

针刺治疗心律失常，近年来各家多用内关穴、郄门穴配以他经之穴。余根据心包经脉起于胸中出属心包络，选取本经俞穴大陵、曲泽治疗心律失常，佐以膻中、膈俞以除胸闷；百会、风池以治头晕；神门宁心安神以治失眠，并结合病情和机体状况，施以补泻手法，取得了满意的效果。

如治患者李某，女，心律失常10年，加重1年，呈重病容，其脉促，心电图提示频发性早搏、二联律。症见胸闷，心慌，气短，头晕，燥热；当针刺大陵、曲泽二穴，用泻法，10分钟后症状缓解，安稳入睡。治疗5次后心率控制在80次/分，早搏显著减少，症状基本消失，继续治疗5次，心电图恢复正常，诸症消失。又治患者王某，患心肌炎十余年，症见心慌，胸闷，乏力，自汗，下肢浮肿，脉象沉迟而结。心电图提示室性心动过缓，频发室性早搏、二联律。取大陵、曲泽二穴用补法。经 10 次治疗症状明显改善，心电图有改善，继续治疗 10 次，症状消失，心电图呈窦性心动过缓，恢复正常工作。

针刺治疗心律失常不仅可以改善症状，而且心电图的改善也是显著的。本病患者多以心悸、胸闷、胸痛而就诊，常见精神不振、气短气喘、心慌不宁，但往往针刺后症状立即缓解。

五 更 泻 ｜殷克敬｜

昔日治一宋姓女，产后 1 年，每日黎明前腹痛作泻，泄后痛止，形寒肢冷腰痛。查其舌苔薄白，脉沉细，尤以两侧尺部为甚，诊为命火不足之五更泻。遂针脾俞、太溪（用补法），灸命门，每日 1 次，以补命门之火。3 日后症减，继针 10 次诸症消失。嘱其常以艾条悬灸足三里、太溪 2 穴，半月后随访未再发作。此案虽选穴不多，但皆遵经旨，权衡所宜，只求肾阳助脾阳运化，年余顽疾，终至痊愈。

胆俞穴位注射治胆道蛔虫病 ｜肖 均｜

笔者应用冬眠合剂 1 号加 1% 普鲁卡因 50ml 稀释后，取 3～5ml 作一侧胆俞穴注射，治疗胆道蛔虫所致腹痛，大多 1 次痛止。曾治二十余例。只有少数止痛 2～4 小时后又发作。

按：胆俞穴有清泄肝胆郁热、理气宽膈、利胆解郁的作用，加用冬眠合剂解痉止痛、镇静安神。本法无不良反应，且有的病例愈后至今未再复发。

"腧穴头针" 治眩晕 ｜肖 均｜

笔者多年来采用"腧穴头针"法针刺百会穴及四神聪穴治眩晕，常获良效。其方法是留针半小时至 1 小时，每日 1 次，10～15 次 1 个疗程。一般 1 或 2

个疗程可以治愈，个别病人最多不超过 3 个疗程。发病时间短则好得更快一些。此法简单可行，患者也可对镜自行针刺，针后即有头脑清新之感，眼亦自觉清亮，睡眠亦有改善。3～5 次后眩晕往往减轻。

所谓"腧穴头针"，即按十四经头部腧穴以针治全身疾病。

百会穴位于头顶中央，为手足三阳经与督脉之会穴。又由于十四经表里经脉的相互络属以及奇经八脉均通于头，所以此穴又是百脉之会，故称百会。该穴能调节百脉，疏经通络，健脑补髓和镇静宁神；本穴又是肝经的会穴，肝肾同源，故此穴又有调节肝肾功能的作用。四神聪前后二穴位于督脉之上，左右二穴则位于膀胱经，其脉气通于督脉与脑，通过针刺该穴更加强滋养肝肾的作用。两腧穴配合，水充木荣，故可治眩晕而收耳聪目明之疗效。如治瞿某，女，52 岁，于 1981 年因血压 29.5/17.5kPa 住院治疗。住院 2 个月余，眩晕日益加重，卧床不起，并阵发性汗出，遂出院，邀余诊治。诊见病人慢性病容，神清，语言低微，舌质绛，苔白稍燥，两肺（－），心浊音界向下向外扩大，心前区可闻Ⅱ度杂音，两脉沉细弦，经针刺上穴 5 次，即能下地行走。十余次后，病人便自行前来门诊，血压亦逐步下降。随访至今，血压虽有反复，但眩晕一直未发。

漫谈脑出血病的针刺抢救　│张涛清│

针灸抢救脑出血病人，关键在于"准"，即辨证准确；贵在于"早"。余依《内经》"有所堕坠，恶血留内"的理论，采用"化瘀通络，豁痰利水，滋阴潜阳"的配穴方法，治疗效果良好。施针前，于头部置冰袋，使髓海气化功能降低，减缓正邪分争。随之，顺经脉循行先刺督脉百会、神庭、人中，配血海、照海、丰隆及十二井穴放血；继刺任脉气海、水分、膻中、天突，配太冲、阴陵泉、三阴交，进针得气后行提插、捻转，不留针，每日针刺 2 次。若高热昏迷，加曲池、复溜。若头晕项强、呕吐加足三里、阳陵泉。如治患者傅某，男，41 岁，3 天前患者酗酒回家后、突然昏迷、偏瘫，查：体温 36℃，脉搏 84 次/分，血压 21.5/14.5kPa，面色潮红，周身皮肤湿润，呼吸深重而带鼾声，痰声漉漉，右侧瞳孔稍大，对光反射存在，左下肢肌张力正常，右侧呈软瘫，左侧肌腱反射存在，右侧肌腱反射消失。针刺抢救后，次日眼球开始转动，能示意。针刺 9 次后，神识清楚。针刺 42 次后，神志全清，惟语言微謇，右半身不遂，继续针治至 7 个月后，能扶双拐行走、自理生活。

（刘　福　解秀莲　夏　清　整理）

针刺治面瘫 ｜张子菡｜

几十年来，我对面瘫一病，针治了不下千百例。可以说，有经验也有教训。回忆过去，有两例病人，一直难以忘怀。

1962 年 4 月，从肥城县来一位面瘫病人，叫梁吉祥，40 岁，口眼向右㖞斜，得病二十余天，症状也比较轻，半年时间，我断续地给他针了百余次，面部穴位基本用遍，非但无效，反而患侧面部浮肿，停针则肿消，针则又肿，几经反复，治疗无效，动员停针回籍。临行患者告之，刚来针治确感有效，因急于求治，所以在省、市、区几个医院，有空就针。最多每天针 4 次，通过这一例的教训，对面瘫的治疗得出一个经验，就是不可多针、乱针，取穴要少，针刺手法要轻，留针时间要短。

1980 年 8 月，一位 18 岁的姑娘叫马洪翠，1 周岁得面瘫，至今口眼向左，右眼不能闭合，流泪。初针取患侧丝竹空、下关、迎香、地仓、翳风、风池、合谷诸穴。用平补平泄，2 分钟后，出汗如黄豆粒大，很均匀地满布整个右侧面部，病人立即感觉到局部很舒适，第 2 天症状显轻，以同样手法和同样穴位进行针刺，同样出汗。以第 2 次到第 6 次针刺时，出汗较多。以后针刺出汗渐少，症状逐渐消失。17 年顽疾，只针刺 12 次，即恢复了健康。每忆起此病人针刺出汗，乃是其速效的机制。针刺使气血经脉流通，局部营卫气血协和而驱邪外山，故见汗出。

针刺和穴位埋线治疗肩凝症 ｜郑魁山｜

肩凝症又称"漏肩风"。余根据本病痛点多在肩部出现，采用穴位埋线配烧山火手法治疗，常获卓效。其法是取肩髃、肩髎、天宗、阿是穴为主，进行穴位埋线。肩肱连动，肩缝处有压痛，后伸困难，配肩缝、尺泽；肩髃处有压痛，上举困难，配曲池、巨骨；天宗处有压痛，内收困难，配肩贞、后溪；肩髎处有压痛，外展困难，配臑俞、外关，用烧山火手法，留针 10～20 分钟，以活血化瘀，通利关节。

以上配穴，上肢的针起完后，再针条口透承山。针条口透承山穴时，边操作边嘱患者作上举、外展、内收等活动，以锻炼患者的活动范围，提高疗效。

穴位埋线的具体方法：先将 9 号腰椎穿刺针（将针芯尖端的斜面磨齐，以便将线顶入穴内，防止将线带出体外）和剪好的 000 号 1cm 左右的铬制羊肠线，在酒精内浸泡 30～60 分钟，然后将消毒的羊肠线穿入腰椎穿刺针内，将穴位常规消毒，手持酒精棉球裹住穿刺针，对准穴位进针，患者有酸麻胀等感觉后，用穿刺针芯缓慢地将羊肠线顶入穴内，出针后垫以消毒棉球，用胶布贴针眼，以防感染。每次埋线 3～5 穴，7～10 天埋线 1 次，埋线 5 次为 1 个疗程。如未治愈，休息 10 天左右，再继续埋线。

烧山火手法的具体操作详见《针灸集锦》第二篇针灸方法，这里不再赘述。用这种手法和配穴，在每次埋线后的第 5 天行针刺，每日 1 次，连续 3 次。

通里穴治足跟痛 |徐庆云|

通里穴属手少阴心经，在腕后 1 寸或掌后 1 寸陷中，在神门穴上 1 寸。在巡回医疗期间，有农民多人患脚跟痛症先后求治。诉曰：痛在跟部，剧痛时行路为难，终年不愈，影响劳动。检查局部不红不肿，按之不痛，与阴雨天气无关，外观亦无异常，各患者症状基本相同。断为足少阴经脉郁滞所引起。本"经脉所通，主治所及"的原理，选肾经原穴太溪为主，配筋会阳陵泉为辅，佐邻经昆仑、仆参等穴。刺治数次，毫未见效。其后配经外奇穴亦未奏功，忆及《内经》有下病上取之旨，取手少阴心经通里穴治之。穴名通里，以通为治，经脉郁滞当可治疗。手法是刺对侧通里，得气后火速捻转泻之，当重泻时令患者跺脚，反复施术，疼痛递减，数分钟痛止，稍停出针。数名患者，轻症 2 或 3 次，重症 3～5 次，均获痊愈。可见腧穴主治范围尚有待发掘整理提高之必要。用此治骨质增生脚跟痛无效。

血 痹 |殷克敬|

1979 年 2 月初，青工马某两上肢肘关节以下阵发性疼痛，时见红肿 3 个月余来诊。并诉常喜将手放置凉处或触冷物。遇冷则痛减，遇热疼痛加剧，甚则难以忍受，且痛以夜间为重，有时难以入睡。某医诊为肢端红痛症，用维生素、谷维素等药配合理疗，症状始有减轻，但以后又反复加重，来诊时述每天超量服用止痛片。余视之两肘以下潮红，按之微热，上肢活动自如，双手重握物时痛剧，过后麻木，舌质红，苔薄白，脉弦且细。综其脉症，诊为"血痹"。此症乃由寒邪所侵，阻滞经脉，阴阳失调，气血不和，不通则痛。寒极生热，壅遏肌肤，潮热而红。遂取督脉与手足三阳经之会穴大椎（拔罐）以发散寒邪退其郁热，十宣穴（放血）清泄热邪；曲池、合谷针刺疏调多血气之阳明经脉，疏筋利节，通经止痛。治疗3次效显，20次痊愈。

四肢懈怠症　| 郭诚杰 |

审证求因，辨证论治，为中医之大法。但在临证时亦有无因可求，无证可辨者，若能善思，可于无法之中求法。吾于1973年治一张姓患者，自述3个月来，四肢懈怠，更为甚者，肘膝关节若散落一般，提一热水瓶竟感困难，步行常不自主地偏向一侧。饮食、二便正常，四肢活动自如，脉平舌和，别无其他异常感觉。经神经科检查，未引出病理征象。既往无癔病史，病前无精神创伤。病因不明，无舌脉可参，只能据脾主四肢而施治。遂选双手、足三里，针刺用补法，针3次无效。改脾俞针2次证仍同前。苦于无术可施，忽忆脾之大络大包穴，治虚则百节皆纵。则单刺双侧大包穴2次后，自感肘膝乏力较前有所减轻，继针4次，肘膝散落感消失，提物复常，步行不偏斜。半年后随访前症未复发。

仅此1例不能排除其偶然性，但偶然之中可能包含着必然。穴位主治是古人千百年的经验积累，所以对穴位的主治除理解记忆外，还要在临床中不断应用体会。

痿　证　| 陈积祥 |

《内经》谓治痿独取阳明，是耶？非耶？临床用之果验。曾治丑某某，女，发热半月，继而神志不清，四肢软弱无力，神经科以格林－巴利综合征收住院，经中、西药综合治疗历时半月，虽然热退神清，但四肢仍弛缓性软瘫，软腭不能活动，吃流食时常从鼻孔漏出，鼻音重浊，吐字不清，舌僵，呛咳，吞咽无力，舌质红，苔黄腻，脉沉细，诊为肺热叶焦，筋肉废痿，手足不用，阳明失司，津液不能布达四肢之痿证。余宗独取阳明之法，佐以健脾活血，通经活络，针曲池、合谷、伏兔、足三里，配风池、印堂、迎香，共针 20 次痊愈。

针灸治癫痫 | 李历城 |

针灸治癫痫，亦当求病本。笔者曾治一冲脉客寒之癫痫证，紧紧抓住"冲脉"与"客寒"选穴处治，疗效颇佳。患者尹某某，男，13 岁，在与同学玩耍时，不慎跌倒，颞颥部被铁蒺藜刺破，刺入约 0.5cm。当时经包扎，无异常感觉。至第 3 日夜间突然身冷，随即出现脊背抽痛，眩晕，次日竟发 4 次。先后经两家医院诊为癫痫。现每在蹲坐起立时诱发，自述发时腹冷拘急，抽痛自尾骨始沿脊柱呈一带状向上直达头项部，前后发作达 2 分钟左右。抽痛时，感眩晕，头痛欲仆。面容憔悴，神情呆滞，两目无神，烦躁易怒，纳呆，舌苔白滑，质淡润，脉弦缓。诊为寒气伤及冲脉，经气逆乱以致脊柱抽痛，其抽痛部位恰与冲脉循行相同，故其治疗当从冲脉入手，以祛寒为要，法宜温冲、理冲。处方：大杼（双）针刺用泻法，上巨虚（双）、下巨虚（双）针灸并施。先针大杼，进针后，两侧同时行提插捻转得气，留针 15 分钟，中间运针 3 次，起针后揉按针孔。然后再针双侧上巨虚、下巨虚，同时行平补平泻手法得气后，加灸15 分钟。针灸时患者说有股热气从灸治穴位向上沿膝、股前缘到达少腹。治疗2 次，发作次数减少，脊柱抽痛减轻，疼痛亦不上至头项部。如法又连续治疗 5次，未再发作。休息 1 周，守前方又治疗 2 次，灸疗时间加至 25 分钟，遂告痊愈。

督脉、足太阳脉均入络于脑，行于脊背，颈项；冲脉上循脊里，与督脉相并，旁纳太阳之脉。大杼穴为督脉、足太阳之会，乃冲脉气血输注出入的重要六位，取大杼穴针用泻法，以疏通经络、清脑宁神、平冲降逆。上巨虚、下巨虚乃冲脉输注出入于下的穴位，针用平补平泻，加灸疗，以敛冲气，温下焦，治少腹拘急冷痛，故收立竿见影之效。

针刺治痫一则 | 戴玉勤 |

痫为难治之症，尤难巩固疗效。《内经》曰："言不可治者，未得其术也。"

余治一痫获良效，深感此言不谬。

姚某某，男，36岁，造林站工人。患者于4年前某日突然跌倒，不知人事，两目上视，口吐涎沫，手足抽搐，约数分钟后苏醒，此后经常发作此症，少则每月发病一二次，多则四五次，发病无定时，每次发作均数分钟而醒，醒后头痛，头昏，疲乏无力。经西医诊断为癫痫。一直服中西药治疗，病情未见好转。平素少寐，痰多不爽，口苦咽干，舌边红，苔黄腻，脉弦滑数。患者素有痰浊，遇肝火上炎，火动生风，风动痰升，上蒙清窍，致神不守舍，意识丧失。遂治以清泻肝火，化痰开窍。取督脉百会、印堂、人中以镇痉安神开窍；肝经太冲、胆经风池清泻肝火；胃经足三里、丰隆和脾经三阴交，调理脾胃，运化痰浊；心经神门穴以宁心安神。

以上穴位每次取三四穴，轮流选用。每日针1次，连续针12次后休息1周，治疗3个月，发病次数明显减少，改为每周针二三次，共治疗半年余，病证停止发作。为巩固疗效，又不定期针刺十余次。至今已二十余年，再未犯病。

深刺哑门治癫痫 　　|吕国泰|

1971年5月，余到索家坡下乡，房东主妇翟某于1958年因劳动夜宿于野，受惊抽搐，愈发愈频。经脑电图诊断为癫痫，一日数发，屡治不效，遂来求治。余深刺哑门2寸8分，患妇遂感全身酸麻有如触电，当日癫痫竟未发作。此后隔日1针，又加丰隆、足三里、腰奇等穴随症调理，共针二十余次，癫痫遂愈。且体质渐壮，参加生产，至今15年未发。余用腰奇、哑门穴深刺，收治癫痫28例，痊愈15例，显效8例，好转4例，无效者1例。

哑门、腰奇为督脉经穴，盖督脉主一身之阳，贯脊属肾，入络脑，从少腹直上者贯心，其别络挟臂上项，散于头上。验之临床，刺哑门、腰奇针感均可上达脑巅，下达四末，甚至全身有似触电。从而可致经络通调，气血流畅，厥气平复。故书载督脉28穴，加腰奇29穴，其可治痫者即有16穴。余针哑门、腰奇两穴治痫，亦本此理。且此两穴为治风要穴，故刺之可熄风、火、痰之相煽，又可调补心、肝、脾、肾。痰盛者加丰隆；火炎者加涌泉、太冲；心神不安、恶梦纷纭者加神门、阴郄。其痫发时暂，正气未虚者，即针哑门、腰奇两穴足矣。若痫久而体虚，诸症叠见者，随症加穴，或辨证遣药，扶正祛邪，可收全功。

针 治 癫 痫　|杨廉德|

余多年治疗癫痫有规律发作者，宗景岳"治此者，当察痰察气，因其甚者而先之"之法，以调理气机、升清降浊为旨，佐以熄风化痰，并按发作规律，按时针刺以控制发病。

主穴：腰俞、气海。针腰俞时向上刺入骶骨裂孔中2寸许，得气后使针感上传。针气海时，得气后使针感下传。用腰俞时配百会、四神聪、风府、风池。用气海穴时则配百会、四神聪、申脉。

手法：平补平泻，留针半小时，行针3或4次。

两组处方分别以督脉之腰俞和任脉之气海为主穴。督脉并于脊里，上至风府，贯心属肾。脑为元神之府。故取督脉之腰俞并使针感上传以升举清阳，配百会、四神聪、风池、风府化痰开窍，醒脑安神。诸穴合用清阳升，则浊阴降。任脉为阴脉之海，取其气海，并使针感下传以降浊阴。《脉经》有云："痫证昼发者当取阳跷申脉。"

（张军平　整理）

尸　厥　|赵国岑|

每忆及扁鹊过虢针其太子之案，便想起开封市已故名医侯宝贤所治尸厥之事。

患者男，5岁。突然昏厥，不知人事，呼吸微弱（惟脉搏未停），家人认为小儿必死，悲惊之至，急邀我师侯宝贤急治。师诊其六脉沉细而微弱，详询病情后笑曰："此乃元气素虚，肺失治节，肝气不舒，胃失和降致清阳不升，气机逆乱，五脏之气闭塞而发尸厥矣！无妨，定会复苏"。遂速取右侧十宣、左十二井放血，宣通表里之气，次补太溪以固先天之本，再刺上星、百会、印堂、人中、上脘、中脘、下脘、足三里使周身之气内外畅达而厥复。随针随讲述原理曰："此乃开闭以通气，补肾以固本之法也，当有效焉！"针后嘱家人曰："切勿惊扰，过午即愈"。次晨，其母携其子前来叩谢。后余仿此法，每效。

子午流注法治便秘　|孙福生|

　　曾治童娃亲友，便秘 4 年余。服中药麻子仁丸、番泻叶当茶饮、蜂蜜及汤剂。吃药后缓解，停药后如故，大便三四日 1 次，艰涩不爽。现靠西药一轻松维持度日，且服药量与日渐增，特要求针灸试治。余选子午流注纳甲法酌配有效穴与之。当日下午 5 点半钟，应选大都穴，故取大都配支沟、照海穴，理三焦，通便秘。用平补平泻手法，留针，每 5 分钟行针 1 次，以增强针感。当第 2 次行针时，果有欲便之感，留针 20 分钟，起针后，即大便 1 次，且无艰涩不适感。1 年后，患者特告自针后大便一直正常。

　　1984 年 3 月 14 日下午 5～7 时，子午流注纳甲法推算，适逢开足太阴脾经大都荥火穴，本穴刺之有泻热作用，所谓"荥主身热"，该穴又是古人治便秘的经验穴，《医宗金鉴·刺灸心法要诀》有大都治大便难记载。本穴与病相宜，又当值时开穴，刺之效当更佳。配穴支沟为手少阳三焦经之经穴，有宣气机、散瘀结、通腑之效，为治便秘之要穴，与足少阴肾经和阴跷脉相通的八脉交会穴照海相配，按时开穴，针 1 次，起 4 年便难之沉疴。

遗　溺　|殷克敬|

　　遗溺一症，余曾针多例，每多获愈。但有一小学生秦某，遗溺 2 年余，循常选穴多方不效。后经询问起病之因，其母忆曰："2 年前看《画皮》电影之后，当夜惊叫，汗出尿床，后渐加重频繁。"思此案因惊恐伤肾而致气乱，固摄无权，膀胱失约。遂改取关元以固本培元，并取三焦经下合膀胱经之委阳穴以调膀胱经气，配心经原穴神门，1 次见效，3 次而痊愈。

　　本案说明，证有常变，治亦有常变，勿忘知常达变，方为良医。

嗜　睡　|殷克敬|

　　受友所邀，诊治一青年党某，饭后欲睡，有时吃饭时竟打瞌睡，周期性发作3年。询问其发病原因不明，发作时烦躁易怒，浑身无力，夜梦多，易醒，记忆力减退，舌红苔薄，脉弦细。遂即针刺百会、大陵、太溪等7次未效。《奇经八脉考》云："阳入于阴则寐，阴出于阳则寤。"阴跷之脉，随足少阴而上，阳跷之脉，伴足太阳而行，皆会于目，除管理四肢运动外，又司眼目之开合，考虑之后，遂改取交信穴、跗阳穴为主，补阳而泻阴，以经脉之"本"治其"标"病，月余后嗜睡症解除。由此可见，针刺取穴，亦应辨证，切不可头痛医头，脚痛医脚。

针刺治疗瘾疹　　|解霖源|

瘾疹是以皮肤出现鲜红色或苍白色风团、奇痒、时隐时现为主要表现的临床常见病，余每应用针灸治疗，收到满意效果。

取穴：风池、合谷、曲池、血海、大椎、膈俞、足三里。

手法：风池、合谷、曲池用捻转泻法，血海、足三里、膈俞用捻转补法，大椎刺血。

风性善行而数变，风犯于卫，肌腠受邪，风扰于营，血府不宁，营卫失和，故瘾疹发作，隐现不定，奇痒无度。应用针灸治疗，法宗祛风养血，取风池、曲池、合谷，意在祛风清热而解表邪；膈俞、血海、足三里能养血行血；大椎刺血，宣肺卫，行营血。治风宜行血、血行风自灭。全方共奏祛风宣卫、调营养血之功，营卫相合，肌腠得养，瘾疹可愈。

曾治一女性患者，皮肤风团、痒甚月余。自述无明确诱因。皮肤风团始起较小，渐融合成片，以胁腹及四肢为多，痒甚，痒则搔抓，搔破后方解痒；伴胸闷，腹痛，便稀，食欲不振。服中西药物，无效。时好时犯，反复发作。余用上法针治7次，疹退病除，再未复发。

牛乳过敏　　|周汶|

曾治德国籍患者，男，44岁。几十年来不能饮牛乳，每于饮牛乳或食牛乳制品后即发生腹痛、腹泻。停吃一两天后症状即自动消失。严重时必服抗过敏药物方能好转。曾经欧美许多国家医院进行胃肠方面检查，均未发现异常。审其苔白，脉缓，诊为大肠与脾俱病。治宜调整胃肠功能，促进消化吸收，遂针手阳明大肠经的合穴曲池，配以三阴交，以温运脾阳。用补法，留针30分钟。隔日针刺1次，6次后，已能饮少量牛乳而无反应。又针刺4次，能饮1杯牛乳。3个月后，患者专程前来致谢，云：回国后饮牛乳已如正常人，无不适感。

取曲池、三阴交而能收到满意效果的道理，主要是补阳明之虚，再配以三阴交以温运脾肾。针刺以补法留针，经言留针反为热，以促使脾肾阳气来复，恢复大肠传导功能，收到调整消化道阴阳之功，故而此症获愈。

针刺治乳痈　　|王宗学|

余宗《席弘赋》"气刺两乳求太渊，未应之时泻列缺"的启发，根据足阳明胃经从缺盆下乳内廉的循行经脉路线，针列缺、足三里以疗乳痈，获大效。一日，邻里有一妇女患乳痈，已3日，求余诊治，视其乳房红肿，局部焮热，发热恶寒，胸闷恶心，口渴，脉洪数，苔黄而燥。即取患侧列缺，针尖向上，迎而夺之的手法，得气后针感沿手太阴肺经向上过肘，片刻寒热即退，疼痛顿减。再针足三里泻之，病除大半。又治女患乳痈，病已3日，用青霉素治疗未效，以上方治之，症状顿减，3日而愈。

针十七椎下穴治崩漏　　|郑绪宗|

余针刺十七椎下穴，治青春期无排卵性功能性子宫出血多例，安全简便，疗效迅速，一般针1～3次即可。其法是取十七椎下穴（在腰骶处，第5腰椎棘突下）垂直进针，深度为1.5寸左右，进针后轻度捻转，病人有酸麻或触电感，向下肢及少腹、前阴放射传导，留针1～2分钟出针。

临床针1次止血者6例（针后24小时有效）；2或3次者8例。年龄均在15～21岁之间；且均为经妇科检查，生殖系统无器质性病变，血象正常者。

本病多因精神刺激（如暴怒、意外恐吓、情绪紧张等）致肝气郁结或肝气横逆，因而迫血妄行，冲任不固。针十七椎下通督脉，调节冲、任，使阴阳气血调和，气不乖逆，冲任得固，则血可止。

上 病 下 取　　|王道瑞|

医院曾收住一女性头痛患者，服用西药而痛不止，乃邀余会诊。问之痛在巅顶及两侧如裂状，昼夜不休，现怀孕 4 个月许。诊得两脉寸关俱弦，舌质偏红，苔薄黄，两尺滑而有力。经三思后，即针刺足太冲穴（稍作提插捻转），留针 20 分钟，痛乃止。如是连针 2 次，病愈出院。

此症系胎热沿肝胆经上窜之故，是以针泻足厥阴肝经的太冲穴而痛止。诚合《内经》上病下取之旨。针刺太冲穴常为孕妇取穴所忌，但又应依据病情而定，据我经验，若病当取者，施之亦无不良作用。

合谷三阴交孕妇禁针否　　|李世珍|

一学者从我的医案选集中看到 1 例胎动不安（先兆流产）案例（余以针补合谷、三阴交、肾俞，2 次而愈），因问曰：合谷、三阴交孕妇禁针，本案为何针之？

余告曰：合谷、三阴交孕妇禁针，见于《铜人俞穴针灸图经》，如《宋书》载："昔文伯见一妇人临产证危，视之，乃子死在腹中，刺三阴交二穴，又泻足太冲二穴，其子随手而下。"《铜人俞穴针灸图经》载："昔有宋太子性善医术，出苑游，逢一怀娠妇人。太子诊之曰：'是一女也。'令徐文伯亦诊之。文伯曰：'是一男一女也。'太子性暴，欲剖腹视之。文伯止曰：'臣请针之。'于是泻足三阴交，补手阳明合谷，其胎应针而落，果如文伯之言。故妊娠不可刺也。"《针灸大成》指出："合谷，妊娠可泻不可补，补即坠胎"他如《类经图冀》《禁针穴歌》等都有类似记载。

对于前人的实践经验，我们应历史辨证地看，具体问题具体分析，不能一概而论。既要了解孕妇的体质和患病的病理类型，又要把握合谷和三阴交的功能、主治及对其病理类型所发生的作用，才能掌握孕妇禁针与否。

孕期母体以血为用，脏腑经络之血注于冲任以养胎，故而全身处于血分不足、气分偏盛的状态。气旺血衰，故针补合谷（补气）、泻三阴交（行血祛瘀）易于流产，这是堕胎的内在因素。《灵枢·五音五味》篇云："妇人之生，有余于气，不足于血，以其数脱血也。"孕妇更是处于有余于气、不足于血的状态，所以补合谷增有余之气，泻三阴交损不足之血，不利胎安。

本案尚某，此第4胎已5个月，以前3胎均系正常。经妇科诊断为先兆流产。孕妇平素常头晕目眩，精神倦怠。复因3天前劳累过度，当晚即感腰部酸重隐痛，第2天少腹坠痛，漏血淋漓，血量不多。余观之面色少华，精神萎靡，语言低微，腹痛不安，察舌淡苔白，脉象细数而滑，辨为气血亏虚，胎元不固。治宜补气养血，固肾安胎。故补合谷（益气载胎）、三阴交（益脾摄血，养血安胎），肾俞（补肾以安胎元），2次治愈。

又问曰：针补合谷、三阴交为何不损胎元，反能安胎呢？余曰：惟辨证耳，此证既属气虚不足以载胎，血虚不足以养胎，故补合谷、三阴交，不仅不会损胎，反能安胎。

日本摄都管周桂著《针灸纲要》有："治孕妇两手麻木，用合谷治瘥，与胎无殒"的记载，说明并非凡是孕妇都禁针合谷。再如一例妊娠4个多月的遗尿患者李某，女，34岁，证属气虚不摄，膀胱不固，针补合谷、三阴交，三治而愈。并无损胎腹痛等弊害。

由此可见，书是死的，医生应灵活掌握运用。谚语云：尽信书不如无书，诚哲理也。

针灸治产后癃闭 |阎庆瑞|

妇人产后，冲任受损，三焦气化失权而致癃闭者，采用针灸治疗常获速效。如曾治白姓农妇，分娩后暴闭，少腹胀满，不得反侧。某医院诊断为尿潴留。导尿后缓解，除去导尿管后仍不能自解。查：病妇形消体弱，面色㿠白，少腹膨隆，尚有尿管留置。舌质淡，苔白薄，脉沉细兼滑，关元穴区拒按。诊为中气虚损，气化失权。治宜补中气，利三焦，调冲任。故主用足三里、阴陵泉，施以补法；配太冲、蠡沟，施以泻法，佐气海，施以温灸。治后，去导尿管，并嘱饮适量的淡茶。半小时后排尿少量，是夜，又排尿4次；其后又施针灸2次而愈。

针刺治癃闭 |吕兴斋|

西医遇癃闭之症，多施导尿之术，以缓其急迫。然而用针刺开闭，针到病除，实为良法之一。余治癃闭，每取穴曲骨、照海；配肾俞、膀胱俞。先针照海，快速直刺，1 寸为度；后针曲骨，缓慢而入，寸半为宜，并施以捻转半分钟余。实热取泻，虚寒取补。肾俞进针 8 分，膀胱俞进针 1 寸 2 分，各留针 30 分钟，每间隔 10 分钟捻转行针。针下得气，病家有尿意为佳，起针后令之排尿，多立可见效。

曲骨为任脉与足厥阴之交会，二脉均循阴器；照海属足少阴肾脉，为阴跷所生，又为八脉交会穴之一。而肾脉属肾络膀胱，主前后二阴，职司开合，阴跷脉亦循阴器；取曲骨可疏利三焦；取照海可通利小便，二穴合刺，共奏启闭开导、通行小便之功，为治疗癃闭证之良法。

内关穴治疗乳痈　　|卞占先|

乳痈一病，常见于青年妇女产后哺乳期，多因肝郁气滞、乳汁分泌过多、乳房受挤压，阳明热毒壅盛，气血瘀滞而成。其临床表现以乳房局部疼痛红肿为特征，并伴有全身恶寒发热症状。

本病的治疗方法虽多，但疗程长，有些也难免造成化脓，影响婴儿哺乳。

我采用内关穴治疗"乳痈"每获良效。其操作方法为：选择患侧的内关穴，针刺前让病人取坐位，患侧上肢仰伸，常规消毒后，术者用三指持 32 号 1.5 寸针，针体与皮肤面呈 30°角，用拇指端轻旋针柄，使针尖通过皮肤，进针后将针放平（针尖向肘方向），贴近皮肤表面，直线沿皮下表浅进针约 1.4 寸，用胶布贴盖针柄固定，留针 1~3 小时。进针时如遇有阻力或有酸麻胀痛等感觉，这表明针已刺入深部肌层，此时应将针尖退至皮下，再沿表浅层刺入。如一次针刺见效，而炎症未能完全消除，可于次日再行此法。一般针 1~3 次即可痊愈。

乳痈的治疗，早期多主张行气散结。内关穴属于手厥阴心包经，主治心胸疾患，"乳痈"属此范畴。其手法采用皮下平刺，可行经气、散瘀滞。故针刺后能使气血通畅，循经达胸，使肿消痛止而愈。

乳　癖　|郭诚杰|

乳癖，好发于中年妇女，症见乳中结块，乳房胀痛或刺痛，多在经前、生气、劳累后加重，并伴有胸闷不舒，腹胀纳差，月经紊乱，舌质不红或有瘀点，苔薄黄，脉弦等。本病针刺治之常效，余常用两组穴位交替使用。如张某某，女，44 岁。3 年前发现双乳外上有肿块，1 年后自感刺痛，并放散至腋下，两上肢有乏力感，经前、劳累、生气后乳房疼痛加重，影响工作。并伴有口苦、咽干、失眠、目眩、时而晕倒之症。经服中药及"化瘀片"，其症未减。查其体胖，面赤，舌不红润，苔白，脉弦数。乳房呈大乳形而对称，乳头、乳晕及皮肤色泽无异常。扪及左乳外上呈黄豆大数个散在颗粒，右乳外上扪及 4cm×3cm×2cm 肿块，压痛明显。X 线拍片为乳腺增生，据证诊断乳癖。治以清泻肝热，疏肝理气。用胸组穴：屋翳、膻中、外关。背组穴：肩井、天宗、肝俞。均取双侧，每日 1 次，交替使用。并加泻太冲以泻肝火。10 次为 1 个疗程，休息 4 天后继针。经治 5 个疗程乳癖消失，右乳肿块缩小如黄豆大，按压不痛，左乳黄豆大散在颗粒消失，经前、生气、劳累后乳痛亦未发生。3 年后随访，双乳无痛，亦未扪及肿块。

针灸治疗阴缩证 |张 崑|

阴缩病多由平日房事不节，情欲过度，复感寒邪，寒滞肝脉而起。发病猝然急剧，应速治疗。以针灸取效甚捷。取穴：会阴、长强、三阴交。会阴穴为冲、任、督三经交会之穴，对胞宫疾患有镇痛解痉作用。长强属督脉要穴，督脉督诸阳，为阳经之海，能振发阳经之气；三阴交为肝、脾、肾三经交会之穴，能调理三阴经，可镇痛解痉、又有补益之功。

1964 年 9 月 10 日，一急诊患者，女性，38 岁。自述少腹前阴抽掣、疼痛难忍。患者情绪焦躁，头汗自出，四肢逆冷，面唇发青，啼叫不已。诊其脉沉伏微弱，证属寒邪客于胞宫及厥阴肝经之阴缩证。急用温肝散寒止痛之法。取长强穴、会阴穴、三阴交穴、太冲穴、百会穴，施以平补平泻手法，顿时疼痛减轻，数分钟后前阴部抽掣停止，留针 40 分钟行针 3 次，病告痊愈。

1968 年 10 月，一农妇以少腹及前阴抽掣、痛苦难忍就诊，视其呼吸短促，面色苍白，唇青，头出冷汗，四肢逆冷。脉象细微，证属情欲过度，外感寒邪所致阴缩证，急用针灸救治。取穴：长强、会阴、三阴交、曲泉。并用艾条灸治八髎穴，30 分钟后诸症缓解。1 小时后痊愈。嘱其归家后于少腹部再灸数次，以温经驱寒巩固。

间接刮刺消脐风 | 曲祖贻 |

脐风即脐带风，系产后脐带感染而引起。本病属于祖国医学痉病范畴，出现于产后的称"产后痉"，见于新生儿的叫"脐风撮口""四六风"，民间习惯叫脐风或脐带风。曾治一男孩，出生4天，突发高热，抽搐不止，几经抢救，毫无效应。延余诊治。查：婴儿面色青紫，手脚冰凉，两眼与牙关紧闭，连连抽搐，皮肤热可炙手。体温腋下高达41.6℃，指纹深紫，已射甲透关，急掐"中冲"穴以叫关（中医测急症之法），毫无反应，婴儿在连续高热和抽搐下，火助风生，风起痰涌，眼看即将窒息而危及生命。我迅速决定扶正、排毒、退热、息痉同时进行，准备大面积刮法，取华佗夹脊穴，扶正以排毒，取大椎、肺俞、丰隆退热而豁痰；继取昆仑、太溪及末梢指、趾制痉以熄风；取劳宫、涌泉通心肾以回阳，取关元与命门，促发真气生发之机，加强抗病力量扶正以去邪。

然而婴儿皮肤娇嫩，如何能刮？时间即生命，突然望见陈爱民同学衣兜露出手绢一角，遂急将手绢扯出，平铺在婴儿的脊背上，取出有机玻璃条，在脊椎两旁华佗夹脊穴，由上往下快速刮动200次，又在大椎、肺俞、昆仑、太溪、劳宫、涌泉、关元、命门等穴各刮刺100次，再于婴儿指、趾节纹以指针点刺100次，术毕，稍停5分钟，依前式再操作1次，抽搐终于停止，惟两眼仍紧闭，为了促其神识尽快恢复，忙用双手拇指尖，用力点刺婴儿晴明双穴，刹那间，一双紧闭的小眼睛睁开了。再试体温，腋下已降至37.6℃。依前法又连续作了2次，抽搐终于平静，体温腋下已降至37.2℃。婴儿热退风熄，射甲指纹，隐隐消退。并啼哭觅乳。

陈爱民问："老师，这种大面积覆以手绢进行刮刺，见于哪本书？叫什么疗法？"

余曰："这是急出来的新方法．既然间接刮刺完成了急救，姑且名之曰'间接刮刺'吧"。

长强穴治小儿腹泻有卓效 | 赵传璋 |

小儿腹泻的发生，原因多端，但以脾胃虚弱为最多见。因脾胃虚弱，则水反为湿，谷反为滞，水谷精微之气不能上升，反而下降，致使清浊相混，合而杂下，发为腹泻。

笔者用针刺治疗腹泻，选长强、双足三里穴，针长强穴要针尖向上，刺1～2寸深。足三里针刺1～3寸深。以上两穴均用强刺激手法，且都不留针。

长强为督脉与足少阴经交会穴，又为督脉之络穴。它有调理肠腑功能的作用。足三里穴能清利湿热，又能燥湿、补土、止腹泻，为调节脾胃功能的要穴。二穴相配，既能祛邪，又能补虚，从而起到止泻固肠之作用。

针砭有验，银海生光 　　|臧郁文|

某年初秋，有一妇女携其5岁失明幼女王小惠者求诊于余。此儿曾患颅咽管肿瘤，开颅切除后已数月，他症皆愈，惟双目失明，无光感。余以为针灸虽能治目疾，大部非器质性病变所致者。此儿乃肿瘤压迫视神经，术后当复明，其不复明，是视神经损伤已重，恐不易治疗，故婉言辞去，请别求他医。病家要求再三，余不得推辞。复请眼科会诊，查患儿双目无光感，完全性失明，两侧眼球正常，结合膜无充血，泪囊、角膜均正常，无睫状体充血，两侧瞳孔对光反射消失，调节反射消失，两眼底视乳头边缘整齐，色苍白，动脉较细，瞳孔等大，诊为继发性视神经萎缩症。余细审患儿虽双目失明，而五轮无伤，目珠展转自如，惟右目向外下微斜，精神、食欲均佳，舌苔薄白，脉象弦迟，指纹紫暗，此为青盲。虽病缘于脑，亦肝胆二经气血凝滞，不荣于目，故目明难复。拟清脑明目，疏肝利胆，活血化瘀，通经导络之法；取穴风池、攒竹、臂臑、太冲一组，睛明、丝竹空、养老、光明一组，行单刺，施用补法。因患儿较小，不易合作，当主动哄儿使之减少恐惧心情与医生配合。针灸12次（1个疗程）后，休息半月，5日后患儿恢复光感，能视见物。继续以前法治之，加灸大小骨空，针灸2次后，则能分辨颜色，但视野较小，不敢自己活动，待针12次后，则视力恢复为右眼0.1，左眼0.3，休息后，加刺肝俞，如此治疗共3个疗程，视力恢复右眼为0.8，左眼为1.0，两侧眼底视神经盘颜色复红润，尤以鼻侧明显，颞侧较淡黄，动脉不细，中心凹反光可见，患儿可以自由活动，视物清晰，精神活泼，痊愈。

此儿病愈，其功在家长之坚信医。若家长犹豫不决，则针灸难见其功。如医者见疑难而拒之，经验亦难从实践中出。由此观之，病家、医者密切配合是治愈斯病之关键也。

针刺失明纪实 |徐庆云|

治少妇王某，其幼女去冬罹病夭亡，埋于村野，伤痛不已，每日侵冒严寒，往返数里，临塚哭泣，历时数月。初觉视力减退，继则骤然失明。曾延医多人，服药无效，耗银数百，均未见功，苦闷几不欲生，前来试治。时因条件所限，未作眼底检查，见病人双目不红不肿，睛白良好，而精神忧郁悲伤，低语懒言，脉沉而细。自诉头晕耳鸣，眼微干涩，多梦难寐，月经量少。脉证合参，诊为情志郁结，玄府阻闭，久之则肝肾不足，精血耗损，目失涵养，导致双目失明。法宜先投逍遥之类，后给杞菊、六味地黄之属。并嘱服药方法，患者闻之，拒不服药，盖已厌于服药矣。慰之曰，汝病非不可治，贵在精神舒畅，情志条达，勿劳思过度，勿急躁不安，苟调理得宜，当可获痊愈。既不服药，拟以针刺治之。问其惧针否？答曰：如能治愈，百针不畏。本证肝肾亏损，自当补肾养肝。首取肝俞、肾俞，两穴位于背腰，为本脏经气输注之所。前者疏肝养血，清头明目；后者滋水补肾，明目益聪。肝开窍于目，肾水足则肝血得养，视力有济。又以脏腑病变常反应于原，原穴乃人体原气汇聚部位，故复取太冲，配络穴光明，以取其通络明目之能，原络相配，疗效益彰。再选睛明，为治疗一切眼疾之主穴。古刺分许，吾针寸余，刺法有殊，即轻推眼球向外固定，沿眶缘下内皆上直刺，进出缓慢，不捻转不提插，时作轻微振颤，后刺先出，揉按针孔。此外有时佐以有关腧穴，如胆经风池、目窗，以通络明目。小肠经养老能明目舒筋。时而原络相配，时而远近结合，用穴 3~5 个，轮换使用，日针 1 次，行针 20~30 分钟，经十数次施治，视力逐渐恢复。惟视物残有轻微黄色阴影，状如风尘，已可自来求治，近期疗效堪称满意。后于门诊遇有暴盲、视野狭小及水晶体颤动等眼疾，同法施治，均获良效。

李禄刺喉痹法及其他 |唐学正|

李禄者，内蒙古丰镇县某食堂服务员，善刺喉痹乡里皆知。1958 年余公出至该县，登门求教其法，初不允。后经县卫生科同志反复动员，始相告。其后操其法于临床，每验。其法如下：

第一法：以患侧手臂后弯直探后背，中指按于脊柱，指尖是穴（约在五、六椎处，相当于神道、灵台穴）。李禄谈此乃治喉总根。刺前重按该处，令患者咽津，喉不痛即为正穴。斜向上刺，针1寸，留针约10分钟。

第二法：健侧手横附于胁，肘尖与前胸骨剑突正对（胸骨正中线），肘须平，中指按处是穴（相当肩胛骨下缘4横指第6、7肋骨间），直刺8分至1寸。施前法痛不止，可用此法。

李禄刺喉前必备热水一杯，烤焦馒头或烧饼一块。刺后即令患者咽津并饮热水，同时食焦馒头，以示其技之效果，病人初不敢服，强令之，遂服果无痛感。如是法刺2~3次即愈。

邻舍金某患喉痹（咽峡炎），服用磺胺、抗生素均无显效，余用此法刺之，当即饮热水一杯，食馒头一块，毫无痛苦，甚喜。次日再针1次，痊愈。其后屡于临床验证，其效皆卓。

古人刺喉之法，有套筒管针，谓刺喉针，其刺咽喉患处，令出血，吐涎，血止后痛减而愈。1958年余至翁牛特旗公出，识当地名医麻老先生。麻善刺喉痹，其法为以竹筷一支，上缚三棱针一枚，露针尖1~2分，刺时针尖涂药膏少许，伪称点药，防病人恐惧，然后对准喉部紫血筋，猛力划破，令病人低头吐涎，勿使瘀血入腹中，颇似古法，治喉颇验。

刺喉痹配以中冲放血，亦极有效。刺时令病人伸臂仰首，于前臂反复上下搓擦，不下百次，待前臂红赤充血，握中指点刺中冲及少商两穴出血，喉痛立时减轻。

综观上述诸法，均属经载之远道刺、赞刺、络刺方法，刺喉痹可相互配合。李禄刺法，取远端穴位，其令病人饮热水、食焦馍，并非仅为显示其技，热水、焦馍均可作为刺激条件而改善局部血行。中冲放血前搓臂充血，可促经气条达，引血运行。刺咽部出血可使局部减轻压迫。以上各法仔细琢磨各有道理，宜察病情择用之。

谈内关与三里　　|马同如|

内关是手厥阴心包经的络穴，足三里是足阳明胃经的合穴。二穴是临床针灸治疗胸腹疾病的要穴，特别是对某些急症的抢救，如正确掌握虚实补泻的针刺手法，确能达到事半功倍之效。

内关穴对上腹和胸部疾病的止痛确有特效。《灵枢·经脉》篇载"手厥阴络脉从内关穴处上行，络心系"。其病"实则心疼，虚则烦心。"可知本穴与"心"有特殊联系。近年来笔者曾以膻中、内关、足三里为主，针刺治疗冠状动脉硬化性心脏病、心绞痛，取得显著疗效。根据多年的临床实践，证明针刺内关可使病人心率显著减慢，心功能得到一定改善，并能调节血压。

曾治黄某，患有肺源性心脏病5年之久，经多方治疗未愈。一天病情加重，胸闷气憋喘息，阵发性心痛，心悸，面色苍白，倦怠无力，舌淡苔白，脉迟时结。急取内关（双侧），手法以补为主，留针20分钟，每天针1次，连针3天后，胸闷气短减轻，心痛止，续针7天，病情稳定出院。

足三里穴使用广泛，具有和胃健脾、疏风祛寒、调气活血、降浊清热及保健强身的作用。对胃肠疾病的治疗确有显效。但手法的选择一定要根据疾病的虚实、人体的强弱、病程长短等进行辨证施术。

李某，于1966年春患急性腹痛。经某医院急诊室确诊为肠扭转，经抢救治疗一夜无效，建议手术。但患者拒绝开刀。其父背其返家，途中，与我在街上相遇，急视之，面色苍白，口吐白沫，脉沉迟无力，时有抽搐，下腹部有硬块，按之病人已失去疼痛感觉，急针双足三里配天枢，以先补后泻的手法，10分钟后患者苏醒，面色转活，额上有微汗，已觉腹部有疼感，腹硬变软，半小时后痊愈回家，此后走访无复发。

针刺取穴要少而精，必须掌握准确的手法，不论是深刺、浅刺、强刺、弱刺、补法、泻法、留针或不留针，当视病情而定。配穴得当、手法相宜，才能收到预期的效果。

肝 神 穴　　|李绍南|

我在继承家传的基础上，经过20多年的临床摸索、验证，总结出"肝神"四穴可治疗神经官能症、慢性肝炎。故而定名为"肝神"穴。

肝神穴的部位及其适应证

1. 部位　从剑突右侧紧靠肋缘下约3～4分取第1穴。每间隔1寸，分别取第2穴、第3穴。顺序定名为"安神""舒肝""解郁"。从第2穴起往下稍向腹中线斜1.5寸处（与前3穴连线成45°～60°角，主要根据人体的胖瘦而定）定名为"胆降"穴，为第4穴。这四个穴总称为"肝神"穴。

2. 适应证

（1）神经官能症

①神经衰弱

②胃肠神经官能症

③心脏神经官能症（心动过速等）

（2）慢性肝炎（包括早期肝硬化）、肝炎后综合征

（3）高血压（原发性）及脑动脉硬化

（4）冠状动脉硬化性心脏病（左室劳损、供血不足）

（5）慢性腹泻（神经性）

（6）内分泌失调

①肥胖

②艾迪生病

③月经不调

肝神穴作用机制

肝神穴主要适用于临床上因肝失疏泄而致的各种病症。肝神穴可疏肝解郁，条达气机，安神镇静，调理胃肠功能。

针刺肝神穴的操作方法及其注意事项

1. 操作方法　选用 27～28 号 1.5～3 寸的不锈钢针，进行常规消毒后，右手示、拇指持针，按穴位先后次序以快速进针法猛刺过真皮，再徐徐捻转进入，针刺深浅度可视病人胖瘦而定。一般前 3 针深达寸许时斜向肋缘内侧猛刺一下（"胆降"垂直针刺 2 寸许）、患者感到剧痛一下（肥胖者针刺 3 寸左右），此为针刺肝神穴得气之征，不作捻转迅速起针。若纳呆食少的病人，可加针刺中脘穴 1 次。手法：针体进入中脘穴 2～3 寸许，用示、拇指以逆时针方向捻转一下针体，立即自感气向下行直达少腹，然后用示指弹打针柄数下（或用示拇指捏住针体作旋转摇动数下）即可起针。

2. 注意事项

（1）针刺肝神穴要在空腹时施针；

（2）针刺后 1 小时内禁止饮水和一切饮食，针刺完毕病人需休息 5～10 分钟方可走动，以免发生疼痛。

（3）病人针刺后可能有胸部疼痛发生，这种疼痛多为隐痛，少数为剧痛。如发生隐痛时嘱咐病人这是针刺反应，1～2 天内即可缓解。发生胃部剧痛时，可急针中脘穴或中脘、气海两穴，同时进针，酌情留针 15～30 分钟，即可缓解。

（4）对于体质瘦弱的患者，要严格掌握针刺深度，特别在针刺"胆降"穴时，针刺深度要 1.5~2 寸为宜，否则会有胃脘部剧痛发生。

（5）病人在针刺期间，特别是神经衰弱的病人，必需禁用麻痹中枢神经系统的药品，如苯巴比妥类，其他类型的病人也应酌情停止使用一般药物。

（6）针刺肝神穴时要严格消毒。肝炎病人所用的针具一定要与其他病人的针具分清使用，以防交叉感染。

（7）针刺肝神穴，需要 1~2 个月，甚至较长的时间方可获得痊愈，因此贵在坚持。

如治王某，男，48 岁，山东成武县土产公司干部。近 20 年来患失眠，头晕，两上肢麻木，倦怠，健忘，纳呆，恶心，腹胀，腹泻，诊断为神经衰弱综合征。经针刺肝神穴，症状消失。

体　会

在肝神穴的应用中发现，98% 以上的患者剑突右侧靠近肋缘（或肝下）有明显压痛，有的患者腹壁质地坚硬，并与胃右上方压痛连接一片，此为针刺肝神穴的施治之证。

在针刺中，大多数患者有病情突然加重或比针刺前任何时候都重的现象，经 1~2 天后又明显减轻好转。

疗程以 45~60 天为宜，有些慢性病如肥胖、慢性肝炎（包括早期肝硬化）及神经衰弱等，长年多方医治无效者，每年要进行 2 个疗程之治疗，需坚持 2~3 年。

近年来把肝神穴又试用于脑震荡后遗症、声带息肉、甲状腺瘤、月经不调及子宫发育不良等，针刺后亦能收到明显疗效。

闭孔穴治验杂谈　｜赵川荣｜

"闭孔"为经外奇穴，位于督脉长强穴旁开 2 寸，恰好在足太阳膀胱经白环俞下方。主治坐骨神经痛、下肢麻木、运动障碍等症。此穴虽为经外奇穴，实则与膀胱经和肾经有密切关系。人体经络除十四经外尚有经别与皮部之分。《灵枢·经别》篇曰："足太阳之正，别入于腘中，其一道下尻 5 寸，别入于肛，属于膀胱，散之肾……。足少阴之正，至腘中别走太阳而合，上至肾……。"依闭孔位置，正与足少阴肾经别部位相合。《素问·皮部论篇》曰："皮部以经脉为纪。"闭孔既位于足太阳经下侧，应属足太阳经皮部范围。因此闭孔穴主治下肢病变及足太阳、足少阴经病变。

高原寒冷阴湿之地，其人多病痹。余临床治周痹，在下肢者以闭孔穴为主穴，配以阳陵泉、昆仑，取捷效。

1983年曾治一中风后遗症的患者，其人年已四旬，左下肢无力，活动不便，右下肢完全瘫痪，行走需持双拐，随人扶助。失语，遂单取双侧闭孔，用4寸针。入针3寸行子午捣臼手法，留针15分钟（每5分钟行针1次），针后患者已独自蹒跚行走。余治疗此类疾患，用"接气通经"之法；上取环跳，中取阳陵泉，下取昆仑。但常感环跳穴位置与患者体形肥瘦关系较大，遂改闭孔以代环跳，以其体表标志明显，且针感强。闭孔穴进针1寸左右即感臀部麻胀，3寸后即可有酸麻感直达足跟。对坐骨神经痛、下肢麻木、运动障碍等症，效果显著。

点刺治猴痧　　|曲祖贻|

猴痧病名在中医书里十分生疏。从症状来看，它包括中暑、干霍乱、温疫、温痧、痧症和食物中毒等，属于温疫范畴。我国河北、河南、山东各省农村中，夏秋季节常能遇到，而甘肃河西走廊地区却为少见。

1972年夏，在酒泉地区安西县遇到一猴痧病。

患者薛姓，男，青年农民。来诊时，走路摇晃，形神委顿，面色苍白，时而呕吐，虚汗涔涔，而且六脉沉涩，指尖发凉，舌干苔白，指肚已现，此温邪凝滞，疫毒深陷，津液枯竭之陷症也。

根据中医辨证，痧毒滞于血脉则脉沉涩，痧毒内陷则指现螺瘪，正气虚弱、津液枯涸，则形萎而神疲，浸于胃脘，则呕吐而舌干。

治疗原则：迅速排毒，祛邪扶正。

从一般刺法来讲，本病拟先刺大椎，排除痧毒，保护督脉。再刺曲池、合谷、足三里穴，调整肠胃而止呕，但如法施针，病热丝毫未减。继而服以痧药，也立即吐出，此所谓"邪气既盛"之期也。正寻思中，突然想到：根据患者脉象与症状，莫非身上有"猴"？于是马上将患者上衣解开，在其前胸肋间，用拇指尖连续点敲，随敲随即鼓起小包，即用三棱针轻轻在鼓起小包上点刺，边刺小包边消，患者精神好转，眉眼舒展地说："这一下，我心里亮堂了。"遂称谢而去。

"猴痧"，中医书里叫温痧，疫痧，又叫痧证。诊断时用指点敲，点敲后鼓起小包活跃似猴，故曰猴痧。本病来势凶猛，疫毒深陷，滞于血脉，必须针挑收痧，方能救急。

清代医家郭右陶在他著的《痧胀玉衡》里写道：是名温痧，疫毒内陷，老幼相传，治宜放痧。对痧症病因、症状、治法及传染介绍较详。

放痧针，过去多用粗钢针，针后创面较大，消毒不严，容易感染。因而改用3cm长的8号细钢针，仿"蜻蜓点水"手法，一点即过。

手针治肩凝　　|张涛清|

手针疗法是以针刺手上穴位点来治全身疾病的一种治法，与耳针疗法有些相似，它使用方便，疗效可靠。

如患者欧某，男，40岁，左肩部弥漫性疼痛，日轻夜重，抬肩困难3年。余以手针肩点针刺，行徐疾、捻转强刺激不留针手法，应手痛减，3次而愈。

又如李某，男，44岁，突然左臂疼痛，外旋、外展动作受到限制，余以手针肩点针刺，行捻转、提插、徐疾强刺激不留针手法，舒筋通络，疏调气血，应手而愈。

（解秀连　刘　福　夏　清　整理）

皮外针法止痛效果好　　|朱进忠|

1960年在北京中医学院附属医院针灸科跟随萧友山老大夫学习时，得见肖老的独特针法——皮外针法。方法是：取火柴棒约1～2cm左右一段，放置在特定的部位上，胶布固定后3～5天取下。主治痛证。如肋间神经痛、胸膜炎等。我见其法过于简单，不屑一顾。偶遇一患者大赞此法之妙，才使我心中稍有触动，但仍不重视。1966年在山西省中医研究所内科门诊施诊时，得见数例肩凝症，病程均在1个月以上，曾反复应用针灸、按摩、蜡疗等无效，余以黄芪桂枝五物汤、蠲痹汤等治疗，虽然有效，但比较缓慢。有些应用针灸后疼痛更加严重。偶翻学习心得笔记，记述皮外针法，触动灵机，试于临床，效果甚佳。反复验证，均有效，始诚信不疑。方法是：将火柴棍放在天宗、膈关附近的压痛点上，胶布固定。例如：患者邢某某，肩臂疼痛不能抬举1个多月，先用蜡疗不效，续用针法疼痛更加严重，上抬只能手摸至下颌，夜间常因疼痛不能入睡。诊后以黄芪桂枝五物汤加当归、鸡血藤、片姜黄治疗4日，疼痛稍减，但仍疼痛难于入睡。在天宗、膈关附近压痛点放置皮外针后，次日疼痛大减，3日后手能摸到头，7日后疼痛基本消失。这种方法既然可以治疗肩凝症，是否可以用于肱骨上髁炎呢？验于临床亦有效果。方法是：将火柴棍约1cm左右一段放于肱骨上髁最痛点上，胶布固定。例如：瓮某某，2周来左肘外侧疼痛，伸屈用力均使疼痛加剧，不能做家务劳动，前用针灸、中药、膏药疼痛不减，改用皮外针治疗后，次日即疼痛减轻，7日后疼痛消失。又用于肋间神经痛、冠状动脉硬化性心脏病、胸膜炎的局部疼痛亦有效。

　　近数年来，针刺治疗疾病时，某些人曾反复片面强调深刺、强刺，皮内针治疗法改为埋植不锈钢圈。岂不知这些方法用于实证尚可，用于虚证则更伤正气。正气亏损，气血不通，疼痛更加严重。皮外针法刺激量小，可以缓调气血阴阳，疏通气血，因其力小而缓，不会损伤正气。因此对气血虚衰，应用针灸、按摩等法无效者，常常获效。

放血可治急病大病　　｜张殿民｜

　　放血疗法，古来有之。"血实宜决"，《内经》明言。读唐初名医秦鸣鹤针刺治高宗李治头痛的故事，及《儒门事亲》张从正记录某举子秋闱将近暴病，误落帐钩打损鼻梁出血升余病瘳，按期应试之病例，更信此法疗效之可征。

　　余幼时每见病者求医，祖父次陶因目眚即命余按彼教之法针刺有关穴位，往往收到意想不到的效果，印象颇深。1946年故乡村东八里一慈姓男病人，坐牛车而来，搀扶入室，头痛如劈，一人从背后用两手搦其两太阳穴部位。患者双目紧闭，眼泡如核桃样肿大。热泪不时顺眼角外流。手帕尽湿。强掰眼睑，双目红赤羞明。口中不时呼喊："先生救命"！祖父见状，立即命余以三棱针放油灯烧红，将神庭、上星、头维、眉心、童子髎等穴处用生姜片揩净后，点刺出血。每穴约放血1或2滴。患者眼睛立时睁开，热泪不流，头痛缓解。祖父又命余以三棱针点刺两肘窝之尺泽穴，放血约10ml左右，并研服黄连上清丸5钱（15g），命病人白开水送下。前后大约半小时，患者自述：豁然病愈。带黄连上清丸1两（30g）回家。3日后，步行登门谢曰："没想到放血还有这样好的效果。"

后遇某些高血压头痛、血管性头痛、颈椎病、某些颅部肿瘤等患者，用之皆效。

经穴放血，可疏通经络，使血壅得决而利，气盛得泻而畅，以达阳平阴秘、升降调和之目的，故病可愈。

民间刺络疗法　|杨廉德|

刺络疗法，早在《内经》中就有所记载，明代张景岳在《类经》中更详细地描述了这一疗法。谓：西北之俗，但遇风寒痛痹等疾，即以绳带紧束上臂，令手肘青筋胀突，乃用磁锋于肘中曲泽穴次，合络结上，砭取其血，谓之放寒。这种古老疗法，至今西北地区民间仍常使用。

兰州郊区民间遇有所谓"大阴寒证"，即用刺络法以治之。轻则指端"挑擦"，重则"大穴放血"。其方法是：先摩擦脊背令热，再分别自背肩至上肢背侧、胸膺至上肢掌侧，从上到下，以致指端重"捋"之，随即以绳带一端紧束前臂下1/3处，以限制血液回流，另一端紧扎一指根，使之充血，然后于十宣或十二井，或指甲根正中上一韭叶微隆处点刺放血，术毕即松指带，另扎一指，如法点刺。针具常用三棱针或缝衣针，针尖向上斜刺，迅速挑起，挤压针孔使出血少许。

待五指依次挑毕，随即解开上下绳带，先在手心、手背摩擦数次，再在患者虎口掌侧、腕部、肘部的桡尺侧和表里两经相对应的一些俞穴处摇捏揉按片刻，然后从指至肘向心摩擦，也可摩擦至上臂、胸膺和肩背。最后握患者手指抖动上肢各关节，以助气血运行迅速恢复。此即俗称之"挑擦"。

另法，"捋"同上，而以绳带紧束上臂下1/3处，令肘窝部皮下青筋暴露，约在当曲泽穴处的"血结"上挑刺放血适量，术后按摩与"挑擦"相似。此即俗称之"大穴放血"。这与《类经》之"放寒"相同，只是张氏略去了放血前后的辅助手法。由此可见，《类经》所载的这一疗法，仍在兰州世代相传，并有所发展。此外，亦有取下肢趾端和委中穴者，方法与上肢相仿。

刺络疗法所主之"大阴寒证"，究属何病，人言各异，但今人大多用以治疗外感风寒，风热和胃脘暴痛、中暑、气厥等症。余早年读《乾坤生意》云：凡初中风，卒暴昏沉，痰涎壅盛，不省人事，牙关紧闭，药水不下，急以三棱针刺少商等十二井穴，使气血流通，乃起死回生急救之妙穴。但临证操作不能自如。自获此法，参照用于中风闭症和暑厥，常奏开闭泄热之功。

盖四肢末端为表里经络衔接联络之处，曲泽为手厥阴心包经之合穴，故泄除指端或曲泽穴处所聚之瘀血，有疏通经络、泄邪祛瘀、清营退热、除烦镇痉、苏厥开窍、调理肠胃诸功效。

此法于某些重症、急症可获立效，但因流传于民间，有时对适应证、禁忌证、无菌操作及放血量的掌握还有不够完善之处，有待于同道共同验证改进。

（李才元　整理）

灸命关穴治虚脱危症　　|李全治|

命关穴（即脾经左食窦穴）位于左乳下 1 寸 6 分，旁开 2 寸处。《扁鹊心书》云：能接脾脏真气，治三十六种脾病，凡诸病困重，尚有一毫真气，灸此穴二三百壮，能保固不死。一切大病属脾者，并皆治之。

余受启发，每遇此症，如法治之，每获良效。如治马某，患元气虚脱之证，见其仰卧地铺，颜面脱色，目陷腮收，肢冷身僵，遗尿湿裤，呼吸似无，如死状，当即急灸命关穴。5 分钟后，见患者唇吻微动，突然喷出一口腥冷之气。又灸关元穴，患者抢动左手，发出哼声，呼吸由弱逐渐转强。待服参汤之后，病人脉复眼睁。

灸法疗息肉　　|曾福海|

俗语云："土单验方胜过名医"。11 年前，有一中年易姓农民，左手中指因削伤半月，伤口不愈合，且伤旁又生一小息肉，来院就诊。余观伤口长 1cm 许，中部有少量渗生物，旁边生一如麦粒大小之息肉。遂即按常规消毒，打算用手术刀割去息肉。患者发现我拿手术刀，立即叫喊，拒不接受手术。只求敷些药便离去。10 天后，此患者又来，我以为又是因手指伤口就诊。谁知，他把左手突然向我面前一伸，好了。余甚惊奇，询问其故，他得一验方，用艾叶 2 份、干大蒜杆 1 份，共揉为绒，掺合适量葵花籽（捣碎），作成如艾卷状，每日熏灸 3 次。3 日后，息肉脱落，伤口愈合。余知艾灸可温灸散寒，镇痛祛湿，而不知其与干大蒜杆、葵花籽相合，有如此效果，便铭记之。

次年 8 月，余探亲回家，适逢邻居婉一女婴，10 天左右，昼夜啼哭、烦躁不宁，请县医院治疗数次而乏效。邀余诊视。见新生儿指纹青紫，脐周围出液较多、旁边长有2个息肉，一如黄豆大小，一较芝麻为大。遂思及上法，嘱婴父照法灸之。3日后息肉脱落，脐表面干燥，其他诸症竟消。愿医道同仁，莫视小方而轻之。

诊余忆失治　　|唐学正|

对于失治、误治，一般医者因碍于情面而不愿谈及，更懒于记载。余以为将失败的教训介绍给同道或后学引以为鉴，也并非不光彩之举。忆及1952年余在伊克昭盟医院治一农民，体坚实，患头痛甚剧，选风池，太阳、列缺、行间等穴，连针3日均有进步。某日上午又来复诊，仍按上穴针之，针后五六分钟，患者突然昏厥，幸为他患所扶，未倒于地。当即呕吐大作，肢冷汗出，昏不知人。立刺足三里、人中、内关穴，片刻苏醒，后询其故，始知患者住20里外，匆匆来此赶集，在集市贪酒过食，因急于返家，食后未作休息即来就诊。因既往针刺并无异常，针刺时亦未介意，仍以前手法施术，致成晕针脱气。

该患因饱食而胃肠满，兼以匆匆就诊，气血尚未平静，针之气益乱，乱而气脱。故施用手法必审病机而施补泻，病之机宜即病人当时机体功能状态。《内经》云："出行来者，坐而休之，如行十里顷乃刺之"（《灵枢·终始》）。又云："无针大醉，令人气乱……无刺大饱人"（《灵枢·刺禁论》）。古训当铭记之。

1956年应内蒙古卫生厅之聘，为针灸训练班授课，实习期间一学员为某患者治咳嗽，针云门穴，针前嘱其浅刺，刺时学员失手刺之过深，病人即咳嗽吐痰一口，内有鲜血。忙嘱病人卧床休息片刻，复平，幸未成祸。

云门穴位于胸前壁外上部，锁骨外端下方，举臂时呈凹陷处。《针灸甲乙经》云："云门在巨骨下，气户两傍各二寸陷者中，动脉应手，举臂取之，刺太深令人逆息。"云门穴下为肺尖，深刺触及肺微动脉致出血。古人所言可验，医者宜当戒之。

风　池　之　弊　　|阎庆瑞|

风池，手、足少阳，阳跷、阳维之会穴，古今医家多用。但本穴刺之不当，也有一定不良反应，值得注意。

一日闲暇，在冯君家做客。谈及针法，主人兴趣甚浓。其夫人道："针灸虽然有效，却不愿接受"。询其因，答称："去冬，头痛，针风池穴后，剧痛不可忍。至今，后头麻痛，摇动颈后如闪电，"告曰：此乃泻之太过，伤气于内。余随补太冲并温灸之，扶正祛邪，2次而愈。

苏某，女，31岁。因慢性荨麻疹住院疗养。于5月3日，坐位取针风池穴。留针时患者与医者谈笑风生，仰俯不顾。起针后，自觉头痛，头晕，左半身酸软麻木，虽经中西药治疗，症不减反重，故求会诊。查：面潮红，语音低，目懒睁，舌稍右偏，脉沉缓。此证，由于针刺时体位变动，针深太过而致阳急急在头、阴缓缓在胸之阳急阴缓症。故泻阳跻会申脉；补足厥阴太冲、蠡沟，以泻急补缓，施治后病情好转，1周后随访恢复正常。

伤筋推拿话手法　|张　安|

我国推拿按摩疗法历史悠久，形成了道家、佛家、医家各大流派。其手法也丰富多彩，各有特长。并以道家学派历史最长，影响最深。山东著名中医张洪九行医七十余载，于1982年去世，终年94岁。张氏青年时代投身道门，拜师于济南千佛山，在多年临床实践中，他的手法别具一格，对伤筋的治疗有独到之处。现将本人跟师二十余年掌握的手法规律介绍如下：

张氏在遇伤科患者之后，先以望、摸排除骨折或脱臼。如不属骨折或脱臼，仅有运动障碍、活动时疼痛难忍，体表无其他反应时，便施用按、摩、点、揉等治疗手法。此类患者常因筋、腱离开正常位置而使关节功能受限，中医名曰"筋出槽"（筋腱移位）。通过手法，使出槽的筋腱复位（归槽）。其手法是：

1. 空心掌叩击法　病人俯卧在床上，医者站在患者的一侧。以单手或双手五指并拢，示、中、无名、小指、掌指关节曲屈形成空心掌，利用手腕弹动叩击于两侧的腰眼处，具有缓解筋肉紧张，舒通凝血之功效。

2. 拨筋止痛法　病人及医生体位同上，医者以双拇指沿着背部膀胱经路线至损伤部位弹拨。一般可摸到绳索样突起物，触痛，以弹拨点摩等手法消散之。具有活血通络，祛瘀散结的作用。

3. 鲤鱼翻身法　病人及医者体位同上，医者双手张开虎口，中指在章门穴，拇指在腰眼穴，点压后向左右两侧提拿。病人随医生双手不自主的摆动。本法有滑利关节之功效。另外，还能使小关节快速对位。

4. 膝顶腰眼法　病人坐在凳上，双手交叉抱头，医者从背后两前臂插入病人两侧腋窝处，双手握紧病人上臂，左膝用力向病人左侧腰眼顶压，医者左手牵拉病人左上臂，使病人躯干向左侧旋转，然后更换另一侧，方法同上，反复数次，但应注意旋转角度不能过大，膝顶压力不要过猛，避免造成新的损伤。此法可松解关节滑膜，使筋腱伸展，促进运动功能的恢复。

如治康某，腰扭伤数日，突然不能起床，腰活动严重受限，不能伸腰转侧。检查：损伤表面未见异常，腰左侧腰点处触到有 5cm×5cm 大小的突起物，触痛明显，诊断为损伤性腰痛，合并腰骶关节错缝，采用拨筋止痛法，鲤鱼翻身法 1 次治愈。

按照辨证施术的原则治疗，一般 1 或 2 次即可痊愈，且无不良反应。

手法配合针刺治疗偏头痛　谈克武

笔者在治颈椎病时，发现患者有偏头痛症状，查颈椎部有阳性反应，予手法治疗颈椎病后，偏头痛迅速缓解。后凡遇偏头痛者即先查颈椎，多发现或椎体偏歪，或椎间隙变窄，或强直而生理曲度消失，或骨质增生，或项韧带钙化，压痛明显。手法治疗颈椎病后，头痛也往往向愈。手法包括或拨正歪斜椎体，或项韧带舒筋理经手法，配合针刺华佗夹脊穴及手部奇穴（手第2指掌关节上方0.5寸、尺侧斜刺1寸）。曾治一程姓患者，女，46岁，偏头痛发作，或左或右，痛时剧烈。服麦角胺、咖啡因无效，后查体为颈椎椎体偏歪，随予手法、针刺治疗，经治疗数次，颈椎症状好转，偏头痛症状亦轻微。

手法配合针刺为什么能改善偏头痛呢？因头为诸阳之会，三阳经循于头面，督脉统一身之阳。督脉经气运行受阻，络脉失于阳气之温煦及推动，气滞血瘀，易为邪气留连，久则不通，不通则痛，故出现颈椎病变。手法拨正椎体或舒筋理经气可使局部血液循环得畅，血液供应改善；针刺以疏通经络，调节阴阳气血，故颈椎病缓解；经气得舒，偏头痛症状亦会随之改善。

推拿熏洗治臀大肌粘连症　宋贵杰

"臀大肌粘连症"，多由于臀部穿刺或药物注射引起。除局部疼痛外，还可影响腿的功能。治疗本病，中医多遵行气活血、化瘀通络之法。

我以中药熏洗外托与手法推拿按摩治疗，取得了良好的效果。

熏洗外托法

用软坚化瘀汤。药物组成：芫花15g、水蛭6g、虻虫10g、伸筋草15g、羌活10g、独活10g、防风10g、附子10g、红花10g、香附10g、苏木10g、土鳖虫10g、延胡索10g、花椒20g。上药装入布袋，封口加水5～6斤（2.5～3kg），置脸盆中煎煮。20分钟后离火，乘热将药袋外敷于患处。反复敷托，至局部发胀、变软为度。每日洗3次，每剂洗2天。

推拿按摩法

1. 揉法　患者俯卧位，术者以大拇指或手掌大小鱼际及掌根部着力在患者臀部揉动，缓慢旋转，使其力量达到皮下组织，自觉有热感为度。揉动宜轻而有力，勿伤害皮肤。

2. 按法　患者俯卧位，手指或手掌着力在臀部进行按压（一按一松），按压时宜由轻而重，重复多次。本手法可促使局部瘀滞消散。

3. 拿法　用手指拿捏患处，做到拿起后迅速放手，拿放要有节律，用力要协调。其作用是能解除筋肉的痉挛，宣通经络，流畅血脉。

揉、按、拿之后，再施以松解粘连四法。

1. 指拨法　患者俯卧位，术者以拇、示二指在臀部痛点部位，用轻柔、均匀、有劲的指力按肌纤维走行方向作来回弹拨滚动手法，拨动后及时配合揉法。以缓解指拨而出现的不适感，其作用为宣通经络，活血止痛。

2. 指按法　患者俯卧位，术者以拇指按压臀部痛点区，用力要适当。指按方法可用一手拇指或两手拇指叠按，按时要一按一松，达到活气血、除瘀滞、镇痛之目的。

3. 顺推法　术者两手掌根部于患者臀部由上到下或由下到上反复顺推几次，顺平滑肌束，使经脉气血通畅，促使瘀滞的气血流通。

4. 抖动法　患者仰卧位，术者用双手握患者下肢踝部，稍微用力，做连续小幅度的颤抖法，使关节放松，肌肉舒展。

我用推、摩、洗、托法相结合，治疗该病患者，均获较好效果。

米糠、捏脊治腹泻 ｜李玉林｜

顽固性腹泻是不易治愈的，而小儿顽固性腹泻，难于服药施治，治愈则尤为不易。笔者习用小方巧治，服药与推拿相合，常获佳效。记得我在农村办中草药学习班时，一小儿患顽固性腹泻，在省内数家医院诊治，耗费百余元亦未治好，求治于我。观其病例，非但西药，各种止泻中药几乎遍施。遂嘱用手指点压脾俞、胃俞、肾俞3穴，每天1次。将高粱米第二遍糠炒香，加点食糖，每次服用半两（15g），1天2次。同时施以捏脊治法，共吃了几两糠，捏脊7次，其他什么药也没有再用而腹泻痊愈。

米糠治小儿腹泻是全国中草药展览会上展出的一个偏方，捏脊方法对治小儿消化不良性腹泻亦有卓效。米糠有收敛作用，加糖后又甜又香，病儿易于接受，当属中医之食疗方法。值得推广。

按摩治气厥 ｜冯立志｜

中医按摩疗法对急证的治疗与其他治法同样具有悠久的历史，在临床中只要辨证清楚，并掌握手法技巧，就能得到满意的效果。

如女工张某某，35岁，因与家人发生口角，突发昏倒，不省人事，面色青紫，口噤握拳，四肢厥冷，两脉沉弦。本病由于愤怒，气机逆乱，蒙闭窍道，致发气厥。

余用拇指与示指指甲急掐人中穴10次，续推印堂穴，揉合谷穴各10次。后用单手拇指或中指指端按揉膻中穴15次，此时患者苏醒，感到胸闷不适，再用拇指或中指压中脘和内关穴10次即愈。

气血逆乱，并走于上，发为气厥，人中、印堂、膻中皆通关开闭常用主穴，按摩3穴，以使阴阳协调，气血各守其乡，更加中脘以调胃，内关以清心，虽不用药而胜似用药，未用针以指代针，诚为简便廉验之法。

（冯喜茹 整理）

按摩治疗近视眼　　|冯立志|

近视，祖国医学称为"能近怯远证"，按摩点压穴位可获良效。

1971 年冬，教师刘某，女，34 岁。患近视眼，经省医院诊断为屈光不正，近视。因疗效不佳，延余诊治。查视力右 0.2，左 0.1，且伴头晕失眠，腰酸、耳鸣等症，脉沉细无力。细思之，证属肝肾阴虚。遂以滋补肝肾，调解眼部经气为主。配用穴位：翳明、睛明、太阳、鱼腰、承泣、瞳子髎、合谷、曲池、肝俞、肾俞、足三里等。手法操作：先按摩翳明穴 1 分钟，致眼周围有酸胀感。其次用拇指或中指点压睛明、承泣、瞳子髎穴，2 分钟，每穴感胀或痛。再次揉推太阳、鱼腰穴，以酸沉为度。接着用拇指压拨曲池、合谷穴。然后用拇指和示指半月状揉捏肝俞、肾俞 2 穴 10 次（用补法）。最后用拇指揉压足三里 1 分钟，每次 5～10 分钟左右。每日 1 次，10 次为 1 个疗程。疗程中间休息 7 天。并嘱患者注意改变不良用眼习惯，加强营养，坚持锻炼身体。1 个疗程后患者自述视力较前好转。查视力：左 0.4，右 0.5。2 个疗程后，视力为：右 0.8，左 0.6。3 个疗程后，视力恢复正常：右 1.2，左 1.0。1 年后随访无反复。

目得血而能视。如精血不足，或邪气亢盛，阴阳失调，则眼患近视。余按其俞穴，能疏通经络，行气活血，扶助正气，调理阴阳，邪祛而目明。

肝病不可妄用疏散　　|冯怀坪|

"木郁达之"是治疗肝病之大法，然而如何"达之"，历代论述颇多。目前医者习用的是疏散一法。盖医者仅顾目下之效，以致滥用柴胡、青皮、香附之类，使病者贪图一时之快。偶遇肝郁气滞初起用之而痊愈者，就自诩其功。倘若不效，则曰："病久矣，非三五剂可以收功。"因此，守疏散一法为治肝之常法，认为肝主疏泄治以疏散，万无一失。

果真是万无一失吗？非也。临床上仅守疏散一法而统治肝病，引起变证者屡见不鲜。由于大剂量或长时间使用疏散之品，造成的弊端甚多。有伤残脾土，致使腹胀纳呆长期不能消除者；有耗损正气，造成气短乏力，逐渐消瘦者；有暗伤阴血，导致阴虚内热的变局者……。诸如此类，不胜枚举。

肝脏能否发挥其正常的疏泄功能，主要取决于肝之体。肝之体用之间，存在着本和标的关系，未有其体伤而用存，体虚而用全的道理。肝体阴而用阳，肝的生理功能，依赖肝血的濡养，才能发挥其作用，肝属刚脏，非柔润不能趋于正常。苟执疏泄一法，妄劫肝阴，损其体而用废，变证生矣。

那么肝病究竟应如何施治呢？本着"木郁达之"的原则，应该从三个方面着手，一曰疏利，二曰实脾，三曰养肝之体。

疏利一法适应于肝病初起阶段，此时正气旺盛，肝体未伤，仅有情志抑郁或气机不畅表现，治宜疏肝解郁、调畅气机，方用逍遥散之类。

实脾一法，应贯穿肝病证治的始终，也是治疗肝病的关键所在，脾实则无土壅木郁之虑，脾实则气血化源充足，肝体得其滋养而其用自调。在这方面，张机早就谆谆告诫：见肝之病，知肝传脾，当先实脾。

补肝体一法，是治本之大法。适用于肝病日久，体质虚弱的患者。《内经》所谓肝虚补用酸，助用焦苦，益以甘味之药调之的治法，为我们立下了治疗肝虚病的规范。补肝体又包括滋补肝之阴血和调补肝气肝阳两个方面。如著名方剂一贯煎即是滋补肝阴、佐以疏肝的代表方剂。

此外，由于瘀血、湿热、寒滞肝脉等不同原因引起的肝病又当在此基础上，适当加减用药，不可以上法拘之。

（刘进录　整理）

调太阴以理阳明　|赵川荣|

叶天士《临证指南医案·肠痹门》列医案凡八则十三诊。其中八诊使用杏仁、枇杷叶、瓜蒌皮、紫菀诸味。先生曰："丹溪每治肠痹必开肺气，谓表里相应治法。"又曰："《内经》谓肺主一身气化，天气降斯云雾清而诸窍皆为通利。"肺与大肠相表里，肺气主降，大肠主传导亦赖气机之通降；肺又主一身之气，故降肺气亦通肠痹之证。《书录题解》曾记史堪医案一则：蔡元长苦大便秘，医不能通。堪诊已曰：请求20钱。元长曰：何为？曰：欲市紫菀。末紫菀以进，须臾遂通。元长大惊，堪曰：大肠，肺之传送。今之秘，无他，紫菀清肺气，此所以通也。

史堪，字载之，北宋蜀人。因治愈蔡元长便秘而名噪一时。天士治肠痹私淑丹溪，实史堪之有降肺通便之法于前。《内经》言："肺合大肠，大肠者，传导之腑。"然善用者寡。如史堪、丹溪、天士皆可谓灵机活泼、聪明善思之士。

前人曾曰：人苟读古人之书，通古人之意，以洞究乎今人之病；无不可读之书，无不可治之病。诚哉斯言。

现代苏州名医黄一峰亦善用宣肺气以振脾胃之法。黄老认为诸气膹郁，皆属于肺。故宣泄肺气，伸其治节，是调升降、运枢机的一个方面。人身气贵流行，百病皆由愆滞，设明此义，则平易之药、清淡之方亦可每愈重病。故其治疗脾胃病常用紫菀、桔梗等宣泄肺气之品。

天士治肠痹，取降肺通肠之法，故所用药如紫菀、杏仁、枇杷叶、瓜蒌皮之辈皆有降无升。

黄老治脾胃则重在调理气机。脾胃为气机升降之枢机，升降息则气立孤危。故以桔梗之升开提肺气以助脾气之升；紫菀之通降肺气以助胃气之降，脾胃升降得宜，诸症皆可因之而愈。脾、胃、大肠同为仓廪之本，营之居。调理太阴肺气，既助大肠传化，又助脾升胃降。先贤后哲，其揆一者，以理本同一，触类引申故也。

青壮之年慎补阳　　|吴立文|

青壮年乃肾气盛实之令，由于正处于发育的旺盛时期，其对阴精之需求更为迫切，供给不及或耗之有过，临床上尤以阴精亏损、阳热偏盛之证较为多见。以青壮年常出现的遗精、阳痿来说，有的患者服用温阳药后，遗泄次数反而增多；更见有的患者，过用鹿茸等温阳药后，竟致七窍出血，濒于危急之境；亦有的患者因长期用温肾之品，出现口干、喜饮、烘热等症，虽经长期滋阴治疗，其症顽固难除。可见，温肾壮阳药用于某些青壮年人，不但未收健身愈疾之益，反而助火伤阴动血，故温阳之用，不可不慎。如以梦遗来说，遗而较频者，原因较多，但多由相火偏盛所致，选用知柏地黄汤、封髓丹等方加味，宁心志、清相火，常可取效。对于阳痿，有人不加细辨，一开就是阳起石、巴戟天、海狗肾之类。而青壮年患此病者，或因不良习惯，或系纵欲妄为，致精伤过度，由是阴虚及阳而病。因其以阴精亏损为本，若单事温阳，虽可起痿于一时，常易耗精而复谢。若善用温润平补，如五子衍宗丸等方，效虽迟而持久。更有以知柏地黄汤加味而取效者，说明治此证要注重于养阴。何况阳痿之致，除肾虚外，因于湿热、肝郁者亦不少见，更不能以温阳之法概括之。又如慢性肾炎、青年患者较为常见，临床上亦多表现为阴虚兼湿热稽留。有些患者虽有畏寒、手足不温等阳虚见症，但递进温阳之后，又很易出现手足心热、舌红、干渴等阴虚内热之象。是知肾虚久病，或阴虚及阳，或阳虚及阴，虽有时表现以阳虚为主，但从本质上来说，多属于阴阳两虚之证。若不细加辨析，就会出现偏颇之弊，故青壮年要慎用温阳之品。

阴虚宜调脾　　|王成德|

阴虚之证，为医所重视者，莫过于肾阴；为医所忽视者，莫过于脾阴。

余谓阴虚之证，脾阴至关重要。脾为五脏之母，三阴之长，统阴血而舍营，主运化而散精，为津液、阴血生化之源。脾阴充足，则五脏之阴得以灌溉；脾阴若虚，则五脏之阴随之皆虚。诚如陈修园指出："脾为太阴，乃三阴之长，故治阴虚者，当以滋脾阴为主，脾阴足，自能灌溉脏腑也"。

脾阴不足，分营血不足与津液亏损两种情况。故治当分补养营血与滋阴增液两法。

补养营血，主要用于脾之化源不足，营血亏损诸证。如食少无味、身倦肌瘦，毛发脱落，惊悸健忘，盗汗身热等。可用人参养荣汤化裁治之。若因忧思过度，或误施攻伐，损伤脾阴，脾虚不能摄血致大便脱血，或妇人崩漏者，可用寿脾煎（一名摄营煎）加味治之。

滋阴增液，若热病伤津者，治在胃。慢性病耗伤津液者，治在脾。脾脏阴亏津少，多见口舌干燥，甚则唇舌生疮，消渴，多食易饥，或少食腹胀，噎膈，嘈杂，尿赤，肌瘦，倦怠，舌红少苔，脉象细数等症。一般可用沙参麦冬汤化裁治之。

总之，脾居中州，能使心肺之阳降，肝肾之阴升，而成天地之泰。脾乃后天之本，生化之源，补后天之阴可济先天。故阴虚勿忘调脾。

慢性病贵在守方　　|田家训|

慢性病大都由渐而来，其治疗也有个渐变的过程。治疗慢性病人的量变过程，病情多相对稳定，医者必须详求本末，审症必确，立法守方。临床有一种情况：往往因患者求愈心切，或医者胸无主见，不识疾病正处在潜移默化的量变阶段之中，为迎合病家心理就改弦易辙，另立处方，寒热杂投，泻补更迭，终致不治。余体会治疗慢性病要注意两点：①要详求本末。充分认识疾病的本质，做到辨证准确；②遣方要恰当，并做到守方缓图。

如治毕某某，男，9岁，患慢性肾炎5年，每年住院达4或5次，常年用大量激素，多方求治不愈。审证为脾肾阳虚，兼挟湿热，给予党参、黄芪、白术、茯苓、菟丝子、墨旱莲、白茅根、黄柏，守方续服。根据病情，激素递减量到停用。共连服8个月，一切检查都正常。改隔日1剂，巩固3个月，停服一切药物，随访8年未发。

慢性病的康复，是积量变到质变的过程。收效的关键在守方。当然守方之中亦须注意随病之动向适当消息方药。另外能否守方有时不在医家，而在病家，医者须与患者明言其理，鼓励患者树立起战胜疾病的信心和决心，互相配合方能步步为营，渐臻康复。

从"效不更方"谈起　　|周次清|

"效不更方"这是中医临床经常遵循的一项基本原则，也常作为尊重他人医疗成果的一种医德。但如果对服之有效的方药无限度地盲目使用，常致药过病所而失误。因此，坚持"效不更方"时，应当注意以下几点。

（1）患者服药后，部分症状改善或消失，而疾病的病因病机没有改变。如服补心丹后，口干咽燥、口舌生疮、遗精盗汗、心悸失眠、便干尿赤等症状改善或消失，而舌红少苔、脉象细数等肾阴不足，心火亢盛的本质未变。

（2）次要症状改善或消失，而主要症状无明显好转。如服补心丹后，虚热盗汗、口干咽燥、口舌生疮等症有所改善或消失，而虚烦不眠、心悸不宁、梦遗滑精的主症仍在。

（3）药中病情，而未达痊愈。

对以上几种情况都应坚守"效不更方"的原则，否则，即便有效，也要考虑"效亦更方"。

"效不更方"在情理之中，而"效亦更方"在常规之外。所以，如果没有十分把握，往往容易"更"错。因此，"效亦更方"必须认清以下前提。

（1）或有症状已除，必有症状未复。例如，由脾胃气虚引起的头痛、发热，采用顺气和中汤和补中益气汤后，头痛、发热这些或有症状已解，而面色㿠白、食少便溏、神疲乏力、舌淡脉虚等脾胃虚弱的必有症状没有恢复。前方对头痛、发热的治疗虽然有效，但也必须及时改用甘温益气、健脾养胃的四君子汤。如果仍用前方，继服川芎、细辛、蔓荆子等辛散祛痛的药物，不但无益，反而会耗散气血，干扰气机，促成新的病变。

（2）疾病的阶段不同，治疗方法各异。如治疗肾阴阳两虚而偏于阴虚的病证，用甘温补阴、育阴涵阳的左归丸，可使阴虚阳亢的症状消失；而要填精补髓，恢复真元，必须改用阴阳双补的肾气丸或大补元煎。如果坚持"效不更方"，继续服用滋补肾阴的药物，势必导致阳虚阴寒的病证出现。

（3）疾病由浅入深，发生新的病变。如因肝气郁结引起的胁肋疼痛、寒热往来，而病变进一步由气滞发展至血瘀，由血瘀而引起发热，这时采用疏肝理气解郁的方法，可显一时之效，停药后症状又可复发，此时必须改用活血化瘀的血府逐瘀汤治疗因血瘀引起的发热。如果不识次第，认为前方有效便继续服用，可因病深药浅而贻误病机。

（4）脏腑同病，病异而证同，病证混淆。如病人既有胸膈痞闷、脘腹嘈杂的"郁证"，又患胸阳痹阻，胸闷胸痛的"胸痹"，二者症状可相互混淆。遇到这种情况，"间者并行"的方法似可考虑，但不如按疾病的先后缓急，采用"甚者独行"的方法有利。因为这两种病证，不但在症状表现上可相互混杂，而且郁证可以诱发胸痹，胸痹可以加重郁证。因而分别治疗，可以识别哪些症状是郁证引起的，哪些症状是胸痹所致，有利于分清疾病的界限，集中药力，逐个解决。对此证有效、对彼证更方的目的就在于此。但是，有的病证更方也不见效，那就要考虑"不效更方"的问题。

不效更方是一般常规，但有些疾病，在治疗中即使不见效果，也不宜随便更方。下面再谈谈"不效不更方"的问题。

有的疾病，发展至真元亏乏，沉疴积滞，治疗时即便药证相符，近期也难以显效。如果医无定见，再加之患者求愈心切，一不见效，便要易方更医，结果越更越错，最后归咎于病证疑难，而失去施治信心。因此，医生对久虚正衰和沉疴积滞的病人，必须有明确的认识和长期施治的规划。只要患者服药后主观上没有不适的感觉，客观上不见不良现象，就说明治法适宜，调补得当，即使疗效不显，也不要随意更方易法；否则，常因不效更方而失误。如证属癥积坚实、正气衰败的肝硬化，必须坚守久虚缓补、久实缓攻、施扶正气、养血柔肝、攻补兼施的方法，始得后效。如果一不见效，即改用活血化瘀、行气止痛的膈下逐瘀汤，不但不会有效，反而可因攻伐太过，导致气衰血涩而出现神疲乏力、食欲顿减、肝区胀痛的不良后果。所以治疗一些慢性疾病，不能坚持遵法守方，不能着眼于整体的恢复，常是医疗失败的主要原因。

总之一句话，用药如用兵，医生临阵务必有一个清醒的头脑，免得在更方问题上不更不错、越更越错、不更也错，陷入迷魂阵里而进退无策。

"酸能敛邪"之说当重新估价 | 朱宗元 |

"酸能敛邪'之说是一种有影响的理论，原指患下痢时，邪气未尽，过早服用酸味之品，常有敛邪之虞，可致病情拖延或突变。以后又将其引申，认为凡外感之疾，早用酸味之品，可因敛邪而拖延病情。因此，凡遇感邪之证，对诃子、乌梅、五味子等酸味之药，均列禁忌。前人对这一理论，也有不赞同者，如钱乙在治疗下痢方中，也常用收敛之诃子等药。

这一理论的提出，其根据恐未必充足。中医痢疾的概念，含义欠明确，它既包括"痢疾"，也包括一些表现为便下脓血、有里急后重症状的其他疾病在内。这些疾病中，有的容易治愈，有的则易于复发，与是否用"酸敛"药物并无关系。

据我个人经验，对于下痢及咳嗽等病（包括外邪未尽的咳嗽在内），应用诃子、五味子、乌梅等酸敛药物，并无敛邪或拖延病情的现象，而在止痢、止咳方面，常有明显的效果。比如在治疗现代医学诊为慢性支气管炎继发感染、支气管扩张、肺气肿等病的病人中，常用生脉散合金水六君煎或香砂六君子汤加诃子、乌梅等药治疗，每获良效，且无不良反应，疗程也可缩短。

再从我区蒙医的用药来看，蒙医用诃子如同中医用甘草，尤其是在治疗下痢和咳嗽的方子中，诃子更是常用，并无敛邪之说。岂有同一味药，在中医用时敛邪，而在蒙医用时不敛邪，此理恐难说通。

根据以上情况，"酸能敛邪"之说应重新估价。

疏利三焦之谈 | 马继嗣 |

北方地区昼夜温差大，气温变化急骤，尤其是秋冬季节，邪犯少阳者颇多。此证体虚年老及久卧病榻者易得之，如仲师所云："血弱气尽，腠理开，邪气因入，与正气相搏，结于胁下。"

邪犯少阳见症复杂且变化不定，病情常有兼挟。余认为此证重在三焦受病。三焦主持诸气，总司人体气化作用，为元气、水谷运行的道路。少阳受病，枢机不得运转，水火气机不得升降，正气虽有抗邪之力，而无施展之途径。少阳枢机一日不运，虽少许贼邪，也可久羁，耗伤正气。

邪犯少阳，胆火上炎，能使脾胃不和。根据临床观察，很多患者食物不进，而能饮水，尚不要紧；倘若连水饮也不下咽，病势就会急转直下，若辨证准确，以柴胡剂疏利三焦，条达上下，宣通内外，和畅气机，每可获得显效。很多病证，只要三焦通利，能够饮水，很快就有转机。一些久病、痼疾，或久卧病榻者，外邪最易犯其少阳，医者必须明辨。余曾遇到几例胃癌、食管癌患者，因外邪侵犯少阳，饮食之后即行呕吐，医者则判其数日内毙命，拒绝治疗。余曾以小柴胡汤酌加石斛、竹茹等使呕吐止，延长存活期。近有 1 例胃癌合并胃出血者（大便潜血），突然呕吐频作，医院认为已不可救，劝其迅速出院。余诊之，见患者属阳衰体质，近日呕吐频繁，伴往来寒热，口苦咽干，眩晕，大便色黑，乃为邪犯少阳，胆火上炎所致，以小柴胡汤加炮姜炭治之，服药 3 剂，使大便潜血转为阴性，呕吐亦止，存活数月。

若三焦通利，有呕吐症状也易治，如大柴胡汤证、小柴胡汤证、柴胡桂枝汤证、柴胡加芒硝汤证、黄芩加半夏生姜汤证均有呕吐之见症，只要方证相符，皆有效验。

临床上无论肝胆、脾胃及一些水液阻滞之证（如现代医学之胆囊炎、胆结石、胃炎、胰腺炎及泌尿系疾患），皆可以疏利三焦之法治之而收效，只要三焦通畅，枢机运转，水火气机得以升降，而能上焦如雾，中焦如沤，下焦如渎，各有所司，则正气通达，就能邪去正安。

（马顿华　整理）

治病五要 |雒　镛|

大凡治好一个病症，总要五家一致方可。所谓五家者，医师家、药剂家、主病家、煎药家、病人家是也。医师家技术低下，自不必说。如医师家将病诊察确实，方药斟酌妥当，而药剂家所捡药物以伪乱真，以羊易牛，其病不治，反为害矣。如药剂家将药物检查真实，并无伪药，而主病家袖手旁观，漫不经心，或不监视煎药家致使药液熬干，锅中添水重煎，使药味全失，病必不治。或不监督病人家服药；其或嫌苦不服，把煎好药物倒弃，此病必不治反误事矣。更有病人家生冷不戒，饮食不慎，尤属憾事。此吾所谓五家总要一致，其病方能治愈之理也。否则，不察于此而专责医师家，其病岂可治愈耶?! 所以，以上五家之中，主病家责任尤重，请医师时，当选高明而有学识者；捡药时必向名实相符的药店，则药真而炮制精细；煎药必遵法耐心，先煎、后入、烊化当一一如法；热服、温服、顿服、频服等必事事遵医嘱；饮食、起居宜忌尤须照办。如是者，焉有药到病不除之理？

名医·小方 | 张殿民 |

药方不在大小，服药后有效果就是好方。医生也不在有名无名，给病人看好了病就是好医生。山东已故名老中医刘惠民，就是一位既善开小方而又名闻全国的著名医生。

刘老在世时，曾多次到北京、上海、杭州、广州等地为毛主席和中央其他领导同志看过病，并且所开处方一般不用贵重药物。1956 年他去青岛给毛主席治好了感冒病，药费才花了一角多钱。毛主席赞扬说：近 30 年没吃中药了，这药很好。1959 年冬，毛主席又找他去看感冒病，他还是用几角钱的小方给毛主席把病治好了。

刘老治病处方不拘一格，根据病情而决定。该用大方开大方，该用小方用小方，并不受古方和时方的限制。他常采用民间小方。如治疗感冒和慢性腹泻，经常用以下小方：

治感冒方：生姜 15g（捣）、生萝卜 30g、带须葱头 5 个（洗净）、紫苏叶 9g。水煎，趁热顿服，服后片刻，再喝热米汤一碗，取微汗。或用：午时茶 2 块、生姜 1 块、煎服法同上。或用：紫苏叶 12g、薄荷 9g、淡豆豉 12g、带须葱头 5 个、生姜 3 片、大枣 3 枚，煎服法同上。

他治慢性腹泻，常用补骨脂 9g、炒神曲 9g、炒泽泻 9g，水煎，趁热顿服，1 日 1 剂。另嘱患者自备苹果大者 1 枚，炉火烧熟，顿服，效果很好。

有人见了刘老开的这些小方嗤笑说，这不像一个名老中医开的处方。其实，这是人们对刘老所开处方的一种误解。刘老治疗疾病用小方，有严密的配伍和精深的理论。如治疗慢性腹泻的小方：补骨脂温肾涩肠；炒神曲健脾助消化；泽泻气寒味甘而淡，炒用则祛其寒性，专用其利水效能，以达水陆分消之目的。苹果烧用，养胃阴而不滑肠，滋肠胃而不增加消化负担。体现出名医之一种独有风格。

1959 年我找刘老给一女同学看月经病。刘老诊后只给这位同学开了红花、阿胶、乌贼骨 3 味。药量也很小，除乌贼骨用 30g 外，余两味皆是 6g。我这位同学不相信这 3 味药能治好她的病，结果竟把病治好了。通过进一步学习，才知道刘老这一处方的来历，原来这是刘老对《内经》四乌贼骨一藘茹丸的借用，怪不得效果这样好。

刘老开小方治病，是建立在辨证准确的基础之上的。只有辨证准确，用药才能恰当，做到少而精，然而这又是一般医生所不容易做到的。

浅谈中医用药　　|曹其旭|

中医用药，一般包括辨证用药、对症用药、特效用药三类。

辨证用药，就是根据辨证的结果，而选用相应的方药，这是中医最主要的用药方法，其基本精神在于调整机体内部阴阳的偏盛偏衰。故凡属阳性之热证，必用阴性之寒凉药物治疗；阴性之寒证，必用阳性之温热药物治疗；虚证必用补药，实证必用泻药；上逆者必用降逆药，下陷者必用升举药。总之，是以药性之偏，调整人体阴阳之偏。例如感冒病，属风寒表证者宜用辛温解表药；属风热表证者宜用辛凉解表药。又如肺痈病，因其病理演变过程先后有不同，即"证"不同，故治疗用药也异。初期为风热犯肺，邪在卫分，治宜清肺散邪，可用银翘散加减；继之是痰热内壅的成痈期，治宜清热解毒，祛痰化瘀，可用千金苇茎汤加金银花、黄芩、鱼腥草等清热解毒药；病至血脉凝滞腐溃的脓溃期，治宜排脓解毒，可用桔梗汤合苇茎汤加减。

对症用药，就是为消除或减轻疾病的某些症状而使用的药物。如用延胡索止痛，用酸枣仁、茯神安神，用半夏、生姜止呕，用大黄、芒硝通大便，用云南白药止血等。随着症状的减轻或消除，可以改善患者的精神状态、饮食情况，从而增强整个机体的抗病能力，促使病情向好的方面转化。当然，对症用药只是一种辅助的用药方法，我们必须避免那种忽视辨证，只强调对症，头痛医头、脚痛医脚的简单的治疗方法。

特效用药，是指使用能够直接消除致病因素的药物。如用使君子、苦楝根皮驱蛔虫，南瓜子、槟榔驱绦虫，用黄连、黄芩、马齿苋治痢疾，用常山、青蒿治疟疾，用百部、大蒜、夏枯草治结核病，用大青叶、金银花治某些病毒感染等。特效用药，有时可收到立竿见影的效果，有时却不灵验，因其作用主要在祛邪方面，往往需要与扶正药物相互配合才能取得较好的疗效。

在临床上，如能将以上三种用药方法密切配合，灵活运用，则可提高疗效。如痢疾属寒湿型者，治宜温脾化湿，可用理中汤合五苓散加减，这是辨证用药。腹痛甚者可用延胡索、白芍止痛；恶心呕吐者可用半夏、生姜止呕，这是对症用药。另外还可用对痢疾杆菌有抗菌作用的黄连、马齿苋等，这是特效用药。但要注意科学地配伍，不能生拼硬凑。

中医方药不传之秘在量　　|蒋厚文|

"中医方药不传之秘在量上"，此话不无道理。盖其一，从单味药言，量变超出一定限度，必然会引起质变，故剂量不同，功效有别。如附子小量可温补脾肾，中量能祛寒止痛，大量则回阳救逆；红花小量可生血，中量能活血，大量则破血；大黄小量可健胃，中量清湿热，大量则泻下；黄芪小量无利尿效应，中量能显著利尿，大量则反使尿量减少；川芎小量能升高血压，大量反使血压下降等等。处方遣药，切莫一概认为量大则功效胜，而盲目追求大剂应用，要因病、因人、因药制宜，力求做到既对症、又适量，否则难以达到预期的效果。其二，从组方配伍言，一方中药有主次，各药间又相互影响，彼此制约，故临证施治，除依法准确选择方药外，还要恰当处理好药物之间的量的关系。须知，适应不同病证的不同方剂，其主药间或主次药间各具一定的相对的有效剂量比例，倘此比例失调，势必导致全方功效重心的改变。如桂枝汤中桂枝和白芍等量，才能调和营卫，解肌发表；若倍用桂枝，就变为温阳降逆的桂枝加桂汤；若倍用白芍，就成了解表和里的桂枝加芍药汤，其适应证也就随之改变。同样，麻黄汤中麻黄与桂枝的用量应是3:2；枳术丸中白术与枳实的用量应是2:1；白虎汤中石膏的用量宜3倍于知母；当归补血汤中黄芪的用量宜5倍于当归；而麦门冬汤中半夏的用量应为麦冬的1/6左右；一贯煎中川楝子的用量应为生地黄的1/5左右。如果不明这些行之有效的不传之秘（当然也可酌情适当调整或探索更佳比例），动则药量相平，主次不分，甚或颠倒比例，喧宾夺主，虽方与证合，其效难求。吾于1976年在中医研究院随王文鼎老师临证时，曾见一陈姓患者，女，40岁，因感冒后反复咳嗽，酿成哮喘已3个月，半月来加剧，经用抗生素及激素无效，又服定喘汤与小青龙汤亦不应。王老诊后，确认寒饮，予麻黄根30g，桂枝9g，白芍18g，半夏12g，炮姜、细辛、五味子、甘草各6g。药进2剂，喘息得平。或问，前已投小青龙，并未见功，何故王老用之顿效？关键就在用量上，王老曰："用小青龙要掌握仲景治痰饮咳嗽的姜、辛、味三个要药，此三药一般当等量用之，注意调节升降开合的适宜。方中麻黄的运用亦有分寸，初期表实用麻黄；次用麻黄绒；后期喘而汗出用麻黄根30g。至于桂枝与白芍两药，初期宜等量，病久渐虚，须白芍倍桂枝，仿建中意在收敛。"王老对经方之研究，堪称至为精细，因而深得仲景用量之奥秘，临证运用自如。

投药剂量的适中以及药物间用量的恰当比例，体现了方剂的正确治疗方向和组方法度，它对医疗效验的获得，起着重要作用，读先哲医书，学名家医术，能不精究其方药之量乎！

用药不宜过量说 |张润轩|

医师如厨师，用药如调味。美味佳肴在于烹制，作料不过调和出味而已，病愈在于功能恢复，药物不过襄助调理而已。调料固忌用过多；而"是药三分毒"，故药之用量更须权衡轻重，谨慎以待。观当今之医，用药量小，不及病者甚少；而不明证，过量用药者甚多，几成时弊。观古今药到病除之上工，辨证准确，用药恰当，其剂似微，却恰到好处，有如画龙点睛之妙。庸医不晓此理，往往将屡治不效之过，责之于药量不足为由，或增多药味，或加大剂量，此弊轻则致身体不适，重则损伤正气，种植隐患。因此，奉劝诸医，远效仲景之方，中仿叶桂医案，近参伯未秦老组方；视药物之用为调味之品，适可而止，切不可过量，以防他变。

（马献军 杜青坡 整理）

用药如用兵，智在其中 |太树人|

用药如用兵。用兵在将帅，用药在医生，关键在于用。特别是中医治病，有常有变，法活机圆，一方可治多种疾病，一病也有多种治法，随机应变，智在其中。

先父太清泮公，行医五十余年，学验俱丰，临证用药，善运机巧，出奇制胜，常在众医束手之际，起沉疴于危笃之中。记得有一王姓老叟患肠秘腹痛，先父用皂角刺、葛根各半斤（各250g）水煎后，令患者坐浴，竟然一次获愈。一崔姓中年妇女患梦交年余，久治不愈，众医束手，先父用莲子心50粒，青盐少许，二者混合，以开水浸渍后，去渣为饮，冲服鹿角霜末3g，效果良好。

余受启迪，留意效法，多获成功。如：周某某，女，30岁，工人，患痹证3年余，虽辗转就医，长期治疗，反有日趋加重之势。余从痹证日久、舌红少苔、脉象细数无力辨析，认为证属邪客脉络，郁久化热，加之久服祛风、胜湿、通经活络之药，导致气阴两虚，遂予玉竹、忍冬藤各30g煎服，扶正祛邪，小方轻投调理月余，3年痼疾，竟获痊愈。又如阎某某，女，34岁，农民，闭经4个月，伴右胁下痛，深呼吸则痛重，白带较多，无臭气，舌质淡，有瘀点，白滑苔，脉沉弦。综观前所用药，不外疏肝解郁、活血通经之品，据云：前服中药四十余剂，毫无效果，遂拟方：大黄6g，附子12g，细辛3g，泽兰15g，水煎服。3剂服尽，则经行、痛止、带少而病愈。追访半年，身体健康。

谈恰当用药　|张祖纯|

临证，不但要辨证清楚，而用药亦必须恰当。如病证确诊，而用药杂乱，同样不能治病，反可促使病情加重。

如：黄芪能补气，《神农本草经》列在中品，主治"痈疽败疮，大风癞疾补虚"。后世则广泛用于补虚方中。当归补血汤归少芪多，黄芪一般用量较大。假如病人体质虽然虚弱，而素有表实胸满，方用中等份量黄芪，就可更增胸满不适，促致生痰。黄芪善于补气，佐于养阴药中，则可滋阴。故阴阳两虚病者，可以应用。但若脉象尺弱寸浮，证属下虚上盛，则投用黄芪，又宜审慎。1965年8月河南籍张姓木工，年40岁，由牧区来西宁治病，体质中等，平日有吐痰史，多感冒。现腰腿酸痛，全身困乏无力，时有畏寒，诊其脉尺弱而寸现浮数，舌淡苔滑。此肾阴内损，卫表不固，证属内伤夹外感。经治疗两旬，服药将近20剂，自觉病愈十之七八。但脉象仍尺弱寸现浮数，精神欠旺，因病者急欲回家，方内加入黄芪予服5剂。再诊，述服有黄芪方后，头昏胸闷胃胀，吐痰增多。仍依前法用药而愈。黄芪升提助火，碍胃实表，使用不当与用量过大，反致营卫失调，病生枝节。又如麻黄为肺家之药，常用于理咳平喘与散寒发汗利尿剂中，若病人心虚，于咳嗽方内加入麻黄，常有服后止咳功效不显，而病人增加心悸；甚则四肢觉有物窜刺之不良反应。所以不能一见虚证，便大剂量投用黄芪；一见咳喘，即选进麻黄之类。议病议药，应相举并重。

良医必精于药　|华占福|

我的老师张宏选说："医生不精于药，难以成良医。"他认为要学成一个好医生，必先熟读本草，懂得药理药性。祖国医学历来主张"医药不分家"。文中子云："医者意也，药者瀹也，谓先通其意，而后用药以疏瀹之也"。如已通其意，而不精于药，难以"疏瀹"病之"根结"。笔者临床上曾遇到不少医者因不懂药理而造成的失误。其一：1951年春，某医生给一孕妇开保产无忧散保胎，服药2剂引起阴道流血，病家邀我去诊，查原方黄芪用量15g，黄芩3g，其他药量均为原处方量。引起流血的原因何在？我反复思忖，悟到补气药量过重能补阳助热，热迫血行则流血，而将原方黄芪量减为6g，黄芩量加至9g，去党参，连服2剂，血止胎安。此减少黄芪、党参助阳之力，增加黄芩凉血之功，血凉而静，不止自止。可知，药不对症会引起失误，用量不当，也会导致不良后果。其二：1969年，我去兰州化工厂巡回医疗，见一科长，满口糜烂，难以饮食，问其故，误服鹿茸所致。《冷庐医话》中有不少因错服鹿茸毙命的教训，乃用黄连解毒汤予之，连服5剂，口糜渐愈，饮食逐进。其三：1977年，从河南来一眼病患者，我在处方中开了清热明目之石蟹，药房不懂，以蝎子代用，服2剂后，两眼红肿痛甚，恶心呕吐，这是明显的药物毒性反应，后投以杞菊地黄丸加金银花、蝉蜕、淡竹叶3剂，两眼红退肿消，仍以前方去金银花、蝉蜕、淡竹叶，长期服用，半年而愈。其四：1952年秋，一朱姓患者，男，五十余岁，素患肺结核，因遇冷感冒，自谓阴寒证，在药店自取"回阳救急汤"2剂，服后高热，吐血不止，次日身亡，送葬时，仍有血从棺木缝隙中滴滴流出，这是误服附子造成的失误。回想仲景用附子为何不会造成失误，反而药到病除？主要是药能对症，同时用附子时常配以蜂蜜、甘草、大枣，再加久煎，药量上也恰到好处。

由此观之，要成为良医，必须精于药，熟读本草，深研药理，掌握药物形态、气味、效能、产地、主治以及配伍禁忌等，反此，不但不能成为良医，且误人深矣！

消炎不可拘于清热 | 卢丙辰 |

辨证论治是祖国医学的精髓，然而近年来却有一些人存在着轻视辨证论治的倾向，对中医理论不愿作深入细致的研究，盲目地用西医观点硬套中医，单纯用一病一方的治病方法。譬如，基于西医治疗炎症以抗生素应之，现代药理研究，谓清热解毒的中药，有消炎作用者多，有人一遇"炎症"，即不分脏腑虚实、六经、三焦，相对斯须，便处汤药，清热解毒，以为退热消炎之事毕矣。

更有拘于临床检验指标而用药者，一遇提示炎症的检验结果，即以清热解毒药统治之。这种用药方法表面上看很"科学"，实则常致偾事。

1980 年冬，笔者遇一久患尿血症之妇女，发病时诊为急性膀胱炎而用磺胺药、抗生素治愈，半年后复发，再用前药则无效。5 年来溺血频作，时发时止，医者因其尿中含有大量红细胞、白细胞及脓细胞而屡投导赤散、猪苓散及金钱草、海金沙、鱼腥草、白茅根，患者反恶心纳减，呃逆频作，形瘦色萎，腰膝无力，头晕眼花，动则气促，晨起泄泻，舌淡脉弱。尿中血丝、血块混杂，色或紫黑，或鲜红，溺时不痛，阴部微有酸感。此尿血，乃先后天俱损之证。前医见炎清热，见血投凉，以致胃气被伐，脾阳、肾阳亦为苦寒滑利所伤而失生发健运之常，故而脾肾之证俱现，气不收摄而血离其经，积于膀胱则成紫块，随溢随下则血鲜红，故红紫夹杂，随尿而出。验其尿，含有大量红细胞、白细胞及脓细胞，属于西医的"慢性膀胱炎"无疑。然而若囿于"炎症"而迳施寒凉，必更伤脾肾而尿血难愈。故治宜先健中焦之土，遂给补中益气汤补脾摄血，并加山茱萸、五味子、菟丝子以酸敛补肾，服 12 剂而血止，尿中仍有红细胞、白细胞少许，又予《千金方》无比山药丸（山药、肉苁蓉、熟地黄、山茱萸、茯苓、菟丝子、五味子、赤石脂、巴戟天、泽泻、杜仲、怀牛膝）加减以培肾固摄，改丸为汤服月余而愈。

西医遇到此症，确认为细菌感染而选用适当的抗生素，按西医学理论无疑是正确的。中医若拘于感染之说，抛开辨证论治原则，一遇"炎症"或尿中有红细胞、白细胞（或血中白细胞增多），就投以大剂清热解毒药，则失去中医的本色。临床须辨阴、阳、虚、实、寒、热以治，方可无误。另外，临床检验指标恢复正常，是疾病痊愈的依据之一。有时病人症状消失，但检验指标未恢复正常，不能不考虑继续施治。但是，单纯根据某些化验指标，脱离中医理论遣药，常常会误治而延误病情。

"画龙点睛"与"画蛇添足"　　｜杜雨茂｜

"外行看热闹，内行看门道"，学习别人的医疗经验也是如此。仔细揣摩一些名家巨匠的处方，常可发现其不同凡响、"画龙点睛"的神来之笔。西安一名老中医对肝肾阴亏较甚的病人予六味地黄丸时辄加鹿茸而收捷效，即此之例也。其立意在于鹿茸为血肉有情之品，性温而不燥，助阳以生阴，且峻补精血，使六味丸三补之力倍增，又不至影响三泻之能。用心之巧妙，非粗工所能企及。

笔者仿此，平时极其注意在古方基础上只加一味药以提高其疗效。

例如：旋覆代赭汤之益气降逆人所共知，惜有时疗效平平。笔者于此加公丁香2~3g，重者亦可9g。临床证实其降逆平嗳及止呕之效远较原方为佳。幽门不完全性梗阻病人呈现呕吐、嗳气不止，身体日渐羸弱，病势危笃者多人，经用此法调治，均转危为安，逐渐痊愈。公丁香气味芳香雄烈，性温而降，其化浊、降逆、和胃之效堪为此类药之佼佼者，故可大大提高旋覆代赭汤之功用。

麻子仁丸治疗阴亏肠燥、久久不愈之便秘，老幼咸宜。但亦有部分患者服之乏效，或用时便通，停药又秘结。笔者对于此类病人，常在麻子仁方原方中加玄明粉一味，或为丸剂，或改丸为汤。其通便之效益彰，且往往可使便秘患者愈后不易复发。玄明粉咸苦润下，通便效卓而不伤正，助麻子仁丸之力而无留弊之虞，加入麻子仁丸，自可获预期效果。

值得注意的是，有些故弄玄虚者常常"画蛇添足"，以充"龙睛"。此法不可效，此风不可长，遣药贵精当，"睛""足"须分清。

服人参补养利弊　　|吕广振|

人参是补药，古今中外，认识一致。《神农本草经》说人参能"补五脏，安精神，定魂魄，止惊悸，除邪气，明目、开心、益智"等，据现代药理研究，发现其含有人参皂甙等多种有效成分。常用以大补元气，生津止渴。治食欲减退，气喘气脱危证。是一味扶正祛邪的有效药物。

由于人参有很高的药用价值，有的人就视之为至宝。纷纷购用。如某报在不到1个月时间即连续报道了3次"卖人参热"的消息。说明人民生活水平提高了，钱要向健康投资。所以说这是好事。但是，说实在的，多数人对人参是只知其利，而不知其害。现仅就滥服人参所引起的不良后果，略谈一二。

首先，人参是一种贵重药材，滥用后势必造成不应有的经济损失，更重要的是使药品浪费，致使真正要用其治病者买不到药品，贻误病机，加重病势。

其次，人参服之不当，会造成各种恶果，如清代《余听鸿医案》中报道5例服人参受害的病人，其中1例用2两（60g）人参同鸭子煮食，服后当夜目盲，经治月余始愈；2例服人参后发现痴呆；2例因患疟疾，久病后体虚，服人参后，当夜皆亡。再如我目睹一农妇，年五十余岁，春季服自泡的人参鹿茸酒，服后尿血，经治年余始愈。还有一人春季服人参酒喝，几日后，鼻子出血，口渴索饮。经服养阴增液药后始渐愈。

可见，用补药也须分别寒热虚实、气血阴阳，无针对性地乱用，非但不补，反为所害。正如前人所说："药能中病，大黄为圣剂；药不中病，人参亦鸩毒。"人参只适用于体虚气血不足者。可与麦冬同服，比例是人参 3 份，麦冬 1 份，泡酒喝或煮水服皆可；或在医生指导下服用。

古方今用贵在谨守病机　　| 蒋厚文 |

古方是由前人临床实践总结而来，其中不少法度谨严，配伍允当，疗效卓著。欲使古方扩展运用于现代众多疾病，最重要的是谨审和把握病机（包括患者的病机和古方方证的病机），因为尽管疾病的种类繁杂，表现的证候各异，但只要病机相同，就可采用同一治法和方剂。如麻黄连翘赤小豆汤一方，《伤寒论》原治瘀热在里之发黄，岳美中老师将它移治某湿毒内陷、缠绵 8 年之久的慢性肾炎，两者虽属异病，但"瘀热"这一病机相同，故能同治而奏效。苓桂术甘汤仲景原为阳虚水停之心下满、头眩而设，今临床扩展应用于脑积水、内耳眩晕症、眼睑水肿、视网膜水肿及神经衰弱等，属脾虚饮停者，皆有殊功。此外，用四逆汤加减治疗"重阴者癫"的精神分裂症；用乌梅丸出入治疗有寒热错杂证候的妇科崩漏；用桂枝汤化裁治疗营卫不和而致的局限性多汗症以及产后或平素体虚之时而微寒、时而微热等，虽主症与原方所列完全不同或不尽相同，但病机相合，故也能获效。实践还表明，当归四逆汤证大多是平素血虚，复感寒邪，气血被遏所致，临床不必拘泥于"手足厥寒，脉细欲绝"，凡符合上述病机的疾患，如雷诺病、血栓闭塞性脉管炎、冻疮、痛经、硬皮病及肠粘连等，用之亦辄能应手。中医学术的精髓在于辨证论治，运用古方的关键在于把握病机，学者如于此处多加留心，则临证自能推而广之，古方今用，是大有可为的。

治病谨防隐处藏奸　　| 关思友 |

诊病之际，脉、证、因均明显者易辨，藏奸不露者难察。故为医者功在善察，追本溯源，辨证求因，于独处觅之，方不致贻误病机。1982年春，友人之妹罹患恶心，得食则剧，甚则呕吐，已有年余，迭进藿香正气散、小半夏汤、温胆汤、半夏厚朴汤、左金丸、麦门冬汤等近百剂，症状不减，辗转前来求治。诊其脉数而有力，望其舌质暗红，苔黄白相兼。咽红滞，悬雍垂肿胀，颜色紫暗。乃瘀血阻滞咽关。遂疏会厌逐瘀汤加减：桃仁12g、红花12g、当归30g、丹参30g、紫草30g、赤芍10g、玄参20g、生地黄15g、桔梗12g、甘草10g、金银花30g、连翘13g、鱼腥草30g。水煎服，1日1剂。外用锡类散吹喉。用药3日恶心大减，悬雍垂颜色变浅，肿胀减轻。原方继服3剂，外用药同前。旬日后告愈。

本例咽红，悬雍垂肿胀，颜色紫暗，系邪毒郁结咽喉，血瘀不行，通降失用，故见恶心欲呕。且其脉数有力，舌质暗红，显为瘀阻脉络，郁热灼血之候。是以择会厌逐瘀汤，并以丹参、紫草易柴胡、枳壳以凉血化瘀；加金银花，连翘、鱼腥草清热解毒，宣郁透邪。外用锡类散解毒消肿。瘀去、热清、络通、肿消，则恶心自除。本例治呕，诊察不忽其细，烛见藏奸之处，故能治之有效。

借鉴与探病　　|吴立文|

临床医生要善于借鉴，既学习他人好的经验，来丰富自己的知识，汇众善为己之长，也要记取别人失败的教训，从中受到启示，别开思路，少犯错误。

学人之长，一般容易做到，但往往忽视从别人的失误中获得教益。个别医生，索视前方，不是认真分析，求得原因；而是评头论足，挑剔指责，无论是与不是，必与之冰炭悬殊，炫己之长，论人之短，自居高明，这是十分有害的。有些疾病是很复杂的，也难以辨析清楚，其治疗也不会都能立竿见影，药到病除，需要有一个较长的治疗过程。因此，临诊遇有前医治而不效者，应慎重分析，究其是辨证正确，但守方治程尚短，病家欲求速效而急于更医？还是确属辨治有误。对于前者，应对患者说明情况，消除急躁情绪，以顺应客观规律，坚持治疗；若属后者，则应深思，探微求因。临床上常常有这种情况：他医辨治之法，初看亦觉对路，但由于前治无效，而细讯审辨之后，始有所悟，治之而愈者。由是想到中医之"探"法，探者，试探之谓也。由于某些疾病症状纷繁，错综复杂，不要说初涉者难识，即久事临床者也不易分辨。这是由于疾病的发展过程中，某些症状尚未暴露，从而给辨证带来一定的困难的缘故。在这种情况下，可以通过试探性治疗，观察其用药反应、病情变化，从而识其真谛，抓住症结之所在，为辨证开拓思路。当然，这种试探之法，不是盲目妄为，而是有的放矢的。那么我们可不可以也把前医之治疗作为一种试探之法呢？如果能从这一角度去认识、去考虑，把前医之治作为整个治疗部署中的一个环节，而不要人为地将其割裂开来，将是十分有益的。喻嘉言在定义病式时指出：要历问病症药物验否，以斟酌己见；要记汗吐下和寒温补泻何施者，求一定不差之法；就要我们借鉴于前，通过观察分析前医"试探"之情况，记取经验或教训，我们就能够真正变得高明一些。

久病从虚论治　　|刘选清|

　　1964 年初冬，余随医疗队赴留坝防病治病中，曾遇一男性青年，患弄舌症十余年之久，多方治疗，均未获效。弄舌乃心脾两经积热，或肝风上扰所致，医者尽知。余索其患者手头所存药方，几乎集清热熄风方药之大全。可谓药证相符，何以不效？余百思不解，颇感棘手。正当一筹莫展之时，忽忆及前贤教诲："久病多从虚论治"。想到此，再观患者虽是青年，但面色无华，且头晕、身困、乏力。虽不时弄舌，然却倦怠懒散。脉沉数无力，舌质淡苔薄白，与风热炽盛之弄舌迥然有别，加之已罹患十余年之久，实可谓久病缠身，气血双亏之虚证。治宜气血双补，兼以祛风。用十全大补汤化裁：西洋参 15g，黄芪 15g，白术、川芎、炙甘草、肉桂、全蝎各 6g，当归、熟地黄、白芍各 10g，蝉蜕 3g，3 剂，水煎服。药后精神好转，虽仍弄舌，但有间歇，脉转沉数有力。原方继服 3 剂，症状大减。后以此方出入治之。有时西洋参短缺，则代以潞党参，共用十余剂，面色有华，脉和缓有力，弄舌已止。此后，在临床上凡遇久病不愈，经常规治疗无效者，每以"久病从虚论治"入手，多获良效。

话　涩　肠　　|张润轩|

　　涩肠之药非久泻不用，误用则留邪，此理医者所共知也。予曾明知故犯，教训颇深。某年三伏日，赴偃师应诊，酉时归来，汗多渴甚，急食鸭梨数个、凉面两碗，又因贪图凉爽，夜宿室外。四更之时，自觉身热，腹痛，登厕而泻，便犹未尽，见下白红物，乃知痢症作矣。遂取葛根芩连汤服之，见小效。当时忙于诊务，恨病愈迟，乃取肉豆蔻、诃子、罂粟壳之类固涩之。下痢旋止，移时复作，且里急后重益甚，苦楚至极，莫可名状。终循"通因通用"之法，用温脾汤补脾阳、攻下冷积，调治近月乃愈。予慨乎治痢误用涩肠之苦，乃忠告来者曰：登厕频繁，泻痢当辨，先痢后泄，邪净方涩，由泄转痢，虽久宜通，寇不可留，痢不可涩，切切此言，切肤所得。

瘙痒不拘于风　　|孟琳升|

《金匮要略》云："邪气中经，则身痒而瘾疹"。历代医家把"邪气"同"风者善行数变"联系，认为皮肤瘙痒以"风"为主，主张用祛风止痒之法。余在临床发现，痒以风为因者，临床固为不少，然而亦可见痒而非属风者。如张姓，女，患全身瘙痒风团7个月余，从膝以上至脐痒甚，午后及阴雨更剧。西医谓之"荨麻疹"，用苯海拉明、溴化钙、氯化钙仅能暂缓；中医广施散风止痒，未能尽除，患者已失去治疗信心。后突因外感吐泻，邀余治其呕恶腹痛。据当时脉来沉数，舌红苔黄腻微浊等情，认为中焦湿热内蕴，予清热化湿、辛苦开泄之王氏连朴饮加蒲公英、苦参及消导药，2剂后不仅吐泻治愈，风团亦若失，瘙痒顿止。继用原方4剂而诸恙悉除。实践证明，瘙痒病的病机，既有风寒束腠、风热客肺、风火入血、风燥内耗等与"风气"有关的类型，也有表虚不固、气虚阳弱、瘀血内结、阴虚津乏、血热血燥、中焦湿热等不同类别。其辨证论治即应以病机为中心，有是病机，选是主药，切不可仅仅拘泥于"风"。

医贵通变　　|马正山|

九都洛阳有位徐老中医善以奇方治怪病，屡起沉疴。尝闻先祖讲述徐老治愈1例失精重证，匠心独具，发人深思，虽逾二十余载，今仍记忆犹新。

一青年，梦失精。病2年余，更医十数人，服药百剂，病不少减，而形日羸，父母忧之，延徐老诊治。徐老察色按脉，细询病情，更阅前医诸方，或与泻火，或按涩精，药证不洽，无一中的者。徐老思之：正值青春，情欲易动，始因心有所思，所欲不遂，君相火旺，下扰精室，故梦失精。然久则阴损及阳，阴阳两虚。阳失阴涵，浮而不敛；阴失阳固，走而不守。欲治其病，必先使之持心，然后药之，庶可见效。沉思良久，乃正言告曰："斯疾可愈，但烦照嘱而行。"遂取绿豆粉为饼，大为钱许，令其贴敷印堂穴上，勿使动落，否则无效矣。越数日，徐老前往探视，患者父母称谢曰："小儿自敷先生药饼，恐其动落，精神专注，夜深神疲入寐，未曾再梦失精。药见成效，诚灵丹也。"徐老笑曰："有道是'心诚则灵'"。继以桂枝加龙骨牡蛎汤，调理1个月而愈。

昔贤张景岳曰："遗精之始，病无不由于心……。及其既病而求治，则尤当以持心为先，然后随证调理，自无不愈。使不知求本之道，全持药饵，而欲生成功者，盖亦几希矣。"徐老独得张氏之秘，强令患者思想集中，以达持心之目的，可谓善于通变者也。

治 本 偶 得 | 万庆林 |

医者治疗之首务，在于透过疾病的外在表现，抓住疾病的本质，辨清真伪，不为假象所迷惑。否则差之毫厘，谬之千里。

如治贺某某，男，76 岁。得偏枯病半年。半月前因小便不利，给利尿药治疗，排尿特多，继而出现大便秘结，腹胀满不能食，已 5 日汤粥未进，大便 8 日未行，小便艰涩，靠输液维持。

来门诊时，精神疲惫，气短，声低息微，左半身不遂，腹部痞满而坚，按之表情痛苦而有痛感，舌质红不鲜，苔满布乏津，根部灰黑尚润，脉沉细而弱。急用：白术 30g、肉桂 3g、当归 12g、肉苁蓉 15g、郁李仁 12g、升麻 1g、生大黄 7g（后下）、芒硝 5g（冲服），水煎频服。服药 3 剂，下大便如栗子状约半盂，腹软，正气来复，已欲汤饮，厚苔已退，灰黑已消。故依上方减芒硝、大黄之通下，加砂仁、陈皮以理中州，又给 3 剂，诸症消失，病告痊愈。惟左侧上下肢不仁不用，脉沉细缓，改为补阳还五汤加味以调治。

此证乃过服利水药，通利太过，骤伤脾肾，损液耗津，气津两伤，致使便秘。观其腹满而坚，二便不通，饮入即吐，是气伤不能化饮，津枯而成燥结，病在脾胃；精神萎弱，气短，声低息微，虚在脾肾。舌苔根部灰黑而润，非实火伤津。故重用白术，佐肉桂取其温脾化气以治本；配当归、肉苁蓉、郁李仁养血润燥；使以芒硝、大黄、升麻使清阳得升、燥结之浊得降，标本相得。此症若只通便，不仅便不得通，且祸不旋踵矣！从此例始，吾对治病求本，深有体会，临诊时审证求本，不明本源不书方药，故而医术日进。

从两例眩晕治验之争谈起 | 姜建国 |

1983 年在医院带学生实习时，曾用吴茱萸汤治疗两例眩晕证，并取得了较好的效果。因为这两例眩晕证按现代医学诊断均属于高血压病，故为此引起了一场意外之争。

争论的问题之一是：为什么高血压病竟用吴茱萸汤治疗？处方有何根据？其二是：吴茱萸汤是辛热温阳之剂，高血压病本来就肝阳上亢，为什么用药反而取得疗效？众所周知，中医有时是把病理作为诊断术语的，如脾胃湿热、肝肾阴虚等；肝阳上亢亦属于此。临床证实，现代医学的高血压病，如果用中医的病理分析，不但有肝阳上亢，尚可有清阳不升；不但有气血之虚，尚可有痰浊之实等多种病理情况。当然，在这几种病理情况中，一般以肝阳上亢为多见而已。

中医临证参考现代医学的检查手段，明确现代医学诊断，这是必要的，会对中医的诊治起到协助作用。但这并不是说，可以不分青红皂白硬将中西医病名诊断、常法和变法混杂而论。道理很简单，因为中医治疗，毕竟是要运用中医的理法方药作为指导的。当前这种辨证思维与理论概念混乱的现象在中医理论研究和临床实践中是存在的，并直接影响临床疗效。如两例眩晕证，其中一例就长期服用镇潜肝阳之药，结果"肝阳"非但不降，反增纳呆、便溏的变证。因为本来就清阳不升，无阳可降，却囿于"血压高"等"肝阳""亢"的框框里，一味地潜"阳"、降"压"，如此，怎能不致变证蜂起？此理似平淡，但临床克服这一习惯性心理，也并非轻而易举之事。

毫无疑问，中医是走向现代化的，中西医是要结合的。但是，如何"化"？怎样"合"？却是值得研究与深思的。类似上述这种生搬硬套，甚至张冠李戴的"结合"，无疑会将中医的研究引入歧途。到头来，非但不能吸取、利用现代先进的科学技术，反而连中医本身的精华也会遗弃殆尽，陷入"邯郸学步"的境地。

不 平 则 鸣 | 岳中和 |

《伤寒论·太阳篇》"腹中雷鸣"句下，陈氏注以"大凡物不得其平则鸣"

一语，后世颇多争论。今春遇一位张某，女，30岁，患腹中响者已年余。其响声既不像雷鸣状，又不似振水声，而是一咕咕然的音调。就诊时凡室内人都可以听到其响声。不知者，还以为其衣内藏有发声之玩具。

患者自发生这一症状后，食量较前减少，大便不甚规律，自觉时有气从左少腹上冲至左胁以及脘部，难受不堪，心烦不知所从。苔白滑，脉四至有革象。腹平软按之微有痛感，无积征。惟发作时左胁和脘部叩之如鼓音，但外形无甚变异。证属脾胃阳虚失于健运，以致饮邪停滞，胃肠道气行受阻而响。既为饮邪，但不见振水声及目眩症状。姑以苓桂术甘汤原方温阳化饮以为治。用药15剂后，咕咕之声便不再发作。

从此，对于"大凡物不得其平则鸣"的注释颇有所悟。胃阳虚，或心火不足不能生土，或肝的清阳不升不能疏土，都会影响脾的升降健运，这些阴阳偏颇的病机就是不平。不平常致气运不畅而发生音响，就是鸣。吾所理解之"不平则鸣"，大致如此。然乎？否乎？博雅君子赐教为幸。

瞑眩非仅见眩冒　　| 雏三椎 |

《书经》说命段，高宗曰："若药不瞑眩，厥疾弗瘳"，仲景《伤寒论》第174条方后语亦有"……三服都尽，其人如冒状，勿怪"之语，均指患者服药后，见眩冒状者乃药力所致，故病必解。余曾治一孕妇，患咳嗽3个月余，曾用中西药不效。余用麦门冬汤加减，服药后患者剧咳一夜，烦扰不安，次日晨咳即告停，数日亦未作，乃豁然而愈。细思之，"若药不瞑眩，厥疾弗瘳"句，实指患者服药后，人体所示之反应而言，非专指眩冒也。余在病房时，有机会仔细观察患者，如外感病服小柴胡汤后其人添烦，心中懊憹甚，高热病人服药后，体温反一度上升，后均告痊愈。此药力与病邪相当，药病相争，继服之，药力增加，病邪得除，其病愈也。诚然如是，在反应之时，尚须推敲，若属误治，又当变更，不可漠然置之，所谓"胆欲大，心欲细"是也。

药贵对证不贵价　　| 张金楠 |

我实习的时候，听说过一件医疗趣闻。

一次，有位研究政治经济学的同志千里迢迢来找郑颉云老中医看胸痛（肋间神经痛）。郑老问病诊脉以后，开了防风、白芷等6味祛风散寒的中药。划价才6分钱，药包也很小。病人望着这3个小药包，啼笑皆非，认为这么便宜的药治不了他的病。于是，提药重找郑老说："郑大夫，我每剂价值十余元的药都吃过，还治不好我的病，您今天给我开了1角8分钱的药，能行吗？"郑老闻言答曰："你如果认为药便宜不治病，可以另请高明！"病人见郑老有些生气，遂改口说："那我回去吃吃试试吧。"

3天后病人欣喜若狂地来找郑老复诊，一进门就说："郑老，真没想到，3剂药服后，胸已不痛，我错怪您了。请您再开3剂以巩固疗效。"郑老回答说："你是搞政治经济学的，政治经济学讲究价值与价格规律，认为价格越高，价值越高。医疗中有时不太遵从这一规律。对病而言，治病的药才是最有价值的药。您的病是风寒之邪束闭经脉所致，治疗重在驱邪，故驱风散寒的药就最有价值，但价格不一定高。你过去吃那么多贵药而没治好病，可能是没有重视驱邪，一味用补造成的。"郑老说后，病人连连点头称是，遂又取药3剂，病愈而返。

后来，我从学校毕业，临床近20年，每思及此事，颇多感慨。大凡邪气致病，无论有虚无虚，祛邪这一法则均不能忽视，即便用补，也不可废弃祛邪。邪气一去，其他矛盾自可迎刃而解。以贵重药滋补以取悦于病人的想法是错误的，单纯从药物的价格去判断药物的疗效更是不科学的。

毒药猛剂起沉疴 　　吴一渊

峻烈之药，或因不良反应强而反应剧烈，或由功力大而分寸难于掌握，为医患所惧。然而，其性迅猛，多具夺关斩将之力，药效专著，每有直捣黄龙之功。余在多年临床中，诸如对于风瘫病（脊髓炎、神经根炎、脑血管意外等）常用《局方》之三生饮（方含生乌头、生天南星、生白附子）以取效；治疗痿废证（外伤性截瘫、脊髓神经粘连等）每以张锡纯之振颓丸（方含制马钱子、全蝎、蜈蚣、炮穿山甲）以收功；宿痰冷哮药用《普济本事方》之紫金丹（方含砒霜）以除根。

患者古某某，13岁，于1984年3月渐觉下肢困乏麻木，视力减退，胸背酸痛、拘急如束，继而双下肢瘫痪。曾先后去省内外医院检查治疗，诊为脊髓神经炎。在住院治疗期间，病情继续发展，皮肤麻木由下而上渐次漫及胸背上肢，进而两上肢亦缓瘫不用，并双目失明。遂出院返家待毙。1984年9月途经信阳求治于余，孩形体肥胖（与长期服激素有关），神识清晰，语言自如。惟双目失明，口眼右歪，口中痰涎常流。四肢全瘫而缓纵不收，胸腹腰背四肢皮肤麻木不仁，热熨不觉，针刺无感。腹大如蛙，大便欲解不爽。脉象沉滑，舌淡苔滑。审脉辨证，乃风瘫之病，所幸呼吸平和，食纳尚可。遂仿三生饮拟方：生天南星8g、生乌头6g、生白附子6g、天麻6g、党参10g、木香3g、生姜汁数滴（兑冲）。水煎去渣，分温三服。进药7剂，患者突然双目复明。守方18剂，下肢已能站立举步。投药26剂，躯干、四肢皮肤感觉渐次恢复。服药38剂后，上肢活动已基本恢复。半年后随访，见患孩身体完全恢复，在外玩耍，宛如常人。

患者陈氏，因事故砸伤腰部而致2、3、4腰椎粉碎性骨折，经省内外医院住院治疗2年骨折愈合，但遗留双下肢截瘫，长期卧床，痛不欲生。于1977年5月求治于余，症见双下肢缓瘫不用，按之肌肉松软不温，且有萎缩之象。腰部以下知觉全无，二便失禁，脉沉细而涩迟，舌质淡嫩。参证合脉，为督脉受损，阳经阻滞，气血不能温养之痿证。法当补督脉，益气血，温阳气，通经络为治。方取张锡纯先生之振颓丸加减化裁：红参200g、炒白术200g、当归200g、黄芪200g、鹿茸100g（自第二料后改为鹿角200g）、炒杜仲200g、肉苁蓉200g、巴戟天200g、淫羊藿200g、乳香100g、炮穿山甲100g、大蜈蚣10条、乌附片100g、制马钱子180g。共研细末，过筛，炼蜜为丸，每丸重10g，每服1丸，每天2或3次，温黄酒1盏送下。守上方坚持服药2年又3个月（其中时而有短暂停药间歇），二便得到控制，双下肢活动及皮肤知觉渐次恢复。后嘱其加强锻炼，现下肢肌肉逐渐充实，已能弃杖行走，生活基本自理，并能操持家务。

治癌用药一得 | 杜雨茂 |

中医中药能够减轻化疗抗癌所产生的不良反应，这一事实已受到越来越多的医生和患者的重视。但是，临床上辄见虽屡进中药，而化疗不良反应依然如故者。对此类病例，笔者常用益气养血解毒之品，使疗效改观，尤其对防止白细胞降低收效较著。

常用的方药为：白糖参6～9g（气虚甚者可改用人参）、黄芪20～30g、白术12g、茯苓12～15g、当归12～15g、鸡血藤15g、三七3g（冲服）、藤梨根30g、败酱草20～30g、仙鹤草15g、炙甘草6g（以上诸药用量均为一般用量，临证可根据病情、体质、年龄增损）。

本方为四君子汤合当归补血汤加味而成，标本兼顾而重在扶正。其中人参、黄芪、白术、茯苓、甘草益气健脾，补气血生化之源，当归、黄芪、鸡血藤功专补血，三七既益虚损又能止血散瘀，其余3味药解毒抗癌而不伤正。此数者恰可补救化疗耗气伤血之弊而助于抗癌。

癌症的中、晚期患者，由于病邪久留，正气日耗，身体本已虚弱，又受到化疗药物毒副作用的影响，气血更加亏耗。临床除具有癌症病痛外，往往呈现头昏、倦怠、乏力、气短、恶心畏食、失血、脱发、面肢浮肿、身体羸瘦，脉细无力，唇舌色淡等一派气血亏虚之象，从辨证论治入手，拟就上方，药与证候病机切合，故能收效。

黏证治疗心得（蒙医）　　琪格其图

蒙医学称一种起病急剧、疼痛剧烈、缠绵难愈的病为"黏病"。认为是由"黏"邪侵袭人体引起的。"黏"是一种致病因素，广泛存在于自然界中。当机体抵抗力低下或过度疲劳时容易伤人，通过口、鼻、毛孔等进入体内，使人体气血逆乱，邪热亢盛，耗伤正气而致病。治黏病蒙医采用杀黏解毒的方法。用棘豆十味汤（棘豆、草乌芽、广木香、苦参、瞿麦、绒毛悬钩子、黄连、诃子、川楝子、栀子），五味嘎如迪丸（诃子、草乌、木香、石菖蒲、麝香）治疗。如果大便秘结、刺痛难忍者，先服泻黏剂（藁本、硫黄、石菖蒲、黑芸香、草乌、大黄、狼毒、雄黄、诃子、木香、枯矾、姜黄、五灵脂、麝香）2～3剂以泻黏毒，然后再服前2种药。黏邪致病相当广泛，且传变迅速，稍一疏忽，则变证丛生。因而《蒙医临床补记》云："纵有疗百病之技亦感棘手"。余体会治之宜重视兼挟之证。如黏证挟于瘟疫者，则称其为黏疫；如挟于热证者，则称作黏热证；此外还有挟于寒证、黄水证、血证者等等。临证时必须详辨其证，而予以不同的疗法。如果是黏疫则用十味大青叶散（大青叶、刺梅花、西伯利亚艾菊、草河车、诃子、漏芦、麦冬、草乌叶、黑芸香、麝香）治之；黏热则用七雄丸（草乌芽、诃子、硬毛棘豆、茜草、黑芸香、麝香、银朱）主之；寒证挟黏者则用三味那如丸（诃子、草乌、荜茇）治之；血证挟黏者用凉血散（寒水石、紫草、青木香、闹羊花、牛黄、栀子、石膏、甘草、细辛、草乌芽）治之；黄水证挟黏者用十八味水银丸（水银、硫黄、儿茶、石膏、红花、丁香、白豆蔻、草果、草乌、诃子、肉豆蔻、白芸香、麝香）治之。或用治疗疫疠、热证、寒证、血证、黄水证的主方与治疗黏证的主方交替服用。亦可用治疫疠、热证、寒证等主方加杀黏祛毒之类单味药，如草乌芽、黑芸香、细辛、棘豆等治之。

黏证虽较复杂、多变、凶险，但只要辨证准确，细心观察病情的发展变化，治疗恰当，多可获效。

药物敷脐疗法　|李　忠|

将药物制成粉剂、糊剂或膏剂，敷于脐中，治疗全身性疾病，乃中医学之传统疗法，历代文献均有所载。如《本事方》治结胸：巴豆14个、黄连7寸（连皮用）。捣细末，唾津和成膏，填入脐心，以艾灸其上，腹中有声，其病则去。《外治寿世方》治伤寒小便不通：蜗牛1个、冰片少许。入蜗中即化为水，滴脐中立解。李时珍《本草纲目》载药物脐疗方，达数百有余。可见此法有着丰富的内容和较高的疗效。

脐居人体之中点，阴阳"气交"之中，《素问》载：何为气交，上下之位，气交之中，人之居也。天枢之上，天气主之，天枢之下，地气主之，气交之分，人气从之，万物由之。又《难经》指出，自脐以上为阳，自脐以下为阴，天阳地阴即其义也。从经络看，脐位于任脉，任脉乃阴脉之海，和督脉相表里，督脉乃阳脉之海，故任、督两脉总理人体阴阳诸经百脉。脐又为冲脉循行之地，冲乃经脉之海，任、督、冲一源而分歧。可知，药物敷于脐中，藉气交上下升降，上通于阳，下通于阴，药物施布全身而直达病所。且由于奇经八脉和十二经脉相通，药随经气的循行，洒溢于五脏六腑、四肢百骸、五官九窍、皮肉筋膜、无处不到。许多医籍记述，脐穴主治百病，补泻虚实，可升可降，并有温通元阳、苏厥固脱、运畅气机、化寒湿积滞等功能。因此，药物敷脐可调节经络的功能活动，发挥治病作用。

余曾用硫磺、白矾、龙胆草、吴茱萸、朱砂、猪胆汁配方敷脐治疗高血压病300多例，有效率为80%。用党参、黄芪、知母、石膏、天花粉、生地黄、麦冬、玄参、黄连配方敷脐治疗糖尿病，对轻型有显著疗效。用乳香、没药、穿山甲、葛根、山楂、厚朴、白芍、细辛、桂枝、鸡血藤、冰片配方敷脐治疗痛经，妇女面部色斑、心绞痛、三叉神经痛、坐骨神经痛等，均有较好的效果。

此外，本法在用药方面多选用气味俱厚之品；有些药物炒用，炒香则气易透；或加用芳香走窜之品，引导药气上下升降而加速药效。要注意寒热药配合使用，因脐位于腹壁正中，药物敷脐，易动中焦，脾胃当先承受之，若中州感寒，则损伤脾胃运化，可隐隐作痛或肠鸣便溏，或恶心欲吐，故用凉药宜以热药反佐之。为加强治疗的针对性，还可使用引经药，将引经药取汁或煎取药液，调药成糊敷脐。如病在胸膈以上、头面部，用黄酒调敷；病在中焦属寒者用姜汁，属热者用黄连水；病在下半身者用牛膝水调敷。

操作时先将脐部用温毛巾擦净，敷入药粉或药糊，盖以药棉，使与腹壁平，用手按紧，再用胶布固定。3～7天换药1次，治愈为度。

药物敷脐疗法，用药量少，方法简便，患者易于接受，因此，是值得推广和探讨的一种治疗方法。

热 熨 疗 法　　|王贵荣|

余从医四十余年，创制热熨方，用于多种腹痛（如肠癖、疝、术后肠粘连、妇科病等）、腰痛（腰椎骨质增生等），常取卓效。

其组成及用法是：取未淋醋糟1000g（或青盐代替）、益智仁100g、小茴香100g、花椒150g、吴茱萸100g、三七粉30g、红花50g。装入布袋内，炒热后放痛处，冷后再炒再熨。使用时要严防烫伤。急性期慎用。

食 疗 奇 功　　|孙继芬|

张子和说：药补不如食补，此话有理。临床上对一些脾胃大伤、不任药性克伐的患者，用食疗确能收到意想不到的效果。

吾同事子宫全切术40天后，伤口久不愈合。经实验室培养有绿脓杆菌，用多种抗生素后，细菌培养已呈阴性，但伤口仍不愈合，视其伤口如小儿嘴大，白而清稀的分泌物尚多，想以十全大补汤进之，然患者屡用杀菌药物，脾胃气衰，食欲极差，进食都很困难，又怎服药？余踌躇再三，忽想起市面上有人参银耳罐头，可用之。遂嘱其1日1瓶，频频少量热食。6日后，创面已无分泌物，伤口开始平复，食欲也增，饮食有进。又服10天，伤口痊愈，康复出院。

外科伤口久不愈合，虚多实少。此病人，术后气血两伤，又因久用抗菌药物，脾胃大伤，化生无权，致抵抗力日益低下，本应投十全大补汤培补元气，因患者食欲极差，故改用食补以收两全之功。久病体虚，必资于食，食治不愈，然后用药。人参、银耳虽为食品，然人参补气，银耳益阴，可代十全大补汤，药虽殊，然其理则一。

食 疗 显 功　刘茂林　李玉香

1979 年冬，有陈某约余诊视。见其形体消瘦，面色㿠白，神疲乏力。问其所苦，曰："从夏天患痢疾之后，经常腹胀便溏，饭量逐渐减少，现在每日仅能吃 2～3 两（100～150g），且不觉饥饿。"余览其所用方药，不外香砂六君子汤、人参健脾丸、金匮肾气丸之类，然均未见效。望其舌干瘪而质淡，诊其脉细弱无力。从病史来看，乃痢后损伤脾胃，加之善后将息失宜，更致脾胃渐衰，气血乏源。脾虚日久，必伤及肾，脾肾阳气皆虚，先后天俱败。从而导致完谷不化、舌淡干瘪、咽干烦躁、阳痿遗精、腰膝酸软等症。遂按《难经》："损其脾者，调其饮食"之旨，立"羊肚生姜汤"（羊肚 1 具，生姜 6 片、食盐少许、煮烂吃肉、喝汤；或以此汤煮面片、面条食之亦可）。本方以脏补脏，温运中州，健运中气，开发气血之源，鼓舞人体正气，使中气充足，肾气得补。以上方调治五十余日，诸症渐次而愈。随访 6 年，饮食正常，体质健壮。由此可见，食疗不仅能延年益寿，而且确能治愈沉疴痼疾。

中医的饮食疗法源远流长，从《内经》《难经》《神农本草》，到《唐本草》《食疗本草》等著作中，有关食疗方法的记载极其丰富。前人有药补莫如食补的主张，即治病时不要单纯依赖药物疗法，用饮食疗法不仅养生，也是祛病的一个重要方面。

食补也能致病　孙继芬

张子和主张治病需用药攻，补虚则用食补，非大虚大损证不可用药补。这一见解虽然有一定的片面性，但也不是全无道理。张机的指导思想是防止"留邪""闭寇"，认为用食补安全可靠。然而，无论攻邪祛病还是补虚扶正，都要适宜，不应有过，过则为害。《内经》早有五味过则伤脏的戒训，药物与食物均无例外，食补可以医病，不当也可致病吾同事生一男孩，全家为使产妇保养好，每日给以人参鸡汤，满月后产妇头晕甚重，不能下床，全家以为是虚，仍令我拟一补方。吾诊之，其妇脉弦滑有力，显然系实证，令停用人参鸡汤，改进清淡饮食。病家未遵吾嘱，月余后因头晕、头痛更甚而住院治疗。查血压：26.7/13.3kPa，脉仍弦滑有力，证属痰浊壅滞，需用泻法以涤痰，病家恐产后人虚不肯服中药，只用西药降压，但血压仍无明显纠正。住院1个月，病情无明显好转，后进清淡饮食而渐自愈。

人参鸡汤大补元气，且血肉有情，气味俱厚，长期食用则腻滞生痰，痰浊上乘致头晕头痛，病生于过食补品，幸未蕴成湿痰重疾，故停食人参鸡汤，进清淡素食，痰浊不生而病除。以此观之，食补也需辨证施用，孟浪投之，也可致病。

葱心探喉治痰厥 |张文谋|

住所隔壁李姓男，27岁，因家务事与其母争吵斗气，是夜忽然昏仆，闭目不语，家中人惊慌，求余急与诊治。见患者仰卧，闭目不语，目虽闭而眼睑颤动，口闭而不紧，手握而不固，身温发软，脉缓滑。是中风、是气厥、是痰中、还是痫病？一时辨别不明。但闻其喉中痰声漉漉，必先以豁痰开窍为要。忽然想起往日用葱心探喉引吐痰涎之事，即按其法，用葱心探喉，连探使之呕吐，痰涎吐尽，目睁人苏，环视众人而语自如。

此例由郁怒忧思而发病，气郁化火，灼液成痰，气火上逆，痰随气升，发为痰厥证。葱心有通阳之功，探喉有催吐之效，阳通痰去，气转神运，痰厥得治。

荞麦面滚搓治惊厥 |张文谋|

曾治一小儿，不满周岁，春节前因剃头洗澡，遂受风寒，发热口噤，不能吮乳，不会啼哭，项背反张。诊察病情，系风寒袭表，化热入里，热甚动风之"急惊风"证。病势暴急，必缓急后方能治本。小儿口噤，药难入口。故用民间治"羊毛疔"（取荞麦面团滚搓以退热解痉）之法，即取荞麦面一大碗，水和成面团，取鸡卵大一块，先在患儿前胸滚搓数分钟，如法滚搓后背，各换面团三块，至皮肤潮红微汗为度。以被覆儿取暖，约半小时，听儿啼哭，角弓反张缓解，能如常吮乳。遂以方药依证调理而愈。

数年后春季麻疹流行，刘某之女2岁，被风寒外束，疹出不透，喘息气急，鼻翼煽动，高热神昏，斯时患儿僵卧，四肢厥逆，气促息微，其状犹如死人，诊脉如雀啄。急取荞麦面，如法给患儿前胸后背滚搓数次，搓毕，覆被取暖，气息逐渐增大，约1时许，喘息亦平。约2小时微有啼声，其母给喂灌乳汁，随喂随咽，至天明自能吮乳，继用药调治而愈。

此即小儿推拿按摩之机制也。荞麦面水和后，劲而韧，以代手掌，搓至皮肤潮红、微汗，以疏通经气，增强气血运行。使经气通，营卫协和，内外透达，且其性凉，善开积解毒，则外邪可祛，惊厥自止。

漫话藏医五味甘露浴　　|优 宁|

水浴以温泉浴最佳，而无条件坐温泉浴或无与病证相应之天然温泉时，可坐五味甘露浴，五味甘露浴不但具备温泉的成分而与温泉浴同效，而且可根据病证部位随意加减药物，方便而效佳。

五味甘露浴方剂组成和功效：圆柏叶1份、黄花杜鹃叶1份、水柏枝2份、麻黄2份、寒蒿3份为主药，每份之量按病情轻重为1~2市斤（500~1000g）。其中圆柏叶具有八种功能，对单一症和合并症均有疗效；黄花杜鹃叶能柔润皮肤，主治皮肤病；水柏能清除渗入骨头之毒；麻黄有滋养强身，延年益寿之功效；寒蒿可平衡体内五大元素。另外，将黄精、天冬、迷果芹、喜马拉雅紫茉莉根、蒺藜各3钱（9g）至1两（30g），共研细末，坐浴时每日1剂，加入五味甘露浴中，能祛寒湿，除黄水消肿；上体血盛，头晕目眩，"赤巴"[1]过盛者可加白檀香、紫檀香、硫磺各药粉末9~30g；风寒偏盛，纳谷不化者可加寒水石、荜茇、山奈、红耳鼠兔类膏各药细末9~30克；黄水[2]偏盛者可加三黄水药，即白芸香、决明子、黄葵子及胶质没药、银朱、文冠木各药细末9~30g；白脉病（神经痛）和痫证者可加麝香3g（无条件者也可少加）和麝粪，望月砂细末各9g。

制法和用法：先将上述主药放入铁锅，加少量水泡湿加热，然后倒入缸中，加500~1500g酒曲，1000g青稞酒发酵，夏天一般3天，冬天5天即可，再倒入锅，加满清水（没药三横指）煎煮，待水蒸发至半锅时，取出清汁，又将药渣加满清水煎煮，如此三番，将3次药汁合并倒入浴盆，根据病情加入上述药粉，入浴第一天加温至35℃，以后逐步增至40℃左右。需全身坐浴者，将药汁盛一大盆，以淹没全身为度。肢体等部分坐浴者可用小浴器。每天入浴2次，起初每次30分钟，以后增至1小时，连浴7天为1个疗程。每个疗程后按体质强弱休息3周或1个月后再浴。每天浴后躺在热炕上，裹着被子发汗，切勿受凉。

药浴适应证：四肢拘挛强直、疼痛，炭疽，产后发热，脊椎病，黄水偏甚和"朗"[3]引起的疾病，关节炎，类风湿关节炎，偏瘫，痛风，皮肤病等病症。

禁忌证：瘟热病，血热病，灰色浮肿[4]，年老体弱者，孕妇，产妇，高血压，眼睛疾病，睾丸疾病等。

浴时注意：如出现头受风寒而疼痛、血压升高、眩晕昏厥等情况当禁浴。

译者注：

[1]"赤巴"：藏文音译名。藏医学认为，"朗""赤巴""培根"是生命活动的三种能量，也是产生疾病的根本因素，它们在人体中彼此协调、制约，保护平衡，但在各种致病因素影响下，出现偏盛偏衰，失却平衡则发生疾病。"赤巴"相当于中医的"火"，但其作用与含义更广，是推动脏腑功能活动的热能，"赤巴"失调可引起热病。

[2]黄水：藏医学认为正精经肝脏分解，精华变为血液，血液经胆府分解，精华变为黄水，糟粕为胆汁。黄水是人体必不可少的东西，它有湿润肌肤、润滑关节等功能。正常人体中量为半捧，超过或不及则发生病变。

[3]"朗"：藏文音译名。相当于中医"风"，但其作用与含义更广，是推动人体生命活动的动力，司理呼吸，运行血液，分解饮食，支配肢体活动及功能反射等。

[4]灰色浮肿：相当于中医的浮肿或水肿。藏医学称水肿的初期阶段，以其面部等浮肿、灰滞不华故谓之。

（藏文翻译　星全章）

从12个鸡蛋谈起 |姜建国|

记得初行医时，经历了一件趣事，趣中寓教训，可引为借鉴。

一位年逾花甲的农民前来看病，查色按脉，诊为心肾不交的失眠证，遂处以黄连阿胶汤方。并顺口交代说："吃药时要兑服2个鸡子黄"。病家点点头，匆匆取药走了。复诊时，病情有所好转，效不更方，再服3剂。病家取方出门不久，又返回问曰："每次服药还要吃2个鸡蛋吗？"我一听，不禁愕然："什么？吃鸡蛋？""是啊，上次你不是说服药时要同吃2个鸡蛋吗？"经询问得知，病家年老，素有"耳背"（听力下降）之疾，而将鸡子黄误听作鸡蛋了。这一误且不说，竟然在 3 天之内和着药汁吃了 12 个鸡蛋，真是令人啼笑皆非。

医者嘱之未详，病者听之不明，于是闹出吃鸡蛋的笑话来，实应引为教训。中医处方用药繁多，煎服方法不一，而医嘱又是医者诊治疾病过程中的最后一个环节，一旦忽视，轻则直接影响疗效，重则会遗人夭殃。所以，自此以后，接受教训，每开完处方，都把煎法、服法、禁忌等同患者反复交代。特别是对听力迟钝的老年病人，务必使其明白无误。如上兑服鸡子黄，必将如何取黄、如何兑药、如何服用等一一交代清楚，才可避免发生差错。当前，忽视医嘱的现象较为普遍。如处桂枝（汤）以发汗，结果是汗而不汗，非遣方不妥，是医嘱不明，未加"温覆"而无功；处大黄以通便，结果是通而不通，非用药有误，是医嘱不明，没有"后入"而失效。辨证正确，遣方得当，用药精当，只是医嘱不明，结果功亏一篑。这种教训是不少的，确应引起重视。

读书札记——马膏小议　　｜张殿民｜

《灵枢·经筋》篇载有马膏方，主治卒口僻（急发口眼㖞斜）。药用马膏及桑炭煨、烤以润急劫寒；白酒和桂外涂以温阳和阴收其缓；啖炙肉以补虚；燔针劫刺以通经络，和肌表；用桑钩牵拉患侧意在助其自复之力。全方药仅 3 味，却概括了治疗口眼㖞斜的基本大法。若按马膏方方义及时治疗周围性颜面神经麻痹而引起的面瘫，少有不愈者。

口眼㖞斜为中风的症状之一。外中风和类中风都可引发口眼㖞斜。对类中风所引起的口眼㖞斜，当审证求因，随证治之；治疗颇难。外风中局部之络所引发的口眼㖞斜，则多由过度疲劳，出汗后突然遇冷，或寒温环境骤易，伤及阳明经筋所致。该类型患者发病前多无前驱症状，往往在早晨起床后，或劳动出汗后遇寒，突见口角闭合不严，眼裂睁闭失灵，蹙眉受限等症状出现；亦有在未发病之前，先患牙痛，耳内痛（中耳炎等）、目赤眦烂等上焦火热症状，未得到及时治疗或治疗不愈而继发者。但不论原发或继发，此病多呈突然发作，即《灵枢》所谓"卒口僻"者。

从马膏之药物组成及《内经》的治法可以看出，治疗口眼㖞斜第一要祛寒，第二要搜风活络。病程久者还应补气和血，并配合金钩牵拉正复。马膏方之药物及治疗等法都为祛寒而设。后世据《内经》之意创一治疗口眼㖞斜的名方——"牵正散"，其主药为白附子。白附子药性辛燥，善治面风之游走，用之为君，亦即取其祛寒之力。搜风活络，经脉自通。牵正散用虫类药物如僵蚕、全蝎，并以黄酒温服，取意亦在于此。搜风活络法有用药物者，亦有用针灸之法者。针以决其壅塞，灸以温通气血，不仅符合马膏"燔针劫刺"之旨，也符合搜风活络之法。今人沿用针刺割治，法不同，理则一也。

该病的治疗效果与得病时间长短有密切关系。得病时间愈长，治疗效果就愈差，如超过半年，则恢复原状者甚少。因经络长期阻塞，气血长期不达，所以治疗就困难。但如仿马膏之意，左病右取，右病左取，患侧治之不效，适当配合针刺健侧。"膏其急，涂其缓"，有时亦会收到效果。如迁延时日较长，针刺、药治、膏敷等法不效，此时当补其气，和其血。马膏方教人以啖炙肉，而临床多用四物汤加黄芪、细辛、白芥子、防风等药，"虚者补之"，使气血得通，经络得和，配以针刺，往往亦有愈者。至于用膏熨、"桑钩钩之"的治法，民间至今仍在流传；如白芥子和蛋清熨法、巴豆、斑蝥、僵蚕熨法，鳝鱼血滴膏熨法，还有用金钩牵拉患侧进行纠正等等，可能都是受马膏方的治法影响而衍化来的。

《内经》刊方不多，马膏乃其中之一。但《内经》所列方药，对指导临床实践，仍不失其现实意义。

咨　询　愈　疾　　|耿　彬|

经友人介绍，曾有位 26 岁的青年前来就诊。问其病情，似有难言之隐。屡经催问，乃低声说，结婚 2 个月余，每次同房都不能排精，异常苦恼。查其色，并无病容，六脉略弦。并说有时小便完后有白浊黏液排出，余无他症。余初诊为相火亢盛，投知柏地黄汤，数服不效。更以萆薢分清饮、龙胆泻肝汤等清利下焦湿热，仍不见效。为此，请教过本院两位医师，一位主张投五子衍宗丸，另一位则建议服金匮肾气丸。虽几经易方，但均无效应。后建议患者去省综合性医院泌尿科详诊，查为前列腺轻度炎症，并疑其尿路狭窄而施以尿道扩张术，依然无效。

吾详细询问其同房经过和发病原因。告曰：每次同房，对方兴奋高潮已退，仍阳举不射，心中恐惧且大汗淋漓。余寻思良久，认为此症诚非疾病，更非药物可医。不射精乃属情欲未能尽遂，大汗是恐惧所导致，遂向患者解释，消除其顾虑和恐惧，嘱咐他同房时应尽情恣欲，精神不要紧张，如能做到尽量放松，一定会达到射精而生育的目的。

隔日来告，自从听了劝告以后，如法以施，果然应验。又过不久来告，妻子怀孕，高兴之至。

上述这一特殊病例，妄投药剂，久不见功，而施以心理影响，则收到了立竿见影的效果。心理治疗早在《内经》就有记载，如悲胜怒、恐胜喜、怒胜思、喜胜忧、思胜恐等等克制理论。历代医籍中也不乏关于施使心理治疗而愈人疾患的记载。实际上临床治疗不用药物而单纯用开导、做思想工作以获疗效的病人，不乏其例。因此，余建议在整理和研究祖国医学的同时，一定要重视祖国医学中心理治疗这份宝贵遗产。

闲话"医生" |郭谦亨|

冬至阳生，气暖如春。有朋来访，会于塞上书屋，闲谈之中，问及"医生"一词之由来。因告以所知：医生《内经》称为"医工"，其义为治病之工匠，而《周礼》之"医师"是官名，"掌医之政令"。今凡由高等医学院校毕业者，都称"医师"，以与中等医校毕业之"医士"区别。

"医生"之称，起自唐朝贞观元年。李世民当上皇帝，为了医治疾病，保护健康，开始设置学校，为贵族、"细民"培养医师。在"太医署"的管理下，设博士1人，助教2人，以医师、医工助之，掌教医生。每期录收医生40人。这里医生的称号，是指学习医学的人而说，与现在所谓之"学生"义同。至玄宗李隆基之开元27年，他于10万户以上之州，设医生20人，以下的设12人，各在其界内巡疗。此所谓之"医生"，已非单指学生，而是别有新义，成为业医者之通称，相沿至今，人皆通晓，惟其义则不甚了了。

医，《周礼·天官》云："医，治病也"。《回春录》云："医者，生人之术也"。生，《韵会》云："死之对也。"《万病回春》云："医道，古称仙道，原为活人"。说明医生一词，就是治病活人。将此作为业医者通称，是人们对医生术德之赞誉和信赖，而无等级之观念。此即"医生"之新义。

为医者如何无愧于这一誉称，《内经》有"五过""四失"之戒，孙思邈以"精""诚"二字教导。他说："学医者，必须博极医源，精勤不倦。……"喻嘉言引前贤之言云："医之为道，非精不能明其理，非博不能至其约。"要能知天时运气之序，明性命吉凶之数，处虚实之分，定顺逆之节，原疾病之轻重，量药剂之多少，贯微洞幽，不失细小，才可谓之"精"。至于"诚"，孙思邈云：大医治病，必当无欲无求，发恻隐之心，存好生之德。凡求治者，不得问其富贵贫贱，要清廉正直，普同一等，皆如至亲。认真负责，一心赴救。不得瞻前顾后，自虑吉凶，护惜身命，也不能炫耀声名，诋毁诸医。这是古人对术、德的要求。历代医家在此基础上各有自己恪守的规范，如龚廷贤之"医家十要"、陈实功之"行医五戒"等。我在习医时，瑞西公是以"术精怀仁，慎思明辨，胆大心小，智圆行方"16字为训。今则更应勤奋不倦，精益求精，以预防保健、治病救人为天职，全心全意为患者服务，实行革命的人道主义。能如是，才无愧于"医生"这一崇高而大有深义的称号。

预防种种话扶正　　|郭谦亨|

"世咸嘉生而恶死"。故延年益寿，无病寿终，是人类一直探求的理想愿望。人在生活的年月里，虽难保一生不病，但病是可以预防的。早在公元前11世纪，就有"预防"这个词。如《周易》下经中说："君子思患而预防之。"《内经》云："圣人不治已病，治未病。"《淮南子》也认为："治无病之病"，而使人不患病者，为"良医"。这些思想，是在长期生活体验中形成的真理。

对于防病，不仅有上述一些思想，而且认为人之患病，多由于阴阳偏颇，正气不足，又不知休养调摄，适时趋避之故。为此，《素问》指出："邪之所凑，其气必虚。""精神内守，病安从来。"对于贼风、毒气，必须"避之有时"，并强调要"法阴阳、和术数"以保养"天真"。顺四气，调精神以摄生延年。这可说是祖国医学中关于固正强身，避邪防病的重要原则。

几千年来，在上述思想指导下，创造出志闲少欲，心安气和的精神修养；导引吐纳，"五禽""太极"的动静锻炼；洁净室寓，通竣沟渠的清洁环境；饭食有节，"秽""馁"勿用的饮食卫生，以及隔离、免疫等极为丰富的预防方法。

惟用药防病多从疫病、温病类着眼。其法在汉前很少文字记载。从晋、唐以后，才见于方书，由《肘后方》《千金方》之二十余方，到《松峰说疫》已辑有69方。其中有的外用、有的内服。外用有"流金散"之室内燃熏、"莹火丸"之门户悬挂、"避瘟方"之井内投放、"熏衣香"之衣服消毒、"粉身散"之固肤防邪、"雄酒"涂鼻、香粉佩带等等消毒除邪，积极防卫之法。

至于口服，古时多以乌头、附子、白术、细辛之辛温扶阳（如神明白散）预防。后世则以大黄、金银花、连翘、绿豆、甘草之清热解毒（如避瘟常服方）为主。前者虽本《内经》固正之旨，但性偏辛热，阳虚之质为宜；后者重在攻邪，身已感邪者有益。若用于内无邪淫，阴阳有偏之体，则不只不能防病，反而戕伐无辜，徒伤胃气，有违经旨。

疫、温之因，为阳热毒邪。《内经》云："阴虚者，阳必凑之。"《医学辑要》云："易热为病者，阴气素虚。"《素问》云："藏于精者，春不病温。"据此，邪着虚处，因发知受，即从病程中出现热盛津伤、毒害营阴之病理，知其素体阴虚是受染的内在根据。研究预防就必须从病变反应之果，求出发病前体质状态之因——阴阳孰偏。依此，阴虚者，予以扶正养阴，使阴平阳秘，精气内固，邪气无从侵入，方可达预防之目的。我对"流行性出血热"预防的研究，就是从这一原理，求出该病发病前体质为阴虚，创制出扶正养阴的预防药片，通过数年2万余人的亲身验证，取得控制传染发病的显著效果，更证实《内经》预防理论的可贵。

养生三字经　｜鲁开基｜

延年寿，学养生，经常法，吐纳功，食与睡，须定时，食勿饱，睡勿思，未吃饭，先喝汤，细嚼咽，益胃肠，大小便，口勿张，紧牙齿，齿无恙，睡之前，盐泡足，摩涌泉，搓肾俞，先睡眼，后睡心，侧曲泉，觉直伸，先醒心，后醒眼，面多擦，发多梳，目常运，耳常鼓，齿常叩，口常闭，津常咽，气常提，心宜静，神宜存，背要暖，腹要摩，胸要护，囊要裹，简言语，沐皮肤，铺宜厚，复宜薄，老少分，有差别，老宜暖，少宜和，贪热炕，气暗泄，不言时，舌舐颚，精气神，勿轻泻，酒性热，勿多饮，燥脾胃，伤精神，烟属火，火尅金，伤肺气，易感菌，淡食益，膏粱损，宜早起，勤练身，子午功，动静均，活血脉，长精神，大汗时，勿脱衣，防外感，预痹疾。春三月，谓发陈，节情欲，防春温，嘘字功，肝藏魂。夏三月，谓蕃莠，阴伏内，防暴饮，呵字功，水平心。秋三月，谓容平，敛神气，防汗涌，呬字功，魄肺中。冬三月，谓闭藏，足宜暖，脑宜凉，保正气，痨瘵防，吹字功，疗肾脏。天地人，有相应，明哲理，寿域登。

妇女理，同于男，惟经期，不一般，月信来，当注意，勿冷饮，勿生气，勿急行，勿劳役，勿冷浴，勿过凉，勿涉水，勿行房，月月防，常警惕，长寿康，病魔离。生产后，更应当，血易亏，须补养，勿闷气，勿吃凉，勿偏食，多喝汤，乳房胀，热敷良。弥月后，体复康，恶不净，莫行房，时时闭，刻刻防，一念差，终身殃，再进言，保童康，勿过暖，勿食凉，勿惊吓，勿说谎，讲卫生，要经常，饮食谱，要适量，初学走，要端庄，切忌跑，易摔伤，稚子期，重培养，识图谱，有益良，须定时，防眼伤，教文明，讲礼貌，革命史，常辅导，勤奋风，很重要，育新苗，责在肩，爱儿童，人人赞，接班人，代代传。

诊余闲谈正俗弊　　｜张金斗｜

内蒙古西部黄河北岸即巴盟地区，俗谓"后大套"，意为黄河之套。此地农田因得黄河水之利而盛产小麦，其民盈富。余曾于后大套为医十数载。其地居民医疗俗弊颇多，这些俗弊每与医理相悖，甚则贻误病情，当正之。

盛夏禁服汤剂

余初至该地，每见盛夏将临之际，求服中药者锐减，有的病人竟自改服西药，初不以为然，但年复如此，余即留心察之。后治一教师之妻患水肿，经月余调理，已十去其八。某日病人急告余："盛暑将至，能否停服中药，或改服西药？"余问其故，其夫答："热天服中药惟恐上火"。余始悟，难怪每夏病人减，病床空，原是惧服中药汤剂上火，恐生他变。余遂曰："谬矣，中药寒、热、温、凉俱备，中医治疗贵在辨证，有是证，用是药，火何来之？难道古人夏季不病乎？不服汤剂危证焉能愈？古时何来西药？"其夫点首称是。遂再服汤剂半月而愈，也未见有上火之候。后余以此理广述之，其弊渐除。

产后必服定坤丹

余每见其地居民若逢家有孕妇，必自备定坤丹数粒，谓其能治产后血晕，有务农者竟称其为定昏丹，而乡间药肆对求购定昏丹者亦照付之。以讹传讹，其害匪浅。余尝治红星乡一产妇，顺产两日，少腹痛甚，急结拒按，恶露不下。细询之，乃产后微见血，偶有头晕体倦，别无不适。家人予服定坤丹半粒，未见动静，稳婆又予 1 粒。至夜半恶露绝，腹痛甚。知其乃产后误补、瘀血作祟，授以桃仁承气汤加味 3 剂，恶露下，腹痛消，调理 1 周而愈。考定坤丹主药为参、地、归、芪、茸，本为虚寒证而设，对产后血脱之晕有效，岂能包治产后百病？误服必致偾事。此俗弊不可不除。

儿科诸患均为风

中医谈风多，而河套居民对儿科诸疾一概统称之为风，诸如"四六风"

（相当于破伤风，下同）、绕脐风（腹痛）、断气风（喘咳、肺炎重证），还有跌地风、撩眉风等，不胜枚举。不论何病均冠以风名，而乡间还有专治风病（儿科）之"挑风先生"，因针刺而治，故谓"挑风"。余每遇患儿家属诊后必问其孩所患何风？初余以中医病名告之，家属疑之。后余为配合治疗亦随口告以为某某风，病家甚喜。久之其民唤吾"治风先生"，余也默认之。噫！千年弊俗，正之不易。

灸疗必用麝香

灸疗能起沉疴，余喜用之。尝遵日人灸疗大师泽田健先生之法，每获奇效。其法为艾柱直接灸，余每施此法病人必问曰：艾柱内有无麝香？余曰：无。病人再问：无麝香焉能愈疾？答曰：到时便知。后悉知此地流窜郎中颇多，均针灸并用，诳称其艾绒内增添麝香，便于获利耳。病家不辨其诈，反深信不疑。然麝香昂贵且不易得，而游医所用之麝均系伪品。麝香最忌火烧，和艾同灸随烟化乌有，与疾何干？

究此弊由民不晓医理，游医巫婆信口雌黄，加之以讹传讹，以致泛滥。现振兴中医之时，应注意普及医学知识，以正其弊。

临证误治辨析　　|周华岑|

农民郑某，年过半百，小溲混浊、间断溺血已有 1 年，加重 1 个月，经某医院诊为"血吸虫病后期乳糜尿"。服用海群生及萆薢分清饮加味，未能奏效。一日，延余诊治。述其尿如洗肉水状，甚或带血丝、血块，但茎中不痛，纳呆困倦，口干潮热，舌质嫩红，苔薄白而润，脉细数；尿常规检查红细胞（＋＋＋）、蛋白（＋），乳糜试验阳性。诊为阴虚火旺，投知柏地黄汤加墨旱莲、女贞子、仙鹤草、白茅根等味。服药 8 剂，脉证如故。余思虑，恐辨证有误，复详问病史，知其素有纳差困倦之症。细察面色萎黄，其舌虽嫩红而体胖，复辨其证，乃属脾胃久伤，脾虚下陷，气不摄血之故，改拟益气升清、健脾统血之法，予补中益气汤加茜草、山药、小蓟、益智。水煎服，每天 1 剂。服药 4 剂，潮热消退，饮食有增，精神好转，小溲转清。原方又服 4 剂，诸症悉退，尿常规检查已正常，乳糜尿试验转阴。改服补中益气丸巩固疗效，随访 2 年未复发。

该例初诊时泥于常理，治以常法，辨证粗疏，药不中病。复诊时详问细辨，脉证合参，去伪存真，终悟真理，改投治本之法，竟收意外之良效。今书于同道，以汲取教训，垂示后学。

医室铭（仿陋室铭） 高文庆

医不在诩，有德则名。药不在贵，有效则灵。斯是医室，惟我德馨。开门疗疾苦，闭户养精神，谈笑学岐黄，往来访"杏林"。可以论伤寒，讲内经，无诽谤同道，勿怨天尤人；欲济困以扶危，须艺高而技精。世有不治之病，愿无夭枉之人。心存济世，不为利名，纵为沉疴不起，尽吾术之可能。医室虽小，何陋之有!?

口眼㖞斜医护略谈 李 鲤

口眼㖞斜是临床常见的一种疾病，属中医中风之轻症。

对于口眼㖞斜的辨证论治，首应分清寒热。一般耳后翳风穴处有疼痛感者为热证，可用四物汤加秦艽、黄芩、金银花、板蓝根等治之；翳风穴附近没有疼痛者多属寒证，可用补阳还五汤加防风、秦艽治疗。不论寒热均可用牵正散（每次用10g，每天3次，黄酒送服）。

外治可用皂角面与食醋调成糊状，微火熬至棕黄色，摊于白棉布上外贴患侧，每天一换，若局部起疱者，待疱下去后再贴。夏季用黄鳝血外敷效果亦佳。

针灸治疗效果显著，但应细心操作，掌握好补泻手法。电针在前3个月内最好不用。日久不愈，宜对镜按摩或用活血祛风之药水煎熏洗患处。

护理上的要点是禁止患者多说话，实践经验证明，凡认真治疗又尽量少说话者，多在21天左右痊愈，而治疗措施虽然周到，但说话多者，终难完全恢复。

中西医结合临床研究浅谈 尚德俊

中西医结合临床实践和取得的显著成就，证明中西医结合方针是完全正确的。要搞好中西医结合临床研究，首先要正确对待中医，西医两种医学。中西医结合要取长补短，互相补充，我根据临床外科实践，确定中西医结合临床研究的原则是：

（1）以现代医学的检查诊断方法，作出明确的西医诊断，并判断病理变化的类型。

（2）充分发挥中医辨证论治、传统疗法的特长。

（3）并不排斥西医的有效疗法和手术处理措施。

这是将中医、西医的诊断和治疗结合起来，互相取长补短，以明确疾病的发病原因、部位和性质，了解疾病的全部发病过程，既有整体观念、动态观念，又不忽视局部变化，充实了诊断的完整性和治疗的全面性。

中医学对疾病的认识和治疗，主要是"证"。"证"是对病人机体内在变化所呈现的各种临床表现的概括。中西医结合治疗血栓闭塞性脉管炎，要求明确西医诊断之后，再按中医辨证论治治疗，仅在疾病的某个阶段使用西医疗法，这样便于总结中医辨证论治规律和中西医结合治疗经验。在一般情况下，应单纯使用中医疗法，便于总结中医疗效，探讨中医治疗规律。开展必要的外科手术，是为了更好地使用中医疗法，开拓新的中西医结合治疗研究领域。

我从治疗脉管炎一病入手，以病串证，总结中医辨证论治分为 5 型治疗。某些人患病后，出现肢体血液循环障碍，这个"病"是其共性，但中医辨证有阴寒型脉管炎、血瘀型脉管炎等，而治疗法则和方药也就有区别，这个不同的"证"是其个性。中西医结合治疗时，既要重视改善肢体血液循环障碍这个"病"的共性，又要注意解决"证"的个性。

此后，我在临床实践中发现，血栓性静脉炎、下肢深静脉血栓形成、闭塞性动脉粥样硬化、雷诺病和大动脉炎等周围血管疾病，虽然其发病原因和病理变化有所不同，但在其发病过程中，都可出现血瘀证的共性，表现为瘀血、缺血、血栓形成、瘀斑、肿胀、血管狭窄或闭塞等，引起肢体血液循环障碍，甚至出现溃疡或坏疽。这些不同的周围血管疾病出现的血瘀共性，都可应用中医活血化瘀疗法，以祛除瘀血，流通血脉，改善肢体血液循环，使疾病好转和治愈。这是以证带病，从治疗脉管炎一个病，发展到治疗周围血管疾病。

中西医结合临床研究，可以从治疗西医的一个病发展到治疗一个系统的疾病。无论从西医的病入手，以病串证；或者从中医的证入手，以证带病；都可以作为中西医结合临床研究的重要途径。

黄河流域之古代名医

——扁鹊　　｜李茂如｜

据秦汉以前诸家著述记载，在祖国北部广达百万平方公里的黄河流域土地上，大量流传有古代名医扁鹊治病的事迹。聊举数端，以见梗概：

《列子汤问篇》载："鲁公扈、赵齐婴二人有疾，同请扁鹊求治，扁鹊治既，同愈。……"

《鹖冠子》载："扁鹊兄弟三人并善医，魏文侯问曰：子昆弟三人孰最善？对曰：长兄视色，故名不出家；仲兄视毫毛，故名不出门；鹊针人血脉，投人毒药，故名闻诸侯。"

陆贾《新语》称："昔扁鹊居宋，得罪于宋君，出亡之卫。卫人有病将死者，扁鹊至其家欲为治之，病者之父谓扁鹊曰：吾子病甚笃，将为迎良医治，非子所能治也，退而不用。乃使灵巫求福请命，对扁鹊而咒，病者猝死，灵巫不能治也。夫扁鹊天下之良医，而不能与灵巫争，用者知与不知也。故事求远而失近，广藏而狭弃，斯之谓也。"

司马迁《史纪·扁鹊仓公列传》称：扁鹊姓秦名越人，勃海郡郑（今河北省任丘县北）人，受长桑君之术，特以诊脉为名。尝诊赵简子疾，受赐田四万亩；其后扁鹊过虢，起虢太子之尸厥，故天下尽以扁鹊能生死人；又过齐，数望桓侯之色，知病之由浅入深而至不治；过邯郸，闻贵妇人，即为带下医；过雒阳，闻周人爱老人，即为耳目痹医；来入咸阳，闻秦人爱小儿，即为小儿医；后为秦太医令李醯所害。

然考究如上扁鹊事迹之发生年代，前后相距数百年，所涉地区遍及黄河中下游，显非一代一人之事。《史记》所述，不过掇拾扁鹊旧闻，缀为一篇而已。且据唐人张守节《史记正义》引《黄帝八十一难序》云："秦越人与轩辕时扁鹊相类，仍号之为扁鹊。"清人曹禾《医学读书志》又称："越人慕古扁鹊之学，因号扁鹊。"现代赵璞珊先生《中国古代医学》亦历举传述，论证"扁鹊"之名其来已久，当属古代良医之统称。是扁鹊之称固作专指秦越人一人之名也。再考日本白河天皇时代（当中国宋代神宗朝）名医丹波雅忠，有"日本扁鹊"之称号，亦同此义。是知远在春秋、战国之际，数百年间，黄河两岸，代有名医济世，扁鹊事迹遂因之盛传而多彩。此先辈光辉，所宜引为医林之佳活，借资激励后人，而有以自勉者焉。

至于今世所存扁鹊古迹，仅以个人耳闻，遍及黄河流域各省。如河北之任丘，山西之平定、运城，山东之济南，河南之汤阴、开封，陕西之咸阳等地均有传说。顾以事涉文物专题，未易遍访，或有失真遗漏之讹，惟希海内识者予以补正。

平定鹊山扁鹊庙古迹 　　|李茂如|

山西平定位于太行山脉中部。全境千山丛落，百川灌注，土厚民勤，文风炳蔚。

史传春秋后期，赵简子据晋阳，曾镇兵于此，今县北 25 里有"平潭城"，乃赵简子古城遗迹，阳泉市内有"简子沟"，传为简子屯兵之所。《史记·赵世家》称：晋定公 11 年（公元前 501 年）简子有疾，五日不知人，召医者扁鹊视之，对曰："不出三日疾必间……"。后果如言，简子赐扁鹊田四万亩。据《山西通志》《晋乘蒐略》诸书略称，平定州西北五里鹊山下有平地泉，名"灵应池"，池上有"灵应王扁鹊墓"、池旁有"灵应王祠"，并称昔赵简子赐扁鹊田四万亩即此，是此地固为扁鹊当年之领地也。

客冬赴平定讲学之余，有机会亲往鹊山访问，出西关北行 2 里许，循山路而下至鹊山，迎面低峰挺秀，浅谷铺径，北望长岭拱围如垣，村舍栉比一派旺气，其西向山麓有古庙，倚坡成局，层次依稀可辨，俗称扁鹊药王庙，诣之，则见殿宇荒芜破落，神器荡然，蒿莱狼藉，禾稼满院，原有明代嘉靖碑记残段，现已砌入墙内，庙分前殿后殿，山门外有戏台，台后有泉井，俗称八角灵应池，现因附近开掘煤窑，泉竭井枯，总因年久失修所致，兴废固在时焉。

按扁鹊既受赐田于此，自必居守是地以应不时之征召，遂因其田庐以至陵墓，祀祠之所在，而得"鹊山"之名，此固事理之常，若然，则鹊山之名由来久矣，据平定民间传说，"先有鹊山，后有州城"，其亦推重鹊山古迹之见证也。

至于扁鹊祠庙之修建，仅据现存文献所称"灵应池""灵应王"诸名称，显属北宋仁宗朝之事。《宋史·许希传》载，景祐元年（公元 1034 年）仁宗不豫，召许希针之得愈，命为翰林医官，赐赉信厚，希谢恩已，又西向拜，帝问故，对曰：扁鹊臣师也，今者非臣之功，殆臣师所赐，安敢忘师乎。乃请兴扁鹊庙，帝为筑庙城西隅、封灵应侯。其后庙益完，学医者归趋之，更立太医局于其旁云云。此固帝都开封之医学盛事，而平定向有鹊山扁鹊祠庙之古迹，当其时也，势必应其风尚大兴修建之事。即以"灵应"之封号，亦足为北宋建庙之确证也。

犹有可资旁证者，金代文豪元好问（1190～1257年，字裕之，号遗山，秀容人，天兴中官至尚书省左司员外郎，金亡不仕）尝流寓平定作"鹊山"诗，有"古柳轮困数十围，鹊山祠庙此遗基"之句，好问上距北宋仁宗之际约200年，悠悠岁月，风雨时加，鹊山景色固宜成为古柳独荣，庙宇陵夷之状。设非前代建有此庙，其何"遗基"云哉。

再据明代嘉靖36年（公元1557年）《重修鹊山庙石记》有云："鹊山庙世传为扁鹊神，未审建自何代"，赞词则曰："千年庙前水，犹学上池绿"，又有"庙食兹土由来最古"等语（见《平定州志·艺文上》），衡其撰文时代，味其词意，此庙之始建固当远在北宋之前。我国建庙之风，最盛于六朝，其或始于六朝欤，抑或更远自扁鹊之世欤，有待续为考溯，即以现有资料推之，最迟不得晚于北宋，然亦拥有九百余年之悠久历史，其为珍贵文化古迹，自不待言。

据文献记载，此庙自嘉靖之初，有孟姓者世为守护，公元1553年，曾被灾，公元1557年，再度重修，规模益完，其后于清代乾隆2年、嘉庆19年、道光11年、光绪5年，屡经郡人修缮。距今又历一百余年未能修缮，宜其陵替若此。

方今国家大兴精神文明建设，对于平定鹊山祠庙古迹，亟应进行维护整修，藉为祖国山河壮色，为祖国文化增光，其于弘扬祖国医学遗产，意义尤为深巨。

扁鹊真的不需诊脉吗　　│刘玉书│

司马迁在《史记，扁鹊仓公列传》（简称《扁鹊传》）中以朴素精炼而又生动形象的笔触，通过对赵简子、虢太子和齐桓侯3个病例的叙述，高度地评价了扁鹊的医学成就，但1982年《全国医古文函授教材》（简称《教材》）[注]在对《扁鹊传》注释的字里行间却否定了扁鹊在诊脉上的贡献。这里仅就《扁鹊传》中有关"以诊脉为名"与"不待切脉……"的语译问题，谈点个人不成熟的见解。

《扁鹊传》篇首讲了扁鹊"……视病，尽见五脏癥结"之后，接着又说："特以诊脉为名耳。"《教材》将"特以诊脉为名耳"语译成"只是拿诊脉作为名义罢了。"我以为这样的语译是不妥当的。

"特以诊脉为名耳"中的"为"字，可译成与其相应的"有"字，因

"为"与"有"在古汉语里可以互训。如《孟子·滕文公》上："夫滕壤地褊小，将为君子焉，将为愚人焉。"赵岐注云："为，有也。是说滕国的地域狭小，却也得有贤能的人，也得有愚下的人"。《孟子·滕文公》上讲的"夷子怃然，为闲曰：'命之矣。'"朱熹《集解》云："为闲者，有倾之闲也。"《孟子·尽心》下："为闲不用，则茅塞之矣。"和《晏子春秋》外篇："孔子之不逮舜为闲矣。"这两段引文中的"为闲"，也都可训为"有闲"，相当于现代汉语的"不久""一会儿"的意思。

既然"为"字，可以训作"有"字，那么"特以诊脉为名耳"，也就可以语译成"特别是在诊脉上有名望啊！"我以为这样语译是符合太史公赞扬扁鹊之意的。

《扁鹊传》记载："虢太子死"，扁鹊说："臣能生之"。当中庶子表示不相信扁鹊具有"起死回生"的本领时，扁鹊又说："越人之为方也，不待切脉、望色、听声、写形，言病之所在。"这段话历代注释家大都肯定扁鹊"待切脉而知病"的。但《教材》却译成"我秦越人的治病方法，不需等到给病人按脉，观察病人面部的颜色，神情，听病人的声音以及审查病人的形态，就能够说出疾病的所在部位。"这简直无异于"巫神"了。

我以为"不待切脉……"，不应当语译成"不需等到给病人按脉……"，因为"不待"的"待"字在古汉语里往往与"时"互训。如《周易·归妹》："有待而行之"，《经典释文》："一本待作时"。并且"时"也作"待"，如《周易·归妹》"迟归有时"，《说文通训定声》："时，假借为待。《易·归妹》：'迟归有时'，象传正作有待。"王弼注云："迟归以待时也。"尚见有些字书中也明确的指出："待通时"。

既然"待"可训作"时"，那么"不待"一词，除开可以语译成"用不着"之外，还可以语译为"不时"或者"时时"之意。所以"不待切脉……"应当语译成"不时地给病人按脉……"。

所以，太史公在《史记》中对扁鹊医术是称颂的，尤其突出他的脉学，说道："至今天下言脉者，由扁鹊也。"

注：中华全国中医学会医古文研究会主编，《全国医古文函授教材》第一分册42页，1982年。

"麻风"一词的渊源 | 赵石麟 |

我国是世界上很早就认识麻风病的国家之一。此一慢性传染病，尤其是其中的"瘤型"，由于可致毁容和肢体残废，古人曾称其为恶疾之首。在中医古籍中，本病曾经有过"厉"或"疠""大风"或"恶疾大风""癞"或"风癞""天刑"等名称。"麻风"一名，岳美中先生认为乃张景岳开始标出称"大麻风"。一般文献亦多持此说。《景岳全书》卷三十四"疠风"一节云："疠风即大风也，又谓之癞风，俗又名为'大麻风'"。但据笔者查阅文献，早于《景岳全书》600多年的宋·王怀隐等编撰之《太平圣惠方》一书，就已有"麻风"一名，该书卷二十四"治大风癞诸方"一节中，第2首药方的主治病症名称就有"顽麻风"一词。此后，早于《景岳全书》七十余年，明代医家沈之问所撰《解围元薮》一书云："风入营卫，关节壅闭，气血不舒，皮肉不仁，肤腠浮肿虚胀，自觉如坚厚之状，痛痒不知，故曰大麻风"。沈氏此书是祖国医学历史上第一部麻风专著，详细论述了麻风病的症状表现和病机理论，对中医麻风病学作出了贡献。综上所述，笔者认为"麻风"一词最早见于《太平圣惠方》；而既有名称又论述症状表现和发病机制者乃沈之问而非张景岳也。

世界上最早的医科学校

——唐朝"太医署" | 段振离 |

据历史记载，欧洲最早的医科学校是意大利的萨勒诺医科学校，建立于9世纪。然而，比它早200多年，在我国唐朝即有了培养医生的学校，当时叫太医署。

唐朝是我国封建社会的鼎盛时期，特别是经过"贞观之治"，唐帝国疆域辽阔，社会安定，经济繁荣，科学文化教育也得到了相当迅速的发展。

公元624年，在首都长安建立了正式的医学校——太医署，分医学和药学2个部，工作人员则分为行政、教学、医疗和药工，可以说是现今中医学院的雏型，同时又是一座宫廷医院。

当时太医署设医学部和药学部。有专业分科，在医学部设立有4个科，药学部有1个科，共5个科。医学部的4个科是医科、针科、按摩科和咒禁科。其中医科是最大的科，有教职员工124人，包括医博士和医助教各1人，医师20人，医工100人，典药2人，负责培养40名医学生。学生经严格的入学考试进入太医署，由医博士和医助教讲授各门课程。先学习基础课，如《素问》《脉经》《甲乙经》等，然后再分专业学习。专业有体疗（即内科）、疮肿（外科）、少小（儿科）、耳目口齿（五官科）和角法（拔火罐疗法）等。学制以体疗最长，为 7 年；疮肿、少小各 5 年；耳目口齿 4 年，角法 3 年。

针科的学习科目除了中医基础理论外，还要重点学习经脉，孔穴、九针的各种手法等。针科学生有 20 人。按摩科的专业课有导引、按摩、正骨等技术，有学生 15 人。咒禁科每届培养 10 名学生，某些课程带有迷信色彩，但其中的气功和心理疗法至今仍有重要学术价值。

药学部是培养药剂师的地方，附设一处药园，占良田 300 亩，栽种着各种中草药，是学生的实验场地，供他们学习栽培、采集、鉴别等技术；同时每年又收获大量药物供太医院使用。药学部每届学生 8 人，学习科目有《神农本草经》《名医别录》等，《新修本草》颁行后，则是必修课之一。

太医署有严格的考试制度，除了入学考试和毕业考试外，每月，每季、每年都有考试。学校视其成绩的优劣，进行赏罚。"若业术过于现任官者，即听补替。其在学九年无成者，退从本色"（《唐六典》卷十四）。即对优才生进行提拔重用，安排工作，对劣等学生则不予毕业，不能行医。这种保证质量、严格把关、量才施用的做法至今仍有现实意义。

太医署是当时世界上最先进的医科学校，它的影响遍及朝鲜、日本等国。如日本的"大宝律令"规定，他们的医学制度、医学教育、医官设置等完全采取唐制。还规定《素问》《甲乙经》《明堂脉诀》等为医学生的必修课。

早在 1300 多年以前，我国就有如此先进的医科学校和医学教育，这确是我们中华民族的骄傲。